Bürgerlich-oppositionelle Literaten und sozialdemokratische Arbeiterbewegung nach 1890

HERBERT SCHERER

Bürgerlich-oppositionelle Literaten und sozialdemokratische Arbeiterbewegung nach 1890

Die ›Friedrichshagener‹ und ihr Einfluß auf die
sozialdemokratische Kulturpolitik

MCMLXXIV
J. B. METZLERSCHE VERLAGSBUCHHANDLUNG
STUTTGART

Die Abbildung des Umschlags entnahmen wir dem Buch von Siegfried Nestriepke:
Geschichte der Volksbühne
Berlin, Erster Teil. 1890–1914, Berlin 1930

D 188

ISBN 3 476 00279 9

© J. B. Metzlersche Verlagsbuchhandlung und Carl Ernst Poeschel Verlag GmbH
in Stuttgart 1974
Satz und Druck: Gulde-Druck, Tübingen
Printed in Germany

INHALT

1. Der allgemeine Rahmen der kulturpolitischen Auseinandersetzungen in den neunziger Jahren: die Arbeiterbildungsbewegung   1

1.1. Die sozialdemokratische Arbeiterbildung von Liebknechts Rede ›Wissen ist Macht, Macht ist Wissen‹ (1872) bis 1890   1

1.2. Die bildungspolitische Szenerie der neunziger Jahre   9

2. Die ›Friedrichshagener‹   19

2.1. Der ›Friedrichshagener Typus‹   19

2.2. Literarische Selbstaussagen der ›Friedrichshagener‹   29

Exkurs: Die öffentliche Diskussion des Begriffs ›geistiges Proletariat‹ in den Jahren 1890/91   33

2.3. Politisches Auftreten in der Realgeschichte – die Fraktion der ›Jungen‹   53

2.4. Die theoretische Wendung zum Anarchismus   64

3. Die Volksbühne als kulturpolitisches Instrument der ›Friedrichshagener‹ und sozialdemokratische Gegenstrategien gegen deren Einflußnahme auf die Arbeiterbewegung   79

3.1. Die ›Freie Volksbühne‹ unter der Leitung Bruno Willes bis zur Spaltung der Volksbühnenbewegung (1890–1892)   79

Exkurs: Hauptmanns *Vor Sonnenaufgang* vor der ›Freien Volksbühne‹   96

Exkurs: Ibsens *Volksfeind* vor der ›Freien Volksbühne‹   99

3.2. Franz Mehring als Hauptgegenspieler der ›Friedrichshagener‹ und seine Leitungstätigkeit in der ›Freien Volksbühne‹ (1892–1895)   105

3.3. Das Verhältnis der Sozialdemokratischen Partei zur Volksbühnenbewegung   127

3.4. Die ›Neue Freie Volksbühne‹ als Theaterorganisation der ›Friedrichshagener‹ (1892–1896)   133

4. Die Naturalismusdebatte des Gothaer Parteitages von 1896 und ihre Bedeutung für das Verhältnis der Sozialdemokratischen Partei zu den ›Friedrichshagenern‹   139

4.1. Grundzüge der Naturalismusdiskussion   139

4.2. Die Konzeption Edgar Steigers   142

4.3. Hans Lands Roman *Der Neue Gott*   153

4.4. Wilhelm Hegelers Roman *Mutter Bertha*   165

4.5. Die Funktion der Parteitagsdebatte und ihrer Rezeption für das Verhältnis der Sozialdemokratie zu den ›Friedrichshagenern‹ 182

5. Die Volksbühnenbewegung und der Revisionismus (1897–1902) . . . 195
5.1. Die Wiedergründung der ›Freien Volksbühne‹ 1897 196
5.2. Die Revisionisten in der ›Freien Volksbühne‹ und ihr Verhältnis zu den
›Friedrichshagenern‹ 200

6. Ausblick und Fazit 211

Anmerkungen 219

Literaturverzeichnis 261

Personenregister 268

1. Der allgemeine Rahmen
der kulturpolitischen Auseinandersetzungen in den neunziger Jahren:
Die Arbeiterbildungsbewegung

1.1. Die sozialdemokratische Arbeiterbildung von Liebknechts Rede ›Wissen ist Macht, Macht ist Wissen‹ (1872) bis 1890

Wilhelm Liebknecht hält seine Rede ›Wissen ist Macht, Macht ist Wissen‹ 1872 zum Abschluß einer ganzen Epoche der Arbeiterbildungsbewegung. Die Rede soll den Arbeiterbildungsvereinen grundlegend neue Ziele setzen, nachdem sie ihre alten Ziele entweder als irrelevant durchschaut und beiseite geschoben oder erreicht haben.

In der ersten Epoche der Arbeiterbildungsbewegung (von den vierziger Jahren bis 1869/71) haben die Arbeiterbildungsvereine eine Vielzahl z. T. widersprüchlicher Funktionen gehabt, wobei die Schwerpunkte verschiedentlich wechselten:

- die Arbeiterbildungsvereine sind wegen der strengen Vereinsgesetze, die gewerkschaftliche Organisationen verunmöglichen [1], nahezu die einzige Form [2], in der sich Arbeiter überhaupt organisieren können. Deswegen fungieren die Bildungsvereine u. a. auch als ersatzpolitische oder -gewerkschaftliche Vereinigungen, in denen die Arbeiter ihre Klasseninteressen zu artikulieren beginnen;
- die meisten Arbeiterbildungsvereine sind von liberalen bürgerlichen Politikern, wie z. B. Schulze-Delitzsch und Roßmäßler, gegründet worden. Das Bürgertum, das in Deutschland keine politische Macht hat und insofern politisch oppositionell eingestellt ist, will sich in den Arbeiterbildungsvereinen Bündnispartner für seine politischen Ziele organisieren [3];
- in den Arbeiterbildungsvereinen wird, da die Volksschulbildung mit dem beginnenden Industrialisierungsprozeß nicht Schritt hält, Allgemeinbildung nachgeholt und die berufliche Weiterbildung gefördert. Das liegt im Interesse der bürgerlichen Klasse, weil sie qualifizierte Arbeiter für den Produktionsprozeß benötigt [4];
- die Arbeiter in den Arbeiterbildungsvereinen streben selber nach allgemeiner Bildung, weil sie hoffen, ihre Interessen besser artikulieren zu können, wenn sie erst einen tieferen Einblick in die gesellschaftlichen Zusammenhänge gewonnen hätten, der ihnen auf der Volksschule versagt geblieben ist. Diese Arbeiter haben als Ziel die bessere Vertretung der Arbeiterinteressen;
- ein großer Teil der Arbeiter in den Arbeiterbildungsvereinen hat auch Interesse an der beruflichen Weiterbildung, weil er sich bessere Chancen auf dem Arbeitsmarkt ausrechnet, wenn er sich bestimmte Fähigkeiten aneignet. Diese Arbeiter wollen sich durch ihren Bildungsprozeß von ihren Arbeiterkollegen abheben und sich mit einer Besserung ihrer individuellen Lage begnügen;

– die bürgerlichen ›Volksbildner‹ sind sich der Tatsache bewußt, daß objektive Interessendifferenzen zwischen der Arbeiterklasse und dem Bürgertum bestehen. Sie sind deswegen bemüht, die ›Bildungsprozesse‹ so zu beschränken, daß diese Einsicht in den Bildungsvereinen möglichst nicht gewonnen werden kann. Zum einen versuchen sie zu diesem Zweck, die Führungsrolle der ›gebildeten‹ Bürgerlichen gegenüber den ›ungebildeten‹ Arbeitern ideologisch abzusichern [5], so als gäbe es im Grunde nur gemeinsame Interessen und als seien die Bürgerlichen nur besser in der Lage, sie zu erkennen und durchzusetzen; zum anderen fördern sie die Absichten derjenigen Arbeiter in den Bildungsvereinen, die die Bildungsarbeit nur auf das Ziel des je individuellen Aufstiegs in den gegebenen ökonomischen Verhältnissen ausrichten wollen.

In den sechziger Jahren gibt es in den und um die Arbeiterbildungsvereine heftige Auseinandersetzungen. Hauptsächlich wird der Widerspruch zwischen den über die engere Perspektive der Arbeiterbildungsvereine hinausreichenden Klasseninteressen der Arbeiter und der liberalen ›Volksbildner‹ ausgetragen. Bürgerliche politische und Bildungsbewegung auf der einen und Arbeiterbewegung auf der anderen Seite, die vorher eine widersprüchliche Einheit gebildet haben, fallen auseinander.

Die erste markante Station auf diesem Wege ist die 1863 vorgenommene Gründung des ›Allgemeinen Deutschen Arbeitervereins‹ unter der Führung von Ferdinand Lassalle. Im ›Allgemeinen Deutschen Arbeiterverein‹ schließt sich ein kleinerer Teil der bisherigen Arbeiterbildungsvereine mit der Absicht zusammen, fortan als selbständige Partei politisch aufzutreten. [6] Das ist gleichermaßen eine Absage an das Zusammengehen mit oppositionellen bürgerlichen Kräften wie an das bisherige Schwergewicht der Bildungsarbeit in den Arbeitervereinen.

Der größere Teil der Arbeiterbildungsvereine beharrt zu diesem Zeitpunkt noch weitgehend auf den alten Zielsetzungen und dem alten Selbstverständnis. In den folgenden Jahren kommt es hier jedoch zu einem ähnlichen Politisierungsprozeß, wie er 1863 zur Abspaltung des ›Allgemeinen Deutschen Arbeitervereins‹ geführt hat. 1869 treten fast alle Arbeitervereine, die 1863 am alten Konzept der Arbeiterbildung festgehalten haben, zusammen mit ihrer Dachorganisation, dem ›Verband der Deutschen Arbeitervereine‹, in die neugegründete ›Sozialdemokratische Arbeiterpartei‹ ein. [7]

Für die bürgerlichen ›Volksbildner‹ ist es eine schmerzliche Erfahrung, daß fast alle Arbeiter, die sie in ihren Einflußbereich einbeziehen wollten, zur proletarischen politischen Bewegung übergegangen sind. Sie ziehen daraus die Konsequenz, fortan die Arbeiterbildung streng auf die Funktion zu beschränken, die berufliche Bildung zu fördern. Alle politischen Fragen sollen aus den Arbeiterbildungsvereinen verbannt werden, weil man erkennt, daß alle Versuche, es mit einer ›halben Politisierung‹ bewenden zu lassen, scheitern müssen. Dazu kommt noch ein zweiter Grund: die bürgerliche Klasse im ganzen orientiert sich seit der Reichsgründung 1871 nicht mehr auf die Arbeiter als mögliche Bündnispartner, sondern auf die Feudalklasse. In der Reichsgründung ist die nationale Einheit, eines der politischen Hauptziele des Bürgertums, erreicht worden. Dem ökonomischen Interesse nach einem nicht durch Zollschranken zersplitterten Wirtschaftsraum ist damit Genüge getan, und für die weitere ökonomische Aufwärtsentwicklung scheinen die Chancen gut zu sein. In dieser Situation wird für die bürgerliche Klasse die politische Macht, nach der sie bisher mit der Forderung nach einer republikanischen Verfassung gestrebt hat, ein zweitrangiges Problem. Es scheint dem Bürgertum möglich, seine unmittelbar ökonomischen Klasseninteressen ohne eigene politische Macht durchzusetzen, da man durch Wohlverhalten die Feudalklasse in ausreichendem Maße zu Zugeständnissen meint bewegen zu können. An den Arbeiterbildungsvereinen besteht unter diesen Voraussetzungen ebenfalls nur noch ein ökonomisches Interesse: es sollen keine politischen Hilfstruppen mehr mobilisiert, sondern nur noch Arbeitskräfte auf ihre Rolle im Produktionsprozeß besser vorbereitet werden.

Die bürgerlichen ›Volksbildner‹ propagieren in der 1871 gegründeten ›Gesellschaft zur Verbreitung von Volksbildung‹ eine politisch neutrale Bildungsarbeit. [8]

Liebknecht hält es für falsch, ihnen in diesem Verständnis von Arbeiterbildung indirekt zu folgen, wie es die tun, die, wie die Lassalleaner, dahin tendieren, die Bildungsarbeit wegen ihrer angeblichen politischen Irrelevanz abzulehnen. Liebknecht sieht die richtige Alternative zur bürgerlichen ›neutralen‹ Volksbildung in einer den politischen Zielsetzungen der Arbeiterbewegung untergeordneten politisierten Bildungsarbeit. Er will den alten Arbeiterbildungsvereinen deshalb nach der Gründung der politischen Arbeiterpartei neue Aufgaben zuweisen. Das ist die Absicht, die hinter seiner Rede ›Wissen ist Macht, Macht ist Wissen‹ steht.

Die Formel »Wissen ist Macht, Macht ist Wissen« ist eine polemische Wendung der Parole »Wissen ist Macht! Bildung macht frei«, die die bürgerliche Bildungsbewegung auf ihre Fahnen geschrieben hat. [9] Gegen die Vorstellung, man könne sich durch die Aneignung von Wissen und Bildung in den bestehenden Verhältnissen zufriedenstellend einrichten, meint diese Umkehrung Liebknechts nicht nur, daß die Bildungsbewegung die politische Bewegung nicht ersetzen könne, sondern sogar, daß eine Änderung der Machtverhältnisse notwendige Voraussetzung dafür sei, daß es überhaupt zu einer wirklichen Bildung der breiten Massen kommen könne: »So lange der heutige Staat und die heutige Gesellschaft bestehen, keine Cultur, keine Bildung, keine Volkserziehung!« [10] »Der heutige Staat und die heutige Gesellschaft, die wir bekämpfen, sind Feinde der Bildung; so lange sie bestehen, werden sie verhindern, daß das Wissen Gemeingut wird. Wer da will, daß das Wissen Allen gleichmäßig zu Theil werde, muß daher auf die Umgestaltung des Staats und der Gesellschaft hinwirken.« [11]

Die Arbeit, die in den Bildungsvereinen geleistet wird, kann nach Liebknechts Meinung eine Umwälzung des Volksbildungswesens nicht erreichen; sie ist nur ein Tropfen auf den heißen Stein: »Der Staat in seiner Volksschule dressirt Hunderttausende, Millionen von Kindern. Die Privatbildungsanstalten für das Volk vermögen beim besten Willen nur einem verschwindend kleinen Prozentsatz der in der Volksschule Dressirten eine höhere, wirklich humane Ausbildung zu geben.« [12] Einer Veränderung der Verhältnisse in den staatlichen Volksschulen – und Liebknecht meint: »die Volksbildung, die Volksschule ist Sache des gesammten Volkes, des Staats« [13] – muß notwendigerweise eine Veränderung in den staatlichen Machtverhältnissen vorausgehen, darauf haben sich die hauptsächlichen Aktivitäten zu richten: »Volksbildung, wenn das Wort nicht ein leerer Schall, eine Lüge sein soll, bedeutet und bedingt die Umgestaltung von Grund aus der heutigen Staats- und Gesellschaftszustände«; [14] um dieses Ziel zu erreichen, gelte es, zum Mittel der ›politischen‹, der sozialen Agitation‹ [15] zu greifen. Die unpolitischen privaten Volksbildungsbestrebungen hält Liebknecht nicht nur für aussichtslos, sondern auch für gefährlich, weil durch sie »die reformatorische Thätigkeit in falsche Bahnen gelenkt, und folglich von dem wirklichen Ziel abgelenkt« werde. [16] Der Bourgeoisie spricht er im übrigen gänzlich das Recht ab, sich ihrer volksbildnerischen Tätigkeit zu rühmen, indem er ihrer gesamtgesellschaftlichen Praxis das bürgerliche Bildungsideal von der vollausgebildeten, harmonischen und vornehmen Persönlichkeit vorhält: »von Bildung wagt die Bourgeoisie zu reden, sie, die sich nicht damit begnügt, dem Arbeiter, ihrem Lohnsklaven, das Mark auszusaugen, die ihm auch den Geist, die Seele aussaugt« [17] – »Die Bourgeoismoral und die Bourgeoispraxis weichen nicht weiter von einander ab als die Bildung, welche die Bourgeoisie thatsächlich verbreitet, von der Bildung, welche sie in der Phrase für ihr Ideal ausgibt.« [18]

Die für eine sozialdemokratische Bildungs- und Kulturpolitik folgenschwerste Feststellung trifft Liebknecht aber, wenn er die Vorstellung, daß Wissen und Bildung Werte an sich seien, destruiert – zur Beurteilung des deutschen Schulsystems sei z. B. nicht bloß zu prüfen, wieviel den Kindern beigebracht werde, sondern auch und vor allem, »in welcher Richtung« es »durchgeführt« werde, »nach welchem Ziel hin«. [19] So gebe es auch »geistige Nahrung«, die nicht frei mache, sondern »Opium für den Verstand« sei, die Unterhaltungsblätter und Kolportageromane z. B., die als hauptsächliche Lektüre für das Volk verbreitet würden. [20] Mit einem Beispiel deutet Liebknecht auch den Zusammenhang zwischen der Ausbildung, dem Produktionsprozeß und den Produktionsverhältnissen an: »Da ein ›intelligenter‹ Bedienter und Sklave brauchbarer ist als ein unintelligenter – schon die Römer legten auf Sklaven, die etwas gelernt hatten, einen besonderen Werth und zahlten entsprechende Preise für sie – sorgt der moderne Staat für eine gewisse Intelligenz, nämlich für Bedienten-Intelligenz, die das Werkzeug verfeinert und vervollkommnet, so daß sich besser mit ihm ›arbeiten‹ läßt. So wird die Schule zur Dressuranstalt statt zur Bildungsanstalt.« [21] In der Klassengesellschaft ist Bildung, nach Liebknecht, die Einpassung in die Rollen, die für Individuen oder Klassen im wirtschaftlichen und staatlichen Leben vorgesehen sind. Die »herrschende Klasse« werde deshalb immer versuchen, den Beherrschten die »Bildung, welche frei macht« abzuschneiden, weil sie die Absicht verfolge, »sich stark und den Beherrschten schwach« zu machen. Daraus ergebe sich schon für jemanden, der nichts weiter wolle als die »allgemeine Bildung«, daß er »deshalb gegen jede Herrschaft ankämpfen« müsse. [22]

Indem Liebknecht die Bildungsbemühungen als ein Überbauphänomen behandelt, gelingt es ihm, eine Reihe von ideologischen Verdrehungen, die in der Bildungsbewegung aufgetaucht sind, in ihrer Stoßrichtung umzukehren und damit die Energien auf die Beseitigung der ursächlichen und nicht der abgeleiteten Mißstände zu richten: »›Wie die Schule so der Staat‹, lautet ein ideologisches Sprichwort. ›Wie der Staat so die Schule‹, lautet die real-politische Ueber- und Umsetzung. Die Schule ist das mächtigste Mittel der Befreiung, und die Schule ist das mächtigste Mittel der Knechtung – je nach der Natur und dem Zweck des Staats. Im freien Staat ein Mittel der Befreiung, ist die Schule im unfreien Staat ein Mittel der Knechtung.« [23] Und: »Nicht gehen normale Zustände aus einem normalen Schulwesen hervor, sondern ein normales Schulwesen kann nur aus normalen sozialen Zuständen hervorgehen.« [24] Liebknecht wendet sich auch gegen die ideologische Absicherung der Klassengesellschaft durch jene Volksbildungskonzeption, die Bildung als Ausformung vorgegebener Anlagen versteht und deswegen die unterschiedliche Bildsamkeit von Angehörigen verschiedener Klassen mit deren unterschiedlicher ›Begabung‹ erklären muß. Bei Liebknecht heißt es dagegen: »Der Durst nach Wissen ist jedem Menschen angeboren, die Fähigkeiten sind gleichmäßig unter den Menschen vertheilt. Nicht alle haben gleiche Anlagen, aber bei allen normalgeborenen Kindern ist die Gesammtsumme der Anlagen gleich, und von den Verhältnissen hängt es ab, ob und wie die Anlagen und welche Anlagen entwickelt werden.« [25]

In Liebknechts Rede gibt es auch Stellen, an denen seine Argumentation zweischneidig wird. An diesen Stellen hat es den Anschein, als falle er tendenziell auf Positionen seiner Gegner zurück. Im inneren Zusammenhang der Rede sind diese Stellen, wie wir zeigen werden, jeweils schlüssig und auch von Liebknechts Grundeinstellung her zu verstehen. Falls an der bildungspolitischen Konzeption, die Liebknecht hier vorträgt, weiter gearbeitet worden wäre, wären Mißverständlichkeiten wahrscheinlich später noch ausgeräumt worden. Da das aber nicht geschieht und Liebknechts Rede jahrzehntelang in derselben Form als Broschüre weiterverbreitet wird [26], wirken diese Stellen langfristig wie Einfallstore für die bürgerliche Ideologie, die Liebknecht im Rest seiner Rede erfolgreich abwehrt.

In der beschriebenen Weise zweischneidig ist es z. B., wenn Liebknecht die Sozialdemokraten als die »Vertheidiger der Cultur gegen die culturfeindliche alte Gesellschaft« bezeichnet [27] und damit den Eindruck erweckt, als ob es die ›Kultur‹, die die Sozialdemokratie in der klassenlosen Gesellschaft aufzurichten anstrebt, schon in der Vergangenheit gegeben habe, so daß sie jetzt ›verteidigt‹ werden könne. Eine ähnliche Tendenz zeigt sich, wenn er die »klassische Literatur« (›unsere großen Autoren‹) der Tagespresse und den Kolportageromanen so gegenüberstellt, als seien sie schon deren positives Gegenbild. [28] An anderen Stellen geht Liebknecht unkritisch emphatisch mit den Begriffen Bildung und Wissenschaft um, wenn er kritisiert, daß die »Bildung von heute, die Bildung der Gebildeten keine echte, den ganzen Menschen durchdringende und veredelnde Bildung« sei [29] – oder wenn er davon spricht, daß in der »heutigen Gesellschaft« der »Tempel der Wissenschaft [. . .] entweiht« sei. [30]

Obwohl Liebknecht in seiner tiefgreifenden Kritik an den unpolitischen Arbeiterbildungsvereinen zugleich die sicher noch nicht ganz überwundene Vergangenheit der Bildungsvereine kritisiert, zu deren Stiftungsfesten er spricht, wahrt er mit
agitatorischem Geschick den Charakter einer Festrede, indem er lobend unterstellt,
seine Konzeption von der notwendigen Politisierung aller Bildungsarbeit sei eine
längst vollzogene Einsicht dieser Arbeiterbildungsvereine: »Wir erstreben die freie
Gesellschaft, die, an Stelle der unmoralischen, geist- und körpertödtenden Lohnarbeit, die brüderlich-genossenschaftliche Arbeit setzt, und den Quell aller staatlichen und gesellschaftlichen Uebel: die Ausbeutung des Menschen durch den
Menschen verstopft. [...] Nur auf dem Wege politischer Agitation ist dieses Ziel
zu erreichen. Der Dresdener (Leipziger) Bildungsverein hat dies erkannt, und damit bewiesen, daß er sich der Aufgabe eines Bildungsvereins bewußt ist. Lassen
Sie sich durch nichts von Ihrer Bahn ablenken. Saugen Sie frische Kraft aus jedem
Hemmniß. Die Bahn führt zum Sieg [...] Dort ist die Bildung, das Wissen für
Alle. Der Staat und die Gesellschaft stehen zwischen uns und dem Ziel. [...]
›Durch Bildung zur Freiheit‹, das ist die falsche Losung, die Losung der falschen Freunde. Wir antworten: Durch Freiheit zur Bildung! Nur im freien Volks-
staat kann das Volk Bildung erlangen. Nur wenn das Volk sich politische Macht
erkämpft, öffnen sich ihm die Pforten des Wissens. Ohne Macht für das Volk
kein Wissen! Wissen ist Macht – Macht ist Wissen.« [31]

Liebknechts Konzept von 1872, das die Weiterführung der Arbeit in den Arbeiterbildungsvereinen bei gleichzeitiger Anerkennung des absoluten Vorrangs der
politischen Tätigkeit vorsieht, wird in den folgenden Jahren nicht bestimmend für
die Praxis der Arbeiterbildungsvereine. Diese Feststellung ist deswegen wichtig,
weil von ihr die spätere Beurteilung des Einflusses bürgerlicher Literaten auf die
kulturpolitische Diskussion der Sozialdemokratie in den neunziger Jahren entscheidend abhängt. Wir werden ·nicht davon ausgehen können, daß die Sozialdemokraten seit Liebknechts Rede schon so etwas wie ein kulturpolitisches Programm haben, das nur von anderen manipulativen Einflüssen verdrängt wird.
Liebknechts Konzept wird nicht nur nicht aufgegriffen, sondern er wendet sich
sogar selber, wie wir am Beispiel einer Rede aus dem Jahre 1891 verfolgen werden [32], von ihm ab, um eine Arbeiterbildungspraxis, die sich ohne bewußtes
Zutun der Sozialdemokraten in eine andere Richtung entwickelt, theoretisch zu
legitimieren.

In den ersten Jahren nach 1872 ist der Hauptgrund für das Ausbleiben von
Konsequenzen der Liebknecht-Rede, daß eine der konstitutiven Bedingungen für
die Durchführung einer solchen Konzeption unter der Voraussetzung einer relativen politischen Unreife der Arbeiterbewegung wegfällt: Das Primat der Politik
und damit die Zurückdrängung von Verselbständigungstendenzen der Bildungsvereine ist nur durchzusetzen, wenn die politisch bewußtesten Kräfte in der Partei
die Bildungsvereine für wichtig genug halten, um deren Entwicklung ständig im
Auge zu behalten und einzugreifen, wenn es nötig werden sollte. Das ist 1872

noch der Fall, als das Verhältnis zwischen der Sozialdemokratischen Arbeiterpartei und den Bildungsvereinen, aus deren Mitgliedschaft sie sich erst vor kurzem
herausgebildet hat, noch eng ist und den Parteiführern Bebel und Liebknecht, die
beide Mitglieder des Leipziger Arbeiterbildungsvereins gewesen sind [33], die
Probleme der Bildungsvereine noch vertraut sind. In den folgenden Jahren richtet
sich das Hauptinteresse aller Sozialdemokraten auf die Vereinigung der beiden
sozialistischen Arbeiterparteien. Dabei wird zwischen beiden Richtungen nicht
über die Bildungsvereine debattiert, sondern über die Gewerkschaften als *die*
Form der Massenorganisation der Arbeiter, die zunehmend wichtiger wird als die
Form der Bildungsvereinigung.

Nach Erlaß des Sozialistengesetzes 1878, das jede organisierte sozialdemokratische
Tätigkeit verbietet, werden die Arbeiterbildungsvereine für die Soizaldemokratie
wieder wichtig. Wie andere Arbeitervereine sollen sie, soweit irgend möglich, dazu
beitragen, den organisatorischen Zusammenhalt der sozialdemokratischen Arbeiter
unter den Bedingungen der Illegalität zu erhalten. Das führt zu einer Politisierung
der Bildungsvereine, aber hauptsächlich in der Form, daß statt der als Zweck vorgeschobenen Bildungstätigkeit in Wahrheit politische Fragen diskutiert werden,
und nicht in der Form, daß die Bildungsarbeit selber inhaltlich politisiert wird.
In vielen Arbeiterbildungsvereinen führt das im Laufe der zwölfjährigen Gültig-
keitsdauer des Sozialistengesetzes zu einem Rückfall in die unpolitische Arbeiterbildung. Auch unter diesen Bedingungen setzt sich die Liebknechtsche Position
von 1872 nicht durch.

Die neuen Aufgaben der Arbeiterbildungsvereine unter dem Sozialistengesetz
werden in einem Aufruf der Parteiführung im September 1880 so angedeutet:
Pflicht der Partei ist es [...], alle Mittel in Anwendung zu bringen, um sich zu
verstärken, aus halben Feinden sich Freunde, aus Gegnern, die es nicht aus Klasseninteresse, sondern aus Unkenntnis sind, sich Anhänger zu verschaffen. [...]
Unter diesen Bedingungen ist jedes Mittel recht, das Erfolge sichert [...] organisiert Euch, einerlei, wie [...] Organisation allüberall bis in den entlegensten Ort,
wo wir Anhänger haben, und unter jeder denkbaren Form, das ist das erste Gebot.« [34] Tatsächlich gelingt es den Sozialdemokraten in den nach außen unpolitischen Vereinen leichter, der Verbotswelle auszuweichen und sich organisatorische Strukturen zu erhalten. Während bei den politischen Vereinigungen das
Verhältnis der Vereine, die bereits 1878, zu denen, die in der Zeit danach bis 1885
verboten werden, etwa 8:1 ist [35], fallen von den Bildungs-, Gesangs- und Ver-
gnügungsvereinen relativ viel weniger gleich der ersten Verbotswelle 1878 zum
Opfer. Das Verhältnis der 1878 ausgesprochenen Verbote zu den später (wieder
bis 1885) ausgesprochenen beträgt nur etwa 2:1. [36] Bei dieser Rechnung ist zusätzlich zu berücksichtigen, daß es kaum einem politisch etikettierten, aber wohl
einer ganzen Reihe nach außen hin unpolitischen Vereine gelingt, dem Polizeizugriff bis zum Jahr 1890, in dem das Sozialistengesetz ausläuft, gänzlich zu entgehen.

Für die Vereine mit einem eher unpolitischen Selbstverständnis hat die Tatsache,
daß sie von Justiz und Polizei verfolgt werden, widersprüchliche Konsequenzen:

zum einen werden sie dazu herausgefordert, sich am politischen Kampf zu beteiligen; zum anderen kann sich bei ihnen die Illusion festsetzen, auch ihre unpolitische Tätigkeit sei schon politisch, weil sie ja offensichtlich von der Gegenseite erbittert bekämpft werde. Eine Minderheit der Vereinigungen zieht auch die ängstliche Konsequenz, nur ja jede politische Tätigkeit zu vermeiden, um ihre Legalität nicht zu gefährden. [37]

Die Widersprüche, denen sich mit den anderen unpolitischen Arbeitervereinen auch die Bildungsvereine ausgesetzt sehen, sind dieselben, in denen auch die Sozialdemokratische Partei im ganzen unter dem Sozialistengesetz steht. Die Widersprüchlichkeit zwischen ideologischer Radikalisierung wegen der Einsicht, daß ein unbedingter Bruch mit den herrschenden politischen Verhältnissen unumgänglich ist, auf der einen Seite und der Notwendigkeit, sich an die verschärften gesetzlichen Bestimmungen anzupassen, um sie unterlaufen zu können, auf der anderen Seite führen in der Partei zu einer Trennung von Theorie und Praxis, die wieder aufzuheben ihr nie mehr ganz gelingt. So setzt sich in der theoretischen Konzeption der Partei, wie sie in dem in der Schweiz erscheinenden Zentralorgan ›Der Sozialdemokrat‹ weiterentwickelt wird, mehr und mehr eine marxistische Linie durch. [38] Obwohl aber der ›Sozialdemokrat‹ mit großem Erfolg illegal in Deutschland verbreitet wird [39], reicht dieser zentralisierende Einfluß nicht aus, um der organisatorisch total zersplitterten Sozialdemokratie in ihren verschiedenen Bereichen eine einheitliche Praxis zu ermöglichen. Wie unzureichend dieser Einfluß auf die politisch unerfahrenen Mitglieder der als neutral getarnten Arbeitervereine gewesen sein muß, läßt sich indirekt daraus schließen, daß die politische Koordinierung zwischen dem ›Sozialdemokrat‹ und der Praxis der Partei in Deutschland selbst auf höchster Ebene, wenn überhaupt, dann nur unter größten Schwierigkeiten funktioniert. [40]

Die dezentralen Arbeitervereine, die ohne jede politische Kontrolle arbeiten, entwickeln in den zwölf Jahren, in denen das Sozialistengesetz gültig ist, eine eigene Dynamik, die bei einigen dazu führt, daß sich ihre vorgeschobenen Zwecke verselbständigen und allmählich ihren Mitgliedern als eigentlicher Zweck erscheinen. [41] Damit taucht in den Bildungsvereinen erneut die Tendenz auf, daß ihre Mitglieder meinen, sich durch Eigeninitiative die Teilhabe an dem Bildungs- und Wissenschatz sichern zu müssen, den ihnen die Herrschenden vorenthalten. Die Einsicht in den Klassencharakter des bürgerlichen Bildungsschatzes selbst, wie Liebknecht sie formuliert hat, ist hier vergessen. Teilhabe an vorhandenen, nicht erst neu zu entwickelnden Inhalten kann zudem graduell erfolgen und setzt nicht die gesamtgesellschaftliche Umwälzung voraus.

Daß die Arbeiterbildungsvereine dem bürgerlichen Bildungsgut und seinem Klassencharakter nicht mit der Wachsamkeit gegenüberstehen, die Liebknecht gefordert hat, findet seine Entsprechung darin, daß sie sich für ihre Vereinsabende besonders in den letzten Jahren des Sozialistengesetzes gegen Honorar Vortragsredner aus den Kreisen der bürgerlichen Intelligenz einladen. Diese bürgerlichen Intellektuellen, unter denen sich auch ein Teil der Literaten aus dem Umkreis des ›Friedrichshagener Dichterkreises‹ befindet, erhalten auf diese Weise Gelegenheit, bürgerliche ideologische Vorstellungen in die Arbeiterbewegung hineinzutragen. Von den Arbeitern in den Bildungsvereinen werden diese Intellektuellen allerdings als ›Sozialisten‹ und nicht als Angehörige des Bürgertums eingeladen. Man beabsichtigt nicht, die Trennung vom Bürgertum, wie sie in den sechziger Jahren in einem langwierigen Ablösungsprozeß vorgenommen worden ist, wieder rückgängig zu machen. Für die bürgerlichen Volksbildner selber bestünde nach der politischen Radikalisierung, die unter den Arbeitern während des Sozialistengesetzes allgemein stattgefunden hat, keine Chance mehr, direkt für die Bildungsarbeit herangezogen zu werden. Anders ist es mit solchen Angehörigen der bürgerlichen Intelligenz, die sich zu den herrschenden Verhältnissen in Opposition fühlen und sich in verschwommener Weise sowie mit einer gewissen Distanz als Sozialisten begreifen. Für die ideologisch relativ ungefestigten Arbeiter gelten diese Intellektuellen als Sozialdemokraten, und sie halten es für unproblematisch, sich von ihnen ›bilden‹ zu lassen.

Zur Zeit des Sozialistengesetzes überwiegen für die Sozialdemokraten die kurzfristigen Kampfaufgaben. Die Ausarbeitung kulturpolitischer Vorstellungen kann in dieser Zeit mit Recht keine Dringlichkeit beanspruchen. Anders sieht es nach 1890 aus, als es den Sozialdemokraten wieder möglich wird, in breiterem Umfange legal zu arbeiten und langfristige Konzepte zu entwickeln. Die Situation gleicht, was die Notwendigkeit angeht, den Bildungsvereinen neue Aufgaben zuzuweisen, der von 1872. In beiden Fällen ist ein politisches Etappenziel erreicht worden – damals die Gründung der ›Sozialdemokratischen Arbeiterpartei‹, jetzt die Aufhebung des Sozialistengesetzes; in beiden Fällen verlieren dadurch die Bildungsvereine ihre bisherige aktuelle Hauptfunktion – damals die Vorbereitung der Parteigründung, jetzt die Aufrechterhaltung des organisatorischen Zusammenhaltes unter den Bedingungen der Illegalität. Wie nach 1872 wird aber auch nach 1890 die bildungspolitische Szenerie von Faktoren bestimmt, die die Chancen der Durchsetzung eines klassenkämpferischen Konzeptes für den Kulturbereich stark beeinträchtigen. Dazu kommt, daß sich kein politischer Führer der Sozialdemokratie mehr für ein solches Konzept stark macht.

1.2. Die bildungspolitische Szenerie der neunziger Jahre

Die sozialdemokratische Arbeiterbildungskonzeption der neunziger Jahre ist als eine bestimmte Reaktion auf neue Tendenzen in der bürgerlichen Volksbildungsbewegung zu verstehen. Seit 1871 haben die bürgerlichen Volksbildner, repräsentiert vor allem durch die ›Gesellschaft zur Verbreitung von Volksbildung‹, ihre Bildungtätigkeit als politisch neutral ausgegeben.

Die These von der politisch neutralen Bildung hat zwei Seiten: auf der einen Seite ist sie ein bloßes Verschleierungsargument, denn schon in der Gründungserklärung der Gesellschaft wird unter Verweis auf die Pariser Kommune die Notwendigkeit betont, durch die Bildungsarbeit die ›Massen der Bevölkerung‹ davon abzuhalten, »sozialistischen Bestrebungen« zu folgen [42]; auf der anderen Seite ist diese These auch schon ein Ausdruck des Verzichtes der bürgerlichen Liberalen, ein eigenes gesellschaftliches Konzept gegen den Klassenkompromiß der Reichsgründung von 1871 durchzusetzen, und insofern tatsächlich ein Ausdruck des Rückzuges in einen Kulturbereich, der deswegen für relativ unpolitisch gehalten werden kann, weil er nicht mehr funktionaler Teil in einem eigenen gesellschaftlichen Gesamtkonzept ist. In Wahrheit bedeutet diese Entwicklung jedoch nicht, daß die Bildungsarbeit ihre politische Bedeutung verliert, sondern nur, daß sie eine andere Funktion bekommt. Die ideologische Bekämpfung der Sozialdemokratie flankiert immer weniger die liberale Politik, die die Volksbildner selbst einmal anstrebten, sondern mehr und mehr die reaktionäre Politik des herrschenden Bündnisses von Großagrariern und Schwerindustrie. [43]

Die ›Gesellschaft zur Verbreitung von Volksbildung‹ hätte allerdings ab 1890 nie eine so große Bedeutung erringen können (1913 gehören ihr z. B. neben über 6000 Einzelmitgliedern mehr als 8000 Körperschaften wie Vereine und Genossenschaften an [44]), wenn sie bloß ein Propagandainstrument gewesen wäre und nicht unmittelbare Interessen breiter Teile der Bevölkerung hätte ansprechen können.

Weil ihr der heimische Absatzmarkt zu klein wird, drängt die deutsche Bourgeoisie, wie sich auch in dem Streben nach eigenen Kolonien anzeigt, auf den Weltmarkt. Das ist einerseits eine Folge der fortschreitenden Industrialisierung, bedingt aber andererseits auch eine forcierte Weiterentwicklung der Produktivkräfte. Das führt dazu, daß für einen immer größeren Teil der Werktätigen das auf der Volksschule erlernte Wissen nicht mehr ausreicht, um neue Rollen im Produktionsprozeß optimal auszufüllen. Daraus ergibt sich sowohl auf der Seite der Kapitalisten als auch all jener Arbeiter, die ihre Lage unter den gegebenen Voraussetzungen durch individuellen Aufstieg statt durch Klassenkampf verbessern wollen, das Bedürfnis, auf privater Basis die berufliche Weiterbildung zu organisieren. [45]

Die Organisierung dieser Bestrebungen auf der politischen Ebene, wie sie die liberale Volksbildungsbewegung der sechziger Jahre mit dem politischen Ziel der Republik noch anstrebte, ist jetzt nicht möglich, weil die feudalen Kräfte, die im Staatsapparat das Übergewicht haben, aus ihren Klasseninteressen heraus keinen Wert auf eine bessere Ausbildung ihrer Arbeitskräfte legen. Da der wilhelminische Staat auch die Geschäfte der Bourgeoisie mit zu besorgen hat, ist er zwar bisweilen zu finanzieller Unterstützung privater Bildungsbemühungen bereit [46], ergreift aber nicht von sich aus die Initiative, Volksbildungseinrichtungen ins Leben zu rufen.

Von den siebziger Jahren des 19. Jahrhunderts bis in die ersten Jahre des 20. Jahrhunderts werden neben der schon genannten ›Gesellschaft zur Verbreitung von Volksbildung‹ von Angehörigen bürgerlicher Kreise eine Vielzahl ähnlicher Institutionen aufgebaut. [47]

Die Initiatoren und die zum großen Teil ehrenamtlichen Helfer dieser Bildungseinrichtungen haben die sozialreformerische Absicht, ihren Teil zur Lösung der

›sozialen Frage‹ beizutragen und haben insofern lautere Motive. Die wenigsten verstehen sich selber als Verfechter der Interessen der Bourgeoisie, aber an der Aufrechterhaltung der Grundzüge des bestehenden Systems haben die meisten nichtsdestoweniger ein Interesse und wollen es durch die Beseitigung von, wie sie meinen, überflüssigen Mängeln überlebensfähiger machen. Unter diesem Gesichtspunkt betrachtet, stehen sie bei aller subjektiv ehrlichen Neutralität objektiv eindeutig auf der Seite der Bourgeoisie. So ist es auch einsichtig, daß ihre Bemühungen durch Zuwendungen von Industriellen, Banken und Aktiengesellschaften in großem Umfang finanziell unterstützt werden. [48]

Von ihren finanziellen Möglichkeiten her können die Sozialdemokraten unmöglich mit den bürgerlichen Bildungsanstrengungen konkurrieren. [49] Schon von daher, und nicht nur wegen des gewichtigeren politischen Arguments, daß es nicht Aufgabe der Sozialdemokraten sein könne, freiwillig der Bourgeoisie einen Teil der Bildungsarbeit abzunehmen, die sie im eigenen Interesse sonst selbst zu leisten hätte, müßte es sich für die Sozialdemokraten verbieten, in ihren Bildungseinrichtungen eine im selben Sinne politisch neutrale Bildungsarbeit zu betreiben, wie sie von den bürgerlichen Volksbildnern angeboten wird. Dennoch entscheidet man sich in der Partei schon gleich nach 1890, genau diesen Weg einzuschlagen.

Weil bei den Arbeitern ein immenses Bildungsbedürfnis festgestellt wird und dieses sich zu einem großen Teil gerade auf jene Bereiche richtet, in denen man auch von bürgerlicher Seite diesem Bedürfnis zu entsprechen bereit ist, nämlich auf alles, was mit der individuellen beruflichen Weiterqualifizierung zusammenhängt, darum glaubt man in der Sozialdemokratischen Partei, ebenfalls solchen Bedürfnissen entgegenkommen zu müssen, um die Arbeiter auf diese Weise vor der Beeinflussung durch die bürgerliche Volksbildung zu schützen und sie näher an die eigene Politik heranzuführen.

In diesem taktischen Konzept liegt deswegen eine Gefahr, weil der Partei die innere Geschlossenheit und programmatische Klarheit fehlt, die Voraussetzung dafür wäre, im Eingehen auf diese spontanen Bedürfnisse zugleich die Einsicht vermitteln zu können, daß diese Bedürfnisse in eine falsche Richtung lenken, weil sie primär auf eine Verbesserung der individuellen Lage innerhalb der bestehenden Verhältnisse zielen und nicht auf die sozialistische Umgestaltung der ganzen Gesellschaft. Der Versuch, durch Unterlaufen des bürgerlichen Bildungsangebots schädliche Einflüsse auf die Arbeiterbewegung abzuwehren, mag zwar zu kurzfristigen Erfolgen führen, langfristig bedeutet er aber, daß die schädlichen Einflüsse in die eigene Organisation hineingenommen werden und dort in verdeckter Form Verwirrung stiften können. Nur wenn zu dem Kampf auf der technisch-organisatorischen Ebene der ideologische Kampf gegen die bürgerlichen Bildungskonzeptionen träte, wäre der langfristige Schaden zu vermeiden.

Dieser Kampf aber wird nicht aufgenommen. Im Gegenteil, weil in der Berliner Sozialdemokratie aus Kreisen, die der innerparteilichen Linksopposition der

›Jungen‹ nahestehen, Kritik am Konzept der ›Arbeiterbildungsschule‹, das die dargestellte Linie verfolgt, laut wird, sieht sich die Parteiführung genötigt, ihren Plan mit eben den Argumenten zu verteidigen, die traditionell die bürgerlichen Volksbildner gegen die sozialdemokratischen Arbeiterbildungsvereine vorgebracht haben.

Zwei Tage vor der Gründungsversammlung der Arbeiterbildungsschule, die am 12. Januar mit 6000 Teilnehmern, von denen sich gleich 1000 als Hörer einschreiben, ein großer Erfolg ist, hat Paul Ernst in der ›Volkstribüne‹ kritisiert, daß in einer ganzen Reihe von Stellungnahmen zur geplanten Gründung gefordert wurde, Fächer wie »Stenographie, Englisch, Französisch« und »Geographie« in der Schule zu unterrichten und darüber »Geschichte und National-Oekonomie« in den Hintergrund treten zu lassen. Während die anderen Intellektuellen im Umkreis der ›Jungen‹ in dieser Frage eher der Konzeption unpolitischer Volksbildung zustimmen würden [50], setzt Ernst dagegen die Vorstellung: »wir müssen die Regsamsten und Intelligentesten unter den Genossen sich nicht mit allgemeiner ›Bildung‹ beschäftigen lassen, damit sie ihre kostbare Zeit verderben; überall muß auf das eine Ziel hingearbeitet werden«, nämlich die sozialistische Umwälzung: die »Entscheidung« stehe nahe bevor und es gelte, »alle Kräfte, die uns zur Verfügung stehen, auf den Kampf und die Vorbereitung des Kampfes« zu »verwenden«. Daraus folgt für ihn: »Also politische Bildung ist nothwendig, rein politische Bildung. Lassen wir das andere den bürgerlichen Parteien, die sich ausruhen können und Zeit dazu haben. Wir haben keine Zeit und keine Kraft zu andern Dingen, als zu politischen. [...] Als Unterrichtsgegenstände kommen demnach nur allein in Betracht: National-Oekonomie und Geschichte.« [51]

Gegen solche und ähnliche Anwürfe wendet sich Wilhelm Liebknecht, der als Gründer der Arbeiterbildungsschule gilt [52], am 27. Juli 1891 in einer Rede, die er aus Anlaß eines Sommerfestes der Arbeiterbildungsschule vor deren Schülern hält. Liebknecht begründet den Charakter der Schule als einer unpolitischen Bildungseinrichtung zuerst mit dem Vereinsgesetz. Die Schule ist nämlich in Vereinsform organisiert, und Frauen dürften an ihrem Unterricht nicht teilnehmen, wenn er einen politischen Charakter trüge. Liebknecht greift darüber hinaus jedoch zu einer weniger von pragmatisch-taktischen als vielmehr von grundsätzlich-konzeptionellen Überlegungen geprägten Begründung: »Ein politischer Verein wollte und sollte die Arbeiter-Bildungsschule aber auch gar nicht sein [...] so wenig wie eine nationale Wissenschaft gibt es auch eine Parteiwissenschaft. Es giebt nur eine Wissenschaft, wie es auch nur eine Wahrheit giebt: die Wissenschaft.« [53] Insofern sei der Vorwurf, der gegen die Arbeiterbildungsschule von »befreundeter Seite« vorgebracht worden sei, sie wolle »kein politischer Verein sein«, gänzlich zurückzuweisen als ein falscher Anspruch.

In Liebknechts Worten hebt sich die Sozialdemokratie von den bürgerlichen Parteien nicht dadurch ab, daß sie der Arbeiterbildung einen anderen Inhalt gibt, sondern dadurch, daß sie überhaupt etwas für die Bildung tut: es »giebt [...] nur *eine* Partei, welche *die* Wissenschaft will, d. h. die freie, unverfälschte, den Sonderinteressen der Klassen und Parteien nicht dienstbar gemachte Wissenschaft.

Und diese Partei ist die Sozialdemokratie«. Liebknechts Versuch, mit einer solchen Argumentationskonstruktion der unpolitischen Arbeit in der Arbeiterbildungsschule doch eine politische Funktion zuzusprechen, ist nur dadurch möglich, daß er die bürgerlichen Versuche, durch Bildungsarbeit – wie schon von den vierziger Jahren bis zu den sechziger Jahren – Einfluß auf die Arbeiter zu gewinnen, unterschlägt. In einer polemischen Wendung behauptet Liebknecht vielmehr: »Unsere Gegner haben zum Glück diesen Wissensdurst nicht. [...] Ich habe noch niemals von einer Kapitalisten- oder Unternehmerschule gehört.«

Von dieser Feststellung ist es nicht weit zu der Hoffnung, die Liebknecht 1872 in seinem Vortrag ›Wissen ist Macht, Macht ist Wissen‹ noch aufs schärfste zurückgewiesen hatte, daß nämlich auf dem Wege unpolitischer Bildungsarbeit entscheidende Positionen auf dem Wege zur Emanzipation erobert werden könnten: »Die Bourgeoisie macht uns den Kampf mit geistigen Waffen sehr leicht, da sie das Streben nach Veredelung, nach geistiger Bildung längst verlernt hat«. Und während Liebknecht 1872 noch die Parole der bürgerlichen Volksbildner »Durch Bildung zur Freiheit« als die »falsche Losung, die Losung der falschen Freunde« bezeichnet und ihr die Lösung »Durch Freiheit zur Bildung« entgegengestellt hat [54], macht er jetzt selbst den Erwerb von Bildung zur Voraussetzung des unmittelbaren Kampfes um politische Rechte: »Ohne Wissen und Bildung kann das Proletariat jene geistige und politische Reife nicht erlangen, die es befähigt, die doppelte Aufgabe zu erfüllen, welche ihm obliegt, seitdem die Bourgeoisie nicht mehr im Stande ist, in gedeihlicher Weise die Angelegenheiten des Staates und der Gesellschaft zu leisten« [55], oder: »Gelernt muß nun einmal werden, ohne Lernen können die Arbeiter das Ziel nicht erreichen.«

Hier wird zwar der Bildungsarbeit eine politische Funktion gegeben, indem sie überhaupt mit dem politischen Ziel der Arbeiterbewegung in eine Beziehung gesetzt wird, aber durch den grundlegenden Schnitt zwischen den ihrem Wesen nach unpolitischen Bildungsvoraussetzungen des politischen Kampfes und dem politischen Kampf selbst wird diese Beziehung als bloßer Verweis auf ein ferneres Ziel wieder so verschwommen gemacht, daß solche scharfen Formulierungen, wie Liebknecht sie am Schluß seiner Rede benutzt, den Charakter einer Rechtfertigungsideologie haben: »Drum wollen wir unsre Schule pflegen und die geistigen Waffen schmieden, die dazu dienen sollen, die Befreiung der arbeitenden Klasse zu erkämpfen.« Zuvor hat Liebknecht nämlich im inhaltlichen Teil seiner Rede deutlich gemacht, daß in der Schule, zumindest zu Anfang, nicht jene Fächer des Hauptgewicht haben werden, die wie Geschichte und Nationalökonomie Wissen vermitteln, das für den politischen Kampf nutzbar gemacht werden kann. Im Vordergrund würden vielmehr die sogenannten Elementarfächer, wie z. B. der deutsche Sprachunterricht, stehen, der »die Grundlage des Wissens für den deutschen Arbeiter« bilde.

Diese Gewichtsverlagerung, die eine Folge davon ist, daß die Arbeiter, die in die Schule kamen, das als ihr Bedürfnis anmeldeten, scheint die Initiatoren der Arbeiterbildungsschule selbst überrascht zu haben. [56] Um so gründlicher versucht Liebknecht, diese Entwicklung zu rechtfertigen. Er sagt dazu: »Bei Gründung unserer Schule dachte so Mancher, sie werde eine Agitationsschule werden – und Nationalökonomie und Geschichte würden die Hauptdisziplinen sein. Es ist anders gekommen. Und die Praxis hat auch hier wieder einmal die Theorie korrigiert.« [57]

Die Rechtfertigung verläuft auf zwei Ebenen: Zum einen erklärt Liebknecht die Elementarfächer für die unabdingbare Grundlage allen Wissens, und weil Wissen notwendig sei, um den politischen Kampf erfolgreich zu führen, seien auch die Elementarfächer indirekt Vorbedingungen für den politischen Kampf: »Ein Hausbau beginnt nicht mit dem Dach. Ein festes Fundament muß da sein – und das Fundament des Wissens ist die Muttersprache [...] die Praxis hat jedem von uns, der es nicht schon vorher wußte, gelehrt, daß der deutsche Unterricht in erster Linie gepflegt werden muß, weil er die Grundlage des Wissens für den deutschen Arbeiter bildet [...] Die Arbeiter haben [...] das begriffen, wie der Zudrang zu dem deutschen Unterricht zeigt. Sie haben begriffen, daß die Muttersprache der Schlüssel der Bildung für sie ist, und daß, wer zur Wissenschaft [...] gelangen will, auch die Stufen, welche zu ihr hinaufführen, selbst gehen muß.« Zum anderen stellt Liebknecht in diesem Zusammenhang heraus, daß in der Arbeiterbildungsschule keine ›Gelehrten‹ herangebildet werden sollen, sondern daß die Kenntnisse, die in ihr erworben würden, unmittelbar nützlich sein sollen: »Gelehrte wollen wir [...] nicht. Die Wissenschaft soll lebendig, die Kentnnisse, die unsere Schule bietet, sollen für das Leben sein – für das Leben der Arbeit und das Leben des Kampfes.«

Dieses ist die einzige Stelle in seiner Rede, in der Liebknecht durchscheinen läßt, daß es sich bei der Ausbildung in den Elementarfächern *auch* um berufliche Weiterbildung handelt, was für den Andrang zu diesen Fächern, zu denen außer Deutsch, Schreiben und Rechnen auch Buchführung, Stenographie und Zeichnen gehören [58], eine andere Erklärung böte, als Liebknecht sie mit seinen Ableitungen zu geben versucht. Daß es sich bei dem großen Gewicht, das der Unterricht in den Elementarfächern hat, nicht nur um eine vorübergehende Erscheinung handelt, wie Liebknecht es andeutet, macht ein Blick auf das Verzeichnis der Kurse, die die Arbeiterbildungsschule im Herbst 1892 anbietet, deutlich, in dem sich z. B. die Deutschkurse schon vervielfältigt haben; da gibt es Unterrichtskurse für: »Deutsch (unteres, mittleres, oberes), Logik, Mathematik, Geschichte (alte, mittlere, neue), Nationalökonomie, Physiologie, Chemie, Buchführung (einfache und doppelte), Rechnen (unteres und oberes).« [59]

Die Sozialdemokraten sind nicht aus eigenen Kräften in der Lage, der Arbeiterbildungsschule ein ausreichendes Lehrangebot zu stellen. Sie müssen deshalb vom zweiten Semester an die Dozentenstellen mit Lehrkräften besetzen, die sie durch eine öffentliche Ausschreibung anwerben. [60] Da sich für diese Aufgabe vornehmlich bürgerliche Intellektuelle melden, gleicht die Arbeiterbildungsschule nicht nur durch ihre Unterrichtsgegenstände, sondern auch durch ihren Lehrkörper den bürgerlichen Volksbildungseinrichtungen. Liebknecht zieht in seiner Rede daraus, daß diese Voraussetzungen nicht im geringsten gewährleisten, daß die Arbeiterschüler in richtiger Weise von den Elementarfächern bis zur politischen Praxis geleitet werden, nicht den Schluß, daß gerade deswegen die Sozialdemokratische Partei die Entwicklung der Arbeiterbildungsschule und ihrer Schüler sehr sorgfältig im Auge behalten müsse, sondern behauptet umgekehrt einen Automatismus: »das Wissen, welches der Arbeiter sich erwirbt, sei es an sich der Politik noch so fern, es wird in seinem Hirn zu einer geistigen Waffe für den großen Befreiungskampf der Arbeiterklasse [...] es ist also gar nicht nöthig, daß wir die Politik in unsere Schule hineintragen – jeder klassenbewußte Arbeiter ist von selbst und als solcher politischer Kämpfer [...] Diese Schule nun soll geistige Waffen liefern [...] sie soll aber kein Tummelplatz des Parteikampfes sein. Wir wissen, daß die Arbeiter, die dem Arsenal des Wissens ihre geistigen Waffen entnommen haben, zur Sozialdemokratie kommen müssen, und deshalb genügt es uns, ihnen die Waffen zu bieten.«

Diese Sätze sind im Juli 1891 noch Ausdruck des Geschichtsoptimismus, der ein wichtiges Bewußtseinselement der Sozialdemokraten nach der Überwindung des Sozialistengesetzes ist. Man glaubt sich auf einem unaufhaltsamen Siegeszug. Dieser Optimismus hat die positive Funktion, der Sozialdemokratie das Selbstbewußtsein zu geben, das sie für die Weiterführung ihres Kampfes braucht, und ihr eine Anziehungskraft zu verleihen, die viele Außenstehende zu sozialdemokratischer Tätigkeit aktiviert. Der eigene Einsatz für das sozialistische Ziel und das persönliche Opfer scheinen erfolgversprechend und nicht in eine perspektivlose Unternehmung investiert zu sein. Doch dieser Optimismus hat auch eine Kehrseite: man hält es im Lager der deutschen Sozialdemokratie für überflüssig, eine Revolutionsstrategie auszuarbeiten, da man den Zusammenbruch der bestehenden Gesellschaftsordnung auch ohne eigenes bewußtes Zutun für unausweichlich hält. Der Gang der Geschichte wird mechanistisch gesehen. Die Gesetze ihres Verlaufs werden für dieselben Gesetze gehalten, die auch den Lauf der Natur bestimmen, und so werden die sprunghaften Fortschritte in der technischen Naturbeherrschung, wie sie im Industrialisierungsprozeß und in der Weiterentwicklung der naturwissenschaftlichen Forschung beobachtet werden können, als bestätigende Parallelen zum für unausweichlich gehaltenen Gesellschaftsfortschritt interpretiert. Die Theorie, die diesen Vorstellungen zugrunde liegt, ist eher ein sozial interpretierter Darwinismus als der Marxismus, in dem immer wieder die Dialektik von objektiven und subjektiven Faktoren im historischen Geschehen betont wird und in dem deswegen das bewußte Eingreifen in den Geschichtsverlauf notwendige Voraussetzung dafür ist, daß dessen objektive Möglichkeiten überhaupt zur Realität werden.

Die Vernachlässigung des planerischen Eingreifens in die Geschichte und das Vertrauen auf deren objektive Tendenzen tauchen in der Bildungspolitik in der Erscheinungsform auf, daß die Notwendigkeit, gegenüber dem politischen Gegner auch auf diesem Gebiet wachsam zu sein, optimistisch gering geschätzt wird und daß jedem Wissen die objektive Tendenz zum Sozialismus zugesprochen wird. Das bedeutet in der Konsequenz, daß die Sozialdemokraten auf dem kulturellen Sektor dàrauf verzichten, den Klassenstandpunkt der Arbeiterklasse zu formulieren.

Damit wird nicht nur theoretisch die Tür zur bürgerlichen Ideologie geöffnet, sondern auch praktisch: Von der Voraussetzung aus, daß im Grunde jede Bildungsarbeit die Arbeiter zur Sozialdemokratie führen müsse. kann der Vorstand der Arbeiterbildungsschule Männer als Dozenten zulassen, die sich im politischen Kampf schon als offene Gegner der Sozialdemokratischen Partei erwiesen haben. So erscheinen hier als Lehrer z. B. der Dühring-Verehrer Benedict Friedlaender [61] und von den Literaten aus dem Umkreis des ›Friedrichshagener Dichterkreises‹ Bruno Wille [62] und Wilhelm Bölsche [63], die zum Zeitpunkt ihrer Berufung an die Schule der sozialdemokratischen Parteiführung schon öffentlich den Kampf angesagt haben. [64]

Theorie und Praxis einer unpolitischen Bildungsarbeit haben in die Arbeiterbildungsschule hauptsächlich durch das große Gewicht des Elementarunterrichts Einzug genommen, aber sich von dort aus auch auf die anderen Fächer ausgeweitet. [65] So ist eine selbstkritische Reorganisation der Berliner Arbeiterbildungsschule, die wegen deren mangelndem Erfolg 1897 vorgenommen wird [66] und deren hauptsächliche Konsequenz die Streichung der sogenannten Elementarfächer aus dem Lehrplan der Schule und die Beschränkung auf die Fächer Nationalökonomie, Geschichte, Rechtswissenschaft und Redeübung ist [67], allein noch längst nicht ausreichend, um der Schule eine im Sinne der Sozialdemokraten positive politische Funktion zu geben. So ist die unmittelbare Folge der Umstrukturierung nur eine Umschichtung der Hörerstruktur, aber keine Steigerung der Hörerzahlen. Durch das neue Programm der Arbeiterbildungsschule werden gerade soviel neue Schüler angesprochen, daß die Abwanderung derjenigen Arbeiter, die durch das Lehrangebot in den Elementarfächern angesprochen worden sind [68], kompensiert wird.

In der geschichtsoptimistischen Bildungseuphorie von 1891 haben an den Kursen der Arbeiterbildungsschule einmal 5000 Arbeiter teilgenommen. Diese Zahl ist im Laufe von zwei Jahren bis zum Herbst 1893 auf 533 gesunken. [69] Im zweiten Schuljahr nach der Reorganisation hat die Schule 1897/98 noch immer nicht mehr als 520 Schüler. [70]

Einen Aufschwung nehmen die Hörerzahlen erst in den Jahren nach 1905, als die sozialdemokratischen Arbeiter in einer Phase politischer Radikalisierung nach politisch-theoretischem Wissen drängen. Im Schuljahr 1905/06 beträgt die Zahl der Hörer schon 1282 [71], um sich bis 1907/08 auf 2020 zu steigern. [72]

Es zeigt sich an der Mitgliederbewegung der Arbeiterbildungsschule wieder einmal, daß die kulturpolitische Entwicklung stark von der allgemeinpolitischen Lage abhängig ist. Die Fehler, die 1891 mit der Grundkonzeption der Arbeiterbildungsschule gemacht worden sind, lassen sich erst dann erfolgreich korrigieren, als ein neuer revolutionärer Aufschwung zu einer Bildungsbereitschaft führt, die mit der vom Anfang der neunziger Jahre zu vergleichen ist. Das heißt aber nicht, daß die Fehler von 1891 nicht vermeidbar gewesen wären. Ein weniger opportunistisches Eingehen auf die spontanen und kurzfristigen Bedürfnisse der Arbeiter hätte vielmehr dazu führen können, daß der vorhandene Bildungseifer auf die mittel- und langfristigen Interessen der Arbeiter in richtiger Weise umgeleitet worden wäre.

Die Chance von 1891 ist verspielt worden. Der kurzfristige Massenerfolg durch die Unterlaufungsstrategie hat die langfristige Konsequenz, daß zum bürgerlichen Bildungsangebot keine wirksame Alternative aufgebaut wird und der größte Teil der bildungsbeflissenen Arbeiter sich schließlich, als der erste Elan der revolutionären Hoffnung von 1890 abgeklungen ist, wieder den bürgerlichen Arbeiterbildungseinrichtungen zuwendet [73], weil die besondere Motivation fehlt, sich das Elementarwissen in einer sozialdemokratischen statt in einer bürgerlichen Bildungsorganisation anzueignen.

2.1. Der ›Friedrichshagener Typus‹

Wenn wir eine bestimmte Gruppe bürgerlicher Literaten, die in der Nähe der Arbeiterbewegung kulturpolitisch tätig werden, als ›Friedrichshagener‹ bezeichnen, benutzen wir einen Hilfsbegriff, der uns ermöglichen soll, über sie als Gruppe gemeinsame Aussagen zu machen. Mit diesem Begriff wollen wir nicht nur jenen engeren Kreis von Literaten benennen, der in den neunziger Jahren im Berliner Vorort ›Friedrichshagen‹ wohnhaft ist, sondern darüber hinaus alle diejenigen, die zu den in engerem Sinne ›Friedrichshagenern‹ in intensivem Kontakt stehen und zum gleichenTypus gehören.

Unter Typus verstehen wir in diesem Zusammenhang eine bei einer Reihe von Individuen nahezu identische Konstallation objektiver und subjektiver Faktoren, die zu einem in den Grundzügen identischen Verhalten in vergleichbaren Situationen führt.

Als objektive Faktoren sind hier zu nennen:
– die Klassenherkunft aus dem kleinen oder mittleren Bürgertum. Sie hat die Sozialisation bestimmt und zur Ausprägung bestimmter ideologischer Vorstellungen und Verhaltensweisen geführt, sie spielt jedoch auch eine Rolle bei der materiellen Lebenssituation: man ist nicht reich und stellt nicht den Anspruch, es zu werden; man kann sich keinen Müßiggang leisten, aber man ist auch nicht in materieller Not und kann, wenn man Aufträge hat und arbeitet, für seine Lebensführung etwa so viel aufwenden wie andere Angehörige unterer bürgerlicher Schichten; das heißt, man kann eine Familie gründen, ein Häuschen im Vorort oder im Villenviertel mieten, Ausflüge machen, in Gastwirtschaften essen und seine kulturellen Bedürfnisse befriedigen, Bücher kaufen, ins Theater gehen und Konzerte besuchen.
– die geographische Herkunft aus der Provinz. Die meisten Literaten, mit denen wir uns hier beschäftigen, sind in der Provinz aufgewachsen und fühlen sich in Berlin, trotz aller Anziehungskraft, die dieses gesellschaftliche, politische und kulturelle Zentrum auf sie ausübt, nicht wohl. Wenn die Verunsicherung durch die sozialen Konflikte, die sie in der Großstadt erfahren, bei ihnen besonders stark ist, rührt das zum Teil daher, daß sie mit diesen Konflikten plötzlich konfrontiert werden, während die geborenen Großstädter allmählich in sie hineinwachsen und unter ansonsten gleichen Bedingungen nicht so stark von ihnen betroffen werden.
– die berufliche Situation. Hier steht die Hoffnung, als ›Dichter‹ anerkannt zu

werden und um seinen Lebensunterhalt keine Sorgen haben zu müssen, der
Realität gegenüber, daß diese Anerkennung weitgehend ausbleibt, daß sie zum
mindesten nicht ausreicht, um als ›Dichter‹ eine materielle Existenzgrundlage
zu haben. Weil man ohne größeren finanziellen Hintergrund ist, fühlt man sich
also gezwungen, seine Arbeitskraft auf dem literarischen Markt nach dem eigenen Empfinden ›entfremdet‹ zu verkaufen. Dafür gibt es verschiedene Möglichkeiten: man kann als Journalist für Zeitungen schreiben oder Redakteur, bzw.
freier Mitarbeiter bei literarischen Zeitschriften werden; man kann als Vortragsredner vor bürgerlichen Clubs oder Arbeitervereinen auftreten; man kann
schließlich auch, und das wird von vielen erträumt, so wenig es auch den Vorstellungen entspricht, mit denen man einmal angetreten ist, von einem Verleger
entdeckt und unter Vertrag genommen werden – die Folge ist, daß man, wie
etwa beim Fischer-Verlag üblich, von monatlichen Vorschußwechseln wie von
einem Gehalt lebt und dafür gezwungen ist, regelmäßig ›schöne Literatur‹ in
bestimmtem Umfang zu produzieren. [1] Die Gemeinsamkeit der beruflichen
Situation besteht darin, daß man zum einen nicht zu den anerkannten Größen
des literarischen Lebens zählt und noch um ein Publikum für seine Werke
kämpft und daß man zum anderen darunter leidet, geistige Produkte sehr
offensichtlich um des Geldes willen herstellen zu müssen.
– das Alter. Die von uns unter dem Begriff ›Friedrichshagener‹ zusammengefaß-
ten Literaten sind 1890 alle zwischen 20 und 30, die Mehrzahl über 25 Jahre alt.
Zum Typus des ›Friedrichshageners‹ gehört neben diesen objektiven Gemeinsamkeiten eine weitgehende Übereinstimmung in der subjektiven Interpretation
der gesellschaftlichen und literarischen Lage und der Möglichkeiten, sich in ihr zu
verhalten.

Das gesellschaftliche Hauptproblem, auf das die Literaten treffen, ist die sogenannte ›soziale Frage‹, auf deren einer Seite das soziale Elend und die Verfolgung der Sozialdemokratie unter dem Sozialistengesetz steht und deren andere
Seite das starke Anwachsen der Arbeiterbewegung ist. Gegenüber dieser Wirklichkeit fühlen sie sich zur Parteinahme gezwungen. Sie beginnen, sich als Sozialisten zu verstehen, und einige versuchen, sich in der sozialistischen Bewegung zu
betätigen. Es gelingt ihnen jedoch nicht, von der bürgerlichen Ideologie loszukom-
men, deren Diskrepanz zu einer als schlecht empfundenen Wirklichkeit eine der
Erfahrungen war, die sie die Hoffnung in die Arbeiterbewegung setzen ließ. Von
dieser erwarteten sie, daß sie die bürgerlichen Freiheits- und Gleichheitsideen, die
die bürgerliche Wirklichkeit verraten hatte, durchsetzen werde. Als Verfechter
eines solchen bürgerlich-liberalen Sozialismus geraten sie in Konflikte mit der
organisierten Sozialdemokratie, von der sie sich alsbald enttäuscht abwenden.

Die literarische Entwicklung wird von den einzelnen Literaten der ›Friedrichshagener‹ Gruppierung sehr ähnlich erlebt und subjektiv verarbeitet. Das hängt
eng mit ihrer beruflichen Situation zusammen, deren Hauptkennzeichen in diesem
Zusammenhang das Ringen nach Anerkennung ist. Von der zweiten Hälfte der
achtziger Jahre an machen die betreffenden Literaten eine Reihe von Ansätzen,
sich in Gruppen zusammenzuschließen, um sich gegenseitig den Rückhalt zu geben,

den sie von außen nicht erfahren. Diese Gruppen, deren personelle Zusammensetzung fluktuiert, die mit Doppel- und Dreifachmitgliedschaften nebeneinander herlaufen und die nie länger als ein paar Jahre halten, bieten einmal eine psychologische Stütze, weil sich in ihnen die Nicht-Arrivierten gegenseitig auf ihrem literarischen Weg bestärken und sich so eine Selbstbestätigung verschaffen können, aber sie bieten mehr und mehr auch eine materielle Stütze, weil man sich gegenseitig zu protegieren bemüht, wann immer sich dafür eine Gelegenheit bietet – sei es, daß man als Redakteur einer Zeitschrift einem der Kollegen Aufträge für Aufsätze zuschanzt, oder sei es, daß man gegenseitig in Rezensionen die literarischen Produkte der Gruppenkollegen hochlobt. Die ›Friedrichshagener‹ bilden keine eigene Gruppe im förmlichen Sinne, aber das Phänomen der Gruppenbildung selber ist ein Faktor des ›Friedrichshagener‹ Typus.

Die gemeinsame Diskussion um Fragen der Kunst in den literarischen Zirkeln führt zu einer Angleichung der Ansichten, auch was literarische Formfragen und die Funktionsbestimmung der Kunst angeht. Dabei tendieren die literarischen Zirkel der achtziger Jahre zur neuen Kunstrichtung des Naturalismus und gehören auch zu dessen Hauptförderern. Dennoch bleibt bei den Literaten, die wir den ›Friedrichshagenern‹ zurechnen wollen, eine gewisse Distanz zum Naturalismus spürbar. Dem Naturalismus gehören Sympathien, weil er eine moderne Richtung ist und in künstlerischer Opposition zu den hohlen und erstarrten Formen des offiziellen Kulturbetriebes steht, nicht aber, weil man in ihm etwa die einzig mögliche zeitgenössische Kunstrichtung sähe. Die von den ›Friedrichshagenern‹ selber produzierte Literatur ist nach ihren eigenen Kategorien [2] eher als ›moderne realistische‹ denn als ›naturalistische‹ Kunst einzustufen.

Die Realismusforderung an die eigene Kunstproduktion hat zwei Seiten: zum einen will man sich nicht wie die Naturalisten nur auf die Beschreibung der Oberflächenerscheinungen beschränken, sondern erlaubt sich durchaus, einen beurteilenden Standpunkt einzunehmen; dieser Standpunkt soll aber zum anderen nicht subjektiv, sondern der eines objektiven Betrachters sein, der die gesellschaftlichen Verhältnisse durchschaut und sie ›wahrhaftig darstellt‹. In einem von Bruno Wille verfaßten Protokoll einer Sitzung des literarischen Vereins ›Durch‹ aus dem Jahre 1887 heißt es dazu: »Realismus ist diejenige Geschmacksrichtung, welche die Natur darstellen will, wie sie ist, und dabei nicht in Übertreibung [wie der Naturalismus] verfällt. Der Realist weiß, daß die Wahrheit allein frei macht; sein Ideal ist daher Wahrhaftigkeit der Darstellung. Durch die objektive Betrachtung der gesellschaftlichen Verhältnisse wird ferner der moderne Realist in eine Gemütsverfassung geraten, welche ihn über die Stoffe seiner Darstellung eine eigentümliche Beleuchtung ausgießen läßt (Gerechtigkeitsgefühl und Erbarmen). Der Realismus ist also ideal, aber nicht idealistisch, er stellt ideal dar, aber nicht Ideale!« [3]

Daß die Kunstwerke, die die ›Friedrichshagener‹ schaffen wollen, im beschriebenen Sinne ›wahrhaftig‹ sein sollen, wirkt sich vornehmlich so aus, daß sie in ihren Gedichten und Romanen den Gegenwartsproblemen nicht ausweichen, sondern sie zu gestalten versuchen. Weil sie sich aber durch die Erfahrung der tiefgreifenden gesellschaftlichen Konflikte verunsichert fühlen und ihnen nicht als objektive Betrachter souverän gegenübertreten können, sondern vielmehr gerade erst dabei sind, sich dazu einen Standpunkt zu erarbeiten, ist für sie jedes literarische Werk, das sich mit dieser Thematik beschäftigt, ein Stück fiktiver Bewältigung der eigenen Probleme.

Das führt in den Romanen dazu, daß fast alle stark autobiographisch eingefärbt sind. Die Romane sind trotz allen Bemühens nicht vom Standpunkt der von Wille im ›Durch‹-Protokoll anvisierten beschauenden Objektivität aus geschrieben, sondern sie beschreiben immer wieder die Suche eines autobiographisch besetzten Romanhelden nach dieser Objektivität, bzw. dem richtigen Standpunkt in den gesellschaftlichen Auseinandersetzungen. Weil die Romane für ihre Autoren eine wichtige Rolle bei der Erarbeitung einer eigenen Position spielen, stellen sie die Romanhelden nicht nur in die Situationen hinein, denen sie sich selbst konfrontiert sehen, sondern statten sie auch mit Charakteren aus, die ein Stück – teils bewußter, teils unbewußter – Selbstdarstellung sind. Bei diesen Autoren ist es deshalb möglich, relativ kurz von den Motiven, die ihre literarischen Gestalten bewegen, auf ihre eigene Motivationslage zu schließen.

Bevor wir unseren Begriff des ›Friedrichshagener‹ Typus gegen den literatur-geschichtlichen Begriff des ›Friedrichshagener Dichterkreises‹ oder der ›Friedrichs-hagener Dichterkolonie‹ abgrenzen, wollen wir in biographischen Kurznotizen den Personenkreis vorstellen, auf den wir unsere Analyse des ›Friedrichshagener‹ Typus stützen wollen.

Weil uns am ›Friedrichshagener‹ Typus besonders das Verhältnis zur Arbeiter-bewegung interessiert, haben wir hier Literaten ausgewählt, die entweder selber intensiven Kontakt zur Arbeiterbewegung gehabt haben und sich darüber schrift-lich geäußert haben oder die in einem oder mehreren Romanen den Weg von An-gehörigen höherer Gesellschaftsschichten ins Proletariat thematisiert haben. Zwar können diese Literaten im großen und ganzen als repräsentativ für den ›Fried-richshagener‹ Typus gelten, aber der Auswahlgesichtspunkt beinhaltet doch eine gewisse Beschränkung. Wir haben uns zu dieser Beschränkung der Untersuchung entschlossen, weil es uns hier nicht darum gehen kann, die ›Friedrichshagener‹ Gruppierung in aller Ausführlichkeit darzustellen, sondern weil deren Analyse nur zu dem Zweck vorgenommen wird, das kulturpolitische Auftreten von Angehöri-gen dieser Gruppierung präziser einschätzen zu können.

Bruno *Wille* wurde 1860 in Magdeburg als Sohn eines Versicherungsinspektors und einer adligen Majorstochter geboren. Nach dem Studium der Theologie und der Philosophie betätigt er sich als Journalist und Agitator in der Berliner Arbei-terbewegung. Er ist der maßgebliche Gründer sowohl der ›Freien Volksbühne‹ als auch der ›Neuen Freien Volksbühne‹. [4] Er ist Mitglied der Literatenzirkel ›Durch‹ [5], ›Ethischer Klub‹ [6] und ›Genie-Konvent‹ . [7] Er gehört zu den leitenden Mitarbeitern der Zeitschrift ›Freie Bühne‹. [8] Im Hauptberuf ist er Prediger und Religionslehrer der Berliner »Freireligiösen Gemeinde‹, zu deren lin-kem Flügel er gehört. [9] Mehr als die anderen Literaten kommt er in direkte

Auseinandersetzungen mit der SPD, weil er nämlich, obwohl nicht Mitglied der Partei, als einer der prominentesten Wortführer der innerparteilichen Linksopposition, der sogenannten ›Jungen‹, 1890 und 1891 auftritt. [10] In seinem literarischen Werk ist vor allem die Lyrik von der ambivalenten Zuwendung zur Arbeiterbewegung geprägt. Wille beginnt erst nach 1900 Romane zu schreiben, diese sind von anderen Themen bestimmt. [11] Nur in dem Roman *Der Glasberg / Roman einer Jugend, die hinauf wollte* (1920) finden sich episodenhafte Einsprengsel, die in autobiographischer Färbung vom Zusammentreffen eines jungen Theologen mit der Berliner Arbeiterbewegung erzählen. [12] Wille begründet zusammen mit Wilhelm Bölsche 1890 die sogenannte ›Dichterkolonie‹ im Berliner Vorort Friedrichshagen. [13]

Wilhelm *Bölsche* wurde 1861 in Köln als Sohn eines ehemaligen Theologen und späteren Zeitungsredakteurs geboren. [14] Er beginnt in Bonn Philologie und Kunstgeschichte zu studieren, später beschäftigt er sich im Studium auch mit naturwissenschaftlichen Fragen. [15] Bölsche kommt 1885 nach Berlin, verkehrt in Literatenkreisen im Verein ›Durch‹, ist Mitgründer der ›Freien Volksbühne‹ und gehört nach der Spaltung der Volksbühnenbewegung zur Leitung der ›Neuen Freien Volksbühne‹ [16]; zeitweilig ist er Chefredakteur der Zeitschrift ›Freie Bühne‹ [17]; um 1890 hält er in Gewerkschaftsveranstaltungen und Arbeitervereinen naturwissenschaftliche Vorträge. [18] In seinem Roman *Die Mittagsgöttin* (1891) erzählt er die typische Geschichte einer Hinwendung zum Proletariat. Er ist eng mit Bruno Wille befreundet.

Wilhelm *Hegeler,* geboren 1870 [19], kommt aus Varel in Nordwestdeutschland. Sein Vater ist Inhaber einer Seifenfabrik. Nach dessen frühem Tod heiratet seine Mutter einen Gymnasiallehrer. Hegeler studiert Jura, unter anderem in Berlin [20], er bricht sein Studium ab, will Handwerker und zugleich Schriftsteller werden [21], zieht zuerst in ein Berliner Arbeiterviertel um [22], dann nach Friedrichshagen zu Bölsche und Wille. [23] Er gehört mit ihnen zur Leitung der ›Neuen Freien Volksbühne‹. [24] An dem Abdruck seines Romans *Mutter Bertha* in der ›Neuen Welt‹, einer Unterhaltungsbeilage zu SPD-Parteizeitungen, entzündet sich auf dem Gothaer Parteitag der SPD 1896 eine heftige kulturpolitische Debatte. [25]

Ludwig *Jacobowski,* Sohn eines Kaufmanns aus Strelno, einer Kleinstadt in Posen, geboren 1868 [26], beschreibt die Geschichte des Angehörigen der Oberschichten, der sich den Unterschichten zuwendet, in seinem Roman *Loki* (1899) nicht mehr realistisch, sondern schon mythisch verkleidet als Rache des ungeliebten Göttersohnes an seinen Artgenossen. Wir ziehen für die Analyse des ›Friedrichshagener‹ Typus seinen um 1890 geschriebenen [27] und 1892 erschienenen [28] Roman *Werther, der Jude* heran, in dem das problematische Verhältnis des kleinbürgerlichen Intellektuellen zu seiner Klasse in verklausulierter Form thematisiert wird. Jacobowski ist nach einem literaturwissenschaftlichen Studium Mitherausgeber mehrerer Zeitschriften [29]; von 1898 bis zu seinem Tod 1900 ist er Schriftleiter und Herausgeber der ›Gesellschaft‹. Als einer der Sympathisanten des ›Friedrichshagener‹ Kreises [30] übernimmt er für kurze Zeit den Vor-

sitz der ›Neuen Freien Volksbühne‹ [31] und gründet Ende der neunziger Jahre
den literarischen Zirkel ›Die Kommenden‹, in den ein Teil des Friedrichshagener
Kreises und des ehemaligen Vereins ›Durch‹ schließlich einmünden. Zu den Besuchern zählen auch Bölsche und Wille. [32] Ende der neunziger Jahre versucht
sich Jacobowski an dem Projekt, auf einem neuen Wege das Volk an die Dichtung heranzuführen. In einer Auflage von je 100 000 Exemplaren sollen Auswahl-
bändchen mit Auszügen aus den Werken deutscher Dichter veröffentlicht und zu
einem Preis von nur zehn Pfennig verkauft werden. Sein früher Tod läßt dieses
Projekt nicht über das erste Heft hinauskommen. [33]

John Henry *Mackay* stellt in seinem Roman *Die Anarchisten* (1891) und nahezu
unverändert noch in seinem Roman *Der Freiheitssucher* (1921) die Hinwendung
eines Intellektuellen zum Proletariat dar. Mackay wurde 1864 in Schottland geboren als Sohn eines schottischen Schiffsversicherungsmaklers [34] und einer deutschen Mutter, die aus einer Hamburger Kaufmannsfamilie stammt. Nach dem frühen Tod des Vaters wächst Mackay in Deutschland auf, wo seine Mutter zum
zweitenmal heiratet, und zwar einen preußischen Beamten. 1887 verkehrt Mackay
in London ein Jahr lang in kommunistischen und anarchistischen Kreisen. Später
vertritt er von den angeführten Literaten am konsequentesten einen individualistischen Anarchismus. In Berlin ist er Mitglied des Vereins ›Durch‹ [35] und ist
häufiger Besucher in Friedrichshagen. [36] Er arbeitet an der Zeitschrift ›Die
Gesellschaft‹ und an Heinrich Harts ›Berliner Monatsheften‹ mit. [37] Mackay
arbeitet als Mitglied des ›künstlerischen Ausschusses‹ in der ›Neuen Freien Volksbühne‹ mit. [38]

Ist es bei den bisher angeführten Autoren unproblematisch, ihre Werke und
Selbstzeugnisse zur Grundlage der Beschreibung des ›Friedrichshagener‹ Typus zu
machen, weil sie als Bewohner oder häufige Besucher Friedrichshagens in einem
engen Zusammenhang mit der ›Friedrichshagener Dichterkolonie‹ stehen, ist das
bei den beiden folgenden Autoren schwieriger. Zwar gibt es auch bei ihnen gele-
gentliche Kontakte zu Angehörigen des ›Friedrichshagener Kreises‹, aber diese
sind sehr locker, und aus ihnen läßt sich keine Zugehörigkeit zum ›Friedrichshagener‹ Typus begründen. Wenn wir dennoch beide, Felix Hollaender und Hans
Land, hier mit in die Untersuchung einbeziehen wollen, liegt das daran, daß diese
beiden Autoren die ersten sind, die Romane zum Thema der mißlungenen Annäherung eines Angehörigen der Oberklassen zum Proletariat geschrieben haben.
In diesen Romanen haben beide die in der Realität sich kaum erst andeutende Abwendung von der Arbeiterbewegung, die die ›Friedrichshagener‹ in den folgenden Jahren tatsächlich vollziehen, schon 1890 im voraus beschrieben. Insofern
haben sie als Seismographen der wirklichen Bewegung der kleinbürgerlichen Intelligenz um diese Zeit einen gewissen Vorsprung vor den ›Friedrichshagenern‹. Das
könnte ein Grund dafür sein, daß sie zum Kreis der ›Friedrichshagener‹ keinen
engeren Kontakt finden. Diese haben nämlich im Jahre 1890 trotz der beginnenden Auseinandersetzungen mit der sozialdemokratischen Parteiführung noch ein
recht ungebrochenes und naives Verhältnis zu ihrer eigenen Hinwendung zur
Arbeiterbewegung.

Weil Hollaender und Land bestimmte Tendenzen sehr früh registrieren, kann gerade die Analyse ihrer Romane besonders viel über den ›Friedrichshagener‹ Typus erbringen. Dabei ist es nicht so, daß diese Autoren sich von den Problemen, die sie in ihren Romanen behandeln, weniger betroffen fühlten als die in direkterem Sinne als ›Friedrichshagener‹ zu bezeichnenden Literaten. Das zeigt sich daran, daß auch sie ihre Helden mit autobiographischen Zügen ausstatten. Nur verschiebt sich bei ihnen das Verhältnis von literarischen und praktischen Bewältigungsversuchen mehr zugunsten der ersteren. Zwar sind nicht alle ›direkten‹ ›Friedrichshagener‹ im selben Maße aktiv in die politischen und kulturpolitischen Auseinandersetzungen verwickelt wie Wille und Bölsche, so daß von daher der Unterschied zu Hollaender und Land nicht allzu groß erscheint, aber der enge Diskussionszusammenhang, in dem man miteinander steht, führt doch bei den mit dem Zentrum des ›Friedrichshagener Kreises‹ verbundenen Literaten zu einer unmittelbareren Beteiligung an den aktuellen Geschehnissen als bei solchen Randfiguren wie Holländer und Land. Im Gegensatz zu allen ›direkten‹ ›Friedrichshagenern‹ sind Hollaender und Land z. B. auch nicht an der Volksbühnenarbeit beteiligt [39], obwohl beide an Fragen des Theaters interessiert sind (sie schreiben 1892 gemeinsam das Drama *Die heilige Ehe* [40]; Hollaender geht später beruflich ganz zum Theater) und obwohl Land 1890 wie Wille programmatisch die Absicht verkündet, die Kunst dem Volke zu bringen. [41] Im Kopf werden Hollaender und Land, auch wenn sich das bei ihnen nicht im selben Maße praktisch umsetzt, von denselben Problemen bewegt wie die ›echten‹ ›Friedrichshagener‹. Ihre Romane sind sogar in gewisser Weise gerade wegen der fehlenden Praxis noch mehr auf diese Probleme konzentriert, weil hier die literarische Gestaltung als die alleinige Möglichkeit zu deren, wenigstens ersatzweiser, Bewältigung empfunden wird.

Felix *Hollaender* ist Sohn eines Arztes und wurde 1867 in Leobschütz in Oberschlesien geboren. [42] In Berlin studiert er Germanistik, bricht dann jedoch sein Studium ab, um Schriftsteller zu werden. Er schreibt für den Fischer-Verlag, von dem er monatliche Vorschußabschlagszahlungen auf künftige literarische Leistungen erhält. [43] Mit den Berliner Literatenkreisen kommt er als Mitglied des ›Ethischen Klubs‹ in Berührung. [44] Als er in der ›Freien literarischen Gesellschaft‹, einer Gründung der ›Freien Bühne‹, bei einer Lesung durchfällt, verläßt er Berlin und wird Journalist. [45] In einer von ihm gegründeten Zeitung arbeiten u. a. von den ›Friedrichshagener‹ Literaten die Brüder Hart und Gustav Landauer mit. [46] Hollaender wird später Dramaturg und Intendant bedeutender Theater in Berlin und Frankfurt. [47] Wir machen seine Romane *Jesus und Judas* (1890) und *Der Weg des Thomas Truck* (1902) mit zu Grundlagen der Untersuchung des ›Friedrichshagener‹ Typus. In beiden thematisiert Hollaender den Weg eines Intellektuellen ins Proletariat und das Fehlschlagen der Annäherungsversuche.

Hand *Land* kommt nicht wie die anderen hier beschriebenen Literaten aus der Provinz. Er wurde 1861 in Berlin als Sohn eines jüdischen Geistlichen geboren. [48] Land ist Mitarbeiter der Zeitschrift ›Freie Bühne‹, später wird er

Schriftleiter von Reclams ›Universum‹. [49] Sein 1890 verfaßter Roman *Der neue Gott* erzählt die Geschichte eines Grafen, der sich der Arbeiterbewegung anschließt, aber den Konsequenzen seines Entschlusses nicht gewachsen ist und schließlich zum Verräter wird. Der Roman wird 1896 in der ›Neuen Welt‹ abgedruckt und wird dort neben Hegelers *Mutter Bertha* zu einem Stein des Anstoßes. Er wird im Rahmen der Naturalismusdebatte des Sozialdemokratischen Parteitages von 1896 in Gotha mitdiskutiert.

Zum ›Friedrichshagener‹ Typus könnten bei einer genaueren Untersuchung der literarischen Szene der neunziger Jahre sicher noch mehr Literaten zugeordnet werden. Weshalb wir uns um eine solche breitgestreute Untersuchung nicht bemühen, haben wir oben begründet. Bei einigen Literaten, deren Werk wir zur Konstituierung des ›Friedrichshagener‹ Typus nicht systematisch herangezogen haben, sind die Beziehungen zu diesem Typus und zum Kreise der ›echten‹ ›Friedrichshagener‹ jedoch so deutlich, daß wir sie hier ebenfalls kurz vorstellen wollen, besonders, weil sie alle in unserer Arbeit in verschiedenen Zusammenhängen wieder auftauchen werden.

Diese Literaten sind:
– die Brüder Heinrich und Julius *Hart,* die beide eng mit Wille und Bölsche befreundet sind und ihnen als erste nach Friedrichshagen folgen, um dort ihre Wohnung zu nehmen; beide sind wichtige Mitglieder der literarischen Zirkel der achtziger Jahre und werden später in der Volksbühnenbewegung aktiv [50];
– Gustav *Landauer,* der ebenfalls eine Zeitlang in Friedrichshagen wohnt und Willes Nachfolger als politischer Wortführer der ›Unabhängigen Sozialisten‹ wird; Landauer ist langjähriger leitender Mitarbeiter der ›Neuen Freien Volksbühne‹ [51];
– Karl *Henckell,* der bis 1890 soziale Lyrik schreibt, um sich danach von der ›sozialen Frage‹ als Thema abzuwenden; Karl Henckell ist häufiger Gast in Friedrichshagen und Mitarbeiter der ›Neuen Freien Volksbühne‹, deren stellvertretenden Vorsitz er von 1904 bis 1907 innehat. [52]
– Otto Erich *Hartleben,* der für verschiedene sozialdemokratische Zeitungen Theaterkritiken verfaßt; Hartleben ist mit Wille und Bölsche befreundet, über Bölsches erste Ehe schreibt er eine freundlich-satirische Novelle; Hartleben wird von den Bewohnern Friedrichshagens ebenfalls zu den häufigen Besuchern gezählt und gehört besonders in den ersten Jahren zu den in der Volksbühnenbewegung leitend Tätigen. [53]

Verglichen mit dem Kreis von künstlerisch oder politisch interessierten Intellektuellen, die in den neunziger Jahren in Friedrichshagen wohnen oder dort häufige Gäste sind, wird durch unseren Begriff des ›Friedrichshagener‹ Typus sowohl eine Erweiterung als auch eine Verengung vorgenommen. Während wir auf der einen Seite Hollaender und Land dem Typus mit zurechnen konnten, haben wir auf der anderen Seite diejenigen Bewohner Friedrichshagens ausgeschlossen, die entweder nur Schriftsteller (ohne besondere Betroffenheit durch die ›soziale Frage‹) oder nur Politiker (ohne literarische Ambitionen) sind.

Die beiden Hauptelemente, die sich im ›Friedrichshagener‹ Typus vereinen, erscheinen in der historischen Realität des Friedrichshagener Freundeskreises in den einzelnen Personen, die ihm angehören, zum Teil ebenfalls vereint, zum Teil ist aber auch eines der Elemente so eindeutig dominant, daß das andere nicht in Erscheinung tritt. Zum ›Friedrichshagener Kreis‹ fühlen sich sowohl schwärmerische ›Sozialisten‹, mehr und mehr aus den Kreisen der innerparteilichen Linksopposition der ›Jungen‹ und später der Anarchisten, wie ›moderne‹ Literaten und andere Künstler hingezogen.

›Politiker‹, die in Friedrichshagen wohnen, sind:
- der sozialdemokratische Redakteur und Reichstagsabgeordnete Max *Schippel*, der schon vor Wille und Bölsche in Friedrichshagen lebt [54];
- Georg *Ledebour*, politisch zuerst Anhänger der bürgerlichen Demokratie, dann ab 1890 Sozialdemokrat; Ledebour hat Wille eine Stelle als Hilfsredakteur in der von ihm redigierten Zeitung ›Demokratische Blätter‹ verschafft [55]; 1900 wird Ledebour sozialdemokratischer Reichstagsabgeordneter [56];
- die Brüder Bernhard und Paul *Kampffmeyer*, die zu den ›Jungen‹ gehören; Paul schwenkt später auf den rechten Flügel der Sozialdemokratie um und schreibt für die Partei weitverbreitete Selbstverständnis- und Werbebroschüren [57]; Bernhard festigt später seine Sympathien für den Anarchismus und macht sich einen Namen als erster Übersetzer der Schriften des russischen Anarchisten Kropotkin in die deutsche Sprache [58];
- Hermann *Teistler*, ein politischer Schriftsteller und Verleger, der in den Jahren nach 1890 mit anarchistischen Strömungen sympathisiert; seine Schrift ›Der Parlamentarismus und die Arbeiterklasse‹ (1892) ist der erste Band einer Schriftenreihe des Verlages ›Der Sozialist‹, der den ›Unabhängigen Sozialisten‹, der Nachfolgeorganisation der ›Jungen‹ gehört [59]; später leitet Teistler jahrzehntelang die Friedrichshagener Lokalzeitung [60];
- Albert *Weidner*, Redakteur und technischer Hersteller der Zeitung ›Sozialist‹, des Organs der ›Unabhängigen Sozialisten‹, später, laut Untertitel, ›Organ für Anarchismus–Sozialismus‹ [61];
- Wilhelm *Spohr*, der mit Weidner und Landauer zusammen den ›Sozialist‹ herausgibt. [62]

Auf der anderen Seite sind als ›reine‹ Schriftsteller, bzw. Künstler in Friedrichshagen ansässig:
- die drei schwedischen Literaten August *Strindberg*, Ola *Hansson* und Laura *Marholm* [63];
- der Maler *Fidus*, der den ›Friedrichshagenern‹ ihre Bücher illustriert und auch für die Zeitung ›Sozialist‹ zeichnet [64];
- der Essayist Willi *Pastor*. [65]

Max Halbe, selber nur Besucher, nicht Bewohner Friedrichshagens [66], schreibt in seiner Autobiographie *Jahrhundertwende*: »Friedrichshagen war [...] kaum noch eine Ortsbezeichnung: Friedrichshagen war ein Zustand, eine Geistesverfas-

sung. Im Sinne dieser geistigen Zuständigkeit gab es ja eine ganze Anzahl solcher
›Friedrichshagener‹, die in Berlin oder in dessen anderen Vororten wohnten [...]
und alle um den Friedrichshagener Kern kreisten.« [67] Unser Begriff des ›Friedrichshageners‹ deckt sich in der Tendenz mit dem von Halbe. Die faktische Um-
siedlung nach Friedrichshagen ist unter diesem Gesichtspunkt zwar ein wichtiges
Indiz für die Zugehörigkeit zum ›Friedrichshagener‹ Typus, aber nicht das aus-
schlaggebende Kriterium.

Ein solcher Ansatz wird von den zentralen Gestalten des ›Friedrichshagener
Kreises‹ selber nahegelegt. So wehrt sich Bölsche wiederholt gegen die Literatur-
geschichtsschreiber, die eine festumrissene ›Friedrichshagener Dichterkolonie‹ konstruieren wollen. [68] Bölsche betont z. B. das ständige Kommen und Gehen
und die Unschärferänder: manche Besucher seien so häufig gekommen, daß sie
ihm als Bewohner Friedrichshagens erschienen seien, ohne wirklich dort ihre Wohnung gehabt zu haben. [69] Auch was die inhaltliche Seite angeht, betont Bölsche die Unbestimmtheit des Kreises und persifliert die Darstellung einiger Lite-
raturgeschichtsschreiber (er nennt Adalbert von Hanstein und Richard M.
Meyer [70]), die die »putzige Legende« »von einer geschlossenen naturalistischen
Dichterschule« aufgebracht hätten, »die, mit Gerhart Hauptmann an der Spitze,
eines Tages in corpore nach Friedrichshagen übergesiedelt sei«. [71] Bölsche erklärt (1901), für ihn bedeute Friedrichshagen weniger einen bestimmten Personenkreis als ein bestimmtes »Innenerlebnis« [72], dessen zentrales Moment für ihn
die Abkehr von der Stadt und die Hinwendung zur Natur ist, mit der besonderen
Beimengung allerdings, daß die Stadt und ihre sozialen Probleme nicht völlig aus
dem Blick kommen. Bölsche beschreibt das so: »Die große soziale Wolke der
Stadt warf ihren roten Schein ab und zu herüber zu der kleinen Klippe im Kiefern-
meer, wo allerlei heiteres und groteskes Poetenvolk wie die Nixe aus der Tiefe
kroch, um sich einen Augenblick harmlos zu sonnen und zu necken.« [73] Damit
ist neben der Natur und der ›sozialen Frage‹ das dritte Moment angegeben, das
für Bölsche Friedrichshagen ausmacht: die gesellige Kommunikation der Literaten.

Wille wendet sich nicht im selben Maße wie Bölsche kritisch gegen die Legen-
denbildung um den ›Friedrichshagener Kreis‹, aber auch er weist darauf hin, daß
das, was Friedrichshagen seinen Charakter gibt, nicht bloß eine bestimmte zufällige Konstellation von Menschen, sondern eine bestimmte Kombination von Motiven ist: »Eigentümlich war dem Friedrichshagener Kreise die Verbindung folgender Motive: Natureinsamkeit bei brausender Weltstadt, literarisches Zigeunertum und sozialistische wie anarchistische Ideen, keckes Streben nach vorurteilsloser,
eigenfreier Lebensweise, Kameradschaft zwischen Kopfarbeitern und begabten
Handarbeitern, aber auch geistvollen Vertretern des Reichtums.« [74]

Wille gibt mit diesen Motiven in verzerrter Form die Motivationen an, die auch
nach unserer Meinung für die Literaten vom ›Friedrichshagener‹ Typus die entscheidenden sind. Wir sehen hinter Willes Formulierung »Kameradschaft zwischen
Kopfarbeitern und begabten Handarbeitern« das grundlegende Problem des Verhältnisses der linksbürgerlichen literarischen Intelligenz zur Arbeiterbewegung;
hinter der ›Kameradschaft mit geistvollen Vertretern des Reichtums‹ die proble-

matische Stellung zu den herrschenden Kreisen in Politik, Wirtschaft und Kulturbetrieb; hinter dem ›kecken Streben nach vorurteilsloser, eigenfreier Lebensweise‹
die drängende Problematik der Sexualität; hinter der Formulierung vom ›literarischen Zigeunertum‹ eine verharmlosende Kaschierung der Führungsrolle, die dem
Dichter und der Dichtung zugemessen wird – sie wird hier als Bohèmetum verkleidet, weil man mit dieser konventionellen Wendung meint, sich um die Rechtfertigung seines Anspruches eher drücken zu können; hinter der Wendung »Natureinsamkeit bei brausender Weltstadt« sehen wir schließlich die abwehrende Interpretation der ›sozialen Frage‹ als eines bloßen Gegensatzes zwischen Stadt = Unnatur und Land = Natur.

Eine Analyse der literarischen Produkte der ›Friedrichshagener‹ vermag solche
Mystifikationen, wie Wille sie hier mit seiner scheinbar direkten Selbstdarstellung
vornimmt, zu durchbrechen. In der indirekten Selbstaussage ihrer Literaturpro-
duktion, besonders in den autobiographisch gefärbten Romanen, geben die ›Friedrichshagener‹ nämlich mehr von sich preis, als wenn sie unmittelbar über sich
selber reden.

2.2 *Literarische Selbstaussagen der ›Friedrichshagener‹*

Die Begegnung mit dem Proletariat und dem sozialen Elend ist ein Schock für
den kleinbürgerlichen Intellektuellen, der einem Milieu entstammt, das mit den
bestehenden Verhältnissen des Kaiserreichs von 1871 seinen Frieden geschlossen
hat und trotzdem nicht auf die Ideale des Bürgertums: ›Freiheit und Gleichheit‹
zu verzichten gewillt ist. Im Gegensatz zum Großbürgertum, das sich um die alten
bürgerlichen Ideale keine Gedanken mehr macht, hat das kleine und mittlere Bürgertum das Bewußtsein vom Widerspruch zwischen diesen Idealen und der Wirklichkeit des Reiches von 1871 verdrängt. Es hat sich arrangiert, aber gleichzeitig
seine ideologischen Vorstellungen im wesentlichen beibehalten. Es erträgt den
Widerspruch, indem es sich vormacht, seine Ideale seien verwirklicht. Die ›Friedrichshagener‹ Literaten sind in ihren kleinbürgerlichen Elternhäusern in diesem
Sinne sozialisiert worden. Daß die Wirklichkeit anders aussieht als das Bild, das
man ihnen bis dahin von ihr gemacht hat, erfahren die ›Friedrichshagener‹ plötzlich und schockhaft, als sie nach Berlin kommen und dort auf die ›soziale Frage‹
stoßen.

Vor den neuen Erfahrungen versagen die Ordnungsvorstellungen des Kleinbürgertums, die erste Reaktion ist eine fundamentale Unsicherheit. Für Holländers
Thomas Truck stellt sich das so dar: »Wenn er bei seinen Spaziergängen durch
die Straßen in all die versorgten und verkümmerten Gesichter sah, in die das
Leben so niederträchtige Striche eingemeißelt hatte, so drängten sich ihm die
widersprechendsten Empfindungen auf [...] er empfand das tiefste Mitleid mit
ihnen, wenn er von ihren Zügen den Gram ablas und den Jammer. Denn seit er zu
denken angefangen, hatte er nicht aufgehört, über den Gram des Volkes zu grü-
beln. Er schämte sich seiner gesättigten Existenz.« [75]

In den Motiven *Mitleid* und *Scham* werden zwei Ansätze erkennbar, wie auf die Verunsicherung reagiert wird und wie versucht wird, sie gefühlsmäßig und ideologisch zu bewältigen. Mitleid möchte die Situation des Bemitleideten, Scham die eigene Situation verändert sehen. Beide Reaktionsweisen lassen Scheinlösungen des aufgetretenen Konflikts zu. Mitleid kann zur konsequenten Parteinahme für die Unglücklichen führen, aber es kann auch in reiner Innerlichkeit als bloßes Gefühl enden. So findet es sich bei dem Spreewaldgrafen aus Bölsches *Mittagsgöttin,* bei dem das »Mitleid« mit den Mädchen aus den »tieferen Volksschichten« [76], die sich ihm gegen Geld hingeben, das Hauptmotiv ist, das ihn dazu bewegt, »socialistischer Schriftsteller, socialistischer Redner« und schließlich »socialistischer Führer« zu werden. Dasselbe Motiv, nämlich ›Mitleid‹, ist es, was ihn von der sozialistischen Bewegung wieder abbringt, als er die Überlegung anstellt, daß die Ergebnisse der modernen Naturwissenschaften das »Geschehen« auf der Erde als ein »allmächtiges Rad ohne sichtbare Ziele« [77], das keinen Trost biete [78], erscheinen ließen. Aus dieser Überlegung zieht er nämlich den Schluß: »wenn alle diese Millionen zu essen hatten und nun Zeit fanden, sich die ganzen Geisteskonsequenzen anzueignen [...] war dann nicht in alle diese Millionen damit ein neuer, jetzt noch ungeahnter Stachel neuer, unstillbarer Qual gesenkt?« [79] und konstatiert: »mein Mitleid mit den Lebenden war jetzt eher größer als zuvor, und ich wagte nicht mehr, es mit Zukunftsträumen abzuspeisen«. [80] Im Rückblick erscheint dem Grafen also die sozialistische Tätigkeit als ein bloßer Versuch, sein ›Mitleid abzuspeisen‹.

So führt in den meisten Fällen das Motiv Mitleid nicht dazu, die Partei der Bemitleideten zu ergreifen, sondern dazu, den einfachsten Weg zu suchen, auf dem das aufgerührte Gewissen beruhigt werden kann. Und das ist die karitative, individuelle Hilfe, das Almosen. Für Thomas Truck sieht das so aus, daß er Geld an die arme Maria Werft schickt und beschließt, »keinen Pfennig mehr für sich zu behalten, als er zu seinem dringendsten Lebensunterhalte« ›bedarf‹. [81] Und so heiratet der desillusionierte Wilhelm aus Bölsches *Mittagsgöttin* schließlich die arme Therese mit dem Argument, »warum nach so viel Traurigkeit nicht wenigstens ein armes Menschenkind sein Glück finden sollte. [...] ich empfand ein unendliches Mitleid mit Therese«. [82]

Scham über die privilegierte eigene Rolle in der Gesellschaft kann zum Bruch mit der eigenen Klasse führen. Aber weil Scham bedeutet, sich mit den Augen eines anderen zu sehen und sich in dessen Perspektive jämmerlich vorzukommen, kann man dieses Gefühl auch neutralisieren, indem man sich so vor den Augen des anderen versteckt, daß er einen nicht mehr als den erkennen kann, der man ist. Jacobowskis Fritz aus *Werther, der Jude* erfährt das so: »Als er die vorübergehenden Arbeiter ansah, da fiel ihm seine eigene Kleidung durch ihre Eleganz auf. Aber er empfand es wie ein Verbrechen, das er begangen, wie eine Tat, um welche er um Verzeihung zu bitten hätte. Es war ihm peinlich, von einigen Vorübergehenden scharf gemustert zu werden.« [83] »Er sah ein paar Arbeiter, die sich in die kalten Hände bliesen, um sie zu erwärmen. Da zog er langsam – es geschah fast unbewußt – seine eigenen Handschuhe aus und steckte sie in den Überzieher.

Er schämte sich und wußte nicht warum und wußte nicht, vor wem.« [84] Auch Auban aus Mackays *Anarchisten* ›vereinfacht seine Kleidung‹ »bis zur Bescheidenheit«, weil er »um keinen Preis ein Bourgeois sein und scheinen« will. [85] Er zieht ins Arbeiterviertel um und ißt in Arbeiterkneipen. »Indessen verringerten sich seine Ausgaben dadurch nicht. Nur das Gefühl der Beschämung ›besser‹ zu sein als seine hungernden Brüder, empfand er nicht mehr bei dieser immerwährenden, bewußten Selbstentäußerung.« [86]

Der Gefühle Mitleid und Scham kann sich der bürgerliche Intellektuelle durch rituelle Ersatzhandlungen noch verhältnismäßig leicht so erwehren, daß er seine Position nicht wirklich aufzugeben braucht. Schwerer fällt das bei den Gefühlen, in denen sich nicht die Erfahrung eines elenden und schwachen, sondern eher die eines starken und selbstbewußten Proletariats spiegelt. Die eigene Position wird als ungesichert und unglücklich erfahren, sie wird nicht von innen, sondern von außen bedroht. Eines dieser Gefühle ist *Faszination*. Mackays *Freiheitssucher* Ernst Förster faszinieren, als er im Konfirmandenunterricht mitten zwischen den anderen Kindern aus ›gutem Hause‹ sitzt, die »Proleten«, die auf der anderen Seite des Raumes zusammen sitzen. Sie sind für ihn »eine fremde und unheimliche Masse«, aber er kann sich ihnen nicht entziehen und muß immer wieder zu ihnen hinübersehen. Mackay läßt den 16jährigen Ernst Förster durch diese Faszination zum erstenmal von der sozialen Frage angerührt sein. [87]

Im Gefühl der Faszination sind die widersprüchlichen Elemente des *Angezogen- und Abgestoßenseins* enthalten. Insofern entspricht es präzise dem Klassenstandpunkt des kleinbürgerlichen Intellektuellen, der unentschieden zwischen den Kapitalisten und der Arbeiterklasse steht. Bei Hollaenders Thomas Truck stellen sich aus demselben Grund nicht nur, wie aus dem oben Zitierten hervorging, Mitleid und Scham ein, wenn er den Arbeitern in den Straßen Berlins begegnet, sondern auch Haß. Zwar haßt er die Arbeiter angeblich deshalb, »weil sie ohnmächtig waren, sich zerreiben, zermahlen und zerstören ließen« [88], aber wenn im selben Zusammenhang steht, daß er meint, sie hätten »ihre Kraft und Schönheit verloren«, »das brutale Leben« habe bei ihnen »alles Feine und Edle wie Mehltau hinweggeblasen« und ihre Gesichter seien »wutentstellt« [89], dann wird deutlich, daß der Haß sich weniger auf die Ohnmacht der Ausgebeuteten richtet als auf ihre mögliche Macht, die als elementar und wütend über die Grenze des ›Feinen und Edlen‹ hinwegfegend gefürchtet wird. Von daher ist es bloß konsequent und im wohlverstandenen eigenen Interesse, wenn Thomas Truck und mit ihm sowohl die ganze Gruppe der Literaten, mit der wir uns hier beschäftigen, wie auch ihre Romanhelden es für ihre Hauptaufgabe im Rahmen der Arbeiterbewegung halten, die ›dumpfe Masse‹ zu veredeln, zu verfeinern und zum Kulturgenuß zu befähigen. [90]

Aber auch dieses Motiv bleibt nicht ohne Widerspruch in einem Charakter, der, wie es bei Thomas Truck heißt, im Augenblick der Begegnung mit dem Proletariat von den »widersprechendsten Empfindungen« [91] gepackt ist. Der Furcht vor dem Elementaren als unberechenbarer Wut steht die Zuneigung zum Elementaren als dem unverfälschten, unkomplizierten einfachen Leben gegenüber. Der Student Höfke aus Hollaenders *Jesus und Judas* sieht, in einer Arbeiterkneipe sitzend, »mit Neid und Wohlbehagen auf die Männer, die sich ihren Fraß schmecken ließen, als säßen sie an wohlbesetzten Tafeln und schmausten köstliche Braten und tränken berauschende Weine«. [92] Im selben Roman ist der Student und Arbeiteragitator Carl Truck bereit, seine akademische Karriere aufs Spiel zu setzen, um die Erfüllung bei Lene, der Tochter seiner proletarischen Wirtsleute, zu finden: »Ach, mein Gott, meine Glücksansprüche sind so winzig, so bescheiden – eine Kammer ... ein Bett ... die Lene ... und kärgliches Brot.« [93] Von ähnlichen Gedanken erfüllt, wendet sich Wilhelm aus der *Mittagsgöttin* seiner armen Jugendgeliebten Therese wieder zu: »Mich faßte heute Sehnsucht nach diesem einfachen, nüchternen Kampfe ums Dasein, dieser sicheren Arbeit ohne den Ikarusflug des Gedankens.« [94] Eine Art Interpretation dieses Topos liefert Hegeler, der in der autobiographischen Skizze *Einiges aus meinem Leben* erzählt, daß die Sozialdemokraten ihm ›imponiert‹ hätten mit ihrer ›gesunden Einseitigkeit‹, die er als das ihm unerreichbare Gegenbild zu seiner »Verworrenheit« empfunden habe. [95]

Wenn die Haltung der linksbürgerlichen Intellektuellen zur Arbeiterbewegung zwischen Abwehr und Zuwendung schwankt, liegt das u. a. auch daran, daß sie ihre eigene Stellung zu den gesellschaftlichen Problemen, wie sie selbst glauben, ›freischwebend‹ beziehen. Insofern begreifen sie sich als über den Klassenantagonismen stehend und halten es für möglich, ohne Rücksicht auf eigene materielle Interessen frei für diejenigen gesellschaftlichen Kräfte Partei ergreifen zu können, die Ideen verfechten, die den ihren nahekommen. Sie bemühen sich nicht darum, ihre eigene objektive Lage zu analysieren, weil sie sich für freie Subjekte halten. Ihr Schwanken gestehen sie sich nicht programmatisch zu, aber es wird doch durch ihr so gelagertes Selbstverständnis begünstigt.

Eine andere Tendenz ist im Begriff des ›geistigen Proletariats‹, der mehrfach in den ›Friedrichshagener‹ Romanen auftaucht, wenigstens der Möglichkeit nach enthalten. Hier wird eine Übereinstimmung zwischen der objektiven Lage des Intellektuellen und der des Proletariats angedeutet. Die Interessenidentität, die aus einer gleichen objektiven Lage abzuleiten wäre, böte für ein Zusammengehen der Intellektuellen mit der Arbeiterbewegung immerhin eine materielle Grundlage. Doch es zeigt sich bei näherem Hinsehen, daß der Begriff des ›geistigen Proletariats‹ von den ›Friedrichshagenern‹ nicht als analytischer Begriff eingesetzt wird, sondern als eine Floskel, die nichts klärt, sondern in widersprüchlichem Gebrauch selber so ambivalent wird wie das Verhältnis zur Arbeiterklasse, das sie bezeichnet. Das liegt aber auch daran, daß mit dem Begriff des ›geistigen Proletariats‹, wie er 1890 in der öffentlichen Diskussion auftaucht, die objektive Situation der Intellektuellen nicht richtig beschreibbar ist.

Exkurs: Die öffentliche Diskussion des Begriffs ›geistiges Proletariat‹
in den Jahren 1890/91

Die Diskussion um den Begriff des ›geistigen Proletariats‹ entzündet sich 1890 im Anschluß an eine Rede Kaiser Wilhelms II. zur Eröffnung der Reichsschulkonferenz. Dort hat Wilhelm II. u. a. gesagt: »Die sämmtlichen sogenannten Hungerkandidaten, namentlich die Herren Journalisten, das sind vielfach verkommene Gymnasiasten, das ist eine Gefahr für uns.« Er hat diese Gruppe von Intellektuellen im selben Zusammenhang als »Abiturientenproletariat« bezeichnet und sie als Gefahr für den Bestand der Gesellschaftsordnung eingeschätzt. [96] Im Lager der Journalisten, besonders derjenigen, die auf einem bürgerlich-oppositionellen Standpunkt stehen, schlägt die Empörung über diese kaiserliche Äußerung hohe Wellen. Bei einem Teil der intellektuellen Sympathisanten der Sozialdemokratie wird er hingegen in einem anderen Sinne aufgenommen: es wird der Versuch gemacht, die Beschimpfung umzufunktionieren und als Kampfbegriff gegen ihren Urheber zu wenden.

Die Argumentation lautet dann etwa: Ja, wir Intellektuellen sind tatsächlich ein ›geistiges Proletariat‹, wir gehören zur Arbeiterklasse und werden mit ihr zusammen die Revolution durchführen. Wenn wir als ›geistige Proletarier‹ bezeichnet werden, rechnen wir uns das nicht als Schande, sondern geradezu als Ehrentitel an. In diesem Sinne heißt es bei H. Ströbel in einem Aufsatz in der ›Freien Bühne‹ mit dem Titel *Das geistige Proletariat* [97], »zahlreiche Journalisten« hätten »die ihrer Ansicht nach ehrenrührige Bezeichnung ›verkommene Gymnasiasten‹ nicht auf sich sitzen lassen« wollen. Ströbel setzt dagegen: »Ich muß gestehen, daß mir für meine Person der Grund zu diesem großen Aufwand von sittlicher Entrüstung, diesem einmüthig stolzen Hervorkehren des Standesbewußtseins unverständlich geblieben ist.« Nachdem Ströbel dann nachgewiesen hat, daß das ›geistige Proletariat‹ die eigentlich vorantreibende Kraft der gesellschaftlichen Entwicklung sei, schreibt er: »Bei Leibe nicht alle Journalisten dürfen auf die *Ehre* Anspruch erheben, zum ›geistigen Proletariate‹ gerechnet zu werden, nicht einmal die Mehrzahl derselben.« In anderen Beiträgen zum Begriff des ›geistigen Proletariats‹ wird der Versuch gemacht, über ein bloß rhetorisches Jonglieren hinauszukommen und den Begriff analytisch zu verwenden.

Das gilt besonders für einen mit cl. gezeichneten Artikel in der Berliner sozialdemokratischen Zeitung ›Volkstribüne‹. Der Aufsatz trägt den Titel *Die Sozialdemokratie und die geistigen Arbeiter*. [98] In ihm wird ein Teil der Intellektuellen deswegen zum Proletariat gerechnet, weil sie keine Produktionsmittel ihr eigen nennen und gezwungen sind, ihre (geistige) Arbeitskraft zu verkaufen: »Im Schoße der heutigen Gesellschaft ist ein intellektuelles Proletariat entstanden, eine Klasse von intelligenten und unterrichteten Leuten, welche auf Gottes Erdboden nichts weiter als die Kraft ihres Gehirns ihr eigen nennen, die sie – wie der Handarbeiter seine Muskelkraft – pro Monat, Woche oder Tag verkaufen müssen. Und wie die Angehörigen des Proletariats der Handarbeit sind sie allen Zufälligkeiten, allem Elend der kapitalistischen Ausbeutung preisgegeben.« Im selben

Artikel wird festgestellt, daß die Proletarisierung der intellektuellen Arbeit ein langwieriger Prozeß sei. Bisher hätten die Intellektuellen auch dann, wenn sie als »geistige Lohnarbeiter« tätig gewesen seien, »ihre Gehirnkraft hoch taxieren und auf Preise halten« können. Durch eine Überproduktion von Intellektuellen an den Gymnasien und Hochschulen würden aber auch in diesem Bereich bald die Löhne und Gehälter sinken. Die Kapitalisten dürften hoffen, »ihr technisches Personal bald zum nämlichen Preise zu haben, mit dem sie die Handarbeiter ablohnen«. Der Verfasser des Aufsatzes lamentiert nicht über diese Entwicklung, sondern hält sie für ein konsequentes und notwendiges Ergebnis des kapitalistischen Wertgesetzes. Die kapitalistische Gesellschaft kenne trotz ihrer »geheuchelten Achtung vor der Bildung« den »geistigen Proletariern gegenüber keine andern Rücksichten, als die des Waarengesetzes, sie behandelt sie – und dies mit Fug und Recht – nicht anders als die übrigen Lohnarbeiter«. Langfristig würden die »Proletarier der Kopfarbeit« begreifen, daß sie zu den Arbeitern zählten, und sie würden dann mit den anderen Arbeitern gemeinsam für den Sozialismus kämpfen: »sie gehören mit dem Proletariat der Handarbeit zusammen zur Partei der Umformung, wie der rechte und linke Handschuh zusammen ein Paar ausmachen«.

Der Verfasser des Artikels nimmt die Erfahrung ernst, daß die objektive Tendenz zur Angleichung der Lage der geistigen Arbeiter an die der Handarbeiter nicht bedeutet, daß ein Zusammengehen problemlos möglich ist. Er stellt bei der Mehrzahl der geistigen Arbeiter aktuell vielmehr fest, daß sie, in angstvollem Versuch, ihre alten Privilegien zu bewahren, »von oben [...] auf ihre Kameraden mit der schwieligen Hand« herabschauen. Darüber hinaus »halten sie sich von der Arbeiterbewegung fern und verstärken die Reihen der reaktionären Bourgeoisparteien«. Wegen dieser Differenzen zur Arbeiterbewegung bei den geistigen Arbeitern zielt der Verfasser nicht darauf ab, das »geistige Proletariat« einfach der Arbeiterklasse zuzuschlagen, sondern bezeichnet es bloß als »Bruderklasse der Handarbeit«. Das weist auf eine bündnispolitische Konzeption hin, die die Differenzen nicht unterschlägt, aber sie dem schwerer gewichtigen gemeinsamen Interesse unterordnet. In dieser Hinsicht erliegt der Verfasser dieses Artikels nicht der Gefahr, eine bruchlose Interessenidentität zu suggerieren, wie das in den meisten anderen Stellungnahmen geschieht, wo der Begriff unreflektiert gebraucht wird.

Von einer marxistischen Position aus sind an dem Artikel einige kleinere Mängel zu kritisieren, die aber nicht sehr ins Gewicht fallen. [99] Eine Schwäche des Artikels beeinträchtigt allerdings seine Brauchbarkeit in entscheidendem Maße: Er macht verallgemeinernde Aussagen über *die* Intelligenz, obwohl er in der Analyse nur von der besonderen Situation der technisch-wissenschaftlichen Intelligenz ausgeht, die im kapitalistischen Betrieb arbeitet und deren Lage tatsächlich in vielen Punkten der der Arbeiter zu gleichen beginnt. Die Erfahrungen aus diesem Bereich sind nicht umstandslos z. B. auf die ideologieproduzierende Intelligenz zu übertragen.

Gerade an diesem Punkt taucht aber das Intellektuellenproblem um 1890 realiter auf. Hier gibt es ambivalente Linksbewegungen, die analysiert werden müssen. Und hier wird der Begriff des ›geistigen Proletariats‹ von den Betroffenen willig aufgenommen, aber in einer Weise, die deutlich macht, daß in dem Begriff mehr negative als positive Möglichkeiten für eine richtige Bestimmung des Verhältnisses von Intelligenz und Arbeiterbewegung enthalten sind.

In einer kleinen Broschüre mit dem Titel *Sind wir Sozialdemokraten? An die Gebildeten unserer Tage* [100] (1890), deren anonymer Verfasser beabsichtigt, für die Sozialdemokratie zu werben, ist der Ausgangspunkt ebenfalls die Feststellung, daß die ›Gebildeten‹ zum Proletariat zu rechnen seien. Doch schon die Formulierung dieser These ist verräterisch: »Selbstverständlich gehören wir und gehört Ihr mit zur Sozialdemokratie, denn wir gehören durchaus mit zum Proletariat. Wer das nicht einsieht, der verkennt seine wahren Interessen mehr als der simpelste Arbeiter.« Hier wird im gleichen Atemzug, in dem die eigene Zugehörigkeit zum Proletariat behauptet wird, die arbeiterverächtliche Assoziation Arbeiter = simpel ungeniert zu Papier gebracht.

Im nächsten Schritt wird der Begriff des Proletariats völlig sinnentleert, wenn zu den gebildeten Proletariern auch ökonomisch selbständige Teile der Intelligenz gezählt werden wie Advokaten, Ärzte und Schriftsteller. Als Begründung für diese Zuordnung wird angegeben, daß die Angehörigen dieser Berufe in Wahrheit nicht so »unabhängig« seien, wie sie zu sein glaubten. Sie seien vielmehr in der kapitalistischen Gesellschaft zu einer »schnöden Konkurrenz« gegeneinander gezwungen. Durch das Konkurrenzsystem sind nach Ansicht des Verfassers letztlich alle Gesellschaftsglieder den Kapitalisten unterworfen, weil jeder darauf achten müsse, möglichst viel Geld einzustreichen, und deshalb zum Kotau vor den Kapitalisten gezwungen sei, die über das große Geld verfügten. Zentraler Ausgangspunkt der Kapitalismuskritik ist die Ablehnung des Zwanges zum Verkauf: »es entwürdigt im Grunde, wenn ein Arzt seine Kunst verkaufen muß, wenn ein Advokat einen Unschuldigen vertheidigt, weil er dafür bezahlt wird, wenn ein Schriftsteller schreibt, um hohe Tantiemen herauszuschlagen. Ihr Männer der geistigen Arbeit, ihr seid nichts anderes als Knechte des Kapitalismus!«

Zum ›geistigen Proletariat‹ zählt der Verfasser ferner solche Intellektuelle, die von einem kapitalistischen Unternehmer angestellt sind. Er behauptet, daß deren Einkommen z. T. niedriger als das der Handarbeiter sei, weil diese durch ihren gewerkschaftlichen Kampf eine stärkere Stellung gegenüber den Kapitalisten hätten als die vereinzelten Intellektuellen. Es gebe für diese ›geistigen Arbeiter‹ »nur eine Rettung«, wenn sie ihre Interessen, auch die ökonomischen, optimal wahrnehmen wollten: »Fühlt euch als Proletarier! Vereinigt auch wie Jene, und mit ihnen! Kämpft gemeinsam den Kampf, den sie schon lange zu kämpfen begonnen haben! Mit ihnen allein könnt ihr steigen und frei werden, ohne sie verfallt ihr einer immer schimpflicheren Knechtschaft.«

Als dritte Gruppe des ›geistigen Proletariats‹ werden die »Staatsdiener« angeführt. Von ihrer Lage wird festgestellt, sie sei materiell erträglich und sicher, aber dafür müßten die ›Staatsdiener‹ auf jedes selbständige Denken verzichten, und das in einer Situation, wo der Staat in seinem weltanschaulichen Grundlagen »Ausdruck einer längst überwundenen Kulturepoche« sei und die »allermeisten Beamten des Staates [...] in ihren Privatanschauungen darüber hinaus« seien.

Ihnen wird das Bündnis mit den Arbeitern mit dem Argument schmackhaft gemacht, nur so könnten sie ihr selbständiges Denken und ihre Freiheit bewahren
und vermeiden, in der ›goldenen Mittelmäßigkeit‹ zu landen.

Der Kern der Argumentation des Broschürenverfassers ist, daß alle Gesellschaftsglieder, die in irgendeiner Weise ein antikapitalistisches Interesse haben,
unter dem Begriff ›Proletariat‹ zusammengefaßt werden – gleichgültig, ob dieses
antikapitalistische Interesse rückwärtsgewandt oder fortschrittlich, ob es ein
Haupt- oder ein marginales Nebeninteresse, ob es objektiv verankert oder bloß
subjektiv-moralisch ist. Die Sozialdemokratie wird als eine politisch-gesellschaftliche Kraft angepriesen, die unterschiedslos die Interessen aller dieser antikapitalistischen Schichten vertritt.

Kaum ist der Begriff des ›Proletariats‹ in der beschriebenen Weise erweitert
worden, werden auch schon Forderungen, die im spezifischen Interesse der neu
dem Proletariat zugerechneten Schichten liegen, erhoben – selbstverständlich unter
dem Deckmantel allgemeiner Interessen des ›Proletariats‹. In einer Antwort auf
Angriffe, die in der ›Volkstribüne‹ gegen seine Broschüre erhoben worden sind,
schreibt deren Verfasser wenig später [101]: »Ich fordere in dem sozialdemokratischen Programm, das bisher ausschließlich die materielle Arbeit in Betracht zieht,
eine gewisse Berücksichtigung der geistigen Arbeit.« Konkretisiert wird das in der
Forderung, daß in der sozialistischen Zukunftsgesellschaft die Arbeitsteilung zwischen geistiger und körperlicher Arbeit aufrechterhalten werden solle. Ärzte, Lehrer, Juristen, Verwaltungsbeamte und Volkswirtschaftler müßten von der körper-
lichen Arbeit freigestellt werden; weiter heißt es: »Und ebenso denke ich, wird
man doch einem Forscher, der auf irgend einem Gebiete der Wissenschaft oder
Kunst etwas Hervorragendes leistet, wird man doch einem Maler oder Bildhauer
oder Dichter nicht zumuthen wollen, ›produktiv‹ tätig zu sein, es würde sich
wirklich nicht miteinander vertragen.« Zusammengefaßt werden diese Forderungen in der Formel: »Respekt vor der Kunst! Respekt vor der Wissenschaft!«

Hier wird der Versuch der Intellektuellen deutlich, ihre gesellschaftliche Stellung
gegen Umwälzungen des Gesellschaftssystems zu versichern. Die freiwillige Selbst-
zuordnung zum Proletariat scheint dazu der einzige Weg, wenn man einerseits in
der Arbeiterbewegung die hauptsächliche zukunftsweisende Kraft sieht, aber sich
ihr andererseits nicht unterordnen will. Deswegen folgt der Erweiterung des Begriffs des Proletariats der Versuch, innerhalb dieses ›Großproletariats‹ Differen-
zierungen vorzunehmen, die dem ›gebildeten‹ Teil des ›Proletariats‹ die privilegierte Stellung gegenüber dem Rest des ›Proletariats‹ sichern soll, die den ›Gebildeten‹ sonst, wie sie fürchten, sowohl im Zuge der Weiterentwicklung der kapitalistischen Gesellschaft als auch durch die Errichtung der Arbeitermacht genommen
zu werden droht.

Dieses Ziel glaubt man am besten dadurch erreichen zu können, daß man die
Führungsrolle des ›gebildeten‹ Teils des Proletariats gegenüber den einfachen Arbeitern durchsetzt. Dazu dient ein indirekter Weg, nämlich die Verwendung mas-
senfeindlicher Klischees, z. B.: »Was [...] meinen Respekt vor der absoluten Demokratie anlangt, so bin ich allerdings der Meinung, daß Kanaille Kanaille bleibt,

ob sie nun Hurrah brüllt oder die internationale Sozialdemokratie hochleben läßt«, – und: »Ich will [. . .] nicht, daß die Masse über Dinge urtheilen soll, von denen sie nichts versteht und nichts verstehen kann.« Ein anderes Mittel zum selben Zweck ist die Zuordnung anerkannter Führer der Arbeiterbewegung zur Gruppe des ›gebildeten Proletariats‹: »wer ist denn von jeher der Wortführer der unterdrückten Klassen gewesen, wenn nicht das sogenannte ›gebildete Proletariat‹? [. . .] Es war das ›gebildete Proletariat‹, das die Sozialdemokratische Bewegung möglich machte und verwirklichte. Männer wie Marx und Lassalle, in gewissem Sinne auch Friedrich Engels, obgleich dessen Bildungsgang etwas anderer Art war, was waren sie denn anders als ›gebildete Proletarier‹?«

H. Ströbel kommt in dem schon zitierten Aufsatz in der ›Freien Bühne‹ Anfang 1891 [102] auf einem anderen Wege zu einem ähnlichen Ergebnis. Für ihn zählen zum ›geistigen Proletariat‹ nicht alle Angehörigen der Intelligenz, sondern nur solche, denen es materiell schlecht geht. Das sind, anders ausgedrückt, diejenigen Intellektuellen, die nicht fest im Beruf stehen. Die Kombination von ausgebildeten intellektuellen Fähigkeiten und Muße, sich mit den großen Zeitfragen zu beschäftigen, macht in Ströbels Argumentation die spezifische Qualität der nicht durch eine regelmäßige Berufstätigkeit eingezwängten ›geistigen Proletarier‹ aus. Aus dieser spezifischen Qualität leitet Ströbel die Führungsrolle des ›geistigen Proletariats‹ in der gesellschaftlichen Entwicklung ab. Aus der inhaltlichen Füllung des Begriffs ›geistiges Proletariat‹, wie er ihn benutzt, läßt sich unschwer ableiten, daß es bei ihm insbesondere die literarische Intelligenz ist, der die Führungsrolle zugedacht ist. Die entscheidenden Sätze in Ströbels Argumentation lauten: »Muße, viel Muße [. . .] ist die erste Bedingung alles tieferen Denkens und ernsteren Prüfens« – »Die geistigen Proletarier [. . .] haben meist genügend Muße zu derartig kritischen Betrachtungen, zu denen ihnen der Hunger obendrein ein trefflicher Sporn ist« – »Wir dürfen daher gerade das geistliche [sic!] Proletariat als das eigentliche productive Hirn der Gesellschaft betrachten« – »Das echte geistige Proletariat in unserem Sinne besteht aus einer Elite emancipirter Geister, welche sich, selten in geschlossener Colonne, meist in Tiralleurform fechtend, um das Banner der Zukunft geschaart haben.«

Die Dynamik, die der Begriff des ›geistigen Proletariats‹ entwickelt und die ihn von einem Kristallisationsbegriff für bündnispolitische Überlegungen zu einer neuen Legitimationsvokabel für den alten Führungsanspruch der bürgerlichen Intelligenz über die Arbeiterbewegung macht, führt auf der anderen Seite zu einer schroffen Negation auch der positiven Möglichkeiten, die in den ersten Gedanken darüber enthalten gewesen sind, daß bestimmte subjektive Linkstendenzen der Intelligenz auch etwas mit ihrer objektiven Lage zu tun haben müßten. In mehreren scharfen Kritiken weist Paul Ernst in der ›Volkstribüne‹ die These vom ›geistigen Proletariat‹ zurück. Er, der selber zu den Intellektuellen gehört, die sich der Sozialdemokratie zugewandt haben, will in seinem Schritt keine objektiven überindividuellen Ursachen anerkennen. Insofern ist seine Position trotz einer Reihe von treffenden Einsichten über die gefährlichen Tendenzen des Begriffs ›geistiges Proletariat‹ nicht als positive Alternative anzuerkennen. Auf eine ge-

wisse Weise ist seine schroffe Intellektuellenschelte Ausdruck einer ganz ähnlichen Arroganz, wie wir sie im Führungsanspruch der ›Geistesproletarier‹ beob-
a̓chten konnten. Die Fähigkeit, zur revolutionären Klasse überzugehen, die er bei
seinen Klassengenossen ausschließt, spricht Paul Ernst sich selber als Individuum
nämlich zu. Er bezeichnet sich selbst als Arbeiter [103] und stellt fest, daß es
»nur seltene Überläufer aus dem Lager der Gebildeten sein können«, die zum
Proletariat kommen. Im übrigen aber müsse sich das Proletariat gegen die ›Klasse
der Gebildeten‹ verwahren, denn diese sei der ›einen reaktionären Masse‹ zuzurechnen: »Der ›Gebildete unserer Tage‹ wird sich nicht wundern, wenn wir seine
angebotene Bruderhand zurückweisen. Trotz mancher oberflächlichen Aehnlich-
keit seiner Lage mit der des Proletariats ist er doch nicht Proletarier; deshalb kann
er nicht Sozialdemokrat sein, so gern er auch möchte, und deshalb gehört er trotz
allem und allem für uns zur ›einen reaktionären Masse‹.« [104]

Diese Konsequenz folgt nicht mit Notwendigkeit aus Paul Ernsts Argumentation,
in der er die folgenden Thesen aufgestellt hat:

– Die Intellektuellen, denen es nicht gelungen sei, eine angemessene Stellung zu
  finden, seien keine revolutionäre Kraft, sondern nur die ›Reservearmee der bürgerlichen Berufe‹; ihr Drang richte sich also weniger auf die gesamtgesellschaftliche Umwälzung als darauf, schließlich doch noch eine bürgerliche Stellung zu
  erringen [105];
– die ›Gebildeten‹ seien keine neu zum Proletariat stoßende Schicht, sondern hier
  reproduziere sich das alte Kleinbürgertum als Klasse: »der Kleinbürger, welcher
  den Untergang seiner kleinen Unternehmung vor Augen sieht, möchte seinem
  Sohn ein besseres Schicksal bereiten, indem er ihn studieren läßt« [106];
– die Lage der gebildeten Schichten – Paul Ernst greift als Beispiel die schlecht bezahlten »Leute in unteren Beamtenstellungen« heraus – könne auch innerhalb
  der bestehenden gesellschaftlichen Verhältnisse gebessert werden, sie brauchten
  keine »völlige Revolution«; wenn sich unter diesen intellektuellen Schichten eine
  »allgemeine Unzufriedenheit« breitmachen sollte, würde im übrigen der Staat »sie
  sehr bald zufriedenstellen«, so daß es zu keiner Annäherung an die Arbeiterklasse kommen werde. [107]

Aus den angeführten Punkten ist zwar deutlich abzuleiten, daß der Begriff des
›geistigen Proletariats‹ ein Unding ist, aber es ist nicht zwingend, eine völlige
Interessendifferenz zu konstatieren, wie Paul Ernst es damit tut, daß er jede Bünd-
nismöglichkeit negiert.

Die falsche Alternative, die Intellektuellen entweder zum Teil des Proletariats
zu erklären oder als notwendig Reaktionäre und Feinde der Arbeiterklasse zu bezeichnen, ist keine Eigenart dieser Debatte, sondern entspricht dem Fehlen einer
politischen Bündniskonzeption, wie es bei der deutschen Sozialdemokratie der
neunziger Jahre allgemein festzustellen ist. Ein Bündniskonzept hätte die partielle
Interessenübereinstimmung zwischen der Arbeiterklasse und den verschiedenen
Schichten der Intelligenz gegen die Interessendifferenzen abgrenzen müssen. Daraus wäre hervorgegangen, an welchen Punkten ein Zusammengehen möglich gewesen wäre und wo dafür die Grundlagen fehlten. Die um 1890 zu beobachtende

Linkstendenz bei Teilen der Intelligenz hätte dann weder zu blindem Vertrauen noch zu ängstlicher Abwehr führen müssen, sondern hätte als Indiz für Bündnismöglichkeiten interpretiert werden können. Deren genauere Analyse und politische Realisierung hätte sich daraus als Aufgabe ergeben.

Die Verwendung des Begriffs des »Geisterproletariers« [108] oder des ›geistigen Proletariats‹ [109] in den Romanen der ›Friedrichshagener‹ reproduziert die Tendenzen, die in der öffentlichen Diskussion zum Ausdruck gekommen sind.

In Bölsches *Mittagsgöttin* wird der Begriff ›Geistesproletarier‹ in abwertendem Sinne gebraucht, wenn mit ihm ein entlassener philosophierender Hauptmann und ein verkrachter Dichter gerade in dem Moment bezeichnet werden, wo sie bereit sind, für Geld ihre Ehre zu verkaufen. [110] Durch diesen Wortgebrauch wird deutlich, daß die ›Friedrichshagener‹ den Begriff ›geistiges Proletariat‹ nicht nur benutzen, um sich durch argumentative Manipulation bei den Arbeitern einzuschmeicheln, sondern daß sich mit diesem Begriff auch Ängste verbinden. Die Intellektuellen sehen ihre Deklassierung als tatsächliche historische Tendenz, sie begegnen ihr zum einen mit Abwehrängsten, zum anderen mit dem Versuch, diese Entwicklung zu unterlaufen. Dieser Versuch kann, wie wir es bisher getan haben, als taktisch geschickte Maßnahme gewertet werden, die bisherigen gesellschaftlichen Privilegien zu behaupten, aber er trägt auch Züge der ›Identifikation mit dem Aggressor‹. [111]

In Hollaenders *Jesus und Judas* hält sich der Student Höfke schon deshalb für einen Proletarier, weil er sich sein Studium nur dadurch finanzieren kann, daß er Nachhilfestunden gibt. [112] Hier zeigt sich, wie oberflächlich der Begriff des Proletariats verwandt wird. Unabhängig von der Klassenherkunft und Klassenzukunft, ja sogar unabhängig von der augenblicklichen Stellung im Produktionsprozeß, wird als Proletarier bezeichnet, wer zum einen für Geld arbeitet und wessen soziale Lage zum anderen aktuell nicht rosig aussieht.

In Mackays *Anarchisten* wird der Begriff Proletariat so benutzt, daß alle, die in irgendeiner Weise unter den herrschenden Verhältnissen leiden, also die im weitesten Sinne antikapitalistischen Kräfte, mit ihm bezeichnet werden. Insofern kann Mackay auch einen großen Teil der Intelligenz zum Proletariat zählen. Über das ›geistige Proletariat‹ schreibt er in seinem Roman in der Form einer Überlegung des Protagonisten Auban, daß es »unter dem Druck der heutigen Zustände ebenso schwer, ja schwerer« leide »als der Handarbeiter«. [113] Hier klingt schon an, daß im ›geistigen Proletariat‹ eine mehr revolutionäre, weil mehr unterdrückte, Schicht gesehen wird als in der ›Handarbeiterschaft‹. Auban, der wie Mackay selber für einen ›individualistischen Anarchismus‹ eintritt, sieht im ›geistigen Proletariat‹ noch aus zwei weiteren Gründen die Avantgarde der revolutionären Bewegung: erstens seien die Angehörigen dieser Schicht wegen ihrer Bildung eher in der Lage, eine positive Rolle in der gesellschaftlichen Weiterentwicklung zu spielen; zweitens sei in dieser Schicht der Individualismus ausgeprägter, der ein wesentliches Moment der gesellschaftlichen Umwälzung sei. Auban konstatiert, die

›geistigen Proletarier‹, »durch keine Rücksicht gehemmt, im Besitz einer schwer
auf ihnen lastenden Bildung, würden sicher die ersten und vielleicht die einzigen
sein, welche die Konsequenzen des Individualismus zu ziehen nicht nur bereit,
sondern auch fähig waren«; auf sie setzt Auban die größten Hoffnungen. Hier
wird in ähnlicher Weise wie in der öffentlichen Diskussion den Intellektuellen mittels des Terminus ›geistiges Proletariat‹ die gesellschaftliche Führungsrolle zuge-
schoben.

Für die ›Friedrichshagener‹ ist die Herleitung ihres Führungsanspruchs über
den Begriff ›geistiges Proletariat‹ nur ein Weg. In ihren programmatischen Bekundungen wie auch in ihren literarischen Werken wird ein solcher Führungsanspruch auch immer wieder durch die Selbstidentifikation mit der ›Dichter‹-Rolle
legitimiert. Man stellt sich damit unkritisch in die spezifisch deutsche Tradition
einer *Dichtervorstellung,* in der seit der Romantik die Idee des göttlich begnade-
ten Genies und berufenen Führers seines Volkes mitschwingt. [114]

Die ›Friedrichshagener‹ haben keine Vorstellung von den ökonomischen Grundlagen der gesellschaftlichen Klassenteilung. Der Schnitt zwischen den ›oberen‹ und
den ›unteren‹ Klassen wird von ihnen nicht aus der entgegengesetzten Stellung
im Produktionsprozeß abgeleitet und entsprechend beschrieben. Sie lassen es bei
der Analyse wie bei der Beschreibung der Klassengegensätze mit einer flüchtigen
Betrachtung der Oberflächenphänomene genug sein. Aus dieser Oberflächen-
betrachtung leiten sie auch weitergehende Schlüsse ab.

Bei ihnen erscheinen die Arbeiter nicht in der Produktion, sondern da, wo sie
sie sehen können: in der Freizeit auf der Straße oder in der Kneipe. [115] Da
die sogenannte ›soziale Frage‹ nicht theoretisch, sondern gefühlsmäßig angegan-
gen wird, spielt ihre anschauliche Erscheinung für die Bestimmung der Fronten
des sozialen Konflikts die Hauptrolle. Deshalb treten sich in den Romanen als
Kontrahenten nicht Kapitalist und Lohnarbeiter entgegen, sondern anschaulichere
Figuren: Reiche und Arme, Satte und Hungernde, Lebemänner und Prostituierte.

Mackays ›Freiheitssucher‹ Ernst Förster wird Sozialist, nachdem er eine »junge
Dame der höchsten Aristokratie« in Konfrontation mit einem alten Bettler beobachtet hat: »Das Bild verließ ihn nicht in dieser Nacht, in der er ruhelos noch
lange durch die Straßen ging: er sah den gierigen Blick in dem von Trunk und
Hunger vertierten Gesicht des Alten; den leeren, verständnislosen in den Augen
des süßen Geschöpfes, wie es ohne jeden Ekel mit vollkommener Gleichgültigkeit
über den alten Bettler hinweggeglitten war, als habe sie ihn überhaupt nicht gesehen.« [116] Der Konflikt ist besonders dadurch verstellt, daß die Unvermittelt-
heit seiner beiden Seiten hervorgehoben wird. Zwar kann Ernst Förster, indem er
sich gefühlsmäßig auf die Seite des Bettlers stellt, durch dieses Erlebnis zum Sozialisten werden, aber von dem wirklichen gesellschaftlichen Antagonismus, der gerade durch die ökonomisch bedingten besonderen *Beziehungen* zwischen den Klassen gekennzeichnet ist, hat er deswegen noch nichts begriffen. Sein ›Sozialismus‹
geht vielmehr von der durch dieses Erlebnis geprägten irrtümlichen Vorstellung

aus, daß die Gesellschaft in »zwei Welten« zerfalle, »die nichts aber auch nichts miteinander gemeinsam« hätten. [117]

Eines der zentralen Motive der ›Friedrichshagener‹ ist die Beschreibung der sozialen Widersprüche als Widersprüche zwischen *Stadt* und *Natur*. Auch hier wird die Gesellschaftsanalyse durch naive Oberflächenbeobachtung ersetzt. Aus der Tatsache, daß das soziale Elend der Arbeiterklasse nur in der Stadt erfahrbar ist und daß nur hier die gesellschaftlichen Antagonismen eine bedrängende Dimension annehmen, zieht man den Schluß, die Stadt sei die *Ursache* des Elends und der Antagonismen. Der nächste gedankliche Schritt ist der Lobpreis der Natur und des Landlebens. Hier wird ein Weg gewiesen, der Stadt und ihren Widersprüchen zu entfliehen.

Den mitleidigen Freunden der Arbeiterbewegung aus den Reihen der literarischen Intelligenz scheint die Verzerrung der gesellschaftlichen Widersprüche zu einem Antagonismus zwischen Stadt und Land, die im eigenen Umzug aufs Land Konsequenzen zeitigt, eine gute Chance zu sein, sich den sozialen Kämpfen zu entziehen. Man kann auf diese Weise die Parteinahme für die Arbeiterklasse aufgeben, ohne sich gleich offen auf die Seite von deren Widersachern zu stellen. Beinahe das Gegenteil ist möglich. Zwar kann man den Arbeitern nicht nahelegen, ebenfalls ihren Wohnort aufs Land zu verlegen, aber man kann ihnen doch raten, sich öfter der Natur zuzuwenden, um sich vom Stadtleben zu erholen. 1905 empfiehlt Bölsche im Vorwort zu einem im sozialdemokratischen ›Vorwärts‹-Verlag erschienenen Bändchen, das über Sonntags-Wanderungen in der Umgebung Berlins berichtet, dem Arbeiter den sonntäglichen Naturgenuß, der ihn »für die Opfer seines Lebens« ›entschädigen‹ könne. [118] Über das Naturgefühl sagt er, es sei »eine der wenigen ganz sicheren Glücksquellen auch für den Armen von heute«. Als Lehre des Bändchens, zu dem er das Vorwort schreibt, hebt er hervor: »Zum Naturgenuß, so lehrt es, ist kein großer Apparat nötig.« So folgt schließlich aus der kruden Bestimmung des Gegensatzes zwischen Stadt und Land als des eigentlichen Hauptgegensatzes der Gesellschaft indirekt die Aufforderung an die Arbeiter, in der Bescheidenheit einen Wert zu entdecken: »Ein Sonntag – und ein sinniges Auge – und ein Stückchen Wald, ein Feldrain, selbst eine menschenleere Landstraße draußen in der Heide. Wie unsagbar viel ist da zu sehen, zu lernen, zu genießen! Wo in unserer Zeit das Geld fliegt, da herrscht auch der nervöse Glaube, man müsse die Natur um schweres Geld kaufen [...] Das alles sind törichte Fehlschlüsse. Wer nicht reich an Genüssen und Belehrungen von einem einfachen Sonntagsspaziergang durch die sandige märkische Kiefernheide heimzukommen weiß, dem nutzte es nichts und wenn er sich von Stangens Reisekontor für ein kleines Vermögen um die ganze Erde führen ließe.«

In der Dichtung wird dem freien Landleben und der unbefleckten Natur die Welt der Stadt als dunkel, drohend und tödlich gegenübergestellt: »man muß vom Lande kommen, um ein Gefühl dafür zu haben, in welcher Kloake die Lebenskomödie des Städters sich abspielt« [119], resümiert der Ich-Erzähler in Bölsches *Mittagsgöttin.* In Willes Gedicht *die kommende Sonne* flüchtet sich das lyrische Ich aus der Stadt, die als »eine riesige Gruft« bezeichnet wird, deren »Gassen Moderdurft« »atmen«, »Ein steinerner Sarg jedwedes Haus«; weiter heißt es: »Und schaudernd durch das Tor der Gruft / Flücht ich hinaus auf offenes Feld.« [120]

In einem anderen Gedicht Willes mit dem sprechenden Titel *Die leidende Stadt* [121] heißen die vierte und die elfte Strophe:

> 4. Trübe Stadt, mürrische Schaar
>   Schwärzlicher Dächer in Dunst gehüllt,
>   Steinerne Nester brütender Uebel,
>   Feuchte Kerkermauern,
>   Bange Krankenkammern
>   Meiner bleichen Geschwister! ...
>
> 11. O selig,
>   Zu öffnen die Thore der Stadt,
>   Genesende Geschwister
>   Zu führen an den Händen
>   Zur mutterglücklichen Natur,
>   Die mit heißem Sonnenmunde
>   Die bleichen Kinder küßt!

Der Umzug nach Friedrichshagen wird von den Literaten, mit denen wir uns hier beschäftigen, als praktische Konsequenz der Absage an die Stadt und der Zuwendung zum Land verstanden. »Stadtmüde waren wir alle, unser Sehnen ging aufs Land«, schreibt Heinrich Hart in seinen Erinnerungen. [122]

Beim genaueren Hinsehen zeigt sich jedoch, daß die Selbstinterpretation der Literaten, in Friedrichshagen zum einfachen Landleben gefunden zu haben, stark ideologisch gefärbt ist. In Wahrheit ist Friedrichshagen um 1890, obwohl es zu dieser Zeit noch ländliche Züge trägt [123], schon nicht mehr ›Land‹ in strengem Sinne. Es ist vielmehr ein kleinstädtischer Kurort in der ländlichen Umgebung Berlins, der durch den Ausbau der Verkehrsverbindungen ständig näher an die Großstadt heranrückt. [124] Dem Charakter nach ist Friedrichshagen um 1890 in der Woche Villenvorort und am Wochenende Ausflugsort. Die Bewohner sind weniger ›Landbewohner‹ als Städter, die es sich leisten können, die Vorteile der Stadt mit den Annehmlichkeiten eines Lebens in der Nähe der Natur zu verbinden.

Bölsche läßt in einer späteren Beschreibung Friedrichshagens diese Momente anklingen, wenn er schreibt, in Wille und ihm sei nach dem Winter 1889/90, der für beide ein Stadtleben von äußerster physischer und nervlicher Anspannung bedeutet habe, der Wunsch »nach einer Art Rettung« aufgetaucht: »Aufs Land! In den Wald!« Dieser Neigung habe jedoch die ›Pflicht‹ entgegengestanden, in der Stadt weiter den Lebensunterhalt zu verdienen. Friedrichshagen erscheint als eine Chance, beide Tendenzen miteinander zu verbinden: »Es war möglich, die Dinge zu verbinden, draußen in der Kiefernheide zu wohnen und zur Pflicht in die Stadt zu fahren. Es mußte nur billig gehen, denn wir waren beide [Bölsche und Wille] ganz auf uns gestellt in materiellen Dingen.« [125] Auch die letzte Bedingung ist in Friedrichshagen gegeben, weil man dort billiger wohnen kann als in vergleichbaren Verhältnissen in der Großstadt und weil der Preis für eine Fahrt nach Berlin wegen der Einbeziehung Friedrichshagens in den Vorortverkehr sehr billig geworden ist. [126]

Ist auf diese Weise für den Kern der ›Friedrichshagener‹ Literaten die Natur bei aller Echtheit doch auch ein wenig Kulisse, und nicht ein gänzlich neuer Lebenszusammenhang, spielt für die literarischen Besucher Friedrichshagens noch ein anderes Motiv sehr wesentlich mit: Seit August 1890 führt Wilhelm Bölsche von Friedrichshagen aus die Redaktionsgeschäfte der wichtigsten Berliner literarischen Zeitschrift, der ›Freien Bühne‹. [127] Von Friedrichshagen aus sammelt er Mitarbeiter für die Zeitschrift, und wer daran interessiert ist, in der ›Freien Bühne‹ zu veröffentlichen, ist angehalten, zu Bölsche hinauszufahren. Bölsche berichtet darüber: »Weil ich [...] draußen saß und ›berlinscheu‹ war, kamen die lieben Bekannten zu mir, die grünen Hefte [= die Zeitschrift ›Freie Bühne‹] wurden wirklich im Grünen ausgeheckt« – und: »Aus den Mitarbeitern formte sich ein immer wachsender Freundeskreis. [...] Und alle diese Freunde, Helfer, Berater, diese große lustige Redaktion aus Mitarbeitern, sammelten sich – in Friedrichshagen.« [128]

Ein ähnlicher Kreise sammelt sich um Bruno Wille; auch Wille versucht, von Friedrichshagen aus ins Berliner Kulturleben einzugreifen. Bei Bölsche heißt es darüber: »Um Wille, der seine Volksbühne auch vom Müggelsee her dirigierte, bildete sich ein ähnlicher Kreis, zum Teil mit den gleichen Köpfen, jedenfalls mit verwandtem Geist.« [129]

Für die Randfiguren des ›Friedrichshagener Kreises‹ dürfte weniger die Stadtflucht ein wesentliches Motiv sein, häufig dorthinzukommen oder sich vorübergehend dort anzusiedeln, als vielmehr die Absicht, auf dem Umweg über den Vorort einen Einstieg in das literarische Leben der Stadt zu bekommen. Das wird offenkundig, als Bölsche die redaktionelle Leitung der ›Freien Bühne‹ im Herbst 1893 aufgibt. [130] Rapide sinkt unmittelbar nach diesem Ereignis die Attraktivität Friedrichshagens für den Kreis von Literaten, der dort bisher verkehrt hat. Die Situation, die Bölsche nach einem einjährigen Aufenthalt in der Schweiz Ende 1894 in Friedrichshagen vorfindet, beschreibt er später so: »Als ich nach Friedrichshagen heimkehrte, war es dort still geworden wie nach einem rauschenden Festtrubel, wenn sich der Schwarm verlaufen hat. Alles fehlte fortan, was die Zeitschrift, was die ›Bewegung‹ herangelockt.« [131]

Auch wenn wir bei näherer Überprüfung feststellen können, daß in der Realität die Stadtflucht der ›Friedrichshagener‹ recht ambivalente Züge trägt, ist dennoch festzuhalten, daß dieses Motiv in ihrem Selbstverständnis, und nicht etwa nur in ihren literarischen Produkten, eine bedeutsame Rolle spielt und tief verankert ist.

Ihr Verhältnis zum anderen Geschlecht ist für die ›Friedrichshagener‹ Literaten durch ähnliche Symptome gekennzeichnet wie ihre Beziehung zum Proletariat als einer anderen Klasse. In diesem Punkt geben die Romane zur Analyse erheblich mehr her als biographische oder autobiographische Beschreibungen, aus denen zwar immer wieder deutlich hervorgeht, daß hier ernsthafte Probleme vorhanden sind (fast alle ›Friedrichshagener‹ erleiden z. B. in einer oder mehreren Ehen Schiffbruch [132]), aber in denen über Einzelheiten dezent geschwiegen wird. Ähnlich wie beim Verhältnis zur Arbeiterbewegung geraten die Literaten und dementsprechend auch ihre Romanhelden in einen Widerspruch zwischen ihrem ideologischen Anspruch und ihren sozialisationsbedingten Klassenschranken, die daran hindern, diesen Anspruch im eigenen Leben real umzusetzen. Der Anspruch besteht im Fall des Verhältnisses zur Arbeiterklasse in der Herstellung ›gerechter‹ politisch-gesellschaftlicher Zustände; im Verhältnis zu *Liebe* und *Sexualität* heißt der Anspruch: ›freie Liebe‹ und Befreiung der Sexualität. [133] In beiden Fällen ist aus der kleinbürgerlichen Klassenlage und ihren widersprüchlichen Implikationen sowohl der Anspruch als auch die Unfähigkeit, ihn zu verwirklichen, abzuleiten.

Weil das Problem Sexualität und Liebe ähnlich erfahren wird wie das Problem Arbeiterbewegung, verschränken sich in der Darstellung beide Bereiche. Die Untersuchung der Liebesbeziehungen in den Romanen kann deswegen die Beziehung der ›Friedrichshagener‹ Literaten zur Arbeiterbewegung weiter erhellen.

Den Helden der ›Friedrichshagener‹ Romane begegnet in ihren Geliebten aus der Unterschicht das Proletariat nicht nur in der Anschauung, sondern als greifbare Realität.

»Das Weib führte mich zum sozialen Problem« [134], berichtet in Bölsches *Mittagsgöttin* der Spreewaldgraf dem Erzähler Wilhelm; »auf der erotischen Jagd« ist er an arme Frauen geraten, die in »den materiellen« »Tiefen dieser Welt« lebten. [135] Und er verallgemeinert das so: »ich frage den Aristokraten, den Gebildeten, sorgsam im Hause Erzogenen überhaupt: wo stößt er denn sonst als junger Mann, der seine Verwandten, Lehrer, Freunde ausnahmslos nur unter Standes- und Bildungskollegen hat, jemals auf die niedere Klasse und ihr Elend, außer bei dem Mädchen aus der tieferen Schicht, das zufällig schön ist und deshalb Gegenstand seiner sinnlichen Wünsche wird«. Später, als Arbeiterführer in Nordamerika, hat der Graf ein anderes Verhältnis zu den Mädchen aus dem Volke und damit zum Volk selbst. Er lebt mit einem Mädchen zusammen, das ein »einfaches Arbeiterkind« ist. Sie ist für ihn nicht mehr »Spielzeug«, sondern »Schwester« und »Mitkämpferin«. [136] Er ist mit ihr glücklich, und ihr Tod ist sowohl Anlaß als auch Vorbedingung dafür, daß er sich von der Arbeiterbewegung innerlich abwenden kann.

In Hollaenders Roman *Weg des Thomas Truck* ist in der Liebesbeziehung, die Thomas zu Katharina aufnimmt, die ganze Problematik der Hinwendung zum Proletariat repräsentiert. Er empfindet für sie, die ihm »einen Teil des Volksgrames«, »ein Stück vom Leiden des gequälten Volkes« [137] bedeutet, haupt-sächlich Mitleid. Gleichzeitig fühlt er sich jedoch zu ihr hingezogen. »Es ist nicht allein das Mitleiden, sagte er zu sich selbst, betrüge Dich doch nicht! Ich fühle ihre Augen – ich empfinde ihre schmalen Hände!« [138] Ihre derbe und nicht den Regeln der Grammatik folgende Sprache, ihre ›starken und gemeinen Ausdrücke‹ [139], ihre Unkultiviertheit, die sich im Fehlen bürgerlicher Tischsitten äußert, all das stößt ihn ab. Er weiß ihr Anderssein, das er bloß als Mangel interpretiert, zwar zu entschuldigen, indem er sie als Opfer ihrer Verhältnisse sieht – »das ist eine, an der die anderen schuldig sind« [140] –, aber nicht zu akzeptieren. Und so beginnt er, nachdem er sie geheiratet hat, seine Bemühungen darauf zu richten, sie zu kultivieren: »Ruhe wollte er ihr geben und reines Denken. Unter seinen Händen sollte sie neugeboren werden.« [141] Sie läßt sich auf seine vorsichtigen Erziehungsversuche nicht ein, es stellt sich im Gegenteil heraus, daß sie dem Alkohol unrettbar verfallen ist. Sie achtet sein Streben nach Höherem [142] nicht, will ihn vielmehr zu sich herabziehen. Seinen extremen praktischen Ausdruck findet das darin, daß sie seine Bücher versetzt. Für Thomas Truck gibt es nur noch die Möglichkeit, herabzusinken und sich zu verlieren, oder sich von seiner Frau zu trennen, da sie keine Anstalten erkennen läßt, seiner Absicht, aus ihr »einen Menschen« zu »machen«, entgegenzukommen. [143] Im Roman findet Hollaender einen Ausweg aus dem Dilemma einer Wahl zwischen Verrat und Untergang. In der Hilflosigkeit dieser Auswegskonstruktion, die ganz im Rahmen der Romanfiktion bleibt und nicht eine stellvertretende Lösung für das eigentliche Problem des Klassenverhältnisses von bürgerlichen Intellektuellen und Proletariat ist, zeigt sich das Dilemma gerade in seiner ganzen Schärfe. Das Problem wird nämlich dadurch gelöst, daß die Säuferin Katharina es in einem lichten Moment bereut, dem edlen Thomas Truck so übel mitgespielt zu haben, und Selbstmord begeht, um ihn von sich zu befreien. Im Sterben erteilt sie ihm die Absolution: »Du wolltest mir helfen, Thomas. Mir aber konnte niemand ... niemand helfen!« [144] Da in der Realität das Proletariat nicht zum kollektiven Selbstmord schreiten wird, um dem schwankenden intellektuellen Kleinbürgertum aus der Patsche zu helfen, müssen unsere Literaten schließlich doch die Arbeiterbewegung verraten, wenn sie vor der festen Bindung an das Proletariat Angst wie vor ihrem Untergang haben.

Die kleinbürgerlichen Intellektuellen haben Angst vor dem Zusammengehen mit dem Proletariat, weil sie fürchten, dabei auf liebgewordene Gewohnheiten verzichten zu müssen und ihre Identität zu verlieren. In der Beziehung zu einer Frau aus dem Proletariat gibt es für die Romanhelden ein entsprechendes Gefühl: die Sexualangst. Im *Weg des Thomas Truck* stellt Hollaender das so dar: Thomas kann sich an die Ehe mit Katharina »nur schwer gewöhnen«. Er merkt, daß »ihre Naturen von Grund aus verschieden« sind. »Und dennoch durfte er ihr nicht zeigen, daß ihre wilde Art ihn abstieß. Alle Probleme lagen für ihn im Geistigen. Er fühlte, daß er sinnenfroh war und schämte sich dessen nicht. Aber durch sein ganzes Wesen ging ein tiefer Zug nach Meisterung und Veredelung, ein nie zu stillender Drang nach Bergeshöhen. Hierin begriff sie ihn nicht.« [145] Während die Sexualangst hier dezent hinter der Zustimmung zur ›Sinnenfreude‹ verborgen ist, ist sie in Hollaenders anderem Roman *Jesus und Judas* überdeutlich. Da heißt es von Carl Truck, der Tanzen mit der Begründung ablehnt, »Tanzen ist unsittlich! [. . .] Tanzen ist sinnlich – gemein« [146], an einer anderen Stelle: »er war rein – unbefleckt. Noch nie in seinem Leben hatte er ein Weib berührt«. »Er hatte es gemieden wie die stinkende Pest, das Weib, mit heimlichem Grauen, mit unendlichem Abscheu, mit grenzenlosem Ekel.« [147]

Mit der Sexualangst versuchen sich die Romanhelden gegen die Verführung durch Frauen aus der Unterschicht, die ihnen, wie das Proletariat im ganzen, zugleich verlockend und bedrohlich erscheinen, abzuschirmen. In ähnlicher Weise richtet sich die Sexualangst aber auch gegen die Verführung durch die Oberschicht.

Leo aus Jacobowskis Roman *Werther, der Jude* fühlt sich durch die Anziehungskraft bedroht, die Erna, die Frau seines ehemaligen Schuldirektors und väterlichen Gönners, mit »ihrem dämonischen Zauber« [148] auf ihn ausübt. »Er fühlte, wie er völlig seine Männlichkeit in ihrer Nähe verlor, wie sein bißchen Energie zu unsichtbarem Hauch verpuffte.« [149] Ähnlich fühlt Thomas Truck gegenüber Regine, der Frau eines Bankiers, die seine Geliebte wird. Auch er fürchtet, in der Sexualität ›sich selbst zu verlieren‹ und in der Jämmerlichkeit zu versinken. Das äußert sich bei ihm jedoch nicht in derselben Direktheit wie bei Leo als Potenzangst, sondern vermittelter als Abscheu und Verachtung gegenüber der Sexualität. Er reflektiert darüber so: »wie sie ihn herunterzog – ihn sich willfährig machte« [150] – »Er hatte seine ganze Innerlichkeit verleugnet, alles Reine seinem brutalen Begehren geopfert; sich selbst hatte er verloren.« [151] Er, dessen »ernster, starker Wille« es schon immer war, »sich selbst zu meistern und Herr über die dunklen Triebe zu werden«, empfindet sogar in einer Lebensphase, in der er diese Absicht durch die als sexuell ausschweifend vorgestellte Oberklasse bedroht sieht, den »Gram um das Volk« deswegen als positiv, weil dieser Gram »von seiner Seele Besitz« ›nimmt‹ und dadurch »sein leidenschaftliches Begehren« ›bändigt‹. [152]

Aus den bisher angeführten Beispielen geht schon hervor, welch große Anstrengungen es die Romanhelden kostet, ihre bürgerliche Mittelstandsposition gegen zwei Bedrohungen zu verteidigen, gegen die von ›oben‹ und gegen die von ›unten‹ in der gesellschaftlichen Hierarchie. Die Verdrängung der Sexualität erscheint als ein notwendiges Verteidigungsmittel, denn in der Vorstellungswelt der kleinbürgerlichen Literaten ist eine größere Freizügigkeit in sexuellen Fragen ein Merkmal sowohl der Oberschicht wie der Unterschicht. Diese Vorstellung hat zum einen den Charakter einer Projektion von spezifischen Hoffnungen und Ängsten in Bereiche, zu denen in einem umfassenderen Sinne Hoffnungs- und Angstbeziehungen bestehen, aber in dieser Vorstellung steckt auch insofern ein realer Kern, als die Sexualfeindlichkeit ein konstitutiver Bestandteil gerade des bürgerlichen

Charakters ist, wie er sich historisch zusammen mit der bürgerlichen Klasse herausgebildet hat.

Daß die Selbstverteidigung mit der Abwehr der Sexualität als Mittel hier nicht mit dem gleichen Erfolg vorgenommen wird wie in der Frühphase der bürgerlichen Klassenentwicklung, ist wieder aus der Ambivalenz zu erklären, in der diese Sexualfeindlichkeit steht: die bürgerlichen Intellektuellen verteidigen hier, ohne das bewußt zu wollen, gerade die Klassenposition, die sie zugleich sehnsuchtsvoll verlassen wollen, weil sie sie als unhaltbar und glücksversagend durchschaut haben; es gelingt ihnen in diesem Punkt nicht, den Schatten ihrer Klassenlage, die auch ihren Charakter entscheidend geprägt hat, zu überspringen.

Die Erfahrung, daß die sexuelle Bedrohung in gleicher Weise durch die Ober- wie durch die Unterschicht empfunden wird, spricht besonders aus der Figur der Lilly aus Bölsches *Mittagsgöttin,* die beide Schichten ineinander verschränkt repräsentiert. Sie ist für Wilhelm identisch mit der Welt des abgeschiedenen, von einem feudalen Lebensstil bestimmten Schlosses des Spreewaldgrafen. Indem Wilhelm ihr verfällt, verfällt er den Verlockungen, die von diesem Lebensstil ausgehen, und dem Angebot des Grafen, sein Mäzen zu sein. In der Geschichtslosigkeit haben das Leben im Schloß, das dem Spiritismus geweiht ist, und Lilly, die als reines Naturwesen erscheint [153], ein weiteres gemeinsames Merkmal. Diese Eigenschaften sind aber nur Schein. Dahinter versteckt sich, daß Lilly eine Angehörige der untersten gesellschaftlichen Schichten ist, eine ehemalige »Seiltänzerin« und »Cirkusdame« [154], die sich nur durch grenzenlosen Betrug das Vertrauen des Grafen erschlichen hat. Ebensowenig wie sie ein edles Geschöpf ist, ist Lilly geschichtslose Natur, auch diese Annahme entpuppt sich als Illusion; nach ihrem Tod stellt Wilhelm fest: »Lilly war fast zehn Jahre älter, als sie angegeben hatte.« Noch ein zweites muß er entdecken, und aus der Szene dieser Entdeckung spricht ganz offen die Angst vor der Sexualität, wenn aus der ehemals vergötterten naturhaften Geliebten ein Dämon fratzenhafter Künstlichkeit wird: »Es klirrte etwas herunter, als ich die Leiche hob [...] am Boden glänzte etwas ... Sie hatte ein falsches Gebiß getragen, es war den Kiefern entfallen, – eine letzte Lüge, die der Tod enthüllt.« [155] Diese Szene bereitet im Roman Wilhelms Rückkehr in die bürgerliche Welt vor. Die Heftigkeit und Intensität, mit der hier die Desillusionierung des Romanhelden vorgenommen wird, ist ein Indiz dafür, wie stark die Widerstände gegen die Rückkehr in die eigene Klasse sind, da sie durch eine solche extreme Desillusionierung überwunden werden müssen.

Wie die Hinwendung zur Unterschicht eine gesellschaftliche Realität spiegelt, so ist auch die gefürchtete Bedrohung durch die Oberschicht real. Die Künstlerrolle hatte bis zum 18. Jahrhundert dem Bürger eine Möglichkeit des gesellschaftlichen Aufstiegs in die hermetisch abgeschlossene Welt des Adels eröffnet. [156] Dieser Aufstieg, der gewissermaßen ein Verrat an der eigenen Klasse war, mußte schon damals mit Identitätsverlust, im Extremfall einer Hofnarrenrolle, bezahlt werden. In Deutschland ist es dem Bürgertum nicht gelungen, die politische Macht zu erringen. Die herrschende Kultur ist deshalb der ideologische Ausdruck der Herrschaft der Feudalklasse geblieben. Die bürgerliche literarische Intelligenz vom

›Friedrichshagener‹ Typus fühlt sich also immer noch vor demselben Problem wie Generationen bürgerlicher Künstler vor ihr, nämlich dem Zwang, ihre Klasse zu verraten und zur Ideologie der Feudalklasse überzulaufen, wenn sie gesellschaftlich anerkannt werden will.

Das Problem wird in dem Maße verschärft, als sich das ›Bürgertum‹ in der zweiten Hälfte des 19. Jahrhunderts endgültig spaltet und seine mächtigere Fraktion, die industrielle Großbourgeoisie im Zeichen des beginnenden Monopolkapitalismus ein festes Bündnis mit der Feudalklasse schließt. Zwar führt das dazu, daß nicht mehr nur der Adel Mäzene hervorbringt, die die Künstler finanzieren, sondern auch diese Teile des Bürgertums, aber sie legen nicht Wert auf eine ›bürgerliche Kultur‹, sondern wollen gerade in der Förderung einer feudalisierten Kunst ihre Teilhabe an der Adelskultur sich bestätigen. [157] So kann in dem Roman *Der Weg des Thomas Truck* der Bankier Berg genauso als potentieller Mäzen zum Klassenverrat an die Oberschicht verlocken wie der Spreewaldgraf in der *Mittagsgöttin*. »Sie machen mich zum offiziellen Liebhaber ... Sie bezahlen meine Dienste« – »Die Schamröte stieg ihm ins Gesicht [...] sie hält mich frei, dachte er [Thomas Truck]. Hat sie denn gar kein Gefühl dafür, daß das taktlos ist?« [158] Sie repräsentieren gegenüber den bürgerlich-intellektuellen Romanhelden die materielle Seite der Verführung zum Klassenverrat, ihre Frauen (Lilly und Regine [159]) hingegen die ideologische.

Gegenüber den Romanhelden vertritt ein dritter Frauentypus schließlich die eigene gesellschaftliche Schicht. In Hollaenders *Weg des Thomas Truck* ist es Bettina, Thomas' Kusine, die als Waise mit ihm zusammen wie eine Schwester großgeworden ist. In der *Mittagsgöttin* ist es Therese, die als angehende Lehrerin und Schwester eines Studienfreundes trotz ihrer Armut zur gesellschaftlichen Schicht Wilhelms zu rechnen ist. Zu diesen Frauen, die einmal als die ihnen bestimmten erschienen waren, kehren sowohl Thomas wie Wilhelm nach einem langen Weg der Anfechtungen durch Frauen aus der Ober- und der Unterschicht [160] schließlich zurück.

Die Rückkehr in den eigenen Stand, der Sieg über die Verführung, sieht bei Wilhelm anders aus als bei Thomas. Wilhelm ist desillusioniert und resigniert. Er hat am »Mittag« [161] seines Lebens, gerade dreißig Jahre alt geworden, einen letzten Ausbruch aus einer ihm vorgezeichnet scheinenden Lebensbahn versucht, die er schon fast bereit gewesen war, freudlos zu gehen. Für diese Lebensbahn steht Therese, die Frau, die er heiraten will. Der Ich-Erzähler schreibt über seine Beziehung zu ihr: »Es lag von meiner Seite keine berauschende Liebe vor«, sie war »keine hervorragende Schönheit«, hatte aber »alle guten Gaben einer echten Hausfrau«, und er denkt »sie wird die Frau sein, wie du sie haben mußt«. [162] Nachdem der Ausbruchsversuch gescheitert ist, kehrt Wilhelm zu Therese zurück, um sie zu heiraten. Das ist sein Schritt zurück in die Welt des Bürgertums; und damit es nicht bloß ein Schritt zurück ist, sieht Wilhelm sich gezwungen, nun – durch Erfahrung klug geworden – die Welt, die er erst hatte ändern [163] und der er dann hat entfliehen wollen, zu bejahen: Er hört »die schrille Glocke der Fabrik, die Arbeitsglocke, die zum Kerker rief, – der Gespensterlaut, das Leben. Ich nickte still für mich mit dem Kopfe. Es war gut so, ich wußte«. [164] Es ist deutlich, daß die Ehe mit Therese, mit der Wilhelm im letzten Satz des Romans »den Kuß fürs Leben« [165] tauscht, nicht eine Versöhnung mit der Sexualität bedeutet, sondern deren endlich gelungene Eindämmung. Hatte Wilhelm doch vorher über das Jahr, das er in Thereses Nähe und mit ihr befreundet verbracht hatte, sagen können, es sei von seinem Leben das ›an Leidenschaften ärmste gewesen‹. [166]

Auch für Thomas Truck ist der Weg zu Bettina, den er nach dem Selbstmord seiner Frau Katharina gehen kann [167], kein Weg zur Sexualbejahung; dafür steht, daß sie für ihn wie eine Schwester ist. [168] Aber das ist für ihn nicht identisch mit Resignation, weil er vor der Sexualität anders als Wilhelm immer Angst hatte und nie Hoffnung in sie gesetzt hatte. Die verschiedenen Schritte aus der eigenen Klasse heraus werden am Ende des Romans nur noch als Irrwege gewertet. Der Weg zurück heißt deshalb für Thomas nicht, daß er sich mit den Grenzen der Möglichkeiten seiner gesellschaftlichen Rolle resignierend abfindet, sondern daß er schließlich sein ›Selbst‹ und damit seine höchstmögliche Erfüllung findet. [169] Ein Grund dafür mag darin liegen, daß in den Augen des Romanautors Hollaender das Bürgertum, mit dem er Thomas in seinem Weg zurück sich versöhnen läßt, nicht mehr kunstfeindlich dasteht. Bettina, die das Medium dieser Versöhnung ist, ist als Violinenvirtuosin, die auf einem Pariser Konservatorium [170] eine solide Ausbildung genossen hat, gewissermaßen eine bürgerliche Künstlerin – im Gegensatz zu ihrem ebenfalls Violine spielenden Vater, der als »fahrender Virtuose« noch ein »unsteter Geselle« [171] war und in der bürgerlichen Welt ein Außenseiter bleiben mußte.

Hollaender hat seinen Roman 1893 zu schreiben begonnen, aber erst 1901 zu Ende geführt. Um die Jahrhundertwende haben sich die ehemals oppositionellen Literaten vom ›Friedrichshagener‹ Typus in den bestehenden Verhältnissen eingerichtet und sich weitgehend arrangiert. Deswegen kann Hollaender um diese Zeit seinen Roman mit einem versöhnlichen Kompromiß zwischen Kunst und Wirklichkeit abschließen, wie er in den ›Friedrichshagener‹ Romanen der frühen neunziger Jahre nicht denkbar gewesen wäre.

Ein materieller Hintergrund für das Arrangement ist die Tatsache, daß zunehmend mehr Angehörige der bürgerlichen Klasse ein Publikum für das dichterische Schaffen auch der ›modernen‹ Literaten werden. Es setzt sich hier die Tendenz durch, daß das Bürgertum nicht mehr, wie in den Zeiten, da es noch um die wirtschaftliche Macht kämpfte, kunstfeindlich ist (und da ist auch die Großbourgeoisie, die sich in der Kultur bloß an den Adel anzuhängen versucht hat, keine wirkliche Ausnahme gewesen), sondern in dem Maße, wie es seinen gesellschaftlichen Rang im Kompromiß mit den anderen wirtschaftlich und politisch mächtigen Kreisen des wilhelminischen Reiches gesichert sieht, als Kulturklasse dazustehen versucht und bereit ist, die kulturschaffenden Angehörigen und Sprachrohre seiner Klasse zu finanzieren. [172] Um 1890 hatten sich weite Kreise der bürgerlichen Künstler nicht zuletzt deswegen zum Bruch mit ihrer Klasse gezwungen gefühlt,

weil sie in ihr kein Publikum fanden, und auf die Arbeiterklasse immer wieder
mit dem Argument ihre Hoffnung gesetzt, daß sie bildungs- und kulturhungrig
und somit ein potentielles Publikum sei. [173]

Wir haben festgestellt, daß die Abwehr sexueller Anfechtungen ein wichtiges
Merkmal des bürgerlichen Charakters ist. Die Sexualfeindlichkeit konstituiert das
bürgerliche ›Individuum‹ und grenzt es gegen das Kollektiv ab. Die Sexualität
wird deswegen in enge Schranken gewiesen, weil ihre Elemente Rausch, Gemeinsamkeit und Selbstaufgabe das ›Individuum‹ gefährden.

Nach der liberalistischen Ideologie, die den frühkapitalistischen ökonomischen
Verhältnissen entspricht, ist das ›Individuum‹ unabdingbare Voraussetzung des
Wirtschaftsprozesses, geht sie doch davon aus, daß jeder Bürger auf seinen indivi-
duellen und privaten ökonomischen Vorteil bedacht sein müsse, um dadurch den
Wirtschaftsprozeß in Gang zu halten und auf diesem Wege mit der eigenen Wohl-
fahrt zugleich die Wohlfahrt der Gesamtgesellschaft zu fördern.

Diese Wirtschaftsdoktrin hat ihre Spuren in dem Ideologiegebäude hinterlassen, das das kleine und mittlere Bürgertum auch noch um 1890 trotz der ersten
Anzeichen der Ablösung des ›freien‹ Konkurrenzkapitalismus durch Kartelle und
Monopole beibehält. Insofern ist die Hochschätzung des Individuums und des Individualismus zu dieser Zeit noch ein fester Bestandteil der bürgerlichen Vorstellungswelt. Die ›Friedrichshagener‹ fühlen sich, wenn auch, wie wir gesehen haben,
in ambivalenter Weise, diesen Ideen ebenfalls verpflichtet.

Dem Individualismus, der bei ihnen als Angst vor Bindungen außerhalb des
engsten eigenen gesellschaftlichen Umkreises erscheint, entspricht im politischen
Leben die Organisationsfeindlichkeit.

So kann sich Bruno Wille, obwohl er in Versammlungen als Redner der Sozialdemokratischen Partei auftritt, doch nicht entschließen, ihr beizutreten. Ihm
scheint die Partei, die auf ihre Fahnen den »Freiheitskampf« [174] geschrieben
habe, mit ihrer Forderung, daß »deren Angehörige sich dem Willen der ›Gesamtheit‹ (will sagen der Parteiregierung) mit ›Disziplin‹ unterzuordnen haben« [175],
selbst ein Organ der »Knechtschaft« zu sein: »So gewaltig ist die Knechtschaft unserer Zeit, daß sie ihren Einfluß hinüberträgt zu denen, die sie doch vernichten
möchten, und prinzipielle Befreiungsparteien durchseucht. Ganz allmählich, in
gleichem Tempo mit meiner Kenntnisnahme des Parteigetriebes, kam mir dies Bewußtsein, immerhin früh genug, um mich vor dem Eintritt in die Abhängigkeits-
Maschinerie der Partei zu warnen.« [176]

Noch schärfer formuliert Mackay in den ›Anarchisten‹ die Parteifeindlichkeit
als Erfahrung seines Helden Auban, des späteren Anarchisten, der als Mitarbeiter
einer »sozialistischen Tageszeitung« merkt: »Schnell ist die Schlinge des Programms um den Hals geworfen. Sofort zieht sie sich zusammen: [...] die Richtung deines Weges [ist] hinfort bezeichnet: der Gebrauch deiner Kräfte vorher-
bestimmt. Das ist die Partei. Freiwillig war Auban den Reihen beigetreten. Jetzt
war er nichts mehr als der Soldat, der geschworen hatte, der voraufflatternden

Fahne zu folgen [...] Man appelliert an dein Ehrgefühl, deine Treue, wenn deine Vernunft sich sträubt. Du bist nicht mehr frei – du hast geschworen, andere zu befreien!« [177]

Für die ›Friedrichshagener‹ währt die engere Sympathie für die Sozialdemokratie so lange, wie diese (unter dem Sozialistengesetz) verfolgt ist. Zum einen ist zu dieser Zeit die Unterstützung der Sozialdemokratie in allgemeinerem Sinne ein kämpferischer Schritt gegen die politische Entrechtung und gegen die Einschränkung der bürgerlichen Freiheiten und kann somit auch von einem in seinem innersten Wesen nur bürgerlich-oppositionellen politischen Standpunkt aus vorgenommen werden, zum anderen hat die Sozialdemokratie unter dem Sozialistengesetz wegen ihrer Illegalität keine festen organisatorischen Strukturen. Man kann also die Partei unterstützen, ohne ihrer Disziplin unterworfen zu sein. Parteinahme und Individualismus widersprechen sich in dieser Phase nicht sichtbar.

Karl Henckell formuliert dies Motiv in einem seiner Gedichte, das in anderen Strophen ein Lobpreis des Individualismus ist [178]:

> Partei, Partei – ich habe sie genommen,
> Als grausam *die* Partei entrechtet war,
> Für die mein Glaube glühend schon erglommen
> In Tagen der Verfolgung und Gefahr.
> Mit meines Liedes Macht bin ich gekommen
> Zum Kampfe für der Unterdrückten Schar
> > Und freue mich der Funken, die gezündet
> > Im Herzen derer, die die Not verbündet.

Wenn Hegeler in seiner Lebensgeschichte schreibt, daß ihm die Sozialdemokraten, die er kennengelernt habe, zwar »imponierten«, »ihre gesunde Einseitigkeit« aber nichts für seine »Verworrenheit« [179] gewesen sei, so zeigt das zwar auch seine Organisationsfeindlichkeit; er empfindet sie jedoch trotz des abwertenden Untertones, der in dem Wort ›Einseitigkeit‹ steckt, zugleich als Mangel. Er ist deswegen nicht froh, seine Individualität gegen den Zugriff der Partei erfolgreich verteidigen zu können, sondern fühlt sich in einer tragischen Situation. Wie Wille und Mackay meint er, seine Identität nicht in der Sozialdemokratischen Partei finden zu können, anders als sie kann er sich aber nicht mehr in eine reiche Individualität zurückziehen. Vielmehr leidet er an seinem Individualismus, der für ihn ein nicht abzuschüttelndes Erbe der untergehenden bürgerlichen Welt bedeutet: »Ich saß stundenlang auf meinem Zimmer [...] Da ich keinen Menschen hatte, mit dem ich mich aussprechen konnte, beschäftigte ich mich viel mit mir selbst. Ich verzweifelte daran, je aus meiner Melancholie herauszukommen. Damals war der Begriff Übergangsmensch sehr im Schwung, der der alten Zeit entwachsen ist, ohne für die neue reif zu sein, und der deshalb dem Untergang verfallen ist. Ich hielt mich für einen solchen Übergangsmenschen.« [180] Im Begriff des *Übergangsmenschen,* der nicht zurück will in die Welt des Bürgertums, aus der er gekommen ist, und der nicht vorwärts kann in die sozialistische Organisation, wohin es ihn verlangt, ist die schwankende ›Übergangs‹-Klassenlage des kleinbürgerlichen Intellektuellen unbewußt nahezu richtig erfaßt. Allerdings bringt es die fatalistische Verzerrung in eine Frage der ›Zeit‹, und nicht der Klassen, mit sich, daß es Hegeler nicht gelingen kann, sich selbst und denen, die in derselben Situation stehen, eine wirkliche geschichtliche Aufgabe zuzuweisen, sondern daß er Geschichte nur als Opfer zu erfahren in der Lage ist.

Als Übergangsmenschen, der unschuldiges Opfer der Klassenauseinandersetzungen wird, zeichnet Hollaender in seinem Roman *Jesus und Judas* Carl Truck. Ein Doppelagent und Doppelspitzel denunziert Carl Truck bei der Polizei als Sozialdemokraten und schwärzt ihn bei der Partei als Polizeispitzel an. So findet Carl Truck, als er aus dem Gefängnis kommt, in das ihn die erste Anschuldigung gebracht hat, die Türen der sozialdemokratischen Genossen wegen der zweiten Anschuldigung verschlossen. Auch sein Freund, der SPD-Abgeordnete Lohmeyer, kann ihm nicht helfen, weil er meint, daß die notwendige Vorsicht der Partei vor dem Geschick eines einzelnen den Vorrang haben müsse. Er begründet das so: »In dieser Zeit des Bluts und Eisens, in welcher die Evolutionen der gesamten Gesellschaft zur Lösung kommen, tritt das Individuum in den Hintergrund – die Masse herrscht. Unzweifelhaft liegt in diesem Verfahren ein tragischer Konflikt. Und gewiß – das Los desjenigen ist erschütternd, der an diesen Windungen zugrunde geht.« [181] Von Hegelers ›Übergangsmenschen‹ unterscheidet sich die Version Carl Truck dadurch, daß der Bruch mit der Partei – bei Wille und Mackay noch bewußte Entscheidung des ›Individuums‹, bei Hegeler Erkenntnis der gegenseitigen Unvereinbarkeit – hier, des subjektiven Faktors völlig entledigt, von der objektiven Wirklichkeit blind erzwungen wird. Zwar trifft das Schicksal, das hier zuschlägt, in Carl Truck auch einen bürgerlichen Intellektuellen; aber, indem das als zufällig dargestellt wird, ist in diesem Roman der Klassencharakter des Bruchs mit der SPD verdeckt.

Es gibt für die ›Friedrichshagener‹ keine einfachen Lösungen, sie fühlen sich zwischen alle Fronten geraten. Auch ihr Weg zurück ins Bürgertum ist für sie nicht die Lösung aller Probleme. Sie müsen auf diesem Rückweg einen großen Teil ihrer Ansprüche aufgeben und werden noch nicht einmal mit offenen Armen empfangen. Wille beschreibt später diesen Aspekt des ›Übergangsmenschen‹ so: »Jahrzehnte hindurch bin ich benachteiligt worden durch meine herzliche Berührung mit der Arbeiterbewegung. Vom Bürgertum wurde ich zu ihren Führern gerechnet, während die Sozialdemokraten mich mißtrauisch behandelten, weil ich ihrer Partei ebenso wenig verschrieben war wie irgendeiner anderen. So blieb ich lange gewissermaßen ein Peter Schlemihl, ein Mann ohne Schatten, der sich weder hüben noch drüben heimisch finden kann.« [182]

Im Terminus ›Übergangsmensch‹ ist das Selbstverständnis der ›Friedrichshagener‹ auf den Begriff gebracht. In diesem Begriff ist die Ambivalenz ihres Verhältnisses zur Arbeiterbewegung und zur Sozialdemokratie deutlich enthalten.

2.3. Das politische Auftreten in der Realgeschichte – Die Fraktion der ›Jungen‹

Mit einem Artikel, den er, mit seinen Initialen B. W. gezeichnet, am 23. Juli 1890 in der Dresdener ›Sächsischen Arbeiterzeitung‹ veröffentlicht [183], bringt Bruno Wille die latente Unzufriedenheit vieler Mitglieder der Sozialdemokratischen Partei mit der Parteiführung an eine breite Öffentlichkeit und leitet damit einen innerparteilichen Fraktionskampf ein, der bis zum Ausschluß führender Vertreter der linken Opposition, als deren Wortführer er hier auftritt, auf dem Erfurter Parteitag im Herbst 1891 führen wird. [184] Der Artikel trägt die Überschrift *Der 1. Oktober* und bezieht sich damit auf das nahe Datum, an dem das Sozialistengesetz nach zwölf Jahren Dauer seine Gültigkeit verlieren wird. Im Januar hat sich nämlich im Reichstag keine Mehrheit mehr für seine Verlängerung gefunden. An den Fall des Sozialistengesetzes knüpfen sich nun gleichermaßen Hoffnungen wie Befürchtungen. Während die einen von der Rückkehr in die Legalität einen riesigen Aufschwung der Macht der Partei erwarten und sich darin durch die Erfolge der Partei in den Wahlen vom 20. Februar, in denen die Verdoppelung der Stimmenzahl gegenüber 1887 zu einer Verdreifachung ihrer Mandate geführt hat, bestätigt fühlen, fürchten die anderen ein Erlahmen der revolutionären Energien und das Wiederaufkommen von Illusionen über die Möglichkeit eines friedlichen und legalen Übergangs zum Sozialismus. Wille motiviert den Artikel, in dem er sein Fazit aus der Zeit des Sozialistengesetzes zieht, mit der Notwendigkeit, die innerparteilichen Differenzen, die unter dem Druck der Verfolgung jahrelang hintangestellt worden sind, jetzt wieder öffentlich auszudiskutieren. In seinem Artikel beginnt Wille diese Diskussion mit heftigen Angriffen auf die Reichstagsfraktion, der er vorwirft, sich von der Arbeiterbewegung abgelöst zu haben. Er belegt das mit der Haltung der Fraktion zum 1. Mai, wo die Arbeiter selbst zu handeln begonnen hätten, ohne eine Parole ›von oben‹ abzuwarten. Indem er die Parteimitglieder in diesem Zusammenhang für reifer als ihre zögernden Führer erklärt, stellt er sich zwar auf die Seite der innerparteilichen Linken. Aber indem er die Auseinandersetzungen um den 1. Mai nicht politisch begreift, sondern bloß als Problem einer gegenüber den spontanen Massen verselbständigten und erstarrten Führung darstellt und mit der Widergabe eines angeblichen Zitats »unterrichteter Parteigenossen«: »Das Schlimmste, was uns das Sozialistengesetz gebracht hat, ist die Korruption« [185] die ganze Angelegenheit vollends auf persönliche Verdächtigung reduziert, belastet er die Diskussion für die Linke von vornherein mit einer schweren Hypothek, die sie dann auch nicht abzuschütteln schafft.

Die Auseinandersetzung um den 1. Mai hat folgende Geschichte: Der Gründungskongreß der II. Internationale hatte im Juli 1889 in Paris die Arbeiter aller Länder aufgerufen, am 1. Mai 1890 gemeinsam für den Achtstundentag zu demonstrieren. [186] Da die Form der Demonstration aus dem Aufruf nicht zu entnehmen war, konnte es geschehen, daß er in den verschiedenen Ländern verschieden interpretiert wurde. Die meisten ausländischen Gewerkschaftsorganisationen riefen zur Arbeitsruhe auf. [187] In Deutschland gab es in der Sozialdemokratie unterschiedliche Einschätzungen der politischen Lage und dementsprechend unterschiedliche Haltungen zum 1. Mai. Während die Parteimitte und die Parteirechte auf den Wahlerfolg vom 20. Februar aufbauen und jede Machtprobe, die die zum Greifen nahe Legalität wieder gefährden könnte, vermeiden wollten, fühlte sich die Parteilinke im Verein mit einer Reihe von Gewerkschaftsorganisationen in einer Position der Stärke, in der solche taktischen Überlegungen unnötig seien. [188]

Ohne das Ergebnis des innerparteilichen Meinungsbildungsprozesses abzuwarten und ohne die Fraktion zu konsultieren, veröffentlichte eine Reihe Berliner Sozialdemokraten am 23. März einen Aufruf zum 1. Mai, der zur Arbeitsniederlegung in »allen Industriestädten, in denen starke Organisationen bestehen«, aufrief. [189] Die Reichstagsfraktion, die das als einen Eingriff in ihre Kompetenzen auffaßte, erließ zwei Tage später einen Gegenaufruf, in dem es hieß: »Wir können unseren Parteigenossen nur empfehlen, nicht eher Schritte in dieser Angelegenheit zu thun, bis die Fraktion, als die Vertreterin der Partei, gesprochen hat.« [190] Am 13. April beschloß die Reichstagsfraktion in Halle mit nur einer Gegenstimme, von der Arbeitsruhe am 1. Mai abzuraten. In ihrem Aufruf hieß es unter anderem: »Ein allgemeines Ruhen der Arbeit läßt sich unter den gegenwärtigen Arbeitsverhältnissen unmöglich erwirken«, und: wir können »es mit unserem Gewissen nicht vereinigen, den deutschen Arbeitern zu empfehlen, daß sie den 1. Mai zu einem Tag allgemeiner Arbeitsruhe machen«. Der Satz in dem Aufruf: »Wo immer man eine Arbeitsruhe am 1. Mai ohne Konflikte erwirken kann, da möge es geschehen« [191], war demgegenüber ein bloß verbales Zugeständnis an die Opposition, denn an einen konfliktlosen Streik war natürlich nirgendwo zu denken. Weder dieses Zugeständnis noch die Erfahrungen des Hamburger 1.-Mai-Streiks, der, von den Kapitalisten mit Aussperrung beantwortet, mit einer Niederlage der Streikenden endete [192], konnte die Opposition von ihrem Mißtrauen gegen die Reichstagsfraktion abbringen; denn sie führte die Hamburger Niederlage nicht – wie Bebel – auf die angespannte Wirtschaftslage zurück, um daraus auf die Unmöglichkeit eines Streiks in einer Situation zu schließen, in der die Kapitalisten von sich aus an einer Drosselung der Produktion interessiert sind, sondern machten den Aufruf der Fraktion dafür verantwortlich, daß es zu keinem einigen und dadurch erfolgreichen Streikkampf hätte kommen können. [193]

Im Anschluß an den oben erwähnten Artikel beginnt in der SPD eine offene Fraktionsbildung, da auf der einen Seite die Parteiführung den Fehdehandschuh aufnimmt und auf der anderen Seite Wille Verbündete findet. Bebel gibt eine Erklärung ab, die sich gerade auf die unpolitische Seite von Willes Angriff stützt: er fühle sich durch den Artikel von ›Herrn W.‹ »persönlich [...] beleidigt«. [194] Hans Müller, Redakteur der Magdeburger Parteizeitung ›Volksstimme‹ schießt auf derselben Ebene zurück: Bebel habe sich im Ton vergriffen, wenn er die Angriffe gegen die Fraktion, bloß weil keine Namen und Tatsachen genannt worden seien, als »bubenhaft« bezeichnet habe. Solch eine Erklärung stehe »wohl dem Selbstherrscher aller Reußen, nicht aber dem Führer einer großen demokratischen Partei« an. [195] Hans Müller wird aufgrund dieses Artikels von einer 3000-köpfigen Versammlung zum Rücktritt von der Redaktion gezwungen, ohne daß die Auseinandersetzung der Parteiführung mit der Opposition inzwischen eine höhere politische Stufe erreicht hätte. In einer Resolution, die Bebel dieser Versammlung vorlegt und die mit zwei Dritteln gegen ein Drittel angenommen wird, heißt es: »Die Redaktion der ›Volksstimme‹ hatte keine Veranlassung, sich in den persönlichen Streit, den der Genosse Bebel mit der ›Sächsischen Arbeiter-Zeitung‹ und Herrn Bruno Wille führt, einzumischen.« [196]

Um Willes wachsenden Einfluß unter den Berlinern Arbeitern, die ihm im Laufe mehrerer Versammlungen in Resolutionen zustimmen [197], noch vor dem für Oktober in Halle geplanten Parteitag zu stoppen, beruft die Parteiführung für den 25. August auch in Berlin eine Versammlung ein. Der Andrang zu dieser Versammlung ist so groß, daß mehr als zehntausend Arbeiter in dem Versammlungssaal, in dem schon vier- bis fünftausend Zuhörer stehen, keinen Einlaß mehr finden. [198] Das beweist, für wie brisant die Berliner Arbeiter den Disput zwischen Bebel und Wille, der auf dieser Versammlung stattfinden soll, halten. Die Diskussion geht in der Versammlung hauptsächlich um den Parlamentarismus. Wille bezeichnet ihn als eine Gefahr für die Selbständigkeit der Massen, die sich durch die Wahl von Interessenvertretern selbst entmündigten. [199] Mit diesem Vorstoß erweist Wille – wie schon mit seinem Korruptionsvorwurf – der Linksopposition wieder einen schlechten Dienst. Außer Hans Müller, der als revolutionäre Tat von der Sozialdemokratie die Niederlegung ihrer Reichstagsmandate fordert [200], folgt ihm in dieser Einschätzung des Parlamentarismus nämlich kein anderer Wortführer der Opposition. [201] Einige haben sogar selbst für den Reichstag kandidiert. [202] Sie werfen deshalb der Reichstagsfraktion nicht ihre Anwesenheit im Reichstag vor, sondern eine falsche parlamentarische Taktik, die von der Absicht bestimmt sei, in dem durch die bestehenden gesellschaftlichen Machtverhältnisse abgesteckten Rahmen, unter Verzicht auf eine revolutionäre Perspektive, Sozialreform zu betreiben. [203] Bebel verteidigt in der Versammlung die parlamentarische Tätigkeit der Sozialdemokratie mit dem Argument, daß sie nicht »Zweck« sozialdemokratischer Politik, sondern bloß »Mittel« sei und daß sich niemand der Illusion hingebe, die revolutionäre »Umgestaltung der Gesellschaft« könne durch einen Parlamentsbeschluß erreicht werden. [204] Obwohl beide Seiten durch die Auseinandersetzung um den Parlamentarismus den Schritt auf die politische Ebene getan haben, bezeichnet die von Bebel vorgelegte Resolution, die den Streit zwischen Reichstagsfraktion und Opposition möglichst endgültig zugunsten der Fraktion beenden soll und die von der Versammlung bei nur 300 bis 400 Gegenstimmen angenommen wird [205], den Konflikt wieder bloß als eine Angelegenheit persönlicher Polemik und erklärt alle Angriffe ohne Begründung für unberechtigt. [206]

Die bürgerliche Presse hat inzwischen den Kampf um die richtige Linie der Partei in einen Generationskonflikt umgedeutet. Sie prägt die Begriffe »die Jungen« für die Opposition und »die Alten« für die Parteiführung. Ihre relative Berechtigung haben diese Namen nicht aufgrund der tatsächlichen Zusammensetzung der Opposition, zu der Angehörige aller Altersgruppen gehören, sondern nur deswegen, weil die Schriftsteller und Redakteure, die als ihre Wortführer auftreten,

zum großen Teil um oder unter dreißig Jahre alt sind. [207] Andererseits nimmt
auch die Parteiführung diese Bezeichnungen nicht ungern auf, weil sie sich in ihnen
als kampferprobt und erfahren im Gegensatz zur unreifen und unerfahrenen Opposition dargestellt sieht. Engels' Wort von der »Literaten- und Studentenrevolte« [208], das er von London aus in die Debatte wirft, wirkt nachhaltig propa-
gandistisch in diesem Sinn.

    Die Position der Opposition ist nach den Massenversammlungen und der Stel-
lungnahme von Engels stark erschüttert. Und so findet auf dem Anfang Oktober
in Halle stattfindenden Parteitag ein Kommissionsbericht, der alle Vorwürfe gegen
die Parteiführung als unwahr und ungerechtfertigt zurückweist, eine überwältigende Zustimmung. Von den etwa 400 Delegierten stimmen nur 24 gegen
ihn. [209] Da der Sprecher der ›Jungen‹ auf dem Parteitag, der Delegierte Wilhelm Werner aus Berlin, vorher erklärt hat: »wenn der Parteitag gesprochen, dann
ist die Streitaxt begraben« [210], und damit seine Bereitschaft ausgedrückt hat,
sich dem Urteil der Kommission zu fügen, scheint der innerparteiliche Frieden
wiederhergestellt.

    Im Juni und Juli des folgenden Jahres (1891) flammt die Opposition wieder
auf. Der Anlaß sind Reden, die der bayerische SPD-Reichstagsabgeordnete Georg
von Vollmar in München hält. In diesen Reden schlägt Vollmar der Sozialdemokratie eine neue Taktik vor: im Vertrauen auf den ›guten Willen‹ der herrschenden Klassen solle sie den Weg der Revolution verlassen und sich allein Reformen
zuwenden. [211]

    Während die Parteiführung sich bemüht, den sich anbahnenden Konflikt mit
dem rechten Parteiflügel durch private Kontakte mit Vollmar, dessen rechtsoppor-
tunistischen Kurs sie nicht mitzumachen bereit ist, unauffällig beizulegen [212],
sehen sich die ›Jungen‹ durch Vollmars Reden in ihrer Einschätzung der Reichstagsfraktion und der Führungsgruppe der Partei bestätigt und tragen ihren Protest sogleich an die Öffentlichkeit. Besonders in Magdeburg und in Berlin, wo
Parteiblätter unter dem Einfluß der Opposition stehen (in Berlin ist seit Januar
der Schriftsteller Paul Ernst Chefredakteur der ›Berliner Volkstribüne‹ [213]),
wächst die oppositionelle Bewegung wieder an. Neben den Vollmar-Reden ist
wieder die Haltung der SPD zum 1. Mai einer der Hauptstreitpunkte.

    Für den 1. Mai 1891 hatte der Parteitag in Halle beschlossen, Versammlungen
abends abzuhalten und »Umzüge, Feste im Freien usw. am 1. Sonntag im Mai«
stattfinden zu lassen, wenn »sich der Arbeitsruhe« am 1. Mai »Hindernisse in den
Weg stellen«. [214] Die Unzufriedenheit über dieses Zurückweichen, das nicht
mehr mit der Situation unter dem Sozialistengesetz erklärt werden kann, weil es
nicht mehr in Kraft ist, wächst. [215] Als die Parteiführung im Sommer 1891 ihr
Vorhaben bekanntgibt, auf dem Brüsseler (zweiten) Kongreß der II. Internationale
den Parteien der anderen Länder ein ähnliches Vorgehen vorzuschlagen, kommt
es erneut zu heftigen Kontroversen auf Massenversammlungen. Dabei gelingt es
der Parteiführung wieder, sich in Abstimmungen gegen die Opposition durchzu-

setzen, ohne aber deren Selbstbewußtsein brechen zu können, denn in Brüssel wird gegen die deutsche Delegation beschlossen, am 1. Mai als. Feiertag festzuhalten. [216]

Die Auseinandersetzungen verschärfen sich wieder, je näher der Parteitag, der für Oktober in Erfurt geplant ist, heranrückt. Zur Beratung des neuen Parteiprogramms, das in Erfurt verabschiedet werden soll, werden Versammlungen einberufen, die sich unter dem Druck der Aktualität immer wieder hauptsächlich mit der Frage der ›Jungen‹ beschäftigen. Diese haben im Juli ein umfangreiches Flugblatt herausgebracht, das man als ihre politische Plattform ansehen kann und das in den Versammlungen die Grundlage für die gegenseitige Polemik darstellt. Die Verfasser dieses Flugblattes sind unbekannt. Es wird vermutet, daß es entweder von dem Tapezierer Wildberger allein [217] oder zusammen mit einem Kollektiv, zu dem unter anderen auch Bruno Wille gehören soll [218], abgefaßt worden ist. Das Flugblatt eröffnet endlich die Möglichkeit, die ›Jungen‹ als eine *politische* Fraktion in der sozialistischen Bewegung zu identifizieren. Das tun vor allem die rechten Parteiblätter, indem sie die Verfasser des Flugblattes als Anarchisten einstufen. [219] Der Parteivorstand hingegen versucht in einem Aufruf vom 11. September wieder, die politischen Vorwürfe als persönliche Verdächtigungen hinzustellen, weil er sicher sein kann, daß die Parteitagsdelegierten alle Zweifel an der persönlichen Integrität ihrer Führer schärfstens zurückweisen würden. [220]

Das Flugblatt enthält tatsächlich – und da kann die Parteiführung, ohne es zu verfälschen, einhaken – beide Elemente, das politische und das persönliche. Beide Elemente sind für die Verfasser des Flugblattes identisch, weil sie als Wurzel des Übels die autoritäre Struktur der Partei ansehen, die die Massen daran hindere, eine Spontaneität zu entfalten, die sie schon den richtigen politischen Weg finden lassen würde. Der Angriff auf die autoritäre Struktur ist notwendigerweise zugleich ein Angriff auf die Autoritäten als Personen, weil der Nachweis, daß die autoritäre Struktur schädlich ist, in zwei Schritten geleistet werden muß: im ersten Schritt wird die Fehlerhaftigkeit der Politik aufgezeigt, wobei die Autoritäten allein für sie verantwortlich gemacht werden; im zweiten Schritt wird dann die Fehlerhaftigkeit als Notwendigkeit aus einer Struktur abgeleitet, die einzelnen zuviel Macht gibt.

In dem Flugblatt [221] werden die alten Vorwürfe gegen die Reichstagsfraktion wiederholt: falsche Haltung zur Frage des 1. Mai und falsche parlamentarische Taktik; Festhalten an illusionären Vorstellungen über die Machtverhältnisse, die bis zu Konzeptionen gingen wie die vom friedlichen »›Hineinwachsen‹ der heutigen Gesellschaft in den sozialistischen Staat, der ohne jede Betriebsstörung alsdann über Nacht nur proklamiert zu werden« brauche. Die eigene Gegenposition erscheint demgegenüber nur in Umrissen, sie soll gewissermaßen ex negativo aus der Kritik an der Parteiführung abgelesen werden können. Wo die eigene Haltung positiv begründet wird, ist sie in sich widersprüchlich. So fordern die Verfasser eine Politik, die sich einheitlich im ganzen Land konsequent auf den Klassenstandpunkt der Industriearbeiterschaft und auf deren Bewußtseinsstand stützen

und sich nicht von »Rücksicht auf das Mittlere und Kleinbürgerthum« leiten lassen soll. Es könne den »Industriearbeitern und wirklichen Sozialdemokraten [...]
ziemlich gleichgültig sein, ob bei der Reichstagswahl in Hinterpommern 500 oder
1000 Stimmen für uns abgegeben werden«. Andererseits lehnen sie aber eine einheitliche Agitation im ganzen Lande dann doch wieder ab und schlagen, weil sie
jede Zentralisation ablehnen, vor, daß man sich überall nach den örtlichen Ge-
gebenheiten zu richten habe: »Wir sind [...] der Ansicht, daß es an sich schon
taktisch falsch ist, wenn eine Zentralstelle die Haltung der Genossen an den verschiedensten Orten in allen Dingen zu bestimmen hat.« Dieser Absage an den
Zentralismus, die sich mit dem Vorwurf paart, die Parteispitze habe sich mit ihrer
Reformpolitik »kleinbürgerlicher Richtung« gegenüber den Parteimitgliedern ver-
selbständigt, steht auf seiten der Opposition nicht die Forderung nach einer Demokratisierung der Partei in dem Sinne gegenüber, daß die Mehrheit der Mitglieder die Politik der Führungsgruppe zu bestimmen habe. Dagegen wenden sie nämlich ein: »Die Majorität einer politischen Partei ist sehr oft eine rein zufällige und
setzt sich, auch bei der Sozialdemokratie [...] aus den verschiedensten Interes-
sengruppen zusammen.« Zwar stimmt es, daß in der Sozialdemokratie nicht nur
Arbeiter, sondern auch eine wachsende Zahl von Kleinbürgern organisiert sind,
aber in ihrer ›Majorität‹ besteht die Partei eindeutig aus Arbeitern. [222] Ihre
scheinbare Plausibilität gewinnt die Argumentation des Flugblattes, der Majorität
sich zu unterwerfen, bedeute zugleich, sich dem Kleinbürgertum zu unterwerfen,
nur dadurch, daß zwischen Wählern der Partei, unter denen die Arbeiter vielleicht
nicht in der Mehrheit sind, und Mitgliedern keinerlei Unterschied gemacht wird.
Zudem wird in den Argumenten, die angeblich die Partei vor dem Kleinbürgertum
schützen sollen, etwas anderes deutlich, nämlich Massenverachtung. [223] Da
heißt es z. B.: »Die Masse kann schließlich jeder haben, der es versteht, sich überall den Verhältnissen anzupassen.« Die eigéntliche Forderung, die hinter der Ablehnung sowohl von Zentralismus als auch von Demokratie steht, ist die in dem
Flugblatt nicht ausgesprochene, aber interpolierbare Forderung nach innerpartei-
lichem Liberalismus.

Zur Organisationsfeindlichkeit, die in der Ablehnung von Organisationsdiszi-
plin ihren Ausdruck findet, gehört eine Ideologie, die letzten Endes die Idee über
ihre reale, das heißt auch organisatorische Durchsetzung stellt: »Die Disziplin wird
bedingt durch die Organisation; über beiden aber muß für jeden Parteigenossen
in erster Linie das Prinzip, die Idee des revolutionären Sozialismus stehen.« Dieser
Ideologie entspricht das Motto, ein Wort von St.-Simon, das über dem Flugblatt
steht: »Erinnere Dich, mein Sohn, daß man begeistert sein muß, um große Dinge
zu vollbringen.« »Glühende Begeisterung« scheint ein weitaus wichtigeres Mittel,
die Umwälzung der gesellschaftlichen Verhältnisse zu vollbringen, als organisatorische Kraft. So beginnt das Flugblatt mit dem Vorwurf gegen ›einzelne Führer‹
der Partei, sie hätten den ›revolutionären Geist der sozialdemokratischen Bewegung‹ »systematisch ertödtet«, und es schließt mit der Hoffnung, daß die »alte Begeisterung wiederkehren« werde, »welche die Thatkraft« ›stähle‹ »und alle
Schwierigkeiten überwinden« ›helfe‹.

Der Erfurter Parteitag, der vom 14. bis 20. Oktober 1891 stattfindet, ist noch mehr als der Parteitag von Halle durch die Kontroversen mit den ›Jungen‹ bestimmt. Das geht so weit, daß die wichtigste Aufgabe des Parteitages, die Verabschiedung des neuen Parteiprogramms, fast ohne Debatte wie eine Nebensache erledigt wird. Der Parteitag behandelt die politischen Vorstellungen der Opposition wie schon in Halle wieder nur unter dem Aspekt, daß sie Vorwürfe gegen die Parteileitung seien [224], und setzt wieder eine Kommission ein, die die Berechtigung der Anklagen untersuchen soll [225] und die wieder nur zu dem Ergebnis kommt, die Vorwürfe seien nicht zu rechtfertigen. Um dem drohenden Parteiausschluß zuvorzukommen, treten am 19. Oktober fünf oppositionelle Delegierte aus der Sozialdemokratischen Partei aus, darunter Wildberger und Werner, die auf dem Parteitag die Argumentation der ›Jungen‹ hauptsächlich getragen haben. Trotz ihres freiwilligen Austritts werden Wildberger und Werner auch noch formell durch Beschluß des Parteitages aus der Partei ausgeschlossen.

Im November gründen die Berliner Oppositionellen eine eigene Partei, den ›Verein Unabhängiger Sozialisten‹. Dessen Gründungsmanifest, das Paul Kampffmeyer, Paul Ernst und Bruno Wille mitverfaßt haben, gipfelt in dem Satz: »Der Individualisierung des Arbeiters legen wir oppositionellen Sozialisten einen großen Werth bei.« [226] Die Initiatoren der neuen Partei versuchen, aus ihrer Organisationsfeindlichkeit gar eine Revolutionstheorie zu machen, indem sie behaupten: »Je entwickelter nun die Individualität des Arbeiters ist, um so machtvoller tritt er äußeren, seine Existenz schädigenden Einwirkungen entgegen – kurz, desto revolutionärer ist er.« [227] Hier werden die Arbeiter nicht wegen der objektiven Bedingungen ihrer Lage (wie in der marxistischen Theorie) zu möglichen Revolutionären erklärt und ihre potentielle Kraft wird nicht aus den Gemeinsamkeiten, die sie zur Klasse zusammenschließen, abgeleitet, sondern im Gegenteil: der Arbeiter wird für desto revolutionärer erklärt, je weiter er sich durch subjektive Einsicht über seine objektive Lage erhoben hat und je mehr er zum ›Individuum‹ geworden ist und sich damit von seinen Klassengenossen entfernt hat. Wenn der Arbeiter desto revolutionärer ist, je mehr er einem Intellektuellen gleicht, ist es nicht mehr zwingend, überhaupt noch im Arbeiter die revolutionäre Hauptkraft der sozialistischen Umwälzung zu sehen statt gleich im Intellektuellen. Aber eine solche These würde die intellektuellen Führer der ›Unabhängigen Sozialisten‹ von der Arbeiterbasis der Berliner Oppositionsbewegung isolieren, deswegen ist man in dieser Hinsicht vorsichtig und verzichtet darauf, den eigenen gedanklichen Ansatz voll durchzuführen.

Mit ihrer organisatorischen Loslösung von der Sozialdemokratischen Partei hat die oppositionelle Bewegung ihre Stoßkraft verloren, weil nur ein Bruchteil ihrer Sympathisanten aus der Partei auszutreten bereit ist. So werden die ›Unabhängigen Sozialisten‹ eine Splittergruppe und verlieren schnell an Bedeutung. Ihre Initiatoren und Freunde wenden sich in der Folge in die verschiedensten politischen Richtungen und zeigen damit nachträglich noch einmal den widersprüch-

lichen Charakter ihrer Oppositionsrolle auf: während ein Teil sich dem Anarchismus zuwendet [228], gegen dessen Ausschluß aus der 1891er Tagung der II. Internationale die ›Jungen‹ einmal protestiert hatten [229], finden sich viele andere einige Jahre später auf dem rechten Flügel der Partei wieder.

Zu ›rechten‹ Sozialdemokraten werden im Verlaufe der nächsten Jahre:
– Paul Kampffmeyer, der mit seinem Freund Hans Müller [230] zusammen 1890
  aus der Redaktion der Magdeburger ›Volksstimme‹ wegen ihrer gemeinsamen
  Sympathieerklärung für Willes erste Artikel hatte ausscheiden müssen [231]
  und der z. B. 1911 die Sozialdemokratie wegen ihrer Fähigkeit feiert, sich auf
  »das engste [...] an das ›Bestehende‹« ›anzuschmiegen‹ [232];
– Hans Müller, der in die Schweiz auswandert, dort zuerst in einer linkssoziali-
  stischen ›Vereinigung Unabhängiger Sozialisten‹ mitarbeitet [233], später aber
  in die Genossenschaftsbewegung geht und politisch einen sozialreformerischen
  Ansatz vertritt [234];
– Max Schippel, der Hans Müller einmal den Redakteursposten in Magdeburg
  verschafft hat und 1890 der einzige sozialdemokratische Reichstagsabgeordnete
  ist, der sich, wenn auch nur zurückhaltend und für kurze Zeit, mit der Opposition solidarisiert hat [235];
– Eugen Ernst, 1890 ein Schriftsetzer, der das Abweichen von der Marxschen Zielsetzung der ›Diktatur des Proletariats‹ geißelt [236] und der Parteiführung
  ›zu geringe‹ »Fühlung mit dem Proletarierelend« [237] vorwirft und der 1919
  als Polizeipräsident von Berlin einer der Hauptgegner des revolutionären Proletariats wird. [238]

Zur Sozialdemokratie zurückgefunden hat auch Carl Wildberger, einer der auf
dem Erfurter Parteitag Ausgeschlossenen. 1902 wird auf dem Münchener Parteitag sein Parteiausschluß ausdrücklich wieder aufgehoben. [239]

Ein anderer Teil der prominenten ›Jungen‹ wendet sich theoretisch anarchistischen Positionen zu. Diesen Weg wählen auch die meisten ›Friedrichshagener‹.
Das Sympathisieren mit dem Anarchismus ist dabei fast immer nur eine Zwischen-
etappe, die dem endgültigen Rückzug aus der Politik vorausgeht.

Das gilt z. B. für den 1891 aus der Partei ausgeschlossenen Druckereibesitzer
Wilhelm Werner, der 1890 Drucker der oppositionellen Parteizeitung ›Berliner
Volkstribüne‹ gewesen ist und ab 1891 die Zeitschrift des ›Vereins Unabhängiger
Sozialisten‹ ›Der Sozialist‹ druckt. 1892 druckt er u. a. eine Hetzschrift gegen die
organisierte Sozialdemokratie, die, von einem bürgerlichen Standpunkt aus ge-
schrieben, nichtsdestoweniger von den Berliner Anarchisten zu einer der wesent-
lichen theoretischen Grundlagen ihrer Vorstellungen erhoben wird. 1894 emigriert
Werner nach London und macht Schluß mit der Politik. [240]

Führende Vertreter der ›Jungen‹ haben schon frühzeitig mit dem Gedanken an
einen Rückzug ins Privatleben gespielt. So hat Bruno Wille auf der Massenversammlung vom 25. August 1890 seine Rede gegen Bebel mit den Worten beschlossen: »Sie bewerfen mich unausgesetzt« ›mit Schmutz‹, »da hat mein Zutrauen zu
der Sittlichkeit der Partei einen gewissen Schlag erhalten. Deswegen arbeite ich
aber doch für die Ziele der Partei! Und es gibt noch einen Ort, wohin man mit

dem Schmutz nicht trifft. Das Gemach, in welches sich jeder zurückziehen kann, ist der innerste Kern des Gemüthes. Dahin werde ich gehen, wenn Sie mich noch mehr bewerfen, da inkommodiert mich der Schmutz nicht.« [241] Wenig später hat Wilhelm Werner diese Formulierung aufgegriffen und seinerseits auf dem Parteitag von Halle angekündigt: »Verurtheilen Sie mich oder nicht, es ist mir ganz egal; [...] ich bleibe nach wie vor Sozialdemokrat und sage mit Wille: ›Es gibt noch einen Ort, wo man sich zurückziehen kann‹.« [242] Die Vorstellung, es diene in irgendeiner Weise dem Sozialismus, wenn man ihm nur in seinem innersten Gemüt zustimmt, ist eng verwandt mit der allgemeinen Konzeption der ›Jungen‹, daß sie die ›Idee des Sozialismus‹ für vorrangig vor ihrer praktisch-organisatorischen Verwirklichung erklären. In der Konfrontation mit der sozialistischen Organisation erscheint diese Konzeption dann wieder als Pochen auf das Recht jedes einzelnen, seine private Vorstellung vom Sozialismus hegen zu dürfen. In ihrem Gemüt bestimmen Wille und Werner selbst, was Sozialismus ist und was damit die ›eigentlichen‹ ›Ziele der Partei‹ sind, weil sie darüber keinen Richter außer sich selbst zuzulassen brauchen. Und so kann Wille 1892 in seiner Schrift ›Philosophie der Befreiung durch das reine Mittel‹ gegen den Sozialismus polemisieren, das freie Unternehmertum und die freie Konkurrenz zur Grundlage der Wirtschaftsordnung machen wollen [243] und sich trotzdem Sozialist nennen. [244] Für Wille ist der Schritt zu einem anarchistisch eingefärbten privaten Sozialismus wie für die meisten seiner Kollegen von der ›schönen Literatur‹ der erste Schritt in die Welt des Bürgertums zurück [245], aus der sie einmal gekommen sind.

Das extremste Beispiel für den Weg eines Literaten und Intellektuellen aus dem Kreise der ›Jungen‹ zurück ins Bürgertum ist Paul Ernst, weil er sich nicht gänzlich aus der Politik zurückzieht, sondern die politischen Interessen des Bürgertums später publizistisch mit derselben Unerbittlichkeit zu vertreten bereit ist wie um 1890 die vermeintlichen Interessen der Arbeiterklasse. Paul Ernst, ehemaliger Theologe [246], Journalist und Nachfolger Max Schippels als Redakteur des oppositionellen Parteiorgans ›Berliner Volkstribüne‹ [247], ist 1890/91 der schärfste Kritiker seiner intellektuellen Klassenbrüder in der Kontroverse um den Begriff des ›geistigen Proletariats‹. Er rechnet sie dort ohne Zögern der ›einen reaktionären Masse‹ zu und entlarvt auch den Pseudosozialismus seiner ›Friedrichshagener‹ Literatenkollegen als Getue. [248]

Kurz nachdem der ›Verein Unabhängiger Sozialisten‹ noch unter seiner Mitwirkung gegründet worden ist, verläßt er Berlin und die Arbeiterbewegung und geht in die Schweiz. Er versucht sich eine Zeitlang in verschiedenen Tätigkeiten. [249] Später wendet er sich intensiv seiner Dichterrolle zu und wandert politisch immer weiter nach rechts ab. 1906 ist er theoretischer Verfechter einer neuen Klassik [250], 1919 schreibt er eine Kampfschrift gegen die Sozialdemokratie mit dem Titel *Der Zusammenbruch des Marxismus* [251], 1921 verficht er in der Schrift *Geist, werde wach!* einen völkischen Chauvinismus [252], in der Folgezeit wird er als Propagandist auf der äußersten Rechten ein Wegbereiter des Faschismus. [253]

Anders als in den Romanen, in denen der Bruch mit der Arbeiterbewegung, wenn er nicht schicksalhaft erzwungen wird wie in *Jesus und Judas,* immer vom Romanhelden vollzogen wird [254], zeigt er sich in der Wirklichkeit als ein wechselseitiger Prozeß der Loslösung. Dadurch, daß die Trennung nicht auf einer mehr oder weniger zufälligen privaten Entscheidung beruht, gewinnt sie einen höheren Grad an Notwendigkeit: es trennen sich Partner, die ausgiebig erprobt haben, daß sie nicht zusammenpassen. Friedrich Engels ahnt das schon früh. Er schreibt 1884 einen Brief an Kautsky, in dem er vor dem Einfluß einer Reihe »schriftstellernder Parteileute« warnt, deren zum Teil ›opportunistische und leisetreterische‹ Arbeiten von der Partei wegen des Sozialistengesetzes nicht ausreichend kontrolliert werden könnten: »sie können sich ganz ungehindert aussprechen, wir sind verhindert, ihnen was aufs Dach zu geben«; die theoretische Zeitschrift der SPD, die ›Neue Zeit‹, um die es in diesem Brief geht, werde daher ›überwuchert‹ von »Philanthropie, Humanismus, Sentimentalität« und anderen »antirevolutionären Untugenden«. [255] Als einen dieser ›schriftstellernden Parteileute‹ nennt Engels Max Schippel. Engels ist es auch, der mit dem schon erwähnten Wort von der »Literaten- und Studentenrevolte«, das einer Polemik gegen Paul Ernst entstammt, als einziger den Klassencharakter der Oppositionsführer richtig anspricht. Im Gegensatz dazu fühlt sich die Parteiführung gegen den Vorwurf der ›Jungen‹, sie sei verkleinbürgerlicht, bloß in der Defensive. Es gelingt ihr nicht, den Vorwurf gegen seine Urheber zurückzuwenden, obwohl ihr das nicht hätte schwerfallen dürfen, wenn sie es sich ebenso leicht gemacht hätte wie die ›Jungen‹, Klassenlage und Klassenstandpunkt einfach identisch zu setzen. Daß die Parteiführung nicht zu diesem Mittel greift, legt die Vermutung nahe, daß sie die Bewegung der ›Jungen‹, die in ziemlicher Leichtfertigkeit sich immer wieder als proletarisch darzustellen versucht [256], nicht als eine in weiten Bereichen kleinbürgerliche Bewegung durchschaut hat. So ist der Ausschluß von Werner und Wildberger in Erfurt für die Partei bloß ein Ausschluß der Linksradikalen, nicht aber eine bewußte und freiwillige Trennung von der bürgerlich-oppositionellen Intelligenz.

Die politische Position der ›Friedrichshagener‹ Literaten kann nicht ohne eine Einschätzung der Politik der sozialdemokratischen Parteispitze, an der sie ihre Opposition negativ definieren, bestimmt werden. Deren Politik einzuschätzen, fällt deswegen schwer, weil die Reden, die sie auf den Parteitagen hält, in ihrer revolutionären Tendenz in Widerspruch zu ihrem reformistischen Vorgehen im Parlament zu stehen scheinen. Die Frage, ob die SPD um 1890 revolutionär ist oder ob die Opposition mit ihrem Vorwurf, sie sei zu einer kleinbürgerlichen Reformpartei heruntergekommen, recht hat und damit selbst gerechtfertigt ist, ist nicht eindeutig zu beantworten. Aber gerade das Erkennen dieser Schwierigkeit und die daraus folgende Einschätzung der SPD als einer Partei voller Widersprüche erlaubt es wieder, die Haltung der Opposition angemessen zu kritisieren.

Eine wirklich revolutionäre Fraktion hätte die Widersprüche nicht übersehen dürfen, sondern sich auf deren revolutionäre Seite stellen müssen. Wenn sich etwa im Erfurter Programm eine Kluft auftut zwischen einer marxistischen Gesamtanalyse und reformistischen Tagesforderungen, hätte sie nicht die marxistische Analyse zur bloßen Phrase erklären dürfen, die nur den reformistischen Charakter der wirklichen Politik verdecken solle; sondern sie hätte sie ernst nehmen müssen, um daraus die richtigen Tagesforderungen abzuleiten.

Wenn Singer, einer der beiden Vorsitzenden der Sozialdemokratischen Partei (neben Bebel), auf dem Erfurter Parteitag zwar sagen kann, falls er zwischen (dem Rechtsopportunisten) Vollmar und den ›Jungen‹ wählen müßte, dann würde er sich für die ›Jungen‹ entscheiden [257], und wenn sich dann die Partei doch mit Vollmar einigt und die ›Jungen‹ ausschließt, dann sind Singers Worte nicht einfach für Lügen zu erklären, sondern als direkter Ausdruck der innerparteilichen Widersprüche zu begreifen. Die Reichstagsfraktion ist nicht identisch mit Vollmar, und indem die ›Jungen‹ das unterstellen, übersehen sie äußerst wichtige gegenläufige Tendenzen in der Partei.

Im theoretischen Teil des Erfurter Programms nimmt die SPD Marx' Kritik am Gothaer Programm ernst und gestaltet das Parteiprogramm tendenziell in marxistischem Sinne um. [258] Der Marxismus hat sich gegen lassalleanische Tendenzen in der Sozialdemokratie während der Zeit des Sozialistengesetzes durchsetzen können, weil die Verfolgungen die meisten Parteimitglieder von der Notwendigkeit des revolutionären Kampfes überzeugt haben.

Anstatt von diesem partiellen Sieg der revolutionären Theorie ausgehend, die politische Praxis der Partei umzugestalten, erklären die ›Jungen‹ das Erfurter Programm mit dem Argument für »Humbug« [259], daß es nicht der »Ausdruck der Meinungen sämmtlicher Delegierten« [260] und daher bloß eine Täuschung sei. Damit leugnen sie die Möglichkeit, daß die revolutionäre Theorie, wie sie ihren Ausdruck in dem Programm gefunden hat, die Praxis der Partei anleiten und vorwärtsstreben könnte. Daß dahinter eine tiefere Geringschätzung der Rolle der Theorie überhaupt steckt, lassen sie im Manifest zur Gründung des ›Vereins Unabhängiger Sozialisten‹ erkennen: »Wir wollen« ›dem Arbeiter‹ »nicht sofort diese oder jene allein seligmachende Überzeugung aufdrängen, sondern wir wollen ihn vor Allem anregen, aus Diskussionen heraus sich seine eigene Meinung zu bilden.« [261] Und so soll mehr die spontane Begeisterung als die theoretische Durchdringung der bestehenden Verhältnisse den subjektiven Faktor der Revolution darstellen. [262]

In ihrer verständlichen Reaktion auf die Gefahren, die der SPD von ihrem rechten opportunistischen Flügel her hauptsächlich deswegen drohen, weil sich die Parteiführung gegenüber diesen Einflüssen nicht ausreichend immun zeigt [263], greift die Opposition der ›Jungen‹ zu falschen theoretischen und praktischen Konsequenzen. Dabei tritt eine Reihe von Symptomen auf, die Lenin später in seiner Schrift über den *Linken Radikalismus* als typisch für kleinbürgerlichen »Revolutionarismus« bezeichnet: ›Unfähigkeit‹, »Ausdauer, Organisiertheit, Disziplin und Standhaftigkeit an den Tag zu legen«. Außerdem ist nach Lenin der antikapitalistische Kampf des ›wild gewordenen Kleinbürgers‹ durch »Unbeständigkeit«, »Unfruchtbarkeit« und »seine Eigenschaft, schnell in Unterwürfigkeit, Apathie« oder »Phantasterei umzuschlagen«, gekennzeichnet. [264]

Es muß allerdings noch einmal betont werden, daß die intellektuellen Wortführer nicht identisch mit der Bewegung der ›Jungen‹ überhaupt sind. Während für den Anschluß der Literaten an die innerparteiliche Opposition z. B. eine Reihe ›rechter‹ Motivationen den Ausschlag gegeben haben, wie etwa Vorbehalte gegen die Unterordnung unter die Ziele der Arbeiterbewegung, steht bei den oppositionellen Arbeitern die Abwehr reformistischer Tendenzen im Vordergrund. Die ambivalenten inhaltlichen Tendenzen der Oppositionsbewegung lassen sich zwar nicht so auseinanderdividieren, daß die eine Seite den Intellektuellen und die andere Seite den Arbeitern zugeordnet wird – es gibt eine Reihe fließender Übergänge –, aber im großen und ganzen ist es doch so, daß durch die Wortführerschaft der Intellektuellen die Oppositionsbewegung in eine ›kleinbürgerlich-revolutionaristische‹ Richtung gelenkt wird und damit ihre mögliche, begrenzt positive Funktion für die Arbeiterbewegung verliert, die darin gelegen hätte, als Indiz für die Unzufriedenheit der Arbeiter mit einer reformistischen Politik die Partei auf einen revolutionären Kurs zu zwingen.

2.4 Die theoretische Wendung zum Anarchismus

Wir haben festgestellt, daß in den literarischen Beispielen die Motive zur Abkehr von der Sozialdemokratie zum Teil dieselben sind, die die Romanhelden vorher dazu bewogen haben, sich der Arbeiterbewegung zuzuwenden. In der Frage der theoretischen Positionen taucht der gleiche scheinbare Widerspruch folgendermaßen auf: Inhaltliche Vorstellungen über den Charakter der Zukunftsgesellschaft oder überhaupt über die Ziele der sozialistischen Bewegung, deren Verwirklichung die Literaten einmal von der SPD erwartet haben, bewirken Differenzen mit eben dieser SPD, die zum Bruch führen. Dieser Vorgang ist nicht zufällig, sondern seinerseits Ausdruck der widersprüchlichen, teils zusammengehenden und teils sich widersprechenden Klasseninteressen der Arbeiterklasse und des Kleinbürgertums, als dessen ideologische Anwälte die Intellektuellen, wie sich an ihren theoretischen Positionen zeigen wird, auftreten.

Das gemeinsame Klasseninteresse hat einen kurzfristigen und einen langfristigen Aspekt. Das Nahziel der Sozialdemokratie ist die Ablösung des Feudalstaates durch eine parlamentarische Demokratie, weil sie die Erringung des allgemeinen und gleichen Wahlrechts für ein mächtiges Mittel zur Durchsetzung einer sozialistischen Umwälzung hält. [265] An der Forderung nach der Staatsform der demokratischen Republik halten auch die Schichten des Bürgertums, die sich noch nicht in den Kompromiß mit der Feudalklasse eingelassen und damit auf ihre politische Macht verzichtet haben, weiterhin fest. Sie müssen in der Sozialdemokratie als der einzigen konsequenten Oppositionspartei die einzige politische Kraft sehen, die für diese Forderung, die auch die ihre ist, nachdrücklich eintritt. Dieser Punkt gilt besonders für die intellektuellen Angehörigen des Bürgertums, deren Verbindung zu ihrer Klasse weitgehend über ideologische Positionen vermittelt ist.

Sie wollen nach wie vor ›Freiheit, Gleichheit und Brüderlichkeit‹ gegen die Feudalklasse durchsetzen.

Der langfristige Aspekt des gemeinsamen Klasseninteresses einiger Schichten des Bürgertums und der Arbeiterklasse liegt im Klassenbündnis der Feudalklasse mit der Großbourgeoisie einerseits und der allgemeinen Entwicklung des Konkurrenzkapitalismus zum Monopolkapitalismus andererseits begründet. Beides bringt die kleinbürgerlichen Schichten in einen Widerspruch zum Großkapital im besonderen und damit indirekt auch zum Kapitalismus im allgemeinen. Viele Angehörige dieser Schichten beginnen, im Sozialismus ihre Hoffnung zu sehen, in einem Sozialismus allerdings, den sie sich inhaltlich so vorstellen, daß er die Verwirklichung kleinbürgerlicher Klasseninteressen bedeutet.

Von der Sozialdemokratischen Partei werden diese Tendenzen dadurch begünstigt, daß sie sich selbst noch nicht vollständig von ihren historischen Wurzeln im politischen Liberalismus gelöst hat, in dem die Klassenwidersprüche zwischen Bourgeoisie und Arbeiterklasse noch nicht aufgebrochen waren und von dem aus der politische Werdegang der prominentesten Führer der deutschen Sozialdemokratie im 19. Jahrhundert, Lassalle, Wilhelm Liebknecht und Bebel, seinen Ausgang genommen hatte. Die Antwort auf die Frage, wieweit das Erbe der bürgerlichen Ideologie in der Sozialdemokratischen Partei in einem Moment überwunden ist, wo von den bürgerlichen Literaten bürgerliche Ideen im Gewande sozialistischer Ideen an die Partei herangetragen werden, ist entscheidend für die Beurteilung der Bedeutung dieser Annäherung für die politische Entwicklung der Sozialdemokratie. Die ideologischen Positionen der ›Friedrichshagener‹ lassen erkennen, daß diese Gruppierung nicht nur aus dem Bürgertum stammt, sondern daß sie auch bürgerliche politische Vorstellungen hat, daß insbesondere ihr ›Sozialismus‹ ein kleinbürgerlicher und nicht ein proletarischer Sozialismus ist.

Über den kleinbürgerlichen Sozialismus heißt es im *Kommunistischen Manifest:* »Dieser Sozialismus zergliederte höchst scharfsinnig die Widersprüche in den modernen Produktionsverhältnissen. [...] Seinem positiven Gehalte nach will jedoch dieser Sozialismus entweder die alten Produktions- und Verkehrsmittel wiederherstellen und mit ihnen die alten Eigentumsverhältnisse und die alte Gesellschaft, oder er will die modernen Produktions- und Verkehrsmittel in den Rahmen der alten Eigentumsverhältnisse, die von ihnen gesprengt wurden, gesprengt werden mußten, gewaltsam wieder einsperren. In beiden Fällen ist er reaktionär und utopistisch zugleich.« [266] Die Erfahrung, daß ihrer Klasse aufgrund der sich ständig steigernden Konzentrationsbewegung des Kapitals im Kapitalismus keine Zukunft beschieden ist, münzen Teile des Kleinbürgertums um in ein politisches Eintreten für einen ›Sozialismus‹, den sie sich als die idyllische Rettung und Beibehaltung der Kleinproduktion vorstellen.

In Deutschland sind die Jahre von 1871–74 die Jahre gewesen, in denen das Kleinbürgertum seine größten Hoffnungen und Enttäuschungen erlebt hat. Der größte Teil der unzähligen, durch die französischen Reparationszahlungen ermöglichten, Gründungen von Kleinbetrieben ist nach Ablauf von zwei bis drei Jahren zum Konkurs gezwungen gewesen. Der ›Gründerkrach‹ zerstört die Illusionen des

Kleinbürgertums über die Möglichkeit leichter Bereicherung durch den Aufstieg in den Kreis der Industriellen. Da es seit 1870 in Preußen keine Zulassungspflicht für Aktiengesellschaften mehr gibt [267], können Großbetriebe mit konzentriertem Kapital mühelos die Kleinbetriebe niederkonkurrieren. Die Krise 1873/74 fördert in der Folge ihrerseits die Konzentration weiter.

Gegen den Widerstand der Kleinindustriellen und des Handels [268], die an liberalistischen Wirtschaftskonzeptionen festhalten, gelingt es 1878 der deutschen Großindustrie, im Reichstag den Erlaß von Schutzzöllen durchzusetzen. Mit diesem Abschied von der Freihandelspolitik ist in Deutschland ein entscheidender Schritt der Weiterentwicklung des Konkurrenz- zum Monopolkapitalismus getan worden, dessen Heraufkommen sich wenig später auch auf der ideologischen Ebene ankündigt. 1883 fordert der Österreicher Kleinwächter z. B. in einem vielbeachteten Buch mit dem Titel *Die Kartelle* eine »Zollgesetzgebung«, die »den privilegierten Produzenten den heimischen Markt sichern müßte« und eine Wirtschaftspolitik, die die Kartelle auch sonst bei ihrem Bestreben unterstützen müsse, den ›anarchischen Zustand der unorganisierten Volkswirtschaft‹ zu überwinden und »die Gesamtproduktion dem Gesamtbedarf anzupassen« – dazu solle der Staat ihnen das ›Monopol erteilen, bestimmte Artikel zu erzeugen‹. [269]

Schematisch betrachtet setzt sich diese allgemeine Tendenz in Deutschland im weiteren mit folgenden ökonomischen und politischen Implikationen durch: Die Reichstagsentscheidung für den Schutzzoll, die 1878 gefällt wird, steht schon im Zeichen des Bündnisses der Großindustrie mit den feudalen Agrariern, die vorher im Gegensatz zu den Industriellen gestanden haben, weil sie für den Freihandel eingetreten sind. Sie haben hauptsächlich ein Interesse an ungehinderter Ausfuhr ihrer Getreideüberschüsse gehabt. Die Einführung produktiverer kapitalistischer Anbaumethoden in der Landwirtschaft im Weltmaßstab wird nach der Erfindung des Dampfschiffes und der damit möglichen Entstehung eines Weltmarktes für Lebensmittel zu einem drängenden Problem für die deutschen Agrarier: Deutschland wird von einem Getreideexportland zu einem Getreideimportland. Der Getreidepreis und damit auch die Grundrente sinken. [270] Daraufhin treten ab 1878 die Agrarier mit den Großindustriellen gemeinsam für ein Schutzzollsystem ein und setzen es durch.

Zur gleichen Zeit zerfallen die bürgerlich-liberalen politischen Kräfte: die Nationalliberale Partei, die stärkste Partei nach der Reichsgründung von 1871, verliert 1878 bei Neuwahlen zum Reichstag eine ganze Reihe von Mandaten, verstößt gegen ihre politischen Grundsätze, indem sie im selben Jahr dem Sozialistengesetz ihre Zustimmung gibt, und spaltet sich ein Jahr später über der Schutzzollfrage. [271]

In dieser Situation kommt die Sozialdemokratie den liberalen Schichten des Bürgertums, die am Freihandel festhalten, entgegen, indem sie deren Forderungen mitvertritt. Während sie Anfang der 70er Jahre noch mit dem Argument für Schutzzölle eingetreten ist, auch die Arbeiter hätten ein Interesse daran, daß die inländische Industrie floriere, und deswegen müsse man deren Entwicklung durch den Erlaß von Zöllen gegen die übermächtige englische Konkurrenz fördern [272], so plädiert sie am Ende der 70er Jahre für den Freihandel, weil der zu einer Senkung der Lebensmittelpreise führen werde. [273] Gerade die Verwendung dieses Arguments läßt vermuten, daß es sich bei der Kursänderung um einen taktischen Versuch handelt, kleinbürgerliche Schichten anzusprechen. [274] Marx hat nämlich schon 1848 in seiner Brüsseler Rede über den Freihandel diese Argumentation als eine demagogische Verdrehung der Freihandelspropagandisten entlarvt, weil in der kapitalistischen Wirtschaft auf jede Senkung der Lebensmittelpreise gesetzmäßig eine Senkung der Löhne in gleichem Umfange folge. [275] Vor diesem Hintergrund muß die Wendung von Teilen des Kleinbürgertums und der kleinbürgerlichen Intelligenz zur Sozialdemokratie gesehen werden. Ihre Sozialismusvorstellungen sind vor allem dadurch geprägt, daß sie die Grundthese des Marxschen Ansatzes nicht mitmachen, die darin besteht, daß alle Erscheinungsformen des Kapitalismus logisch und historisch aus den Formen des einfachen Warentausches und der einfachen Warenproduktion abgeleitet werden. In Marx' Theorie können der Liberalismus oder die freie Konkurrenz niemals ein Ausweg aus dem sich zunehmend konzentrierenden Kapitalismus sein, weil sie seine Vorläufer gewesen sind, aus denen sich die Kapitalkonzentration mit innerer Notwendigkeit entwickelt hat.

Wille wendet sich explizit gegen »jene sozialdemokratische Richtung«, die »die freie Konkurrenz verantwortlich macht für die sozialen Mißstände unserer Tage«. [276] Die sozialen Mißstände führt er dagegen auf die ›monopolistische Verfügung von einigen Privilegierten über die Produktionsmittel‹ [277] zurück. Die sozialistische Umwälzung stellt sich für ihn dar als Abschaffung dieses Verfügungsprivilegs über die Produktionsmittel: jetzt bekommen auch die, die bisher zu kurz gekommen sind, eine Chance, sich in ›freier Konkurrenz‹ zu bewähren – und zwar in einer zum erstenmal in der Geschichte wirklich freien Konkurrenz, die durch die Abschaffung des Staates möglich wird. Der Staat nämlich war es, der mit dem Gewaltmonopol immer die Privilegien einiger weniger gegen die Mehrheit durchsetzen konnte und so selbst in der Blüte des Liberalismus keine echte ›freie Konkurrenz‹ zuließ.

Die radikal-liberalistische Doktrin, das Manchestertum [278], hält Wille für eine großartige Idee: »Verdorben aber wurde sie dadurch, daß man sie nicht radikal genug faßte, daß man den Gewaltstaat zwar aus der Sonne gehen hieß, doch nicht völlig preisgab, vielmehr als ›Nachtwächter‹ fungieren lassen wollte.« [279] »Die soziale Frage ist also nicht [...] durch das ›rücksichtslose‹, sondern durch das rücksichtsvolle Manchestertum, nicht durch das ›laisser faire‹, sondern durch dessen Halbheit heraufbeschworen worden.« [280] Von der vollständig ›freien Konkurrenz‹ erwartet Wille, sie werde »die Menschheit in immer flotterem Tempo jener Höhe entgegenführen, wo glückselige Freiheit, Schrankenlosigkeit des Individuums, üppigste, doch vernünftige Lebensbethätigung waltet«. [281] Von dem Interesse bestimmt, die eigene gesellschaftliche und ökonomische Position gegen die Großbourgeoisie, aber auch gegen das Proletariat zu verteidigen, ist der klein-

bürgerliche Sozialismus Willes und seiner Freunde keine radikale Neuordnung der
wirtschaftlichen Verhältnisse, sondern ein Versuch, an deren Auswüchsen herum-
zukurieren.

Wie die Theoretiker Proudhon und Dühring, auf die Wille und die Romanhelden Mackays und Hollaenders sich berufen [282], sind sie gezwungen, abgelei-
tete Erscheinungen der kapitalistischen Produktion für deren Kern zu erklären,
um ihre isolierte Beseitigung schon als Einführung des Sozialismus ausgeben zu
können.

Für Mackay ist dieses Allheilmittel die Abschaffung von Zins und Wucher. [283]
Auban, der positive Held seines Romans *Die Anarchisten,* spricht in diesem Zusammenhang ganz deutlich als Interessenvertreter derjenigen Schichten des Bürgertums, die merken, daß sie im Konkurrenzkampf mit der Monopolbourgeoisie
ständig unterliegen. Zum Liberalismus sagt er: »die Manchestermänner nähern
sich uns. Aber sie sind weit hinter uns zurück. Konsequentes Fortschreiten auf
dem eingeschlagenen Wege müßte sie indessen mit unfehlbarer Sicherheit dahin
führen, wo wir stehen. Sie behaupten, die freie Konkurrenz zu befürworten. Aber
in der Tat befürworten sie nur die Konkurrenz der Mittellosen unter sich, während sie das Kapital mit Hilfe staatlicher Gewalt der Konkurrenz entziehen: es
monopolisieren. Wir dagegen wollen es popularisieren: es jedem ermöglichen,
Kapitalist zu werden, indem wir es durch die Freiheit des Kredits jedem zugänglich zu machen suchen und es zwingen, wie jedes andere Produkt, an der Konkurrenz teilzunehmen«. [284]

Wille rettet in seinen sozialistischen Zukunftsstaat gegen die Sozialdemokraten
das ›Unternehmertum‹ mit hinein. Frei nach Dühring begründet er das damit,
daß Ausbeutung nur da vorliegen könne, wo es nicht möglich sei, den Arbeitsver-
trag zwischen Unternehmer und Arbeiter ›frei‹ abzuschließen, weil der Unternehmer als monopolistischer Eigentümer mit Rückendeckung der Staatsgewalt die Arbeiter daran hindern könne, mit seinen Produktionsmitteln zu arbeiten. Im Zukunftsstaat stehen – so bei Dühring – dann die Produktionsmittel jedem unentgelt-
lich zur Verfügung. [285] Wille folgt ihm in dieser These. Er will »den Arbeitern
die Produktionsmittel zugänglich [. . .] machen, ohne daß ein Tribut an privilegierte Herrschaften zu leisten ist«. [286] Dann könnten die Arbeiter, wie es ihnen
am besten gefiele, entweder individuell oder genossenschaftlich produzieren oder
sich auch von einem Unternehmer anstellen lassen, der mit ihnen auch seinen Ge-
winn machen dürfe. »Denn wenn Arbeiter in einer freien Gesellschaft sich derart
anstellen lassen, so wissen sie wohl, warum sie es thun. Falls sie dabei ihren Vorteil nicht fänden, falls der Arbeitgeber z. B. Ausbeuterlöhnung versucht, würden
sie ja keinen Kontrakt mit ihm schließen, vielmehr von der leichten Zugänglichkeit
der Produktionsmittel Gebrauch machen, indem sie ihre eigenen Unternehmer
werden, einzeln oder als Gruppenglieder. Der Reingewinn eines Arbeitsgebers
würde, abgesehen von dem Arbeitsertrage seines Unternehmertalentes, der doch
nichts von Beute an sich hat, allenfalls auf eine Risiko-Prämie sich belaufen.« [287]

Als Zukunftsvision wird hier das neu aufgelegt, was das Bürgertum seit den
Frühzeiten seiner wirtschaftlichen Macht als Illusion oder Ideologie über eine nach

seinem Muster konstruierte Gesellschaft verbreitet hat. So bestehen Wille und Mackay auch auf den Grundideen des Bürgertums ›Freiheit, Gleichheit und Brüderlichkeit‹, aber schon in einer auf die materiellen Interessen des Kleinbürgertums zurechtgestutzten Form.

Die Forderung nach *Freiheit* wird erhoben, um ›Warenproduktion‹, ›Markt‹ und ›freie Konkurrenz‹ und damit das Privateigentum, wenn nicht an den Produktionsmitteln, so doch an den Produkten zu verteidigen. Wille wirft den Sozialdemokraten vor, sie wollten »das bißchen Freiheit im volkswirtschaftlichen Wettbewerb von heute vollends vernichten« [288], indem sie für Verstaatlichung einträten.

Die freie Konkurrenz aller gegen alle kann jedoch nicht auf *Gleichheit* als Ziel gerichtet sein, weil ihr sonst die innere Triebkraft fehlen würde. So wendet Wille gegen die Gleichheit ein: »Der Kommunismus oder die von der Sozialdemokratie erstrebte Gleichheit der Existenz-Bedingungen und Leistungen würde [. . .] gleichbedeutend sein mit dem Rückfall in die Barbarei, in den tierischen Urzustand der rohen Naturvölker.« [289] In einer warenproduzierenden Zukunftsgesellschaft kann Gleichheit nicht Ziel, sondern in der Form von Chancengleichheit nur Ausgangspunkt sein. Mackays *Freiheitssucher* Ernst Förster macht das deutlich, wenn er postuliert: »Es konnte nur eine Gleichheit geben: die Gleichheit der Freiheit – die gleiche Freiheit aller!« [290]

Auch die Forderung nach *Brüderlichkeit* taucht in einer Form auf, die sie in ihrem bürgerlichen Rahmen läßt: jedes Glied der Gesellschaft soll dadurch für die anderen sorgen, daß es mit ihnen, auf den eigenen Vorteil bedacht, auf dem Markt kommuniziert. Indem jeder für die ihm »gezollten Leistungen äquivalente Gegenleistungen« ›bietet‹ [291], kann er den anderen und sich selbst optimal nützen. Mackays Auban in den *Anarchisten* gibt als grundlegende Erkenntnis »des echten Egoismus« an, »daß das Wohlbefinden des einen das des anderen ist und umgekehrt«. [292]

Der Egoismus ist für Wille und Mackay nicht das Konstituens der bürgerlich-kapitalistischen Ordnung. Im Gegenteil, Auban antwortet seinem theoretischen Kontrahenten, dem ›kommunistischen Anarchisten‹ Trupp, der das soziale Elend dem herrschenden Egoismus anlasten will, es müsse gerade darum gehen, die ›Ideen des Egoismus reifen zu lassen‹ und die »Freiheit des Einzelnen« herbeizuführen. Die gegenwärtigen Zustände seien dadurch gekennzeichnet, daß die Menschen »im kompliziertesten und brutalsten Kommunismus stecken, wie nie vorher«, daß nämlich »der einzelne von seiner Geburt an bis zu seinem Tode vom Staat, von der Gemeinschaft mit Beschlag belegt wird«. [293] So weit wie Mackay, die Gesellschaft seiner Zeit für kommunistisch zu erklären, um dagegen die Forderung nach mehr Egoismus zu stellen, geht Wille nicht. Aber auch er hält nicht den Egoismus, sondern einen Mangel an Egoismus bei den unterdrückten Klassen für die wesentliche Ursache des sozialen Elends: »In weit höherem Grade, als die Herren die Knechte machen, machen die Knechte die Herren, d. h. die Knechtseligkeit, der Mangel an Eigennützigkeit auf Seiten der Volksmasse, verhilft den Herren erst auf das hohe Pferd der Herrschaft und bildet die Grundlage aller Ausbeutung. Folglich kommt es [...] darauf an [...], daß die Knechte zur Eigennützigkeit sich bekehren und entknechten.« [294] Wille spricht sich für einen »gemäßigten, partiellen, auf Egoismus gegründeten Kommunismus aus«, von dem er im Blick auf den Roman *Die Anarchisten* sagt: »ein lediglich auf zwangloser Vereinbarung beruhender Kommunismus« sei »zwar nicht nach Mackay-Aubans Geschmack«, aber »immerhin mit der Freiheit vereinbar«. [295]

Mit der Kategorie der ›zwanglosen Vereinbarung‹ gibt Wille ein Grundprinzip der Zukunftsgesellschaft an, wie er sie sich in Übereinstimmung mit Dühring, Hertzka und anderen [296] vorstellt. Hinter dieser Kategorie verbirgt sich, wieder nach dem Muster, daß die Ideale des Bürgertums entgegen ihrer schlechten Verwirklichung ernst genommen werden sollen, die dem bürgerlichen Recht zugrunde liegende Idee der Vertragsfreiheit. Vertragsfreiheit bedeutet in der bürgerlichen Tauschgesellschaft den Schein, daß die Beziehungen der Menschen untereinander und zu ihren Waren ständig durch freie Vereinbarungen und nicht durch Gewaltverhältnisse geregelt werden, oder bedeutet auf einer anderen Ebene, daß immer Äquivalente gegeneinander getauscht werden, also kein Tauschpartner durch den anderen betrogen wird. Marx hat gezeigt, daß der Hauptwiderspruch der kapitalistischen Gesellschaft gerade aus diesem freien Äquivalententausch hervorgeht, weil er dazu führt, daß auch die Arbeitskraft sich als Ware auf dem Markt zu ihrem Wert, der identisch ist mit ihren Reproduktionskosten, verkaufen muß. Damit aber ist dem Kapitalisten, der den Arbeiter länger beschäftigt, als es zur Produktion des Gegenwertes von dessen Reproduktionskosten notwendig ist, die Möglichkeit der Mehrwertproduktion gegeben.

Für unsere Intellektuellen, die den Begriff Ausbeutung nicht materialistisch aus den Produktionsverhältnissen, sondern moralisch aus Erscheinungsweisen wie etwa dem sozialen Elend ableiten, ist die Vorstellung, daß Ausbeutung und freier Vertrag juristisch freier Subjekte, wie es Lohnarbeiter und Kapitalist sind, miteinander vereinbar sein könnten, undenkbar. Ausbeutung kann für sie nur das Ergebnis von Gewaltverhältnissen – wie der durch staatliche Gewalt geschützten ›monopolistischen Verfügung über die Produktionsmittel‹ [297] – oder das Ergebnis von ›Raub‹ [298] sein.

So können sie eine Zukunftsgesellschaft konstruieren, die aus den wesentlichen Bestandteilen der alten Gesellschaft zusammengesetzt ist und trotzdem deren Fehler nicht haben soll. Auf den entscheidenden inneren Widerspruch dieser Konstruktion hat Engels schon in seinem *Anti-Dühring,* der 1878 zum erstenmal erschienen ist, hingewiesen. Was Engels da über Dühring schreibt, gilt auch in bezug auf Wille, der sich in seinem Zukunftsentwurf auf Dührings ›sozialitäres System‹ beruft, wie er es in der Zusammenfassung durch Benedikt Friedländer kennengelernt hat. Der Widerspruch in Dührings und Willes System ist, daß beide das Wertgesetz beibehalten wollen, es aber zugleich bei Beibehaltung von Formen der Lohnarbeit für die Arbeitskraft aufheben wollen, die ihren ›vollen Arbeitsertrag‹ erhalten soll. Damit soll die Arbeitskraft nicht mehr zu ihrem eigenen Wert (ihren Produktions- bzw. Reproduktionskosten), sondern zum Wert dessen, was sie mit ihrer Arbeit dem Produkt zugesetzt hat, getauscht werden. Das heißt aber, daß nicht mehr Äquivalente getauscht werden und somit das Wertgesetz nicht mehr gilt. Dühring und Wille bestehen auf Gesetzen, deren konsequente Anwendung genau die gesellschaftlichen Zustände herbeiführt, die sie abschaffen wollen. Selbst die Beseitigung der Lohnarbeit wäre bei Beibehaltung des Äquivalententauschprinzips kein Schritt zur Überwindung dieser Gesetze, sondern nur ein Schritt zurück in einen Zustand, in dem sie noch nicht vollständig durchgeführt sind.

In den Romanen (z. B. bei Hollaender und Mackay) und in der Wirklichkeit (z. B. Wille [299] und Wilhelm Werner) beginnen die abtrünnigen Sozialdemokraten, sich Anarchisten zu nennen. Anarchismus bedeutet für sie die Abschaffung des Staates und die Übertragung aller staatlichen Funktionen auf freie Vereinigungen. Im Gegensatz zum Marxismus, der auch für ein Absterben des Staates eintritt, als dessen Voraussetzung aber die Aufhebung der Klassengegensätze sieht, meinen die Anarchisten, daß mit der Abschaffung des Staates die Klassengegensätze von selbst verschwinden würden. [300] Diese bestünden nämlich bloß in der künstlichen, allein durch die Staatsgewalt ermöglichten Privilegierung einzelner.

Die Abschaffung jeder Herrschaft, wie sie Wille und Mackay verstehen, wird nicht vom Gesichtspunkt der gesamten Gesellschaft, die sich etwa durch die Abschaffung des Staates andere Formen des Zusammenlebens schaffen solle, gesehen, sondern nur vom Gesichtspunkt des Individuums aus, dessen absolute Freiheitsrechte in keiner Weise eingeengt werden sollen. Von daher wenden sie sich nicht nur gegen den Staat, in dem sie leben, sondern auch gegen die Demokratie, die die Sozialdemokraten herbeiführen wollen. Als Anarchist sagt Wille: Was ihn von der Sozialdemokratie trenne, sei die »Demokratie, das Streben der Sozialdemokraten, an Stelle der bürgerlichen Regierung eine neue Herrschaft zu setzen«. [301] Willes Lehrmeister Friedländer drückt es noch prägnanter aus: »Als wesentliches Merkmal des Anarchismus sehe ich [...] die Verwerfung des demokratischen Prinzips an, ja einer jeden -kratie, d. h. Herrschaft.« [302]

In diesem Anarchismus wird der kleinbürgerliche Sozialismus konsequent. Er gesteht ein, daß er nicht das Interesse der Mehrheit vertritt, weil er sich deren Entscheidungen nicht unterordnen will. Wille erklärt »die Demokratie« für »etwas noch Schlimmeres als Herrschaft«, und er begründet das folgendermaßen: »oft genug ist sie [die Demokratie] die Herrschaft der geistigen und moralischen Mittelmäßigkeit, wenn nicht gar Gemeinheit. Wenn schon eine Kratie sein müßte – was ich bestreite – so wäre ich für die Herrschaft der Besten. Ich denke natürlich nicht an eine Aristokratie nach Art des Feudalismus oder der Plutokratie, sondern an eine Herrschaft der Besten im platonischen Sinne.« [303]

Für den Fall, daß sich seine utopische Vision, die herrschaftslose Gesellschaft, nicht verwirklichen läßt, hält Wille also gleich ein ›kleineres Übel‹ parat. Dessen Nähe zu den bestehenden Verhältnissen seiner Zeit, die Wille zaghaft mit dem Hinweis, Feudalismus und Plutokratie seien nicht gemeint, zu verdecken versucht, ist Teil des kleinbürgerlichen Syndroms: Der Kleinbürger merkt, daß er die Geschichte nicht auf seiner Seite hat; sein Unmut über die bestehenden Verhältnisse wird deshalb von seiner Angst vor der Zukunft noch übertroffen. Und so ist er trotz seiner radikalen utopischen Ideen eher bereit, am Bestehenden festzuhalten, als einen kleinen ungesicherten Schritt in eine ungewisse Zukunft zu gehen.

Der Schritt der bürgerlichen Sympathisanten der Sozialdemokratie zum Anarchismus ist nicht nur in dem Sinne ein Schritt in die eigene Klasse zurück, als hier eine politische Ideologie verfochten wird, die deren objektiven Interessen näherkommt, sondern auch in dem Sinne, daß es ein Schritt heraus aus der Politik zurück in die private Existenz ist.

Das Umschlagen der Forderung nach Freiheit für alle ins Private wird in der Argumentationskette an dem Punkt deutlich, wo sich diese Forderung mit Demokratiefeindlichkeit und Massenverachtung paart. Wille fürchtet, daß möglicherweise nach dem »Siege einer proletarischen Erhebung [...] an Stelle der früheren Ausbeutung nur eine neue Form der Ausbeutung, z. B. die Ausbeutung des Individuums durch den Demos, die große Masse« [304] treten werde. Deswegen wendet sich Wille gegen die Demokratie, die als Herrschaft der Mehrheit eben eine Form der Herrschaft sei: »Mit Proudhon gestehe ich: ›Wer Hand an mich legt, mich zu beherrschen, ist ein Usurpator und Tyrann; ich erkläre ihn für meinen Feind‹.« [305]

Dem Bestreben, die individuelle Freiheit vor Eingriffen, von wo auch immer sie kommen mögen, zu bewahren, entsprechen in der gesellschaftlichen Praxis der (allerdings als vorläufig ausgegebene) Verzicht auf die Perspektive einer gesamtgesellschaftlichen Umwälzung und die Beschränkung auf die Suche nach seinesgleichen. Auban in Mackays *Anarchisten* kommt zu einem Resümee, das Wille später zustimmend in seiner *Philosophie der Befreiung* zitiert: »Ich weiß, daß mein Platz außerhalb aller Zeitströmungen ist. Wen ich suche und wen ich finden werde, das ist der Einzelne: Du – und Du – und Du, Ihr, die Ihr in einsamem Ringen zu gleicher Erkenntnis gekommen seid.« [306]

Gustav Landauer, ein späterer Führer des von Wille mitgegründeten ›Vereins Unabhängiger Sozialisten‹ [307], schreibt einige Jahre später (1901) als Mitglied der ›Neuen Gemeinschaft‹ programmatische Sätze dieser Rückkehr in den eigenen Kreis, die sowohl eine weitere Entfaltung der bei Mackay und Wille anklingenden Motive bedeuten, wie sie auch deren grundlegenden Charakter noch einmal deutlich werden lassen. Die ›Neue Gemeinschaft‹ ist ein Intellektuellenzirkel, der sich »Orden vom wahren Leben« nennt und dem aus dem Umkreis der linksbürgerlichen Literaten von 1890 auch Heinrich Hart, Julius Hart und Felix Hollaender angehören. In dem Artikel *Durch Absonderung zur Gemeinschaft,* den Landauer für die zweite Flugschrift der ›Neuen Gemeinschaft‹ verfaßt hat, heißt es: »Nun sind wir, die ins Volk gegangen waren, von unserer Wanderung zurückgekehrt. [...] Etwas haben wir mitgebracht: einzelne Menschen [...] mehr haben wir nicht gefunden [...] Unsere Erkenntnis ist: wir dürfen nicht zu den Massen hinuntergehen, wir müssen ihnen vorangehen, und das sieht zunächst so aus, als ob wir von ihnen weggingen.« [308] »Fangen wir an! Schaffen wir unser Gemeinschaftsleben, bilden wir da und dort Mittelpunkte des neuen Lebens, lösen wir uns los von der unsäglichen Gemeinschaft der Mitweltgemeinschaften. Und vor allem auch: unser Stolz muß es uns wehren, von der Arbeit eben dieser Mitmenschen zu leben, und ihnen dafür den feinsten Luxus oder auch den eklen und überflüssigen Abfall unserer Hirne zu verkaufen. Lernen wir arbeiten, körperlich arbeiten, produktiv thätig sein. [...] Durch Absonderung zur Gemeinschaft, das will sagen: Setzen wir unser Ganzes ein, um als Ganze zu leben. [...] Dieser Zuruf geht an alle, die ihn verstehen.« [309]

Die Bildung von autarken Lebensgemeinschaften eröffnet die Möglichkeit, eine utopische Zukunftsgesellschaft vorwegzunehmen, die ihrerseits als Komplex solcher Lebensgemeinschaften gedacht ist. Diese können dadurch zu ihrem Vorläufer werden. [310] In der Vorstellung der Autarkie wird zugleich noch einmal deutlich, daß für die Zukunftsgesellschaft Produktionsverhältnisse genossenschaftlicher Kleinproduktion gedacht werden, die einem weit geringeren Grad der Vergesellschaftung der Produktion entsprechen, als er zur Entstehungszeit dieser Ideen bereits erreicht ist. Die strikte Trennung von der Umwelt wird zwar noch als Strategie der Gesellschaftsveränderung ausgegeben, weil sie es ermögliche, ein ›vorbildliches Leben‹ zu führen, das allein durch seinen Beispielcharakter die »Völker [...] zum Aufschwung aus tiefster Gesunkenheit« ›erwecken‹ könne .[311] Aber wenn es im gleichen Aufsatz über die ›Gemeinschaft‹, zu der man durch die ›Absonderung‹ gelangen soll, heißt, sie werde durch ›tiefste Versenkung‹ in das eigene Ich erfahren und es sei »die urälteste und allgemeinste Gemeinschaft: mit dem Menschengeschlecht und mit dem Weltall« [312], so wird deutlich, daß Selbstbefreiung schon das wirkliche Ziel ist, während die gesamtgesellschaftliche Perspektive zu einer Angelegenheit des Gefühls verkommt. In der These vom ›vorbildlichen Leben‹ bei gleichzeitiger ›Absonderung‹ ist die Tendenz der Beschränkung auf Selbstbefreiung auch insofern enthalten, als die Verantwortung für ein mögliches Ausbleiben der Umwälzung nicht bei der »Vorhut« [313] läge, sondern bei den ›Massen‹, die der Vorhut und ihrem ›vorbildlichen Leben‹ nicht folgen wollten; während es die einzige Aufgabe der ›Vorhut‹ ist, das eigene Leben so angenehm wie möglich zu gestalten, um es zu einem möglichst attraktiven Vorbild zu machen.

In Willes *Philosophie der Befreiung* ist dieses Motiv noch unter missionarischem Eifer versteckt, aber es klingt schon an in der Forderung, daß die Selbstbefreiung des Individuums der allgemeinen Befreiung voranzugehen habe: »Ein Jeder trachte, in sich den Willen zur Freiheit zu wecken und sich zu erlösen von jeglicher Unvernunft und Knechtschaft.« »In der Selbstveredelung liegt das allererste reine Mittel zur Befreiung.« [314]

Die Vorstellung, das ›vorbildliche Leben‹ [315] einiger Weniger, zudem gegenüber der ›Masse‹ Privilegierter sei der entscheidende erste Schritt zur Errichtung einer neuen Gesellschaft, enthält implizit zwei Voraussetzungen: zum einen die Zuversicht, daß der bloße Wille der Mehrheit, solch einem Modell zu folgen, es schon durchsetzen werde, weil die Hauptstütze der Unterdrückung in der gegenwärtigen Gesellschaft ein subjektives Moment, nämlich die ›Knechtseligkeit‹ der Unterdrückten, sei [316]; zum anderen die Ignorierung des Klassencharakters der

Gesellschaft, in die dieses Modell scheinbar klassenunspezifisch, tatsächlich aber auf die spezifischen Interessen und Möglichkeiten der bürgerlichen Intelligenz zugeschnitten, hineingestellt wird. Die Ablehnung der Marxschen Theorie vom ›Proletariat als der revolutionären Klasse in der sozialistischen Revolution‹ ist neben der Ablehnung des Wertgesetzes eine weitere wesentliche Differenz unserer Autoren zum wissenschaftlichen Sozialismus. Während der wissenschaftliche Sozialismus die revolutionäre Klasse anhand ihrer objektiven materiellen Interessen bestimmt, ist für ihr Konzept der subjektive Wille wesentlich. Und dieser subjektive Wille ist nicht von der Klassenlage, sondern bloß vom Grad der Aufklärung abhängig. [317] Da kommt nun viel weniger die Arbeiterklasse in Betracht, die zur leicht manipulierbaren ungebildeten Masse gerechnet wird [318], als z. B. gerade die Schicht der bürgerlichen Intellektuellen – jenes ›geistige Proletariat‹, auf das der Anarchist Auban seine größten Hoffnungen setzt, weil dessen Angehörige »im Besitz einer schwer auf ihnen lastenden Bildung [...] sicher die ersten und vielleicht zunächst noch die einzigen sein [würden], welche die Konsequenzen des Individualismus [= individualistischen Anarchismus] zu ziehen nicht nur bereit, sondern auch fähig« wären. [319] Für Wille sind alle, die durch die ›gesellschaftlichen, insbesonderheit die wirtschaftlichen Zustände‹ bestimmt werden, ›Massenmenschen‹. [320] Sie fallen aus seiner Revolutionsstrategie heraus, weil diese nicht an den objektiven Widersprüchen der gesellschaftlichen und wirtschaftlichen Determinanten anknüpft, sondern an Ideen, die dieser Wirklichkeit antagonistisch gegenüberstehen sollen. Wille wendet sich an den Gegenpol des Massenmenschen: »das starke Individuum. Bei ihm kommt in Betracht, daß die sozialen Zustände [...] nicht die Ursachen der Handlungen, sondern streng genommen nur die Anlässe dazu ausmachen [...]. Während nun die Reaktionen der Massenmenschen naturgemäß ziemlich gleichmäßig verlaufen, wahrt das Individuum auch hier seine Eigenart«, es vermöge nämlich »gegen den Strom zu schwimmen«, und damit sei es entgegen dem ›Massenmenschen‹ in der Lage, »die Verhältnisse mit einer gewissen Selbstherrlichkeit zu gestalten«. [321]

Auf die Arbeiterklasse bezogen, hat diese Revolutionsstrategie, die im allgemeinen auf Aufklärung baut, ihren ersten Zweck darin, die Arbeiter in der Weise zu bilden, daß sie sich über den begrenzten Horizont ihres Klassenstandpunkts erheben, um auch zu Individuen zu werden, die frei von gesellschaftlichen Determinanten sind. Wir erinnern uns, daß es im Gründungsmanifest des ›Vereins Unabhängiger Sozialisten‹, an dem auch Bruno Wille mitgeschrieben hat, heißt: »Der Individualisierung des Arbeiters legen wir oppositionellen Sozialisten einen großen Werth bei [...]. Je entwickelter nun die Individualität des Arbeiters ist, [...] desto revolutionärer ist er.« [322] Lehrer in diesem Bildungsprozeß aber können nur solche sein, denen es schon unter den gegebenen Umständen gelingen konnte, ihre Individualität voll auszubilden [323], also Privilegierte, die für sich selbst von der Revolution nichts zu erwarten haben. Der Verzicht auf eine materialistische Bestimmung der revolutionären Kräfte führt hier geradezu zu einer antimaterialistischen Bestimmung.

Die behauptete Klassenlosigkeit der Revolution entspricht dem Gegner, gegen den sie sich richtet, dem Staat, der angeblich den Individuen aller Klassen, zumindest jedoch den nichtmonopolistischen Unternehmern und den Arbeitern, gleichermaßen als Unterdrücker gegenübersteht. Gegen diesen Gegner empfehlen die ›individualistischen Anarchisten‹ vom Schlage Mackays und Willes eine Verweigerungsstrategie; weil einerseits die Verweigerung genüge, um ein Gebilde, das nur durch die Zustimmung der Unterdrückten überhaupt Macht habe, zu fällen, und weil andererseits jede Gewaltanwendung vermieden werden müsse, da sie dem Prinzip, Freiheit für alle und auf einen Schlag durchzusetzen, in der Weise widerspreche, daß sie die Freiheitsrechte der von der Gewaltanwendung Betroffenen beeinträchtige. [324] Die Verweigerung gegenüber dem Staat kann nicht der Streik der Arbeiter sein, denn der würde sich gegen den an der Ausbeutung unschuldigen Unternehmer wenden [325], sondern z. B. der Steuerstreik, von dem der Staat desto mehr getroffen werde, je reicher die Verweigerer seien. Wieder bekommen diejenigen die Avantgarderolle für die Revolution zugesprochen, die am wenigsten Interesse an ihr zu haben brauchen.

In Mackays *Freiheitssucher* sieht die Vision vom ersten revolutionären Schritt so aus: »Eines Tages würden, sagen wir, in einer Stadt von dreißigtausend Einwohnern dreißig ruhige, angesehene und allgemein als ehrenhaft bekannte Bürger die Zahlung ihrer Steuern verweigern.« [326] Zu dieser Strategie könne der Arbeiter, der kein besteuertes Einkommen habe, nur folgendes beitragen: »Alles, was Politik hieß, perhorreszieren; keine politische Partei durch seinen Beitritt stärken.« [327] Mit dieser klassenspezifischen Aufgabenverteilung konkretisiert Mackay die logischen Konsequenzen aus der Position, die er auch schon in den *Anarchisten* vertreten hat, wo sie aber noch den Schein gewahrt hat, klassenübergreifend zu sein: ›Noch hatte das blutsaugende Ungeheuer Staat‹ »die Macht und das Ansehen, seinen Raub unweigerlich einzufordern oder den Verweigerer zu vernichten. Eines Tages aber würde es einer Anzahl von Männern, von besonnenen, ruhigen, unerschütterlichen Männern begegnen, die mit verschränkten Armen seinen Angriff mit der Frage zurückschlagen würden: Was willst du von uns? – Wir wollen nichts von dir. Wir verweigern dir jeden Gehorsam. Laß dich von denen ernähren, die dich brauchen. Uns aber laß in Ruhe! – An diesem Tage würde die Freiheit ihren ersten Sieg erfechten, einen unblutigen Sieg, dessen Ruhm die Erde mit der Eile des Windes durchfliegen und überall die Stimme der Vernunft zur Antwort erwecken würde«. [328]

In ihrer Zuspitzung im *Freiheitssucher* wird auch die Tendenz eines Gedankens deutlicher, den Wille in der *Philosophie der Befreiung* so ausspricht: »Im Gegensatz zur Sozialdemokratie, welche die Befreiung des Menschengeschlechts als den ausschließlichen Beruf des Proletariats betrachtet, setze ich meine Hoffnung auf die besten Elemente aller Gesellschaftsklassen. Ja mir scheint, das Bürgertum, welches die Sozialdemokraten so einseitig zu schmähen pflegen, wird einen erheblichen Anteil haben an dem Befreiungswerke, deswegen nämlich, weil es verhältnismäßig viel Sinn für persönliche Freiheit besitzt.« [329] In Mackays *Freiheitssucher* wird die materialistische Grundlage dieses Freiheitssinnes genannt: den Anarchismus könnten besonders gut diejenigen unterstützen, die finanziell unabhängig seien [330] – so wie der Romanheld selbst, Ernst Förster, Mackays Modell für einen Vorkämpfer des ›individualistischen Anarchismus‹, der als anarchistischer Schriftsteller ›unabhängig‹ lebt, weil ihm die Erträge aus einigen patentierten Erfindungen, die er während seiner früheren Tätigkeit als Fabrikmanager gemacht hat, das erlauben. [331]

Der ›individualistische Anarchismus‹ Mackays, den Wille weitgehend unterstützt [332], wird noch deutlicher als verstiegene bürgerliche Ideologie durchschaubar, wenn man sich ansieht, in welcher Weise sich Mackay gegen die Hauptrichtung des Anarchismus, den ›kommunistischen Anarchismus‹ [333] abgrenzt.

Der ›kommunistische Anarchismus‹, wie er vom Romankontrahenten des individualistischen Anarchisten Auban, dem anarchokommunistischen Arbeiter [334] Trupp, vertreten wird, begreift sich als Teil der Arbeiterbewegung. Dagegen wendet Auban ein: »die Frage des Anarchismus [ist] nicht die der arbeitenden, sondern sie ist die Sache jedes einzelnen Menschen, dem seine persönliche Freiheit lieb ist«. [335]

Auban bekämpft die Haltung der ›kommunistischen Anarchisten‹, nicht vor allem an sich selbst, sondern immer gleich an die ganze Gesellschaft zu denken, also z. b. die Forderung ›Freiheit für alle‹ aufzustellen. Er entgegnet Trupp, der diese Haltung vertritt: »Dein Ideal soll das Ideal aller sein. Ich dagegen will die Freiheit, welche es jedem ermöglicht, seinem Ideale nachzuleben. Ich will in Ruhe gelassen werden, ich will verschont bleiben von den Forderungen, die an mich im Namen des ›Ideals der Menschheit‹ gestellt werden. [...] Ich kämpfe einzig und allein für meine Freiheit. Du kämpfst für das, was du die Freiheit der anderen nennst.« [336]

In der Ökonomie entspricht dem die Forderung der ›kommunistischen Anarchisten‹ nach Aufhebung des Privateigentums und die entgegengesetzte Forderung der individualistischen Anarchisten nach Aufhebung der Beschränkungen für das Privateigentum. So soll der Hauptfeind aller Anarchisten, der Staat, aus diametral entgegengesetzten Motiven beseitigt werden. Auban stellt das so dar: »Ihr sagt: der Staat muß fallen, damit das Eigentum fällt, denn er beschützt es. Ich sage: der Staat muß fallen, denn er unterdrückt es.« [337]

Die Abschaffung des Privateigentums kann nur in einem revolutionären Akt geschehen, wohingegen seine Entfaltung sich im Rahmen der bestehenden Ordnung bewegt. Somit kann eine Zukunftsgesellschaft, die auf dem Wege der Entfaltung des Privateigentums zu verwirklichen ist, ohne gewaltsame Revolution herbeigeführt werden. Daher ist es nicht verwunderlich, daß Auban gegen die Gewalt Stellung bezieht: »ich glaube nicht mehr an den gewaltsamen Fortschritt der Dinge. Und weil ich nicht mehr an ihn glaube, verwerfe ich die Gewalt als ein Kampfmittel der Toren und Uneinsichtigen«. [338] Weil die kommunistischen Anarchisten die Gewalt nicht verneinen, zählt Auban sie zu den ›Dynamitarden‹ und ›Bombenwerfern‹, die der Idee des Anarchismus unermeßlichen Schaden zugefügt hätten. [339] Dadurch, daß er in seinem Roman niemanden gegen diese These auftreten läßt, die damit als wahr erscheint, greift Mackay zu demselben Mittel der Diffamierung, das er, wenn es gegen die individualistischen Anarchisten benutzt wird, empört zurückweist [340]: er identifiziert die ›kommunistischen Anarchisten‹ mit jenen terroristischen Einzelgängern, die gemeinhin das Bild des Anarchismus prägen.

Zwar finden sich in der Theorie der ›kommunistischen Anarchisten‹ Elemente, die diese Einzelgänger zu rechtfertigen scheinen, etwa die These von der »Propaganda der Tat« [341], aber in anderen Punkten, wie etwa in der Ablehnung des Kollektivismus, stehen die Terroristen wieder dem individualistischen näher als dem ›kommunistischen Anarchismus‹. Dem Wesen des Anarchismus, der durchgehend und gemeinsam feste Organisationsformen ablehnt, entspricht es, daß die drei oben kurz charakterisierten Richtungen sich nicht als feste Fraktionen des Anarchismus abgrenzen lassen, sondern daß die personellen und ideologischen Grenzen fließend sind. Dadurch ist es auch möglich, daß die beiden Hauptrichtungen des Anarchismus, obwohl sie einander gegenseitig aufs schärfste ablehnen, sich dennoch stark gegenseitig beeinflussen.

In seinem programmatischen Aufsatz *Der kommunistische Anarchismus* schreibt John Most über den amerikanischen Anarchisten Benjamin Tucker, Mackays bewundertes Vorbild, dem dieser seine Romane widmet, Tucker stehe »außerhalb der modernen Klassenbewegung des Proletariats« und sei »weiter nichts [...] als ein verspätet erschienener Ideal-Manchestermann«. [342] Während er also mit Tucker nichts zu tun haben will, hält Most eine Einigung der ›anarchistischen‹ mit den ›sozialdemokratischen Kommunisten‹ für möglich: ›Es wird‹ »einleuchten, daß eine schließliche prinzipielle Verständigung zwischen den sozialdemokratischen und den anarchistischen Kommunisten kein Ding der Unmöglichkeit ist. Unsere Stellung gegenüber den ersteren kann also keine feindliche sein«. [343] Das Ziel beider Richtungen sei nämlich sehr ähnlich, die Hauptunterschiede bezögen sich auf Fragen der Taktik, wie dieses Ziel zu erreichen sei. [344]

Umgekehrt will Mackays Auban allen, die sich Anarchisten nennen, das Recht absprechen, diesen Namen zu führen, wenn sie nicht Anhänger des individualistischen Anarchismus seien. Auf Trupps erstaunte Frage: »So gäbe es überhaupt [...] in Europa keine Anarchisten?« antwortet Auban: »Soviel ich weiß nicht; jedenfalls nur hier und da in geringer Zahl. Indessen ist jeder konsequente Individualist Anarchist.« [345] Damit deutet Auban an, daß der individualistische Anarchismus vom kommunistischen Anarchismus weiter entfernt sein will als von einem sich nicht anarchistisch verstehenden Individualismus.

Indessen kann die Schroffheit der gegenseitigen Abwehr nicht darüber hinwegtäuschen, daß die beiden hauptsächlichen Positionen des Anarchismus in wesentlichen Fragen übereinstimmen. So tritt z. B. John Most als ›kommunistischer Anarchist‹ dafür ein, den Idealen der bürgerlichen Revolution »Freiheit, Gleichheit und Brudersinn« ›den Weg zu ebnen‹, hält für das Grundelement der »freien Gesellschaft« den »›freien Vertrag‹« [346] und erklärt die Staatseinmischung für das Grundübel der kapitalistischen Ökonomie. [347] Die Forderung nach Abschaffung des Privateigentums, das zu schützen er für die Hauptaufgabe des Staates hält, unterscheidet Most dann wieder grundsätzlich vom individualistischen

Anarchismus, mit dem er, wie wir gesehen haben, sonst gerade einen Teil seiner als bürgerliche Ideologie verdächtigen Axiome teilt.

Der individualistische Anarchismus, wie Mackay und Wille ihn programmatisch formulieren, entspricht nicht umstandslos den gesellschaftspolitischen Vorstellungen aller ›Friedrichshagener‹ Literaten. Es ist nur festzustellen, daß die meisten diese Anschauungen in ihrer Grundtendenz teilen. Für unseren Ansatz reicht diese Tatsache schon aus, um die Anarchismuskonzeption, wie sie bei Mackay und Wille am ausgearbeitetsten vorliegt, zu einem Element des ›Friedrichshagener‹ Typus zu erklären. Der Typus ist ja in gewissem Sinne eine abstrakte Konstruktion. In den individuellen Schriftstellerpersönlichkeiten konkretisiert er sich durchaus auch widersprüchlich.

3. Die Volksbühne als kulturpolitisches Instrument der ›Friedrichs-hagener‹ und sozialdemokratische Gegenstrategien gegen deren Einflussnahme auf die Arbeiterbewegung

Wir wollen den Auseinandersetzungen um die Volksbühne deswegen ein relativ großes Gewicht beimessen, weil sie zum einen einen guten Gradmesser für den Stand des kulturpolitischen Problembewußtseins in der Sozialdemokratischen Partei abgeben und weil zum anderen in der Volksbühnenbewegung der Versuch der ›Friedrichshagener‹, über den kulturellen Sektor Einfluß auf die Arbeiterbewegung zu bekommen, die konkretesten Formen annimmt; deswegen kann er an diesem Gegenstand am besten untersucht werden.

3.1 Die Freie Volksbühne unter der Leitung Bruno Willes bis zur Spaltung der Volksbühnenbewegung (1890–1892)

Als Bruno Wille am 23. März 1890 im Parteiorgan der Berliner Sozialdemokraten, dem ›Berliner Volksblatt‹, den *Aufruf zur Gründung einer Freien Volks-Bühne* veröffentlicht [1], gibt er damit nicht einer völlig neuen Idee Ausdruck. Eine Reihe von Autoren hat in den vorangegangenen Jahren eine Öffnung des Theaters für die breiten Volksmassen gefordert. [2] Im Mai 1889 hatte sich in Berlin ein ›Verein zur Begründung von Volksbühnen‹ [3] gegründet, und erst zwei Wochen vor Willes Aufruf hat der Nationalökonom und Sozialreformer Georg Adler in seinem Aufsatz *Die Sozialreform und das Theater* [4] eine solche Forderung als letzter erhoben.

In einem wesentlichen Punkt unterscheidet sich Willes Volksbühnenkonzeption von allen anderen Gründungsversuchen. Der Unterschied besteht darin, daß Wille sich mit seinem Aufruf dadurch, daß er ihn im Organ der Berliner Sozialdemokraten veröffentlicht, direkt an die sozialdemokratischen Arbeiter als das vorgesehene Publikum seiner Volksbühne wendet und *mit* diesem potentiellen Publikum zusammen eine Theaterorganisation aufbauen will, während alle anderen mit ihren Aufrufen versuchen, Mäzene zu finden, mit denen zusammen sie sich *für* das spätere Publikum in wohltätiger oder erzieherischer Absicht Gedanken machen wollen, wobei das Volk zumeist zu dem Zweck mit der Kunst beschäftigt werden soll, daß es von sozialdemokratischen umstürzlerischen Ideen Abstand nimmt.

Die letztere Konzeption muß um 1890 scheitern, einerseits, weil die Angehörigen der herrschenden Klassen in der Zeit des Sozialistengesetzes direkte Zwangsmaßnahmen gegen die Arbeiterbewegung einer umständlichen ideologischen Beeinflussung der Arbeiter vorziehen, und andererseits, weil sich unter den Arbeitern angesichts der steigenden Bedeutung der sozialdemokratischen Bewegung für die Idee einer Volksbühne keine Massenbasis an der Sozialdemokratie vorbei mehr finden läßt.

Der Anstoß zur Volksbühnengründung ist Wille zu Beginn des Jahres 1890 von Mitgliedern eines Arbeitervereins gegeben worden. Bei dem Verein handelt es sich um einen der getarnten sozialdemokratischen Diskutierklubs, in denen unter dem Sozialistengesetz der Zusammenhang der Sozialdemokraten gewahrt werden soll. Dieser Verein hat sich in Anlehnung an die damals übliche Namensgebung harmloser bürgerlicher Vereine den Namen Verein »Alte Tante« zugelegt. Im Laufe der Zeit hat sich das Interesse der Vereinsmitglieder mehr und mehr von politischen Fragen auf andere Probleme verlagert, darin unterscheidet er sich nicht von einer Vielzahl ähnlicher Vereine. Der Verein »Alte Tante« richtet sein Augenmerk nun auf die neuesten Entwicklungen in Literatur und Theater. 1890 beschließt man, an Wille heranzutreten, um für den Verein die korporative Mitgliedschaft in der ›Freien Bühne‹ zu beantragen. Das soll es möglich machen, daß abwechselnd je eines der 15 bis 20 Mitglieder, um den anderen darüber zu berichten, die Vorstellungen der ›Freien Bühne‹ besucht, weil sie alle zusammen nicht mehr als *eine* Mitgliedschaft finanzieren können. [5]

Sie wenden sich nicht an Otto Brahm, der als Vorsitzender der ›Freien Bühne‹ für solche Fragen eigentlich zuständig wäre, sondern an Bruno Wille, weil er ihnen als Vortragsredner in sozialdemokratischen Lese- und Diskutierklubs bekannt ist. [6] Von den Literaten aus dem Umkreis der ›Freien Bühne‹ scheint er ihnen derjenige zu sein, dem sie am ehesten vertrauen können. Sie halten ihn für einen Sozialdemokraten und damit für jemand, der dem eigenen Kreis zuzurechnen ist.

Zu dieser Zeit verstehen sich Bruno Wille und ein Großteil jener Intellektuellen, die als Vortragsredner oder Redakteure mit der Arbeiterbewegung in Berührung kommen, zwar in einem allgemeinen Sinne tatsächlich als Sozialisten, so daß es sie nicht befremdet, wenn sie von den Arbeitern dafür gehalten werden, aber ihre vagen sozialistischen Ideen sind untrennbar mit bürgerlichen Anschauungen verknüpft.

Gerade im Bildungsbereich, für den sie von der Arbeiterbewegung als Fachleute geworben werden, sind ihre Vorstellungen noch am meisten von der eigenen bürgerlichen Ausbildung geprägt. Anders als in den allgemein-politischen Fragen ist hier auch ihr Wissensabstand zu den Arbeitern, zu denen sie reden, so groß, daß diese ihre Konzeptionen kaum kritisieren können. [7]

Wille beschreibt später als den Grund, weshalb er sich der Arbeiterbildung zugewandt habe, seine »Neigung, Schätze der Kunst, Wissenschaft und Andacht«, die ihn »beglückten, anderen empfänglichen Seelen zu vermitteln, solche Momente« hätten ihn »zur volkserzieherischen Arbeit« ›gedrängt‹. [8] Bei politisch aktiven ›Friedrichshagenern‹ wie Wille überwiegt zu Beginn der politischen Tätigkeit als Motivation die Opposition gegen das herrschende feudal-kapitalistische System. Demgegenüber ist ihre Tätigkeit in den Bildungsvereinen, erst recht aber die spätere Arbeit in der Volksbühne, von vornherein anders motiviert. Im politischen Bereich zielt man auf eine Veränderung der bestehenden politischen Verhältnisse, im Kulturbereich geht es nur um die weitere Verbreitung und Vermittlung schon bestehender Kulturgüter. Das soll zwar auch Veränderungen der kulturellen Situation bewirken, aber vergleichsweise längst nicht so umfassende wie in der Politik. So ist es nicht erstaunlich, daß Wille über seine soziologischen Vorträge vor Arbeiterbildungsvereinen berichtet, er habe sich bemüht, aus ihnen die Politik herauszuhalten, habe allerdings »nicht umhin« gekonnt, »diese zu streifen«. [9]

Georg Lebebour, unter dessen Leitung Wille für die ›Demokratischen Blätter‹ gearbeitet hat, und der 1890 Mitglied der Sozialdemokratischen Partei geworden ist, beschreibt in einem Aufsatz 1892 das Verhältnis der Intellektuellen in den Bildungsvereinen zur Arbeiterbewegung so: »Nun ziehen die Bildungsvereine aus der Schriftstellerwelt, aus Gelehrten- und Künstlerkreisen eine ganze Anzahl von Personen heran, die ein warmes Herz und auch Verständnis haben für das Volk, die aber aus diesem oder jenem Grunde, weil sie in mancher Hinsicht nicht übereinstimmen mit den Wortführern der politischen Bestrebungen, oder weil sie ihrer persönlichen Veranlagung nach nicht geeignet sind für die Härten und Unannehmlichkeiten politischer Kämpfe, sich sonst zurückhalten würden vom öffentlichen Leben.« [10] Ledebour will diese Entwicklung nicht kritisieren, sondern begrüßt sie, weil durch sie zusätzliche Kräfte für die Sache der Arbeiter gewonnen werden könnten; dennoch wird aus seinen Worten deutlich, daß es zwischen den politischen Absichten der Sozialdemokraten und den Motivationen der treibenden Kräfte in den Bildungsvereinen Differenzen gibt. Diese Differenzen können nur dann für nebensächlich gehalten werden, wenn die Liebknechtsche Forderung nach dem Primat der Politik für die sozialdemokratische Bildungsarbeit nicht mehr gilt. Das aber heißt, daß die Bildungsarbeit in der Tendenz wieder zu jenem politisch-neutralen Raum gemacht wird, als die sie die bürgerlichen Volksbildner seit den sechziger Jahren verstanden wissen wollten.

Der Diskrepanz zwischen dem sozialistischen Anspruch und der eher nach bürgerlichen Vorstellungen orientierten politischen Praxis in den Bildungsvereinen entspricht bei ›Volkserziehern‹ wie Wille eine Sozialismusvorstellung, die diese Diskrepanz erst ermöglicht. Ganz ähnlich ist es bei Willes Schriftstellerkollegen Paul Ernst, der wie dieser als scheinbarer Sozialdemokrat in Arbeiterversammlungen Vorträge hält. Für beide ist Sozialismus eine Herzenssache. Daraus folgt, daß sie anderen und vor allem sich selbst zugestehen, jeder könne seinen privaten Sozialismus erstreben. Wille berichtet später, er sei für den Sozialismus unter der Losung »›Freie Bahn für alles Tüchtige‹« eingetreten und habe dabei gemeint, »daß die freie Bahn jedem Volksgenossen durch Sozialismus eröffnet werden sollte«. [11] Wie Wille Sozialismus und Liberalismus miteinander verquickt, so versucht Paul Ernst, katholisch-konservative Ideen mit sozialistischen zu vermengen. Unter dem Banner der Sozialdemokratie kämpft er gegen die ›freie Liebe‹. [12] In seinen Erinnerungen schreibt er, er habe irrtümlicherweise »die marxistische Sozialdemokratie für konservativ gehalten«. [13] Für Wille und Ernst ist der Sozialismus nicht die umfassende Negation der feudal-kapitalistischen Zustände in ihrer Gesamtheit, sondern ein Ideenzusammenhang, der sich auf Teilbereiche beschränkt, der sich deswegen sowohl mit anderen Vorstellungen vertragen kann als auch bestimmte Bereiche gar nicht erst berührt. Das gilt weniger für den Bildungsbereich insgesamt – Wille stellt ja fest, hier hätte er z. T. das Gebiet der Politik streifen müssen – als gerade für den Bereich der Kunst, in dem die Ideologie der Wertfreiheit noch fester verankert ist.

Auch wenn die Mitglieder des Vereins ›Alte Tante‹ Wille aufgrund seiner Vorträge in den Arbeitervereinen für einen Sozialdemokraten halten, ist ihnen doch klar, daß der Verein ›Freie Bühne‹, in den sie durch seine Fürsprache aufgenommen zu werden hoffen, keine sozialdemokratische Organisation, sondern eine Vereinigung an der neuen naturalistischen Kunst interessierter Angehöriger der bürgerlichen Intelligenz ist. Während für das Selbstverständnis der Arbeiter in der Bildungsbewegung der Anschein, daß ihre Praxis von sozialistischen Prinzipien geleitet wird, wesentlich ist, geben sie sich auf dem Gebiet der Kunst mit einer Teilhabe an den bürgerlichen Bestrebungen zufrieden. Wille greift den Vorschlag der Arbeiter aus dem Verein ›Alte Tante‹ in einer Weise auf, die nach einer alternativen Konzeption aussieht. An Stelle der Mitgliedschaft im bürgerlichen Theaterverein schlägt er die Gründung einer eigenen Theaterorganisation für die Arbeiter vor.

Wenig später verfaßt Wille seinen Aufruf zur Gründung einer ›Freien Volksbühne‹. Er veröffentlicht ihn zuerst im sozialdemokratischen Parteiorgan ›Berliner Volksblatt‹. Das muß den Eindruck erwecken, sein Plan sei mit der Sozialdemokratischen Partei abgesprochen worden, und es handele sich hier um ein politisch motiviertes Unternehmen. Dem Anschein nach unterscheidet sich diese geplante Volksbühne von den anderen Gründungsversuchen, die erklärtermaßen jeweils nichts anderes im Sinn hatten, als in politisch neutraler Weise Kunstgenuß an jene Schichten der Bevölkerung zu vermitteln, die sich das bisher finanziell nicht leisten konnten.

Daß in dem Aufruf die Gründung einer ›Freien Bühne für das Volk‹ neben der bestehenden ›Freien Bühne‹ dann doch mit ausschließlich finanziellen und nicht mit politischen Erwägungen begründet wird [14], ist für keinen Leser der Zeitung ein Gegenargument. Denn am 23. März 1890, als der Aufruf erscheint, ist das Sozialistengesetz noch in Kraft, und es ist in allen Formulierungen Vorsicht geboten. Dabei scheint es schon mutig bis an die Grenze des Erlaubten vorzustoßen, wenn es in dem Aufruf heißt: »Oeffentliche Aufführungen von Stücken, in denen ein revolutionärer Geist lebt, scheitern aber gewöhnlich am Kapitalismus, dem sie sich nicht als Kassenfüller erweisen, oder an der polizeilichen Zensur.« [15] Der nächste Satz schwächt diesen Eindruck wieder ab. In ihm wird deutlich, daß der revolutionäre Geist, von dem die Rede ist, der der naturalistischen Literaturrevolution und nicht der des Sozialismus ist; es heißt dort nämlich, in der ›Freien Bühne‹ seien solche Dramen schon aufgeführt worden. Dort wurde nie ein Stück mit sozialistischer Tendenz gegeben. Aber auch dieser Satz könnte wieder als Vorsichtsmaßregel verstanden und akzeptiert werden, wenn nicht sowieso diejenigen Arbeiter, die an den literarischen Entwicklungen Anteil nehmen und die als einzige hier stutzen könnten, an eine Wesensverwandtschaft zwischen Naturalismus und Sozialdemokratie glaubten. [16]

Mit der Besucherorganisation ›Freie Volksbühne‹, die nach einer mehrmonatigen Kampagne schließlich im Herbst 1890 als Verein gegründet wird [17], haben die ›Friedrichshagener‹ ein Instrument in der Hand, das ihnen direkte Einflußnahme auf die Arbeiterbewegung ermöglicht. Allerdings sind die Einflußmöglichkeiten nicht uneingeschränkt. Der Charakter der ›Freien Volksbühne‹ als scheinbar sozialdemokratischer Gründung verlangt z. B., daß sie entgegen Willes erklärter Absicht demokratisch organisiert sein muß. Demgegenüber hat Wille noch im Gründungsaufruf an eine unumschränkte Leitung des Unternehmens durch Kunstsachverständige gedacht. [18] Durch die demokratische Organisation der ›Freien Volksbühne‹ wird deren Leitung in ihren Entscheidungen an den Mehrheitswillen der Mitglieder gebunden. Deswegen können die ›Friedrichshagener‹ ihre Vorstellungen nicht unmittelbar durchsetzen, sondern müssen Kompromisse mit allen an der Volksbühne beteiligten Gruppen schließen.

Auf das Zusammengehen dieser Gruppen, die sich durch Willes Initiative zusammengefunden haben, stützt sich die Volksbühne. Als die Gruppen sich später in einer Weise auseinanderentwickeln, daß sie nicht mehr zu Kompromissen miteinander bereit sind, bricht notwendigerweise die gemeinsame Volksbühnenorganisation zusammen, und es kommt zur Spaltung in zwei konkurrierende Unternehmungen.

– Bruno *Wille* ist nicht nur der Vermittler der an der Volksbühne beteiligten Gruppen, sondern gewissermaßen auch ihr Kreuzungspunkt, weil er in verschiedener Weise in den Einzugsbereich jeder dieser Gruppen gehört. Dadurch hat er in der Volksbühnenorganisation eine dominierende Stellung und ist deren Zentralfigur. Bis zur Spaltung 1892 ist er Vorsitzender der ›Freien Volksbühne‹.
– Die *Arbeiter,* die die Mehrheit des Publikums der ›Freien Volksbühne‹ bilden, kommen zu einem großen Teil aus den Arbeiterbildungsvereinen oder haben zumindest sehr ähnliche Motivationen wie diese, wenn sie Mitglieder der Volksbühne werden: sie wollen an der Bildungsbewegung teilnehmen. [19] Für sie sind die Vorstellungen der ›Freien Volksbühne‹ eine Fortsetzung des sozialdemokratischen Arbeiterbildungsprogramms. Auf ihre Interessen zielt die Formulierung in Willes Gründungsaufruf, daß das Theater u. a. »Quelle [...] kräftiger Anregung zum Nachdenken über die großen Zeitfragen sein« solle. [20] Wille hat mit dieser Gruppe Kontakt über seine Vortragsveranstaltungen vor den Arbeitervereinen.
– Mit der Gruppe der innerparteilichen Opposition der *Jungen* in der Sozialdemokratie ist Wille auch auf diesem Wege bekannt geworden und zu einem ihrer Wortführer geworden. Die ›einfachen Mitglieder‹ dieser Gruppe werden zum technisch-organisatorischen Kern der ›Freien Volksbühne‹, aus ihnen rekrutiert sich die Mehrzahl der Ordner. [21]
– Eine weitere Gruppe, die durch Wille an die Volksbühnenidee herangeführt wird, bilden die hauptberuflichen *Redakteure* der Sozialdemokratischen Parteizeitungen, die einen ähnlichen politischen Werdegang hinter sich haben wie Wille, sich ihm als Kollegen verbunden fühlen und mit ihm befreundet sind, aber ihm in seinen Tendenzen zur Opposition gegen die Parteiführung schon

wegen ihrer finanziellen Abhängigkeit von der offiziellen Parteilinie nicht zu folgen bereit sind. Hier sind vor allem Curt Baake und Dr. Conrad Schmidt zu nennen, beide sind Mitglieder der Gründungskommission der ›Freien Volksbühne‹ und gehören als Beisitzer zu deren erster Leitung. [22] Curt Baake ist Redakteur des offiziellen Organs der Berliner Sozialdemokratie, des ›Volksblattes‹, Conrad Schmidt leitet die zweite sozialdemokratische Berliner Zeitung, die ›Volkstribüne‹, die zur politischen Linie der Opposition der ›Jungen‹ neigt und ab Januar 1891 unter der Leitung von Paul Ernst ganz in deren Lager übergeht. [23] Als es 1892 zur Spaltung der Volksbühne kommt, bleibt es Baake und Schmidt erspart, Stellung zu beziehen, weil sie beide nicht mehr in Berlin sind. [24]

– Noch eine Gruppe, die durch Wille an der Volksbühnengründung beteiligt wird, stellen die *naturalistischen Schriftsteller* dar und einige *Intellektuelle,* die mit ihnen in den literarischen Zirkeln Berlins verkehren. Hier hat Wille seine engsten Freunde, in diese Gruppe gehört er selbst am ehesten. Aus ihr rekrutiert er einen Großteil der Vereinsleitung. Von den sechs Beisitzern, die mit dem dreiköpfigen Vorstand zusammen alle wichtigen Fragen des Vereins zu regeln haben [25], gehören im ersten Vereinsjahr drei zu dieser Gruppe, nämlich Wilhelm Bölsche, Julius Hart und Otto Brahm, der Vorsitzende der ›Freien Bühne‹. In verschiedenen Funktionen und in unterschiedlicher Zeitdauer arbeiten aus denselben Literatenkreisen bis zur Spaltung 1892 noch Heinrich Hart, Richard Dehmel, Fritz Mauthner und Max Halbe mit. [26]

– Neben den beiden sozialdemokratischen Redakteuren und den Literaten beteiligt Wille auch die prominenten politischen *Wortführer der ›Jungen‹,* die nicht von der literarischen Intelligenz herkommen, mit einflußreichen Posten an der Leitung der ›Freien Volksbühne‹. Der Tapezierermeister [27] Carl Wildberger wird Kassierer, der Schuhmacher [28] Richard Baginski der sechste Beisitzer, der Buchdrucker [29] Wilhelm Werner einer der drei Revisoren. Von den insgesamt vier Mitgliedern der Sozialdemokratischen Partei, deren Ausschluß (Werner, Wildberger) bzw. bedingter Ausschluß (Baginski, Lamprecht) auf dem Erfurter Parteitag beschlossen wird [30], sind es also drei, die wesentliche Funktionen in der ›Freien Volksbühne‹ innehaben.

– Im dreiköpfigen obersten Vorstand des Vereins sitzt neben dem ersten Vorsitzenden Bruno Wille und dem Kassierer Wildberger Julius *Türk* als Schriftführer. Ähnlich wie Wille ist Türk keiner der angeführten Gruppen direkt und ausschließlich zuzuordnen; auch er hat in der ersten Zeit der ›Freien Volksbühne‹ mehr eine integrative Funktion für die verschiedenen Gruppen. Türk ist Buchhalter in einer Berliner Großhandlung [31] und gehört damit zur werktätigen Bevölkerung. Andererseits ist er auch Mitglied des Literatenzirkels ›Durch‹ [32], weil er künstlerische Ambitionen hat. Bevor er nach Berlin gekommen ist, ist er Schauspieler in einer Wanderbühne gewesen und versucht sich dann in Berlin in seiner Freizeit auch als Roman- und Theaterautor. [33] Er ist eine Zeitlang eng mit Wille befreundet gewesen und hat mit ihm und Bölsche vor deren Umzug nach Friedrichshagen in derselben Wohnung zur Untermiete gewohnt. [34]

Mit Wille hat er sich auf sozialdemokratischen Versammlungen als Agitationsredner abgewechselt. 1890, nach Aufhebung des Sozialistengesetzes, ist Türk dann im Gegensatz zu Wille Mitglied der Sozialdemokratischen Partei geworden [35] und hält in den zur Volksbühnengründung parallel beginnenden innerparteilichen Auseinandersetzungen loyal zur Parteiführung und zur Parteimehrheit. Für die sozialdemokratischen Mitglieder der Volksbühne ist Türks Posten in der Leitung des Vereins ein Indiz dafür, daß es sich hier nicht um ein fraktionelles Projekt der ›Jungen‹ handelt, sondern um ein überfraktionell sozialdemokratisches Unternehmen; besonders wichtig wird diese Funktion Türks, als 1891 nach Conrad Schmidt mit Curt Baake auch der letzte bekannte Repräsentant der offiziellen politischen Linie der Sozialdemokratie als Beisitzer aus deren Leitung ausscheidet. An Türks Bestreben, mehr Einfluß auf die Volksbühne zu bekommen, und an Willes Versuchen, ihn aus deren Leitung zu entfernen, entzündet sich 1892 folgerichtig der Konflikt, der zur Spaltung der Volksbühne führt.

In den öffentlichen Auseinandersetzungen, die 1892 dem endgültigen Bruch vorangehen, brechen die Widersprüche sichtbar auf, die in der ganzen Zeit der Existenz der ›Freien Volksbühne‹, ja genaugenommen schon vor ihrer Gründung geschwelt haben.

Die Volksbühnengründung erfolgt zu einer Zeit, in der sich die ersten Anzeichen für fraktionelle Auseinandersetzungen in der Sozialdemokratie abzeichnen. Sie scheint von Wille u. a. auch mit der Absicht beschleunigt worden zu sein, sich und seinen politischen Freunden für die kommenden innerparteilichen Kämpfe institutionell abgesicherte Einflußmöglichkeiten zu verschaffen. Sonst wäre es nicht recht einsichtig, warum man mit der Volksbühnengründung nicht bis zum endgültigen Fall des Sozialistengesetzes wartet. Schließlich ist damit zu rechnen, daß sich einer solchen Unternehmung dann weniger Schwierigkeiten in den Weg stellen würden. Das Datum, von dem an das Sozialistengesetz nicht mehr in Kraft sein wird, der 1. Oktober, ist schon im März bekannt, als Wille den Gründungsaufruf veröffentlicht. Als der Verein im August gegründet wird, sind es nur noch ca. sechs Wochen bis zum 1. Oktober, und diese sechs Wochen hätte man schon deswegen ohne weiteres noch abwarten können, weil die erste Aufführung der ›Freien Volksbühne‹ erst am 19. Oktober, also mehr als zwei Wochen nach diesem Datum stattfindet.

Eine synchrone Betrachtung der Daten der Volksbühnengründung und der Verschärfung der Auseinandersetzungen in der Sozialdemokratie macht deutlich, wie eng beide Komplexe ineinander verzahnt sind.

In derselben Nummer des Berliner Volksblatts, in der Willes Vorschlag zur Volksbühnengründung erscheint, wird am 23. März der Aufruf einer Reihe Berliner Sozialdemokraten veröffentlicht, der zur Arbeitsniederlegung am 1. Mai auffordert und der der erste öffentliche Ausdruck von Differenzen zwischen einem großen Teil der Berliner Sozialdemokraten und der Parteiführung ist. [36]

Die beiden Gründungsversammlungen der ›Freien Volksbühne‹ am 29. Juli und am 8. August [37] 1890 finden zur Zeit des ersten Höhepunktes der Auseinandersetzung zwischen Bebel und Liebknecht und den ›Jungen‹ statt. Am 23. Juli [38] hat Wille den Artikel in der Dresdener ›Sächsischen Arbeiterzeitung‹ geschrieben, der wegen seiner heftigen Angriffe auf die sozialdemokratischen Reichstagsabgeordneten die offene Fraktionsbildung in der Partei eingeleitet hat [39], am 27. Juli hat Bebel ebenso heftig auf diesen Artikel geantwortet. [40] Zwei Tage nach der Gründung der ›Freien Volksbühne‹ erringt Bebel am 10. August in seinem Kampf gegen die ›Jungen‹ den ersten spektakulären Erfolg, als er in Dresden in einer Volksversammlung erreicht, daß eine von ihm eingebrachte Resolution, die die Redaktion der ›Sächsischen Arbeiterzeitung‹ hauptsächlich wegen des Abdrucks von Willes Artikel entschieden tadelt, mit überwältigender Mehrheit angenommen wird. [41] Zwei Wochen später findet in Berlin die Massenversammlung statt, auf der Bebel Wille direkt gegenübertritt und auf der es ihm gelingt, Willes Einfluß auf die Berliner Arbeiter stark zurückzudrängen. [42]

Die erste Vorstellung der ›Freien Volksbühne‹, Ibsens *Stützen der Gesellschaft,* wird am 19. Oktober gegeben. [43] Das ist genau einen Tag, nachdem auf dem Parteitag der Sozialdemokratischen Partei in Halle die Vorwürfe der ›Jungen‹ jetzt auch parteioffiziell in einem Parteitagsbeschluß zurückgewiesen worden sind [44] und die Opposition, die sich diesem Beschluß unterwirft, endgültig gebrochen scheint. [45]

Auch der Konflikt, der schließlich zur Spaltung der ›Freien Volksbühne‹ führt, geht auf die Verschärfung der Auseinandersetzungen der Sozialdemokratie mit den ›Jungen‹ zurück. Wir werden diesen Konflikt und seine Zuspitzung deswegen detailliert untersuchen, weil in ihm die Motivation der an der Volksbühne beteiligten Gruppen, besonders, was ihr Verhältnis zur Sozialdemokratie angeht, noch einmal sehr klar wird.

Die Spaltungsauseinandersetzungen beginnen mit einem Streit über die Vergabe der Druckaufträge des Vereins ›Freie Volksbühne‹. Dieser Streit hat seine Wurzeln in dem auf dem Erfurter Parteitag erzwungenen Austritt des ›Jungen‹ Wilhelm Werner aus der Sozialdemokratischen Partei. Konsequenz davon ist, daß Werner vierzehn Tage später aus der Druckerei Maurer, Werner und Dimmick, deren Teilhaber er bis dahin gewesen ist, ausscheidet und eine eigene Druckerei gründet. [46] Der Vorstand der ›Freien Volksbühne‹ entzieht daraufhin die Druckaufträge für Vereinszeitung und sonstiges Material der alten Druckerei, die unter dem Namen Maurer und Dimmick weiter für die Sozialdemokratische Partei arbeitet [47], und vergibt sie an Wilhelm Werners neue Druckerei. [48] Dieser Schritt ist von der Position des Vorstandes aus konsequent: die Partei hat alle Gemeinsamkeiten mit den ›Jungen‹ aufgekündigt, damit hält die Volksbühnenleitung den Zeitpunkt für gekommen, sich ohne Umschweife auf die Seite der ›Jungen‹ zu schlagen und damit im Gegenzug der Sozialdemokratie ihrerseits die Gemeinsamkeit aufzukündigen.

Türk beginnt an diesem Punkt die Auseinandersetzung, als er im Sommer 1892 Kassierer der ›Freien Volksbühne‹ wird und damit wieder eine Vorstandsposition ausübt. Vom Amt des Schriftführers hatte er sich im Frühjahr 1891 angesichts von Spannungen mit Wille und dessen Freund Otto Brahm zurückgezogen, um nur noch als Beisitzer im Ausschuß der Volksbühne mitzuarbeiten. [49]

Türks Wahl zum Kassierer am 21. Juli 1892 steht schon im Zeichen der Konfrontation; die Generalversammlung der Mitglieder der ›Freien Volksbühne‹ wählt ihn in einer Kampfabstimmung gegen den von Wille vorgeschlagenen Kandidaten Bernhard Kampffmeyer, Friedrichshagener Freund Willes, selbst Sympathisant der ›Jungen‹ und Bruder eines ihrer Wortführer, Paul Kampffmeyer. [50] Daß die Volksbühnenmitglieder mit ihrer Entscheidung aber nicht beabsichtigen, die Volksbühne den ›unabhängigen Sozialisten‹ zugunsten der Sozialdemokraten zu entreißen, sondern nur den alten Kompromiß zwischen parteiloyalen Sozialdemokraten und ›unabhängigen Sozialisten‹ wiederherstellen wollen, machen sie dadurch deutlich, daß sie Willes Favoriten für den Kassiererposten, Bernhard Kampffmeyer an Stelle von Otto Erich Hartleben, der diesen Posten bis dahin innegehabt hat, zum Schriftführer der ›Freien Volksbühne‹ wählen. Der Literat Hartleben ist zwar auch ein Freund Willes, aber als ehemaliger Theaterkritiker des sozialdemokratischen Parteiorgans ›Berliner Volksblatt‹, bzw. später des ›Vorwärts‹ [51], im Bewußtsein der Volksbühnenmitglieder der offiziellen Parteilinie auf jeden Fall näher als Kampffmeyer. [52]

Wenn Türk nach seiner Wahl zum Kassierer fordert, die Druckaufträge des Vereins dürften nicht weiter nur an Wilhelm Werner vergeben werden, sondern es sollten auch Druckereien beauftragt werden, die der sozialdemokratischen Partei naheständen [53], interpretiert er den Willen der Volksbühnenmitglieder nach einer zwar sozialistischen, aber gegenüber den beiden organisierten sozialistischen Richtungen neutralen Vereinsführung richtig. Diesen Willen drückt das Abstimmungsergebnis vom 21. Juli tatsächlich aus. Bruno Wille begreift das nicht und versucht, die machtpolitischen Möglichkeiten, die sich daraus ergeben, daß die Mehrheit in Vorstand und Ausschuß auf seiner Seite ist, auszunutzen. [54] Er setzt es durch, daß Türks Vorstoß abschlägig beschieden wird. Damit wird offenkundig dokumentiert, daß Wille, seine Schriftstellerkollegen und die ›Jungen‹ an der Aufrechterhaltung der Koalition mit der sozialdemokratischen Partei kein Interesse mehr haben.

Weder den erklärten Anhängern der ›Jungen‹ noch den aktiven Sozialdemokraten geht es jetzt noch darum, die Bedingungen für eine gleichberechtigte Zusammenarbeit der verschiedenen Fraktionen wieder herzustellen. Beide Seiten versuchen, die Volksbühne unter ihren dominierenden Einfluß zu bekommen. Allerdings stellt sich dieses Problem für die Anhänger der ›Jungen‹, vor allem die ›Friedrichshagener‹ Literaten, insofern anders dar, als sie sich fähig fühlen, eine solche künstlerische Unternehmung wie die Volksbühne notfalls ganz allein weiterführen zu können. Demgegenüber legen die Sozialdemokraten mehr Wert auf eine bessere Kontrolle der Literaten, nicht aber auf einen vollständigen Bruch. Sie fürchten, zumindest zu Beginn der Auseinandersetzungen noch, daß ein solcher

Bruch das Ende der Volksbühnenbewegung sein könnte, weil sie keine kompeten-
ten Fachleute an die Stelle der ›Friedrichshagener‹ Literaten setzen könnten.

Wenn in den Argumentationen beider Seiten immer wieder der Eindruck erweckt wird, die Einheit der Volksbühne ginge ihnen über alles, ist das wohl mit
der Rücksichtnahme auf die Mehrheit des Volksbühnenpublikums zu erklären,
das sich offensichtlich nach einer solchen Einheit sehnt. Mit diesem Mitglieder-
willen müssen die Kontrahenten rechnen. Sie beziehen ihn in ihre Argumentation
in der Weise ein, daß sie jeweils die andere Seite als Gegner und sich selbst als
Wahrer der Einheit darstellen.

Türk beginnt damit, eine sozialdemokratische Fraktion unter den Mitgliedern
der Volksbühne aufzubauen. Diese strebt eine Änderung der Mehrheitsverhältnisse
in der Leitung des Vereins an. Die sozialdemokratische Fraktion tritt am 21. September 1892 mit einem Aufruf in der Parteizeitung ›Vorwärts‹ an die Öffentlichkeit. In diesem werden der Volksbühnenleitung heftige Vorwürfe gemacht. [55]

In einer Generalversammlung wird der Konflikt vor die Mitglieder getragen.
Die Gruppe um Türk tritt hier zunächst mit der Forderung auf, den Vorstand um
Angehörige der Arbeiterklasse zu erweitern. [56] Damit steuert sie noch nicht
mehr als eine Wiederherstellung der alten Koalition an. Bruno Wille versucht
ebenfalls an dem Streben nach einer gewissen Überparteilichkeit bei den Mitgliedern anzuknüpfen, wenn er Türk vorwirft, er habe politische Konflikte in den
Verein hineingetragen, indem er parteipolitische Überlegungen bei der Vergabe
der Druckaufträge gefordert habe. Damit gefährde Türk die politische Unabhängigkeit der Volksbühne und müsse deshalb aus dem Vorstand der ›Freien Volksbühne‹ ausscheiden. Der Mehrheit der Mitglieder wird jetzt klar, daß die politische Unabhängigkeit der Volksbühne, wie Wille sie fordert, sich gegen die Sozialdemokratische Partei richtet. Praktisch fordert er von den Volksbühnenmitgliedern
nicht Neutralität im Streit der Unabhängigen Sozialisten mit den Sozialdemokraten, sondern eine Stellungnahme für die Unabhängigen Sozialisten; denn daß die
Bevorzugung Werners politisch motiviert ist, ist den meisten klar. Mit seiner Forderung an die Versammlung, sich gegen Türk zu entscheiden, erzwingt Wille den
Bruch der Volksbühne. In einer zweiten Generalversammlung am 12. Oktober,
die die erste fortsetzt, zeigt sich endgültig, was schon bei den Probeabstimmungen
in der ersten Versammlung deutlich wurde, nämlich, daß die überwältigende
Mehrheit der Volksbühnenmitglieder auf der Seite der Sozialdemokratischen Partei, also in diesem Moment auf der Seite Türks steht, der jetzt nicht mehr nur die
Erweiterung des Vorstands um einige sozialdemokratische Arbeiter fordert, sondern die Neuwahl des gesamten Vorstandes und damit indirekt die Abberufung
Willes. Als Wille merkt, daß es ihm unmöglich ist, seine Stellung gegen Türk zu
behaupten, und er mit seinen Anhängern in Volksbühnenleitung und Ordner-
schaft unter Protest aus dem Versammlungslokal auszieht, folgen ihm von den
insgesamt 2000 Anwesenden nur etwa 200 bis 300. [57]

Damit wird die Spaltung der Volksbühne vollzogen. Wille gründet mit seinen
Anhängern die ›Neue Freie Volksbühne‹; die ›Freie Volksbühne‹ arbeitet ohne
die ›Friedrichshagener‹ Literaten weiter. Der Hauptgrund für die Spaltung ist in

der, politisch motivierten, gegenseitigen Aufkündigung der alten Volksbühnenkoalition zu sehen.

Bezeichnenderweise taucht in den Auseinandersetzungen zwischen der Wille- und der Türk-Fraktion die Theaterpraxis des Vereins nicht auf. Auf diesem Gebiet haben beide Fraktionen keine unterschiedlichen Vorstellungen, obwohl sich, wie wir noch sehen werden, ihre programmatischen Vorstellungen über die *Funktion* der Theateraufführungen sehr wohl unterscheiden. Neben den direkt politischen Fragen ist es hauptsächlich die Frage der inneren Vereinsstruktur, die in dem Konflikt eine Rolle spielt. Wie von den Auseinandersetzungen zwischen sozialdemokratischer Parteiführung und Opposition ist die Volksbühne auch von diesem Problem während der ganzen Dauer ihres Bestehens bis zur Spaltung betroffen.

Die Satzung der ›Freien Volksbühne‹ [58] gibt dem Verein eine demokratische Struktur. Die gesamte Leitung der Volksbühne wird in jedem Jahr neu gewählt, selbst die Ordner werden von den Mitgliedern jährlich neu bestimmt oder bestätigt (§ 5). Während die allgemeinen Geschäfte des Vereins vom engeren Vorstand, der nur aus drei Personen besteht, geführt werden, ist die Auswahl der aufzuführenden Stücke sowie die Entscheidung über alle Fragen, »welche für die literarische Haltung des Vereins maßgebend sind«, in die Hände einer zuerst neun-, seit 1891 sogar elfköpfigen Kommission gelegt, der neben dem Vorstand eine entsprechende Zahl von Beisitzern angehört, die ebenfalls auf der jährlichen Generalversammlung gewählt werden. Durch diese Konstruktion soll sichergestellt werden, daß die Mitglieder der Volksbühne letztlich selbst über den Inhalt der Tätigkeit des Vereins bestimmen.

Schon vor der Gründung der Volksbühne versucht Wille, die demokratische Organisierung des Vereins zu verhindern, weil sie seiner Vorstellung von »Volkspädagogik«, für die nach seiner Meinung die Volksbühne nur den Charakter eines Mittels hat, widerspricht. Nach der Spaltung schreibt Wille darüber im ›Kunstwart‹: »Das Statut der ›Freien Volksbühne‹ war eben ein demokratisches, d. h. die Mitglieder hatten, wenn auch indirekt, die Leitung in Händen. Schon vor der Gründung, im Freundeskreise, hatte ich vor dieser Institution gewarnt. Doch der Hinweis auf die ›demokratischen‹ Gewohnheiten der Berliner Arbeiter, die Befürchtung, daß eine ›undemokratische‹ Volksbühne keinen Anklang finden könne«, habe ihn schließlich von der Notwendigkeit, in diesem Punkt Zugeständnisse zu machen, überzeugt. [59] In seiner Schrift *Philosophie der Befreiung durch das reine Mittel* beschreibt Wille dann seine Konzeption noch deutlicher: »Mitglieder einer erzieherischen Anstalt, wie es die ›Freie Volksbühne‹ sein sollte«, ›können‹ »unmöglich durchweg oder auch nur überwiegend sachverständig auf dem Gebiete der Litteratur und Kunstkritik sein. Schon aus dem einfachen Grunde nicht, weil die Aufgabe eines Bildungsinstituts darin besteht, zu erziehen, d. h. emporzuziehen auf einen höheren Standpunkt, den also die Zöglinge vor der erzieherischen Leistung nicht einnehmen. Will das Publikum einer freien Volksbühne geistig mehr werden als es ist, so darf es durchaus nicht selber den Verein leiten, auch nicht indirekt, indem es Leiter wählt.« [60]

Diesen Vorstellungen entsprechend hatte Wille in seinem ersten Aufruf zur

Gründung einer ›Freien Volksbühne‹ eine Organisationsform vorgeschlagen, die den Mitgliedern nur das Recht zugestanden hätte, sich die Aufführungen anzusehen, die eine »leitende Gruppe«, über die sie nicht hätten bestimmen können, für sie ausgesucht hätte. [61] Nur der Tatsache, daß Wille hier mit taktischem Geschick zurücksteckt und den Statuten so zustimmt, wie sie Curt Baake, der leitende Redakteur des ›Berliner Volksblattes‹ entworfen hat [62], ist es zuzuschreiben, daß es um diesen Punkt nicht schon bei der Gründung, sondern erst im Zuge der Spaltungstendenzen zu offenen Kontroversen in der ›Freien Volksbühne‹ kommt.

Das heißt auch, daß der Streit um Willes Demokratieverständnis, der in Bebels Auseinandersetzungen mit den ›Jungen‹ durchaus eine Rolle gespielt hat, nicht auf die Volksbühne übergreift. Wille hat nämlich in einer Schuhmacherversammlung kurz vor der Massenversammlung mit Bebel gesagt, der Mensch sei ein Herdentier und lasse sich deswegen von dem, was die Masse für richtig halte, mitreißen. [63] In einem Aufsatz in der ›Freien Bühne‹ [64] mit dem Titel der *Mensch als Massenglied* erläutert er diese Gedanken kurz darauf noch einmal und kommt dabei zu Schlußfolgerungen, die sein Demokratieverständnis verdeutlichen und erkennen lassen, daß in der Herdentiervorstellung ein Kern seiner Volksbildungskonzeption steckt.

Weil die Masse nämlich aus ›Herdentieren‹ besteht, muß sie, meint Wille, ›von guten Führern geführt‹ werden. Dann könne die Herdennatur des Menschen sogar von Vorteil sein. Aber in der Regel bringe sie hauptsächlich Nachteile mit sich, und es sei nötig, Individuen heranzubilden, die die Herdennatur überwunden hätten. Formelhaft faßt Wille am Schluß seines Aufsatzes sein Erziehungsideal in Lobpreisungen zusammen: »Individuum sei gepriesen! Selbstherrlichkeit, Du bist die erhabenste Krone! [...] Und endlich verherrliche ich Dich, o Einsamkeit! [...] die Menge verschüttet die Gedanken und Gefühle des einzelnen; das kann man so ziemlich an jeder Kneiptafel, an jeder ›Gesellschaft‹, an jeder Versammlung beobachten. Die Einsamkeit dagegen ist die Mutter großer Gedanken.« [65] Bis dieses Erziehungsziel für die breite Masse verwirklicht sei, müßten die Konsequenzen aus der Herdennatur des Menschen gezogen werden. Diese sind für Wille: Notwendigkeit der Führung durch »gute und kluge Führer«, auf jeden Fall aber Schluß mit der Vorstellung von der »Autorität der Mehrheit«. Es sei nicht so, »daß viele Köpfe zusammen stets klüger« seien »und mehr Recht« hätten »als ein Kopf«. [66]

Explizit spricht sich Wille hier noch nicht wie vier Jahre später gegen die Demokratie aus – »etwas noch Schlimmeres als Herrschaft bedeutet die Demokratie«, heißt es 1894 in seiner Schrift *Philosophie der Befreiung durch das reine Mittel*. [67] Die Hauptargumente, mit denen er auch später argumentiert – die Herrschaft der Mehrheit müsse eine Herrschaft der »Mittelmäßigkeit« oder gar der »Gemeinheit« sein [68] – sind in der Herdentiervorstellung schon angelegt. Deswegen ist es nicht plumpe Demagogie, wie Wille es darzustellen versucht [69], sondern Weitsicht, wenn Bebel diesem Begriff soviel Wert beimißt, daß er mit einem Verweis auf ihn seine Rede gegen Wille schließt und demonstrativ erklärt,

im Gegensatz zu Wille den anwesenden Massen zuzutrauen, auch in der Frage
›Parteiführung gegen Junge‹ richtig entscheiden zu können: »Fällen Sie meine
Herren [...] Ihr Urtheil nach bester Ueberzeugung. Sie sind Männer von Ueberzeugung, keine Herdenthiere. Ich habe das Vertrauen zu Ihrem gerechten Ent-
scheide.« [70]

Aus taktischen Gründen verzichtet Wille 1890 darauf, seine Demokratievor-
stellung in der Volksbühne organisatorisch umzusetzen. Wie wir im Zusammenhang der *Volksfeind*-Aufführung noch sehen werden [71], bemüht er sich allerdings darum, indirekt diese Vorstellungen doch ideologisch unter dem Volksbühnenpublikum zu verbreiten. In der praktischen Volksbühnenarbeit der beiden ersten Jahre können die ›Friedrichshagener‹ sich in der Regel durchsetzen, auch
ohne daß ihr Recht, strittige Fragen zu entscheiden, organisatorisch abgesichert ist.
Das liegt daran, daß ihre Sachkompetenz in Fragen der Kunst von den anderen
leitenden Mitgliedern der Volksbühne anerkannt wird.

In den Spaltungsauseinandersetzungen wird diese Kompetenz der Schriftsteller
zum erstenmal angezweifelt. Wille reagiert äußerst gereizt, und schon ist seine
Herdentier-Äußerung wieder präsent.

Paul Dupont, Leiter des Bildhauerverbandes [72] und Freund Türks, der auf
der Generalversammlung 1892 den Antrag einbringt, es müßten Arbeiter in den
Vorstand der ›Freien Volksbühne‹ aufgenommen werden, und der damit im Auf-
trag der sozialdemokratischen Fraktion in der ›Freien Volksbühne‹ vor allem
einen stärkeren Einfluß der Sozialdemokratischen Partei anstrebt, begründet seinen Antrag nämlich damit, daß das Übergewicht der Schriftsteller in der Vereinsleitung zurückgedrängt werden solle. Die Arbeiter brauchten die Schriftsteller nicht
und könnten die Leitung der Volksbühne notfalls auch ganz allein übernehmen. [73] Durch diesen Satz fühlen sich Wille und seine Schriftstellerkollegen
provoziert; Wille droht damit, daß alle Schriftsteller den Verein verlassen würden,
wenn die Mitglieder versuchen würden, ihnen ihre Meinung aufzuzwingen. [74]
Franz Mehring, der, nachdem Wille seine Drohung wahrgemacht hat und mit seinen Freunden aus der Generalversammlung ausgezogen ist, an dessen Stelle zum
ersten Vorsitzenden der ›Freien Volksbühne‹ gewählt wird, hält in einem Bericht,
den er zwei Wochen später für die ›Neue Zeit‹ schreibt, die Differenzen um die
Funktion der Schriftsteller in der Leitung des Vereins und um dessen innere Demokratie für den entscheidenden Konflikt, der die Krise der Volksbühne heraufbeschworen hätte. In diesem Zusammenhang spielt er auf Willes Herdentier-For-
mulierung von 1890 an: »Die Mitglieder der ›Freien Volksbühne‹ sind mündige
Frauen und Männer, die selbst sehen, selbst prüfen, selbst wählen, sich selbst bilden wollen; wäre der Verein – so heißt ja wohl das geflügelte Wort? – eine ›Ham-
melherde‹, der durch einen Nürnberger Trichter von oben herab Interesse für
Kunst und Literatur eingeflößt werden soll, so wäre er eine Spielerei, die allerdings sehr viel nützlicheren Dingen zwecklos im Wege stünde. Hier liegt die wirkliche Meinungsverschiedenheit, die zur sogenannten ›Krisis‹ der ›Freien Volksbühne‹ geführt hat.« [75]

In einem Aufsatz, den er in der ›Zukunft‹ über die Volksbühnenspaltung schreibt, gibt Wille Mehring indirekt recht, indem auch er auf seinen alten Begriffsapparat zurückgreift: er bezeichnet die Mitglieder der Volksbühne als »Herden-Proletarier« und »von Unverstand und Demagogik verseuchte Demokratie«. [76]

Um solche Vorkommnisse, wie er sie in der alten Volksbühne erlebt hat, auszuschließen, gibt Wille der von ihm nach dem Auszug aus der ›Freien Volksbühne‹ neu gegründeten ›Neuen Freien Volksbühne‹ eine Satzung, die die Führung vor der Einflußnahme der Mitglieder weitgehend schützt. Die jährliche Generalversammlung hat nur noch das Recht, drei Kassenrevisoren zu wählen. Mitglieder der übrigen Vereinsleitung darf sie nur noch »beanstanden«, jedoch nicht wählen. [77] Im Aufruf zur Gründung einer ›Neuen Freien Volksbühne‹, der bald darauf im ›Vorwärts‹ und im ›Sozialist‹, also den Zeitungen der Sozialdemokratie und der ›unabhängigen Sozialisten‹, veröffentlicht wird [78], heißt es dazu: »Belehrt durch die Entwicklung der alten Freien Volksbühne suchen wir unserem Verein eine derartige Verfassung zu geben, daß eine Leitung durch künstlerische und technische Sachverständige für die Dauer gesichert wird.« [79] Demgegenüber betont die neue Leitung der ›Freien Volksbühne‹ unter Mehring in einer Erklärung im ›Vorwärts‹ ausdrücklich, in einem Punkt unterscheide sich der jetzige Vorstand von dem vorhergehenden: »der gegenwärtige Vorstand beansprucht weder eine literarische noch eine politische Vormundschaft über den Verein, er betrachtet sich einfach als ausführendes Organ des Gesammtwillens«. [80]

Die programmatischen Differenzen der verschiedenen Fraktionen in der Volksbühne beziehen sich, wie schon angedeutet wurde, weniger auf die Theaterpraxis des Vereins als auf die Funktion, die dessen Tätigkeit überhaupt zugemessen wird. Daß es zwischen den verschiedenen Gruppen Differenzen in der Bestimmung der politischen Funktion der Volksbühnenarbeit gibt, ist leicht einzusehen. Allerdings sind diese Differenzen nicht in direktem Zugriff zu fassen, weil sie nicht offen ausgetragen werden. Sie sind nur durch Interpretation von Indizien herauszuarbeiten.

Wenn diese Fragen nicht offen diskutiert werden, liegt das daran, daß die Volksbühne gegenüber den Polizeibehörden auf jeden Fall als unpolitisch erscheinen muß und daß das allen Volksbühnenmitgliedern klar ist. Auch wenn das Sozialistengesetz seit dem 1. Oktober 1890 nicht mehr in Kraft ist, darf sich der Verein ›Freie Volksbühne‹ mit Rücksicht auf das Preußische Vereinsgesetz auf keinen Fall als politischer Verein darstellen. Die Folge davon wäre nämlich, daß ihm keine Frauen mehr angehören dürften [81]; schon die bloße Feststellung, daß der Verein irgendwie auf ›öffentliche Angelegenheiten‹ einzuwirken beabsichtige, müßte seine Tätigkeit einschneidend behindern. Als das Oberverwaltungsgericht im Januar 1892 eine solche Feststellung trifft, muß der Verein eine Mitgliederliste bei der Polizei einreichen und jeden Neueintritt oder Austritt sowie jede Statutenänderung binnen drei Tagen bei der Polizei melden. [82] Andererseits kann die ›Freie Volksbühne‹ den Vereinsgesetzen auch nicht dadurch entgehen, daß sie ihren Vereinsstatus ablegt; denn das hätte zur Folge, daß ihre Aufführungen fortan als ›öffentlich‹ gelten und damit der Zensur unterliegen würden.

In Anbetracht dieser Lage kann keine öffentliche Debatte über eine etwaige politische Funktion der Volksbühne stattfinden. Eine interne Diskussion über diese Frage, die im Januar 1892 stattgefunden hat, wird von Willes Fraktion allerdings in den Spaltungsauseinandersetzungen in einem Flugblatt dargestellt.

Das Flugblatt, das hauptsächlich Wilhelm Bölsche und Julius Hart verfaßt haben [83], verfolgt die Absicht, die Abwahl Türks durch den Nachweis zu erzwingen, er habe in den an sich unpolitischen Verein politische Tendenzen hineinzutragen versucht. Auch wenn die Mitglieder der Volksbühne gegen solche politischen Bestrebungen nichts einzuwenden hätten, könnten sie trotzdem in der Vereinsleitung niemanden belassen, der das offen ausgesprochen hätte, weil sonst mit einem sofortigen polizeilichen Eingreifen gerechnet werden müßte. Ähnlich operiert Wille auf der Generalversammlung im Oktober 1892, wo er es – im Bestreben, die Volksbühnenleitung den Literaten und den ›Jungen‹ vorzubehalten – nicht bei dem Argument beläßt, die politische Unabhängigkeit der Volksbühne sei durch Türk gefährdet. Soweit kann er sich noch mit dem Wunsch vieler Mitglieder nach Unabhängigkeit der Volksbühnentätigkeit von den Fraktionsauseinandersetzungen der Sozialisten verbünden. Wille geht jedoch darüber hinaus, indem er droht, wenn man Türk auf seinem Posten belasse, müsse damit gerechnet werden, daß die Polizei den Verein für politisch erklären und damit seine Existenz in Frage stellen werde. [84]

Die Argumentaiton der Wille-Fraktion beruht auch in dem Flugblatt auf einer Äußerung Türks vom Januar 1892. Auf der außerordentlichen Generalversammlung wenige Tage nach dem erwähnten Urteil des Oberverwaltungsgerichts hatte er erklärt: »Wir wollen auf öffentliche Angelegenheiten einwirken und wir sind stolz darauf!« [85] Der starke Beifall, den seine Worte damals erhielten, hatte darauf hingedeutet, daß die meisten Mitglieder seine Meinung teilten. Nachdem Türk in der Versammlung von deren Vorsitzendem nur wegen seiner »Taktlosigkeit« gerügt worden war und die Mitglieder deswegen immer noch meinen konnten, lediglich aus taktischen Rücksichten würden die politischen Absichten des Vereins verschwiegen, ist dieser Vorfall kurz darauf in einer Ausschußsitzung Anlaß zu einer grundsätzlichen Kontroverse gewesen, die das Flugblatt jetzt im Oktober enthüllt. [86]

Es berichtet, Türk habe das Wort ›modern‹ im ersten Paragraphen des Statuts der ›Freien Volksbühne‹ (»Der Verein ›Freie Volksbühne‹ stellt sich die Aufgabe, die Poesie in ihrer modernen Richtung dem Volke vorzuführen« [87]), als gleichbedeutend mit »sozial«, bzw. »sozialdemokratisch« interpretiert. Diese Meinung Türks sei damals vom Ausschuß entschieden zurückgewiesen worden.

Die Betonung der unpolitischen Tendenz des Vereins gegenüber der bürgerlichen Öffentlichkeit und gegenüber den staatlichen Instanzen ist von den Volksbühnenmitgliedern immer akzeptiert worden. Und immer wieder hat die Vereinsleitung den Eindruck zu erwecken versucht, die nach außen gezeigte Haltung sei nicht mit den internen Überlegungen identisch. Während des Prozesses um die Frage, ob der Volksbühnenverein auf ›öffentliche Angelegenheiten einwirken‹ wolle, hat Wille z. B. in einer von ihm »im Auftrage des Vorstandes« herausgegebenen Druckschrift zu dieser Frage exemplarisch zweideutig Stellung genommen: »Der Vorstand würde gegen diese an und für sich ehrende Auffassung nichts eingewendet haben, wäre er nicht der Meinung gewesen, die Freiheit der ›Freien Volksbühne‹ müsse aufs Äußerste vertheidigt werden.« [88] Das Neue an dem Flugblatt ist nun, daß Türk hier eine Haltung vorgeworfen wird, von der die Mitglieder bis dahin meinen mußten, daß sie auch die heimliche Meinung des übrigen Vorstandes sei.

Das Votum der Mitglieder für Türk ist vor diesem Hintergrund, durch das Flugblatt provoziert, eine offene Stellungnahme für eine politische Motivierung der Vereinstätigkeit. Das ist besonders bemerkenswert wegen des Risikos, das eine so offen politische Haltung des Vereins im Hinblick auf das Vereinsgesetz für sein weiteres Bestehen bedeutet. Die Mitglieder, die bis dahin hinter der vermuteten Taktik des Vorstandes, politische Fragen nicht öffentlich zu erörtern, gestanden haben, sind in diesem Moment eher bereit, die weitere Existenz der Volksbühne in Frage zu stellen, als explizit nach außen, aber auch nach innen durch Abwahl von Türk den Verein für unpolitisch zu erklären. Daß sie es zum mindesten für richtig halten, wenn die Vereinsmitglieder zu politischen Tagesfragen Stellung nehmen, haben sie allerdings auch schon vorher mehrfach indirekt bekundet: in den ersten Versammlungen der ›Freien Volksbühne‹ sind Sammlungen für streikende Arbeiter in Hamburg durchgeführt worden [89]; bei verschiedenen Gelegenheiten sind »Hoch«-Rufe auf die ›Internationale Sozialdemokratie‹ ausgebracht worden [90]; 1891 hat die ›Freie Volksbühne‹ für ihre Mitglieder insgesamt drei Feiern zum 1. Mai veranstaltet [91], in deren Mittelpunkt die Aufführung des zu diesem Zweck geschriebenen Melodrams *Durch Kampf zur Freiheit* stand. Dies Stück, anonym von Bruno Wille verfaßt, stellt in kurzen Szenen und lebenden Bildern Widerstandsaktionen der schlesischen Weber und die 1848er Revolution dar. Am Schluß steht der symbolische Sieg des Genius der Freiheit über den Genius der Tyrannei angesichts der weltweiten Solidarität der Arbeiter, wie sie in den Mai-Manifestationen ihren Ausdruck findet. [92]

Für die Integration gerade auch solcher Arbeiter, die in den gewerkschaftlichen und politischen Organisationen aktiv sind, in die Volksbühnenorganisation spielt der Eindruck von deren politischer Bedeutung eine große Rolle. Das Gefühl von der politischen Wichtigkeit der ›Freien Volksbühne‹ wird den Mitgliedern vor allem durch die Behinderungsmaßnahmen der Polizei gegeben. Bei weitem an Bedeutung treten demgegenüber zurück die zaghaften Ansätze der Mitglieder zu politischer Artikulation im Rahmen des Vereins, aber auch die Vorträge des Vorstandes oder der Ausschußmitglieder, mit denen sie in die Problematik der aufzuführenden Stücke einführen und in denen sie bisweilen politische Andeutungen machen.

Für die Berliner Polizeibehörde ist, wie sie in ihrer Berufungsschrift an das Oberverwaltungsgericht in der Streitsache ›Einwirkung auf öffentliche Angelegenheiten‹ schreibt [93], die ›Freie Volksbühne‹ ein Unternehmen, durch das die

Sozialdemokratie für ihre Ideen zu werben beabsichtigt. Durch Bildungsvereine oder Wahlvereine würden hauptsächlich Menschen agitiert, die »der Sache und den Sozialdemokratischen Grundsätzen im Allgemeinen schon gewonnen« seien; wer sich der »sozialen Frage gegenüber« bisher »noch gleichgültig« verhalte, »namentlich [...] Frauen und Mädchen« solle durch die Teilnahme an Festen und Vergnügungen, die durch Sozialdemokraten organisiert würden, »allmählich den sozialdemokratischen Geist in sich aufnehmen und auf diesem Wege der Partei zugeführt werden«, in die letzte Kategorie gehöre auch die ›Freie Volksbühne‹.

Das Oberverwaltungsgericht folgt dieser Auffassung weitgehend. In seinem Urteil heißt es, »hervorragende Mitglieder der Partei« hätten den Verein ›Freie Volksbühne‹ gegründet und leiteten ihn immer noch. Selbst wenn ihnen nicht nachzuweisen sei, daß sie von vornherein politische Ziele mit der Gründung verfolgt hätten, so ginge doch aus der Vereinspraxis deutlich der »Zweck einer Einwirkung auf öffentliche Angelegenheiten« hervor. Die Argumentation stützt sich besonders auf die Vorträge, die von den Ausschußmitgliedern als Einführung in die Theatervorstellungen der Volksbühne gehalten worden sind.

Aus allen Stellen, die das Oberverwaltungsgericht zur Belastung des Vereins anführt, geht allerdings hervor, daß es sich bei diesen Vorträgen jeweils nicht um politische Analysen der Stücke oder ihrer Gegenstände gehandelt hat, sondern um Versuche, den sozialdemokratischen Arbeitern die Stücke schmackhaft zu machen, indem in sehr vager Form behauptet wurde, die Tendenz der Stücke sei eine ähnliche wie die der Arbeiterbewegung. Im Tenor gleichen sich dabei die Reden der Ausschußmitglieder aller Fraktionen: Wilhelm Bölsche erklärt über Ibsens *Stützen der Gesellschaft,* das erste in der Volksbühne aufgeführte Stück, es solle »die Ideen der Arbeiter fördern, diese über die heutige Gesellschaft aufklären«, und »es sei den gegenwärtigen Kämpfen der Arbeiter angepaßt«. Otto Brahm sagt über Schillers *Kabale und Liebe,* das Stück schildere, wie in der französischen Revolution der dritte Stand sein Recht erkämpft habe; Brahm fährt fort: »In derselben Lage ist jetzt der vierte Stand: er schöpft aus dem Stücke die Hoffnung, daß auch sein Streben sich erfüllt, daß seine Zeit gekommen ist.« In einem Vortrag über Pissemskis *Der Leibeigene* sagt Türk, dies Stück schildere »die politischen und sozialen Zustände Rußlands; den Kampf um Freiheit und Gleichheit gegen grausame Sklaverei und Willkür. Wir alle müssen noch denselben Kampf kämpfen, wie der Held des Stückes finden viele von uns in dem Ringen gegen Unterdrückung ihren tragischen Untergang ... Erkennt euch selbst in diesem Bilde«.

Um nicht länger mit solchen Vorträgen Anstoß zu erregen, beschließen die Volksbühnenverantwortlichen nach dem Verwaltungsgerichtsurteil, fortan auf Vorträge und Diskussionen zu den Aufführungen zu verzichten. Statt dessen wird jetzt, wie es in einer Notiz in der Zeitschrift ›Freie Bühne‹ heißt, »an der Kasse jedesmal eine kleine Schrift verkauft [...], die in kurzem Umriß den ethischen und ästhetischen Wert der vorgeführten Dichtung – ohne jede politische Beimischung – erläutert«. [94]

Das schnelle Zurückweichen an diesem Punkt – das zudem nichts einbringt, weil die Feststellung, die Volksbühne sei ein Verein, der auf ›öffentliche Angelegenheiten einwirken wolle‹ durch das Oberverwaltungsgericht rechtskräftig getroffen worden ist und nicht wieder zurückgenommen wird – ist wahrscheinlich auch so zu verstehen, daß die einführenden Vorträge inzwischen ihren Hauptzweck erreicht haben, nämlich aus der sozialdemokratischen Arbeiterschaft Berlins einen Stamm eifriger Theaterbesucher von einem Umfang heranzubilden, der ausreicht, das Weiterbestehen der Organisation zu gewährleisten. Mit den 2500 Mitgliedern, die die ›Freie Volksbühne‹ im Vereinsjahr 1891/92 durchschnittlich zählt und die es ermöglichen, jede Vorstellung noch zweimal zu wiederholen, ist solch ein Stand erreicht. [95]

Weil in den Augen Willes und seiner literarischen Freunde der Zweck der Volksbühne die Heranführung der Volksmassen an die Kunst ist, haben für sie die Einführungsvorträge hauptsächlich einen Werbecharakter, sind aber nicht konstitutiver Bestandteil des Unternehmens in dem Sinne, daß hier etwa die im Gründungsaufruf versprochene Nutzanwendung der Theateraufführungen (»Anregung zum Nachdenken über die großen Zeitfragen«) mit den Mitgliedern gemeinsam vorgenommen würde.

Exkurs: Hauptmanns *Vor Sonnenaufgang* vor der ›Freien Volksbühne‹

Als zweites Stück wird in der ›Freien Volksbühne‹ Hauptmanns *Vor Sonnenaufgang* aufgeführt. Über Bruno Willes Einführungsvortrag berichtet das ›Volksblatt‹. [96] In seinem Vortrag weist Wille mehrere Kritikpunkte, die seit der ersten Aufführung des Stückes vor der ›Freien Bühne‹ angesprochen worden sind, zurück. Der Held des Stückes, Loth, werde nicht als ›Antialkoholiker‹ vorgeführt, sondern als ein Beispiel für »Ueberzeugungstreue und Konsequenz«; keineswegs sei der Antialkoholismus in diesem Zusammenhang seine einzige Überzeugung. Wenn an dem Stück kritisiert werde, daß Loth, der doch am Anfang so ideal angelegt sei, am Ende als Schwächling dastehe, weil er das geliebte Mädchen im Stich lasse, so sei zwar zuzugeben, »daß Loth Anwandlungen von Schwäche zeige«, aber das sei nicht dem Drama anzulasten, das die Menschen eben so zeige, wie sie wirklich seien, mitsamt ihren Schwächen. Mit dieser Wendung steuert Wille genau um das eigentliche Problem herum, das sich bei einer Aufführung dieses Stückes vor sozialdemokratischen Arbeitern ergeben muß, stellt ihnen Hauptmann doch in Alfred Loth einen jener Intellektuellen vor, die zwar in irgendeiner Weise den Unterdrückten helfen wollen, die Verhältnisse zu ändern, die aber nicht nur auf halbem Wege stehen bleiben, sondern sich im entscheidenden Moment sogar durch völligen Rückzug als Verräter erweisen.

Alfred Loth, der seine politische Laufbahn in einem Kolonial-Verein zur Gründung eines ›Musterstaats‹ in Amerika [97] begonnen hat, dann unter der fälschlichen Beschuldigung, für die Sozialdemokratie gearbeitet zu haben, zwei Jahre im Gefängnis gesessen hat [98], volkswirtschaftliche Schriften veröffentlicht hat, Redakteur einer Arbeiterzeitung und schließlich sogar Reichstagskandidat der Sozialdemokraten gewesen ist [99], muß wegen dieser Merkmale dem Arbeiterpublikum als positiver Held erscheinen, obwohl Hauptmann auch schon zu Anfang des Stückes seine Schwächen deutlich macht. Zu Beginn des zweiten Aktes erklärt Loth Helene in einem Gespräch, er kämpfe nicht um sein persönliches Wohlergehen, sondern für das Glück aller und werde selbst erst dann glücklich sein können, wenn alle anderen Menschen auch glücklich seien. Als Helene daraufhin bewundernd zu ihm sagt: »Dann sind Sie ja ein sehr, sehr guter Mensch!«, wird Loths Eitelkeit in seiner Antwort deutlich, obwohl die Regieanweisung hier vermerkt, er sei »ein wenig betreten«. Loth antwortet nämlich: »Verdienst ist weiter nicht dabei, Fräulein, ich bin so veranlagt. Ich muß übrigens sagen, daß mir der Kampf im Interesse des Fortschritts doch große Befriedigung gewährt. Eine Art Glück, die ich weit höher anschlage, als die, mit der sich der gemeine Egoist zufrieden gibt.« [100]

Im dritten Akt läßt Loth erkennen, daß er zugunsten seiner persönlichen freundschaftlichen Beziehungen zu Hoffmann die Aufdeckung des sozialen Elends im Bergbaudistrikt, an dem dieser durch betrügerische Manipulationen mitschuldig ist [101], hintanzusetzen bereit ist. Die Schrift über die Lage der Arbeiter im Bergbau, deretwegen Loth ins schlesische Bergbaurevier gefahren war, bleibt schließlich tatsächlich ungeschrieben, weil Loth vor Helene, die ihn liebt und mit der er sich heimlich verlobt hat, fliehen will, nachdem er gehört hat, daß ihr Vater Alkoholiker ist. Loth meint unter diesen Umständen Helene nicht heiraten zu können, weil die Gefahr bestehe, daß der Alkoholismus sich vererbe. [102] Loths feige Flucht, mit der er es vermeiden will, Helene noch einmal gegenüberzutreten, führt zum Selbstmord Helenes, bedeutet aber auch, daß Loth die politisch-wohltäterischen Notwendigkeiten, deren Primat er vorher großsprecherisch betont hat, seinen persönlichen Schwächen zu opfern bereit ist. Die Vorstellungen über die Vererbungsgesetze, wie sie dem dramatischen Konflikt seine Zuspitzung verleihen, scheint Hauptmann selbst sehr ernst genommen zu haben. Deswegen gerät Loth in seiner Darstellung in so etwas wie einen tragischen Konflikt, aus dem es keine einfache Lösung gibt: Eine Heirat mit Helene würde ihn, weil auch sie nach den Vererbungsgesetzen wahrscheinlich dem Alkoholismus verfallen wird, mit soviel aufreibenden privaten Problemen beladen, daß er sich nicht weiter am politischen Kampf beteiligen könnte. [103] Dennoch wird die Tragik in Hauptmanns Stück relativiert und damit durchlöchert. Doktor Schimmelpfennig, der Loth in Helenes Verhältnisse einweiht, erklärt ihm gleichzeitig, es seien Fälle bekannt, wo solche ›vererbten Übel unterdrückt‹ worden seien. [104] Außerdem gibt erst die Andeutung Schimmelpfennigs, Helene habe keinen guten Ruf, weil ihr Schwager ihr zu offensichtlich nachstelle [105], Loth den letzten und endgültigen Anstoß zu seinem fluchtartigen Aufbruch. Das bedeutet, daß Loth in seinem Verhalten nicht nur objektiven Zwängen folgt, sondern daß er auch subjektiv versagt, was sein Verhalten nicht entschuldigt, sondern der Kritik preisgibt.

Indem er diese Kritik provoziert, will Hauptmann allerdings nicht isoliert die Gruppe der bürgerlich-intelligenzlerischen Sozialdemokraten treffen, sondern die ganze Sozialdemokratie. Eine Einführung in das Stück vom Standpunkt der So-

zialdemokratie aus hätte sowohl die deterministische Vererbungstheorie des Stük-
kes aufbrechen müssen, die die fatale Tendenz enthält, den Ausweg aus einer
sozialen Misere als unmöglich erscheinen zu lassen, aber es hätten die Zuschauer
auch davor gewarnt werden müssen, Loth für das getreue Abbild eines sozialdemokratischen Vorkämpfers zu halten. Durch eine entsprechende Einführung
hätte das Stück zur Entlarvung und Isolierung solcher falschen Arbeiterfreunde
wie Loth beitragen können.

Wenn Wille im Gegenteil versucht, Loths Verhalten zu bagatellisieren, ist das
daher verständlich, daß er andernfalls in Loths Position seine eigene Haltung kritisch beleuchten müßte. Wille geht aber noch darüber hinaus, indem er die resignative Haltung des Stückes in eine optimistische umzudeuten versucht. Er beschließt
seine Einführungsrede mit einer entsprechenden Deutung des Titels *Vor Sonnenaufgang*: »Wir leben in einer Zeit vor Sonnenaufgang, in einem Übergangszeit-
alter; noch erblicken wir nicht die kommende Sonne, doch wir sehen, wie es am
Horizonte dämmert und rot erglüht.« [106] Auf diese Weise wird Hauptmann
selbst eine sozialistische Tendenz unterstellt und damit den Zuhörern nahegelegt,
sich seiner argumentativen Führung im Stück zu überlassen.

Die Folge ist, daß in der Aufführung – wie Hartleben, bekümmert über das
mangelnde literarische Gespür dieses Theaterpublikums, in seiner Kritik in der
›Volks-Tribüne‹ berichtet – »die paar sozialistischen Tiraden, welche so wie sie
dem Alfred Loth in den Mund gelegt sind, zweifellos zu den Schwächen, den
Mängeln des Hauptmannschen Dramas gehören [...] die eigentlich zündende
Wirkung thaten«. [107] Die Hoffnung der Volksbühnenmitglieder, sich mit einem
positiven revolutionären Helden im Theater identifizieren zu können, findet in
dieser Haltung ihren Ausdruck.

Das Volksbühnenpublikum besteht mit seiner Art der parteilichen Rezeption
von Hauptmanns *Vor Sonnenaufgang* darauf, sich seine Weltanschauung im Theater bestätigen zu lassen. Dabei stellt es sich nicht den Anspruch des literarisch gebildeten intellektuellen Theaterbesuchers, den Sinngehalt des ganzen Stückes zu
erfassen und dazu Stellung zu beziehen. Im Fall von *Vor Sonnenaufgang* liegt in
dieser Rezeptionshaltung kaum die Gefahr, daß die Zuschauer unvermerkt Positionen übernehmen, die sie aufgrund ihrer sonstigen politischen Haltung nicht teilen. Doch die ›Naivität‹ und ›Empfänglichkeit‹ des Volksbühnenpublikums, die
von den Literaten in der Volksbühnenleitung immer wieder gepriesen wird, kann
auch zur Irreführung ausgenutzt werden.

Otto Brahm, Ausschußbeisitzer im ersten Volksbühnenjahr, sieht im Volksbühnenpublikum das, was den Luxustheatern fehle und sie so steril mache, das
»unverbildete, empfängliche, naive Publikum« [108]; in der Volksbühne säßen
»unblasierte, empfangensfrohe Menschen«, »still, andächtig, gespannten Sinnes«. [109] Fritz Mauthner, im zweiten Vereinsjahr ebenfalls Ausschußmit-
glied [110], berichtet dasselbe noch pointierter: in den Vorstellungen der Volksbühne sei für ihn ergreifend gewesen die »Andacht, mit welcher da eine gläubige
Gemeinde auf jedes Wort lauschte, das ihr ein neues Symbol für ihre Weltanschauung gab«, er habe die Empfindung gehabt, »daß da nach zweitausend Jah-

ren wieder einmal das Drama, das weltliche Drama, wie ein Opferdienst wirkte«. [111]

Exkurs: Ibsens *Volksfeind* vor der Freien Volksbühne

Heinrich Hart, Nachrücker für den ausgeschiedenen Conrad Schmidt im Ausschuß des ersten Vereinsjahres, beschreibt sehr ähnlich das Verhalten des Publikums in Ibsens *Volksfeind:* »Ibsens ›Volksfeind‹ wird aufgeführt. Ich selbst achte mehr aufs Publikum als auf die Bühne. Nie zuvor habe ich im Theater solche Aufmerksamkeit, solche Andacht gefunden. All diese Gesichter sind aufs äußerste gespannt, zumeist von der Anstrengung, jedes Wort zu verstehen; jede Erregung drückt sich in den Mienen, im Zusammenballen der Hände, in der Haltung des Körpers aufs deutlichste aus. Die Volksversammlung erlebt jeder wie etwas Lebenswirkliches mit, und nach der Szene erhebt sich ein Beifallssturm, wie er nicht oft ein Theater durchtost haben wird.« [112]

Ein solches Verhalten des Publikums ist gerade in dieser Aufführung bemerkenswert: Im *Volksfeind* wird ein Stück bejubelt, das von all denen als Alibi angeführt wird, die beweisen wollen, daß die Behauptung sozialdemokratischer Tendenzen in der ›Freien Volksbühne‹ völlig abwegig sei. [113] Demgegenüber hat die begeisterte Reaktion des Publikums in *Vor Sonnenaufgang* auf relativ geringfügigen Mißverständnissen beruht: Julius Hart z. B. meint, daß, wenn überhaupt in einem Stück der ersten Spielzeit, dann am ehesten in diesem sozialistische Tendenzen zu finden seien. [114]

Die antisozialistische, bzw. antidemokratische Tendenz von Ibsens *Volksfeind* ist schon aus der Inhaltsangabe leicht ersichtlich. In diesem Stück wird die Geschichte Thomas Stockmanns erzählt, der sich als Arzt, aber auch außerhalb seines Berufes als Planer und Propagandist einer Kuranlage [115], die seinem Heimatort Wohlstand bringen soll, unermüdlich für das Wohl seiner Mitbürger einsetzt, der aber von diesen, dem ›Volk‹, nicht nur im Stich gelassen, sondern mit blindem Haß bekämpft wird, als er seine Entdeckung, daß das Wasser der Kuranlage verseucht und es darum nötig sei, eine neue Wasserleitung zu bauen, bekanntgeben will. Man fürchtet, daß auf diese Weise der erträumte kurze Weg zum Reichtum der ganzen Stadt und ihrer Bewohner etwas länger werden wird. Ohne auf den eigenen Vorteil zu achten, ja, selbst nach der Androhung, daß seine bürgerliche Existenz als Arzt gefährdet sei, geht Stockmann seinen geraden Weg der Wahrheit weiter, weil eine Eröffnung der Kuranlage unter diesen Umständen nach seiner Meinung eine gesundheitliche Katastrophe nach sich ziehen müßte. Selbst als die aufgehetzten Volksmassen in seiner Wohnung die Scheiben eingeworfen haben [116], seine Tochter ihre Stelle als Lehrerin verloren hat [117], seine Kinder aus der Schule gewiesen worden sind, seine Frau von ihrem wohlhabenden Vater enterbt worden ist [118], sein Hauswirt schließlich ihm und seiner Familie die Wohnung gekündigt hat [119], gibt Stockmann noch nicht auf. Das Stück endet damit, daß er seinen Angehörigen den Plan mitteilt, in einem Saal, der dem

einzigen Menschen in der Stadt gehört, der zu ihm gehalten hat, eine Schule ein-
zurichten, in der er zusammen mit seiner Tochter seinen beiden Söhnen und einigen Gassenjungen, die sonst zu keiner Schulbildung kämen, Unterricht geben will.
Dadurch will er sie »zu freien vornehmen Männern [...] heranbilden«, die fähig
sein sollen, »sämmtliche Parteihäuptlinge« fortzujagen, denn Parteihäuptlinge seien
wie »heißhungrige Wölfe« und »die Parteiprogramme« ›erdrosselten‹ »alle jungen lebensfähigen Menschen«, das Volk könne die Wahrheit erst dann erkennen,
wenn alle ›Parteihäuptlinge ausgerottet‹ worden seien. [120]

Die *Volksfeind*-Aufführung wird schon bald nach ihrem Stattfinden als Beweis
dafür angeführt, daß es abwegig sei, in der ›Freien Volksbühne‹ sozialistische
Tendenzen zu vermuten. In diesem Sinne äußern sich Julius Hart (»wo steckt denn
die sozialdemokratische Tendenz in den ›Stützen der Gesellschaft‹ [Ibsen], im
›Volksfeind‹, in ›Kabale und Liebe‹, in Pissemskis ›Leibeigenem‹? [...] Sozialdemokratische Parteipolitik könnte an jenen Werken ebenso viel tadeln und aus-
setzen, als loben« [121]) und Otto Brahm (»Wenn nur die sozialistische Partei-
schablone hier entscheiden sollte, hätten weder die bürgerfreundlichen Schauspiele
›Die Stützen der Gesellschaft‹ und ›Das verlorene Paradies‹ [Fulda] mit ihrem
vermittelnden ›glücklichen‹ Schluß Einlaß gefunden, noch der allen Parteien krie-
gerisch gesinnte ›Volksfeind‹« [122]). Auch in dem Verwaltungsgerichtsprozeß
der ›Freien Volksbühne‹ gegen den Polizeipräsidenten argumentiert der Rechtsvertreter der Volksbühne, Wolfgang Heine, in diesem Sinne; Wille gibt diesen
Teil seines Plädoyers folgendermaßen wieder: »Gerade die Aufführung des Volksfeindes beweise, wie fern dem Ausschusse der Freien Volksbühne ein Cultus sozialdemokratischer Tendenzen liege; denn die herben Wahrheiten, welche Stockmann
der Volksversammlung über Demokratie, Partei, Führertum und Presse sage, ließen sich auch auf die sozialdemokratische Partei beziehen.« [123]

Wenn das Publikum der Volksbühne, in dem Bestreben, mit einem positiven
Helden ein Bündnis eingehen zu können, sich jetzt auch in Stockmanns z. T.
offen provokative Argumentation derartig hineinfühlt, daß es seiner Rede über
den verderblichen Einfluß der Mehrheit Szenenbeifall spendet [124], dann hat
sicherlich auch Willes Einführungsvortrag dazu beigetragen, in dem dieser wieder
versucht hat, den Eindruck einer Übereinstimmung der Vorstellungen Ibsens mit
den sozialistischen Ideen zu suggerieren. Nach Angaben des überwachenden Poli-
zeibeamten, auf die sich auch das Oberverwaltungsgericht in seinem Spruch stützt,
hat Wille in der Einführung die bestehende Gesellschaftsordnung kritisiert, weil
sie solchen unabhängigen Charakteren wie Stockmann keinen Raum biete. [125]
Aus Willes Inhaltsangabe des Stückes sei zu entnehmen gewesen, daß »hierin dem
redlichen Streben eines Einzelnen die angeblich im Bürgertum und im Beamten-
stande herrschende Erbärmlichkeit, bzw. Eigennutz entgegengestellt« werde. [126]
Wille berichtet selbst als Zeuge vor dem Verwaltungsgericht, daß er »um das Verständnis des Ibsenschen Dramas zu fördern, dessen soziale Voraussetzungen, also
jenes Gefüge von Abhängigkeitsverhältnissen, das einen nach Freiheit und Wahrheit strebenden Menschen unmöglich zu machen sucht, aus dem Sinne des Dichters heraus geschildert« habe. Wenn diese Schilderung leidenschaftlich ausgefallen

sei, so erkläre sich das aus seiner »Übereinstimmung mit den sozialkritischen Anschauungen des Dichters«. [127] Aus all dem geht hervor, daß Wille erfolgreich versucht haben muß, seine Zuhörer ›leidenschaftlich‹ dazu zu bewegen, sich mit Stockmanns Standpunkt, der von Ibsen tatsächlich als edel und vorbildlich dargestellt wird, zu identifizieren. Ein bezeichnender Druckfehler ist in diesem Zusammenhang dem ›Berliner Volksblatt‹ unterlaufen, das im Fettdruck in einer Anzeige die Aufführung von Henrik Ibsens *Ein Volksfreund* ankündigt, um zugleich im Kleingedruckten korrekt zu Willes Einführungsvortrag über *Ein Volksfeind* einzuladen. [128]

In ihrer verständlichen Empörung über die Mißstände, die Ibsen im *Volksfeind* geißelt, und in ihrer richtigen Absicht, ebenfalls dagegen zu protestieren, lassen sich die Berliner Arbeiter dazu verleiten, sich mit Ibsens antisozialistischer und antidemokratischer Interpretation dieser Mißstände zu identifizieren. So kommt es dazu, daß sie in der *Volksfeind*-Aufführung begeistert Sätze von Stockmann beklatschen, die inhaltlich dasselbe über die Demokratie sagen, was wenige Monate vorher dieselben Arbeiter unter Bebels agitatorischer Führung Wille so übel genommen haben: »Der gefährlichste Feind der Wahrheit und der Freiheit – das ist die compacte Majorität«; »Die Mehrheit hat niemals das Recht auf ihrer Seite [...] Wer bildet denn die Mehrheit der Bewohner eines Landes, die Klugen oder die Dummen? Ich denke, wir alle sind darin einig, daß die Dummen die geradezu überwältigende Majorität bilden rings um uns her auf der ganzen weiten Erde. Aber das kann doch nie und nimmer das richtige sein, daß die Dummen über die Klugen herrschen sollen. [...] Die Mehrheit hat die Macht – leider – aber das Recht hat sie nicht. Das Recht hab' ich und einige Wenige, einzelne. Die Minderheit hat immer Recht.« [129]

Brahm, der als Mitglied des Volksbühnenausschusses entsprechenden Einblick hat, berichtet, daß Wille und Wildberger, »die Opponenten unter den ›Genossen‹«, wie er sie nennt, die Aufführung des ›Volksfeindes‹, die in den ersten Programmvorschlägen der Volksbühne nicht vorgesehen war, durchgesetzt hätten. [130] Brahm äußert dazu die Vermutung, daß sie dabei »nicht bloß« von »ästhetischen Gefühlen« geleitet worden seien – und er beurteilt das Ergebnis der Theatervorstellung, wenn auch nicht offen, als einen politischen Erfolg der ›Jungen‹, wenn er in der ›Freien Bühne‹ schreibt: »wenn auch nicht alle Schläge und Kernworte des Stückes sogleich gefaßt wurden, die Wirkung ist sicher im Sinne der Veranstalter gewesen, und sie wird haften und sich weitertragen. Daß die bürgerliche Gesellschaft auf einem Moorgrunde von Lüge und Unfreiheit steht, darüber waren der Dichter und sein Publikum bald einig; aber auch die tiefergreifenden Wahrheiten dieses idealen Anarchisten, dieses aristokratischen Radikalen, der sein volles, warmes, thörichtes, kluges Wollen mit Kindersinn offenbart, trafen auf nachdenkliche Empfänglichkeit, und diese nach geistiger Cultur und nach Schönheit so offenen Sinnes verlangenden Hörer, mit ihrer ›idealen Begehrlichkeit‹ werden, über den Eindruck des Tages hinaus, die Wirkung der großen Dichtung, gleichsam wie ein inneres Erlebniß auf lange empfinden«. [131]

Die politische Neutralität, um die sich Wille angeblich in der Theaterpraxis der

Volksbühne bemüht, erweist sich bei näherem Hinsehen eindeutig als Politik gegen die Sozialdemokratie. Sein Einführungsvortrag in den *Volksfeind* ist als bewußter Manipulationsversuch zu werten. Während er hier dem Publikum die Identifikation mit der Meinung des Dichters als eines Gleichgesinnten anrät, schreibt er ein halbes Jahr später in der ›Freien Bühne‹, einem Organ der bürgerlichen Intelligenz, das vom Arbeiterpublikum der Volksbühne nicht gelesen wird, ganz offen, er stimme mit Ibsens Anschauungen völlig überein – und: die Tendenz des Stückes richte sich, wenn man so wolle, auch gegen die Sozialdemokratische Partei. [132] Dieser Manipulationsversuch entspricht zwar Willes Vorstellung von der Unreife der Massen, aber nicht der politischen Aufgabenstellung, die er aus dieser These ableitet, nämlich der, primär einen Bewußtwerdungsprozeß der Massen durch Bildungsarbeit in Gang zu setzen.

Der »Volksfreund« [133], dann »Volksfeind« [134] Stockmann hat mit Wille soviel gemeinsame Züge, daß dessen Selbstidentifikation mit dieser Figur Ibsens nicht verwunderlich ist: Teilt Wille mit Stockmann doch nicht nur das Schicksal, trotz seines guten Willens von den durch ›Parteiführer‹ dazu veranlaßten Volksmassen verstoßen worden zu sein (Massenversammlung mit Bebel), sondern beide greifen auch zur gleichen Konsequenz, zur Volkspädagogik als dem Hebel, mit dem sie die gesellschaftlichen Verhältnisse doch noch nach ihren Vorstellungen umgestalten wollen. Dabei benutzt Ibsens Stockmann wie Wille in seinem Aufsatz *Der Mensch als Massenglied,* aber auch schon Schulze-Delitzsch 1862 [135], den ideologischen Topos aller bürgerlichen Volksbilder, in deren Front sie sich damit deutlich einreihen, die Volksmassen seien zur Demokratie noch nicht reif und müßten sich deshalb erst einem Bildungsprozeß unterwerfen, in dem sie auf die, die schon die nötige Bildung hätten, eben die ›Volksbildner‹, zu hören hätten. Diesen müßten sie, bis ihnen selbst die nötige Bildung beigebracht worden sei, auch die politischen Entscheidungen überlassen. Aufs schärfste wendet sich Stockmann gegen die Vorstellung, »daß die Menge, der Haufen, die Masse der Kern des Volkes sei [...], daß der gemeine Mann, dieser unser unwissender, geistig unreifer Mitbruder dasselbe Recht besitze, ein Urtheil abzugeben, zu herrschen und zu regieren, wie die wenigen geistig Vornehmen und Freien« – diesen Satz zitiert Wille zustimmend noch in seiner *Philosophie der Befreiung durch das reine Mittel* [136] –, und Stockmann fährt fort: »Die Menge ist blos der Rohstoff, aus dem wir, die Bessern, ein Volk erst bilden sollen.« [137]

Im Gegensatz zum Volksbühnenpublikum fällt den Freunden und Kollegen Willes wie Julius Hart und Otto Brahm die geistige Verwandtschaft des ›Volksfeindes‹ Thomas Stockmann mit Bruno Wille auf. Das dürfte seinen Grund darin haben, daß die Figur des ›Volksfeindes‹ für den Literatenkreis um die ›Friedrichshagener‹ und die ›Freie Bühne‹ eine provokative Identifikationsgestalt ist, mit der man sich ausgiebig beschäftigt. In ihr sieht man Tendenzen zum klaren Ausdruck kommen, mit denen man zwar einerseits übereinstimmt, die man sich andererseits aber dennoch nicht in der gleichen Offenheit zu äußern traut. In diesem Sinne schreibt unter dem Pseudonym Dr. med. Thomas Stockmann in den Jahren 1890–1892 ein anonym bleibender Kommentator in der Zeitschrift ›Freie

Bühne‹ Artikel, deren herausfordernder Inhalt sich schon in Überschriften andeutet wie: »Ohne Moral«, »Die leidige Ehre« oder »Ketzereien über Demokratie«. [138]

Daß die sozialdemokratische Parteipresse nichts unternimmt, um die vom Parteistandpunkt aus eindeutig falschen ideologischen Vorstellungen, die im Zuge der *Volksfeind*-Aufführung unter den Volksbühnenmitgliedern verbreitet werden, zurückzuweisen, verwundert dann nicht, wenn man sieht, wer im Parteiorgan ›Berliner Volksblatt‹ die Aufführung rezensiert: Willes Freund Otto Erich Hartleben. [139] In ihrem ersten Teil scheint seine Kritik der Willeschen Strategie zu folgen, atmosphärische Verwandtschaft sozialistischer Ideen mit der Tendenz des Stückes zu suggerieren. Hartleben schreibt, er halte die Auswahl dieses Stückes für glücklich, weil er der Ansicht sei, daß Ibsen »für das Publikum der ›Freien Volksbühne‹, welches im Kunstwerk das Pathos der Zeit sucht, der geeignetste, der wichtigste Dichter« sei. Im folgenden berichtet er über die Tendenz des Stückes und erklärt, sie richte sich gegen »die besondere Art der ›Lüge‹, wie sie durch die ›Partei‹ geschaffen« werde. Hartleben wendet sich in seiner Kritik nicht gegen diese Tendenz, sondern schreibt im Gegenteil, sie sei »wahrlich geeignet, einem jeden von uns Stoff zum Nachdenken, zur ehrlichen Selbstprüfung zu verschaffen«. Gegenüber Stockmanns elitären Demokratievorstellungen schlägt Hartleben einen leicht kritischen Ton an, indem er sie als »Invektiven eines intellektuellen Aristokratismus« bezeichnet; das schwächt er aber gleich wieder ab, wenn er meint, der Konflikt Stockmanns mit der ›Masse‹ sei im *Volksfeind* ›tragikomisch verkörpert worden‹, und wenn er schließlich die Stelle, die Stockmanns elitäre Arroganz am deutlichsten zeigt, nämlich den Satz über die Menge, die nur den Rohstoff abgebe, aus dem die ›Besseren‹ das ›Volk‹ bilden müßten, aus einer andern Übersetzung zitiert [140] als der, die die ›Freie Volksbühne‹ für ihre Aufführung benutzt hat. Deswegen heißt in Hartlebens Kritik dieser Satz ganz harmlos: »Die Masse ist nur der Rohstoff, aus dem das Volk Menschen machen soll.« Hartleben betont dann noch einmal mit den Worten, er hoffe, daß das Publikum »diese Ideen des *Volksfeindes* in ihrer ganzen Tiefe« verstanden habe, die Nützlichkeit der Rezeption dieser Ideen für die Arbeiter, die nach seiner Beobachtung 90 Prozent [141] des Publikums der *Volksfeind*-Aufführung gestellt haben. Im Rest seiner Kritik, beinahe die Hälfte des gesamten Artikelumfangs, beschäftigt sich Hartleben nur noch mit einer Kritik der darstellerischen Leistung einzelner Schauspieler.

Es ist nicht verwunderlich, daß die zweite Berliner sozialdemokratische Zeitung, die ›Volks-Tribüne‹, in der die ›Jungen‹ einen relativ großen Einfluß haben, in derselben Tendenz noch weiter geht als Hartleben. Der Rezensent zeigt sich sehr erfreut über die positive Aufnahme, die das Stück beim Berliner Arbeiterpublikum gefunden habe: »Offen gestanden, ich und noch so mancher andere sah nicht so ganz ruhig dieser Vorstellung entgegen. Hatten doch die Blätter der bürgerlichen Parteien zu wiederholten Malen den Arbeitern weismachen wollen, gerade durch seinen *Volksfeind* habe Ibsen in der entschiedensten Weise dargethan, daß er nicht auf dem Boden der sozialistischen Weltanschauung stehe.« [142] Mit ihrem Beifall hätten die Arbeiter diese Fehlinterpretation widerlegt. In Wahrheit richte sich nämlich Ibsens Stück nicht »gegen den Sozialismus [. . .] sondern gegen die Tyrannei der herrschenden Klassen«. Der Badearzt Stockmann sei ein »Streiter der Wahrheit«, und das Publikum habe ›die Absichten des Dichters richtig gedeutet‹, wenn es »in dem Doktor Stockmann die Verkörperung des eigenen Wollens und Strebens« ›erblickt‹ habe; die »Berliner Arbeiter« hätten Ibsen »verstanden und sein Streben mit heller Zustimmung gebilligt«.

Wir haben bisher an ausgesuchten Beispielen untersucht, mit welcher Strategie und Taktik die ›Friedrichshagener‹ kulturpolitisch auf die Arbeiterbewegung einzuwirken versuchen. Dabei erschien das Publikum, abgesehen von seinem aktiven Widerstand gegen Willes politische Versuche, die Volksbühne direkt in den Einflußbereich der ›Unabhängigen Sozialisten‹ hinüberzuziehen, eher als passiv den Intentionen der ›Friedrichshagener‹ ausgeliefert. Hier taucht ein methodisches Problem dadurch auf, daß das Arbeiterpublikum der Volksbühne sich längst nicht in vergleichbarem Maße schriftlich artikuliert hat wie die ›Friedrichshagener‹, so daß seine Positionen heute kaum noch zu umreißen sind. Wir sind darauf angewiesen, zum einen indirekte Schlüsse zu ziehen und zum anderen die wenigen Arbeiteräußerungen, die uns vorliegen, wie repräsentative Aussagen zu behandeln; unter der Voraussetzung allerdings nur, daß sie den aus den indirekten Schlüssen gewonnenen allgemeinen Einschätzungen in etwa entsprechen.

Es ist davon auszugehen, daß bei Gründung der Volksbühne die Motivationen der Arbeitermitglieder sich nicht wesentlich von denen bürgerlicher Theaterbesucher unterschieden haben. Schließlich hatte es für sie vorher keine Gelegenheit und deshalb auch keinen Grund gegeben, sich über eine eigene Stellung zur Kunst, speziell zum Theater, Gedanken zu machen. Insofern brauchen die bürgerlichen Literaten die Bewußtseinsinhalte der Arbeiter nicht wesentlich umzupolen, um die Vorherrschaft bürgerlicher Kunstvorstellungen zu sichern. Sie brauchen nur schon vorhandene verschwommene Vorstellungen zu bestärken und zu verfestigen. Demgegenüber hätte eine sozialistische Strategie einen Bewußtwerdungsprozeß einleiten müssen, der eine Durchdringung auch des Kunstbereiches vom Klassenstandpunkt aus ermöglicht hätte.

Für die Verfestigung der bürgerlichen Ansichten über die Kunst beim Volksbühnenpublikum spielt eine zentrale Rolle die Vorstellung von der eigenen Inkompetenz bei der Beurteilung von Kunstangelegenheiten.

Wie verbreitet diese Ansicht unter den Volksbühnenmitgliedern gewesen sein muß, läßt sich indirekt daran ablesen, mit welch überschäumender Empörung die Schriftsteller in der Volksbühne reagieren, als während der Spaltungsauseinandersetzungen Positionen vertreten werden, die diese Inkompetenz bezweifeln. [143] Das Maß der Empörung zeigt, wie ungewohnt solche Positionen in der Volksbühne sein müssen. Ihre Aufkündigung jeder weiteren Mitarbeit in der ›Freien Volksbühne‹ und ihr Überwechseln zu Willes ›Neuer Freier Volksbühne‹ begründen fast alle Literaten mit den selbstbewußten, aber in ihren Augen unverschämten Äußerungen des Gewerkschafters Dupont, die Arbeiter könnten notfalls auch ohne Schriftsteller die Volksbühne leiten. Jenen Schriftstellern aber, die – wie Franz Held und Robert Schweichel – auch nach der Spaltung weiter die Arbeit der ›Freien Volksbühne‹ unterstützen, wird diese Äußerung mit der empörten Frage vorgehalten, wie sie es mit ihrer »Schriftstellerwürde für vereinbar« halten könnten, bei einer solchen schriftstellerfeindlichen Organisation zu verbleiben. [144]

3.2 Franz Mehring als Hauptgegenspieler der ›Friedrichshagener‹ und seine Leitungstätigkeit in der Freien Volksbühne (1892–1895)

Im Verhältnis zu den ›Friedrichshagenern‹ ist Mehring nicht nur ein Gegenspieler, sondern auch ein exemplarisches Gegenbild, weil es ihm, der ebenfalls ein bürgerlicher Intellektueller ist, in ganz anderer Weise als diesen gelingt, seine Klasse zu verlassen und sich der Arbeiterbewegung tatsächlich anzuschließen. Mehring, 1846 in Schlawe/Pommern als Sohn eines höheren Steuerbeamten geboren, ist nach einem Studium der klassischen Philologie Journalist geworden. Sein politischer Werdegang hat ihn von radikaldemokratischen Positionen zur Sozialdemokratie geführt. Seit 1891 ist er Parteimitglied. [145]

Mehring hat sich im Laufe seines Politisierungsprozesses eine marxistische Geschichtskonzeption angeeignet. Er versucht, seine eigene Stellung in der Arbeiterbewegung von den in diesem Zusammenhang gewonnenen Einsichten her zu bestimmen. Konkret heißt das, daß er die Führungsrolle der Arbeiterklasse auf allen Gebieten propagiert und praktisch daran arbeitet, dieses Ziel zu verwirklichen. Für sich selbst sieht Mehring deswegen keine führende, sondern eher eine dienende Rolle in dem politischen Emanzipationsprozeß, der einmal die sozialistische Umwälzung der Gesellschaft bringen soll.

Die unvermittelte Übertragung dieser politischen Zielvorstellung in die Tagespraxis der Volksbühne bringt Mehring in einige Schwierigkeiten. Das Problem, mit dem er dabei konfrontiert wird, ist, daß die ›spontanen‹ Bedürfnisse des Volksbühnenpublikums durch verschiedene Einflüsse in Richtung auf bürgerliche Anschauungen vorgeformt sind. Wir werden sehen, wie Mehring an diesem Dilemma in der Volksbühne letztlich scheitert.

In gewissem Widerspruch zu seinen programmatischen Absichten kann Mehring Elemente einer klassenbewußten Ausrichtung mehrfach gerade dadurch in die Volksbühnenarbeit hineintragen, daß er bei deren inhaltlicher Umgestaltung vorprescht. Er fällt in dieser Hinsicht Entscheidungen, zu denen er nicht direkt vom Arbeiterpublikum beauftragt worden ist, ja, für die sich bei einer Mitgliederbefragung nicht einmal unbedingt eine Mehrheit finden ließe. Insofern nimmt er trotz gegenteiliger Intentionen nicht nur eine dienende, sondern beinahe mehr noch eine führende Rolle in der ›Freien Volksbühne‹ ein. Dennoch steht Mehring auch in dieser Frage in einem fundamentalen Gegensatz zu den ›Friedrichshagenern‹. Während diese Inhalte und Ziel ihrer Führungsrolle autonom bestimmen wollen,

ist es Mehrings fester Wille, sich, wenn er in der Volksbühne initiativ wird, streng
an den sozialistischen Prinzipien zu orientieren, in denen er sich mit der sozialdemokratischen Mehrheit des Publikums einig weiß.

Bei seiner Leitungstätigkeit in der Volksbühne bemüht sich Mehring von Anfang an, die Arbeiter davon zu überzeugen, daß sie auch im Bereich der Kunst
selbst in der Lage seien, zu bestimmen, was für ihre Zwecke nützlich sei und was
nicht. Die Verwirklichung des Grundsatzes der »Selbstbefreiung und Selbsterzie-
hung« gibt Mehring sogar als Hauptzweck der ›Freien Volksbühne‹ an, nur auf
diesem Wege könne die Volksbühne »ein wirkliches Werkzeug der proletarischen
Emanzipation« werden, das in einem Teilbereich dazu beitrage, »die Arbeiter aus
den Fesseln unwürdiger Abhängigkeit« zu »befreien«. [146]
Diese Konzeption stellt Mehring strikt allen »›volkspädagogischen‹« Absichten
gegenüber. [147] Nicht die ›Erziehung der Arbeiter zum Kunstverständnis‹ [148]
(Ledebour) oder gar die ›Heranziehung eines neuen Publikums‹ »für die hinsie-
chende Kunst« (Julius Hart) [149], auch nicht die scheinbar neutrale ›Zusammen-
führung‹ von »Kunst und Volk«, »damit sie sich gegenseitig veredeln« (Wille)
[150], sondern ihre begrenzte Möglichkeit, als ›Hebel‹ oder ›Werkzeug‹ den
›proletarischen Emanzipationskampf‹ zu fördern, ist nach Mehring der Zweck der
›Freien Volksbühnen‹. [151]
Deswegen fordert Mehring nicht die Unterwerfung der Arbeiter unter die Ansprüche der Kunst, wie sie sich in den Ansprüchen der kunstsachverständigen Literaten konkretisieren, das Publikum solle sich mit den Intentionen der aufgeführten Stücke identifizieren, sondern er geht im Gegenteil davon aus, daß die Arbeiterbewegung, je mehr sie »in die Breite und namentlich in die Tiefe« wachse,
desto mehr auch das Bestreben habe, »sich die Welt des schönen Scheins [...]
zu erobern«. [152] Dieses legitime Bestreben gelte es zu unterstützen, mit der
Einschränkung, daß von vornherein versucht werden müsse, Illusionen und ›über-
schwengliche Hoffnungen‹, die sich an die Volksbühnenbewegung knüpften, ab-
zubauen. Nur eine realistische Einschätzung der beschränkten Möglichkeiten solcher Bemühungen könne verhindern, daß diese »in zwecklose Theaterspielereien«
›entarteten‹ oder daß sie »nutzlose Kräfte« ›verzehrten‹, »die auf anderen Gebieten nützlich zu verwenden wären«. [153] Das Bedürfnis der Arbeiter nach dem
Theater vergleicht Mehring mit einer ›neuen Quelle‹, die ›aufsprudele‹, »wo niemand sie vermuthet hätte«; sie dürfe nicht ›zerstört‹ werden, das »würde ein gefährlicher Mißgriff sein«, »man« ›müsse‹ »freilich auch dafür sorgen, daß sie zuletzt doch wieder in den großen Strom des Kulturfortschritts« ›münde‹, »den die
Arbeiterbewegung« ›darstelle‹. [154]
Wenn Mehring in diesem Zusammenhang den Satz schreibt: »Politik gehört gewiß nicht in die ›Freien Volksbühnen‹« [155], hat das trotz der scheinbaren
Ähnlichkeit eine ganz andere Stoßrichtung als bei Wille, denn hier soll die Vorstellung zurückgewiesen werden, die Aufführung und Rezeption von Theaterstük-
ken sei schon Politik oder könne sie gar ersetzen – in Anspielung auf Willes anti-

parlamentarische Attacken in den Auseinandersetzungen mit der Parteiführung von 1890 unterschiebt Mehring ihm und seinen Freunden die Meinung, sie hielten die »Betheiligung der Arbeiter an der sogenannten ›Volksbühnen-Bewegung‹« für »unendlich wichtiger, als ihre Betheiligung an der Wahlbewegung«. [156] Wenn Mehring der Volksbühne wie jedem anderen Theater die Aufgabe zuspricht, für ihrer Mitglieder »Erholung«, ›geistige Auslösung‹ und »Erfrischung« dazusein, und »das menschliche Herz zu erheben und zu erfreuen« [157], will er damit nicht den Volksbühnenverein entpolitisieren, sondern durch eine realistische Einschätzung der Ausgangslage – das heißt: der begrenzten politischen Funktion der unmittelbaren Praxis der Volksbühne – auf die Notwendigkeit hinweisen, sorgfältig die Punkte herauszufinden, an denen eine Politisierung ansetzen kann.

Als ersten solchen Punkt sieht er von vornherein die demokratische innere Vereinsstruktur, die den Gedanken der Selbstverwaltung der eigenen Angelegenheiten in der Arbeiterklasse fördere; als zweiten Punkt gibt er die Einführungen in die aufgeführten Stücke an, die in der Vereinszeitschrift erscheinen und die sich diametral von den Einführungen unterscheiden, die die Wille-Fraktion zuerst mündlich und nach dem Verwaltungsgerichtsurteil dann auch schon in schriftlicher Form den Vereinsmitgliedern geboten hat. [158]

Mehring versucht nicht, den Zuschauern die Stücke schmackhaft zu machen, sondern sie dazu zu befähigen, einen parteilichen Standpunkt zu den Stücken einzunehmen. Dieser parteiliche Standpunkt schließt die Identifikation mit dem Gebotenen aus, weil es, nach Mehring, ›innerhalb der bürgerlichen Welt‹ keine »revolutionäre Umwälzung der bürgerlichen Bühne« geben könne. [159] Weil aber die Volksbühne nur zu einem ganz geringen Teil eigene Inszenierungen aufführen, in den meisten Fällen sich hingegen aus dem Angebot der bürgerlichen Bühnen nur die ihr am geeignetsten scheinenden Stücke auswählen kann, kann sie sich nicht so verhalten, als sei sie eine Organisation zur Rezeption von im sozialistischen Sinne parteilicher Kunst, sondern ist nach Mehrings Vorstellung ein proletarischer Verein, der »vom Klassenstandpunkte aus die Kunst fördert und genießt«. [160] Der Klassenstandpunkt liegt also hier hauptsächlich in der Art und Weise, wie mit den Inhalten umgegangen wird, die alle notwendig auf irgendeine Weise Teil der bürgerlichen Gesellschaft sind und deren Rahmen nicht sprengen, und nicht in den Inhalten selbst.

Dieses Problem stellt sich erst Mehring. Zu Willes Zeiten hat diese Fragestellung deswegen nicht aufkommen können, weil die für die Volksbühne ausgewählten Stücke aus dem Repertoire bürgerlicher Bühnen von der ›Friedrichshagener‹ Mehrheit in der Volksbühnenleitung zu Recht als in *ihrem* Sinne parteilich aufgefaßt worden sind. Für die Mitglieder der Volksbühne ist dieses Problem nicht drängend gewesen, weil sie sich weitgehend mit der propagandistischen These der naturalistischen Literaten, der Naturalismus stimme in seiner Tendenz mit dem sozialistischen Gedankengut überein, identifiziert haben. Unter solcher Voraussetzung schien ihnen ein sozialistisches Theater schon auf den bürgerlichen Bühnen verwirklicht zu sein, und die Volksbühne konnte unproblematisiert auch in

bezug auf die dargebotenen Inhalte als sozialdemokratische Unternehmung empfunden werden.

Die Einschätzung der Stücke vom proletarischen Klassenstandpunkt aus versucht Mehring in seinen Aufsätzen in der Vereinszeitschrift ›Die Volksbühne‹ für
das Publikum vorweg zu leisten; diese Aufsätze haben deshalb nicht nur den Charakter einer Einführung, in der die Zusammenhänge des Stückes erläutert werden,
sondern in weiten Teilen den einer vorweggenommenen Kritik, in der das Stück
einer harten Wertung unterzogen wird.

So schreibt Mehring etwa über Hermann *Sudermanns* Stück *Ehre,* das im ersten
Volksbühnenjahr zu den größten Publikumserfolgen gehört hatte, vor der Wiederaufführung im Mai 1893, Sudermann besitze zwar ein ›schönes Talent‹, aber er
komme »im allgemeinen über die Grenzen der kleinbürgerlichen Romantik nicht«
hinaus [161], und das sei kein Zufall, denn ›die sozialen Konflikte‹, die er in
seinem Stück darstelle, ließen sich »auf dem Boden der bürgerlichen Gesellschaft in
Wirklichkeit nicht lösen«. Wenn nun die Konflikte im Drama selbst gelöst werden sollten, liege es »in der Natur der Dinge, daß bürgerliche Dichter sich in das
Wolkenland der bürgerlichen Romantik flüchten« müßten. [162] Das, was dieses
Stück sehenswert mache, sei also nicht diese Lösung, sondern die Gestaltung des
Konflikts selbst, der »mit herber Kraft und Wahrhaftigkeit gezeichnet« sei. [163]

In der Einführung zur Aufführung des *Pfarrers von Kirchfeld* von *Anzengruber*
im Mai 1895 [164] erklärt.Mehring ganz offen, daß es sich bei der Auswahl
dieses Stückes, das auch vor der Volksbühnenspaltung schon einmal vor der
Volksbühne gegeben worden war, um eine Verlegenheitslösung gehandelt habe.
Die bürgerlichen Bühnen hätten in der ganzen Spielzeit »nichts als Nieten« hervorgebracht, kein Stück sei darunter, mit dem die ›Freie Volksbühne‹ etwas an-
fangen könne; deswegen die Wiederaufführung des Stückes *Pfarrer von Kirchfeld*
von Ludwig Anzengruber, obwohl es bei vielen Zuschauern in der ersten Aufführung auf Unverständnis gestoßen war [165], weil es sich mit Problemen beschäftigt, zu denen die Berliner Arbeiter unmittelbar keinerlei Zugang finden konnten.
Mehring nennt in seiner Einführung den Gesichtspunkt, unter welchem es für die
Volksbühnenmitglieder trotzdem nützlich sein könne, sich das Stück anzusehen.
Hinter dem »Streit um den religiösen Dogmenglauben«, der Thema des Stückes
ist und der »für das heutige Proletariat überhaupt Hekuba« sei, spiele sich nämlich das ›Ringen‹ der österreichischen Landbevölkerung »um soziale Emanzipation« ab. [166] Aus dem gewaltigen Publikumserfolg, den das Stück in Öster-
reich und in Süddeutschland beim Publikum der Vorstadttheater gefunden hat,
schließt Mehring, daß Anzengruber mit seinem Stück ein zentrales wirkliches Problem der dortigen Volksmassen zur Sprache gebracht habe; schon von daher handele es sich beim *Pfarrer von Kirchfeld* um ein wichtiges Stück; einigen künstlerischen Mängeln sei unter diesem Gesichtspunkt weniger starkes Gewicht beizu-
messen.

Kritische Verarbeitung des Gebotenen fordert Mehring dem Volksbühnenpublikum nicht nur dann ab, wenn in den Aufführungen Stücke gezeigt werden, die aus dem Repertoire der bürgerlichen Bühnen ausgewählt worden sind, sondern auch in den Fällen, wo die Volksbühne selbst ausgesuchte Stücke in eigenen Inszenierungen zeigt.

Zur Aufführung des Stücks *Der freie Wille* [167] von Hermann *Faber* berichtet Mehring in der Programmzeitschrift ausführlich über die Kontroversen im Ausschuß der Volksbühne und über die Argumente einer starken Minderheit im Ausschuß, die eine Aufführung dieses Stückes abgelehnt habe. Diese Minderheit habe folgendermaßen argumentiert: »Das Schauspiel verrate unzweifelhaftes Talent, aber es sei [...] dichterisch etwas dünn. Es lasse poetischen Hauch vermissen und auch realistische Wahrheit. Namentlich die Lösung des Konfliktes bleibe in äußerlich-konventionellen Fäden hängen.« [168] Die Mehrheit habe entgegnet: »Möge die Lösung des Konflikts zu wünschen übrig lassen: der Konflikt selbst [...] sei mit einer oft ergreifenden Naturwahrheit geschildert«; die Volksbühne solle in diesem Fall »ein kräftig strebendes, wenn auch noch nicht völlig ausgereiftes Talent« mutig fördern. [169]

Selbst das Schauspiel *Hildegard Scholl* von Bernhard *Westenberger* und Eugen *Croissant* [170], neben *Andere Zeiten* von Paul Bader die einzige Uraufführung während Mehrings Tätigkeit in der ›Freien Volksbühne‹ [171], wird dem Volksbühnenpublikum von Mehring durch eine relativ kritische Einführung vorgestellt: in dem Stück, in dem es um die Problematik des ›gefallenen Mädchens‹ geht, hätten »die beiden Verfasser ein fesselndes und wichtiges Problem aus dem Schattenreiche der bürgerlichen Gesellschaft aufgegriffen und dargestellt«, demgegenüber dürfe »es nicht entscheidend ins Gewicht fallen, daß dies Schauspiel, wie alle dramaturgischen Anfängerarbeiten, auch an manchen Gebrechen« leide, »von denen wohl eine gewisse Dürftigkeit in der Anlage und in der Ausführung am ehesten zu tadeln sein dürfte«. [172] Daß auch in diesem Schauspiel der Konflikt auf scheinhafte Weise im Rahmen derselben bürgerlichen Gesellschaft gelöst wird, deren immanente Gesetze ihn hervorgebracht hatten, und daß damit auch hier das Scheitern an der »Klippe, an der die moderne Dramatik unausgesetzt« ›scheitere‹ [173], zu konstatieren ist, räumt Mehring zwar ein, verharmlost es aber, wenn er den Schluß des Stückes, wo der Jugendfreund des von einem ›adligen Abenteurer‹ verführten und mit einem Kind allein gelassenen Mädchens seine »Jugendgeliebte mitsamt ihrem unehelichen Knaben in allen ehelichen Ehren heimführt« [174], so kommentiert: Im vorliegenden Falle liege die Sache anders als bei vielen anderen modernen Dramen, die sich schließlich in romantische Auswege flüchteten, weil sie »auf dem Gebiete der bürgerlichen Gesellschaft Konflikte lösen« wollten, »die sich auf diesem Gebiete nicht lösen« ließen [175]; eine Lösung wie in der *Hildegard Scholl* sei in der bürgerlichen Gesellschaft hingegen zwar selten, aber sie komme immerhin vor; denn es gebe »auch in der bürgerlichen Gesellschaft noch brave Kerle, die ›das Vorurteil des großen Haufens‹ mit Füßen treten und die Unnatur der sozialen Zustände rächen«. [176] Im übrigen weise diese Lösung vorwärts, denn sie vollziehe »vorbildlich an der bürgerlichen

Heuchelei das derbe Strafgericht, das einmal in handgreiflicher Wirklichkeit über sie kommen« werde. [177]

Mehring kritisiert nicht, daß das Stück am Ende in illusionärer Weise Versöhnlichkeit propagiert, sondern macht die private Scheinlösung mit einer Argumentation akzeptabel, die sie als Vorgriff auf die gesellschaftliche Emanzipation interpretiert und so suggestiv eine Verwandtschaft der Tendenz des Stückes mit sozialistischem Ideengut herstellt. Diese Passage von Mehrings Einführung in *Hildegard Scholl* deutet einen Kurswechsel Mehrings in seinen Einführungsaufsätzen an.

Zu Beginn seiner Volksbühnentätigkeit hat Mehring als Richtlinie angegeben, die Zuschauer nicht zur Identifikation mit den dargebotenen Stücken führen zu wollen, sondern zu beabsichtigen, ihnen bei der Erarbeitung eines parteilichen Standpunkts zu den Stücken ›vom proletarischen Klassenstandpunkt‹ aus durch »kritische Analyse [...] an der Hand des historischen Materialismus in dem Vereinsblatte« Hilfestellung zu leisten. Dieser Absicht Mehrings steht das Bedürfnis der Mehrheit der Zuschauer entgegen, die, nachdem sie anfangs ein verschwommenes Bildungsbedürfnis ins Theater geführt hatte [178], in den ersten beiden Volksbühnenjahren zu einem Publikum geworden sind, das daran gewöhnt ist, sich mit positiven Helden eins fühlen zu können. Im Theater wurde ihnen das erhebende Gefühl vermittelt, Teil einer umfassenden Bewegung zu sein, die schon längst auch den Kulturbereich erobert habe. Mehring kann sich – gerade auch, weil er die demokratische Vereinsstruktur so hoch einschätzt – auf die Dauer nicht gegen die so vorgeprägte Erwartungshaltung der Mehrheit des Volksbühnenpublikums stemmen. Weil Mehring davon ausgeht, daß die Arbeiterklasse »eine Erneuerung der dramatischen Kunst auf dem Boden der bürgerlichen Gesellschaft« nicht herbeiführen könne und daß es unter der Herrschaft des Kapitals auf den Theatern, die selbst »ein Monopol des Kapitals und sogar des Großkapitals« [179] seien, keine proletarisch-revolutionäre Kunst geben könne, gerät er hier in ein Dilemma, weil er den Bedürfnissen seines Publikums eigentlich nicht nachgeben kann.

Mehring löst das Problem, indem er zu einem Kompromiß greift: Er kommt dem Volksbühnenpublikum einen halben Schritt entgegen, indem er ihm die Identifikation erlaubt, aber auf einem Gebiet, wo er das zumindest für relativ ungefährlich hält, nämlich auf dem Gebiet der Dramenliteratur der deutschen Klassik. Im Gegensatz zum Naturalismus, den man zwar als »Widerschein [...], den die immer mächtiger auflodernde Arbeiterbewegung in die Kunst wirft« [180], begreifen könne, der aber als ideologischer Ausdruck des untergehenden Bürgertums nur das ›Vergehende mit Wahrheitsliebe zu schildern‹ [181] vermöge und »die neue Welt« nicht »ins Auge fassen« könne, sei nämlich die deutsche klassische Literatur das ideologische Produkt eines noch revolutionär gesinnten Bürgertums, ihre Rezeption mache das revolutionäre Proletariat mit seiner »Vorgeschichte« [182] bekannt. In dieser Vorgeschichte habe das Theater eine ungleich größere Bedeutung gehabt, als das für den Kampf der Arbeiterklasse jemals der Fall sein könne, denn der ›Emanzipationskampf‹ des Bürgertums habe in Deutschland unter dem Zwang der Verhältnisse zu einem Großteil zurückgezogen auf das Feld der bloß ideologischen Auseinandersetzung stattfinden müssen, während die Arbeiterbewegung von vornherein auf dem politischen Felde kämpfe. Die hauptsächlichen Mittel in ihrem ›Emanzipationskampf‹ seien Presse, Vereine und Wahlbeteiligung. [183] Wenn das Proletariat von daher auf die Kunst nicht viel Energien richten kann, ist das, nach Mehring, kein schlechtes, sondern ein gutes Zeichen, könne man doch bei aller Bewunderung der klassischen Literatur es ebensogut für ein »Verhängnis« halten, wenn in Deutschland »alle begabten Köpfe der aufstrebenden bürgerlichen Klassen auf das literarische Gebiet gedrängt wurden, weil ihnen das deutsche Elend den Kampf auf politischem und sozialem Gebiete verschloß«. [184]

In einer Situation, wo nach seiner Meinung die Arbeiterklasse noch nicht Träger einer neuen Kunst sein kann und das Bürgertum seine revolutionären Ursprünge weit hinter sich gelassen hat, sieht Mehring für ein Theaterpublikum, das sich mit revolutionärem Elan identifizieren will, nur die Möglichkeit des Rückgriffs auf die Kunstprodukte der revolutionären Epoche des Bürgertums.

In der Volksbühne nimmt Mehring diese Position zur *Klassik* nicht von vornherein ein. In seinen ersten Einführungen in Aufführungen klassischer Dramen nimmt er diesen gegenüber keine unkritischere Haltung ein als gegenüber den ›modernen‹ Stücken. Das zeigt sich in Aufsätzen über *Kleists Zerbrochenen Krug* im März 1893 und über *Goethes Egmont* im April 1893.

Mehring erklärt Kleists Lustspiel zwar für das beste in der deutschen Literatur überhaupt, aber damit begnügt er sich nicht. Er kennzeichnet die widersprüchliche Situation, in die mit dem ganzen Bürgertum auch Kleist durch die napoleonische Fremdherrschaft geraten sei (die »nationalen und sozialen Interessen des Bürgertums traten in einen unversöhnlichen Gegensatz«); aus dieser Situation habe Kleist die Flucht in die Romantik und schließlich in den Selbstmord angetreten. Als indirekten Ausdruck der Widersprüche, mit denen Kleist zu kämpfen hatte, wertet Mehring auch die Tatsache, daß die Stücke, die Kleist für seine wesentlichen gehalten und die er mit seinem »Herzblut [...] gefärbt« habe, weitgehend der Vergessenheit anheim gefallen seien, während ausgerechnet der von ihm als »Nebenwerk« eingeschätzte *Zerbrochene Krug* die anderen Stücke »überlebt« habe und nun allein von Kleists ›genialem‹ Talent zeuge. [185]

Anläßlich der Aufführung von Goethes *Egmont* schreibt Mehring im Programmheft [186] über Goethes Dramatik im allgemeinen, sie reiche »nicht an seine Lyrik und Epik heran« [187], und kritisiert kompositorische Mängel im *Egmont*. [188] Nachdrücklich beraubt er den Helden des Stückes seines Nimbus, indem er über den historischen Egmont aufklärt, der alles andere »als ein revolutionärer Held« gewesen sei, er habe sich vielmehr als Angehöriger des niederländischen Feudaladels während des vom Bürgertum getragenen Befreiungskampfes der Niederlande immer wieder kompromißbereit gegenüber dem spanischen Hofe gezeigt. [189] Goethe habe mit seiner Idealisierung einen anderen Egmont geschaffen; aber auch gegenüber dieser Kunstfigur rät Mehring nicht zur Identifikation, sondern zur Distanz, wenn er schreibt, auch Goethes Egmont sei, wie der historische Egmont, ein Feudalherr, allerdings eher im Sinne des dreizehnten als des sechzehnten Jahrhunderts, ihm sei nämlich ›der gute Glauben‹ an die »Rechtmäßigkeit seiner feudalen Besitztitel« noch nicht zweifelhaft geworden. Deutlich spricht sich Mehring auch gegen die Geschichtsvorstellung aus, die aus den Volksszenen des Stückes spricht: »Nicht Egmont und Oranien« hätten »die glorreichen Befreiungskämpfe der Niederlande durchgeführt«, sondern ›diese‹ »Gevatter Schneider und Handschuhmacher«, deren angebliche »Großtuerei« und »Wankelmut« in Goethes Drama vorgeführt würden. [190] In Mehrings Schlußfazit halten sich Ablehnung und versöhnliche Zustimmung die Waage: »Doch genug dieser orientierenden Bemerkungen. Immer ist Goethes *Egmont* das Werk eines großen Dichters, und die Probe eines Jahrhunderts hat er bestanden. Freilich nicht ohne Einbuße, aber was tuts? Die Flut der Zeit spült den Irrtum weg, und die Menschheit erbt den unvergänglichen Rest.« [191]

Ganz anders sieht es ein dreiviertel Jahr später aus, als die Volksbühne *Schillers Kabale und Liebe* zur Aufführung bringt. Hier versucht Mehring durch seine Einführung [192], das Publikum zu einer völligen Zustimmung zu dem Stück zu bewegen.

Im letzten Absatz seines Aufsatzes parallelisiert er zu diesem Zweck die negative Kritik, die das Stück *Kabale und Liebe* anläßlich seiner Uraufführung 1784 in der ›Vossischen Zeitung‹ erfahren hat, mit den aktuellen Angriffen der ›Vossischen Zeitung‹ auf die Arbeit der Volksbühne und auf deren beliebteste Dichter Hauptmann und Ibsen: »Derselbe Geist, welcher der ›Vossischen Zeitung‹ diese famose Kritik über Schillers *Kabale und Liebe* eingegeben hat, beseelt ihre Urteile über Ibsen, Hauptmann, nicht zuletzt auch die ›Freie Volksbühne‹. Um so mehr [...] sollte die Arbeiterklasse die revolutionären Dramen unserer klassischen Literatur in Ehren halten.« [193] Diesem Schluß entspricht auch schon der Beginn seiner Einführung; der erste Satz lautet: »Nächst und neben Lessings ›Emilia Galotti‹ ist Schillers ›Kabale und Liebe‹ das revolutionärste Drama unserer klassischen Literatur.« [194] Gegen die in der Arbeiterklasse verbreitete Neigung, »Dramen wie Lessings ›Emilia Galotti‹ und Schillers ›Kabale und Liebe‹ zu unterschätzen« spricht Mehring sich explizit aus. Die Arbeiterklasse solle im Gegenteil »Werke wie Schillers ›Kabale und Liebe‹ in Ehren halten«: denn noch habe »kein moderner Naturalist eine Dichtung geschrieben, die so voll revolutionärer Tatkraft« sei »wie Schillers bürgerliches Trauerspiel unter den vor hundert Jahren in Deutschland herrschenden Verhältnissen« gewesen sei. [195] Zur Identifikation lädt Mehring auch mit solchen Formulierungen ein wie der, daß damals »in den kleinbürgerlichen Klassen«, die z. B. in der Person des Stadtmusikanten Miller dargestellt werden, »ein ehrlicher Proletarierzorn [...] zu kochen begonnen« habe. [196]

Bei seiner Schilderung des historischen Hintergrundes, vor dem das Stück spielt, geht Mehring ausführlich auf die ökonomischen und politischen Bedingungen der Fürstenklasse in Deutschland ein und schildert deren Verkommenheit, die im Handel mit ihren eigenen Untertanen gipfelte. Dabei stellt er richtig fest, daß Schiller sich mit *Kabale und Liebe* gegen »diese Schandwirtschaft« richte [197], aber er arbeitet nicht heraus, von welchem Standpunkt aus Schiller diese Zustände geißelt. Er geht nicht darauf ein, daß Ferdinand, der Held des Stückes, nicht von einem bürgerlich-revolutionären Standpunkt aus gegen den »zwerghaften Despotismus« [198] kämpft, sondern vom Standpunkt eines aufgeklärten und gebildeten Adligen aus, der bürgerliche Ideen rezipiert hat und jetzt sein adeliges Vorrecht, zu den Mächtigen im Lande zu gehören, nicht nur von seiner Abstammung her, sondern zusätzlich durch moralische Qualitäten zu legitimieren sucht. [199] Der Sekretär Wurm schwärzt Ferdinand bei seinem Vater, dem Präsidenten, an, weil er aus den »Akademien«, an denen er studiert habe, seltsame Grundsätze mitgebracht habe, derentwegen er jetzt mit »phantastischen Träumereien von Seelengröße und persönlichem Adel« sich an einem Hof bewege, wo alles den »langsamen, krummen Gang der Kabale« gehe. [200] Dem entspricht auf der Seite von Luise, der bürgerlichen Heldin des Stücks, der Verzicht auf Ferdinand, den sie nicht aus revolutionärem bürgerlichen Selbstbewußtsein zurückweist, sondern deswegen, weil sie schließlich doch die soziale Ordnung, in der sie lebt, anerkennt. Sie erklärt Ferdinand, sie müsse »einem Bündnis entsagen, das die Fugen der Bürgerwelt auseinander treiben und die allgemeine ewige Ordnung zu Grund stürzen würde« [201], und sagt ihm: »dein Herz gehört deinem Stande – Mein Anspruch war Kirchenraub und schaudernd geb ich ihn auf«.

Im Stück ist die einzige von einem bürgerlichen Standpunkt aus aufsässige Figur der Musikant Miller, Luises Vater. Indem er seine Angst zurückdrängt (Regieanweisung: »Miller [...] tritt hervor in Bewegung, wechselweis für Wut mit den Zähnen knirschend und für Angst damit klappernd«) und den Präsidenten, der seine Tochter beleidigt hat, aus der Wohnung weist (Miller »herzhafter«: »Ewr. Exzellenz schalten und walten im Land. Das ist meine Stube. Mein devotestes Kompliment, wenn ich dermaleins ein pro memoria bringe, aber den ungehobelten Gast werf ich zur Tür hinaus«), redet er sich in Lebensgefahr. [202] Über Miller stellt Mehring richtig fest, daß Schiller in dieser Figur nicht nur das Erwachen eines ›gewissen Selbstbewußtseins‹ bei den kleinbürgerlichen Schichten dargestellt hat, sondern auch deren Halbherzigkeit, genüge doch ein »Beutel voll Gold, ein Almosen, das sie in sogenannten Ehren von dem Adel annehmen konnten«, um sie »wieder kirre« zu machen. [203] Als Miller von Ferdinand nämlich einen Beutel voll Goldstücke geschenkt bekommt, will er mit dem Geld unter anderem seine Tochter ausstaffieren wie ein Adelsmädchen: ... »eine Haube soll sie tragen wie die Hofratstöchter«. [204]

Indem Schiller in dieser bürgerlichen Gestalt Macht und Ohnmacht zugleich zeigt, deutet er an, in welchem Zustand sich zu seiner Zeit die bürgerliche Klasse in Deutschland befand, wo es ihr nicht gelang, die bürgerliche Revolution durchzuführen. Aber in der Tatsache, daß Schiller in seinem Stück in dem tragischen Scheitern der Liebe des aufgeklärten Adligen Ferdinand zu der Bürgertochter Luise ex negativo die Klassenversöhnung zwischen Adel und Bürgertum als das eigentlich Wünschenswerte darstellt, wird auch deutlich, daß Schiller selbst nicht einfach als Vertreter einer revolutionären bürgerlichen Ideologie bezeichnet werden kann. Die Flucht der bürgerlich-revolutionären Ideen aufs Theater läßt diese selbst nicht unverändert. Wenn Mehring in seiner Einführung in *Kabale und*

Liebe schreibt: »der ganze Emanzipationskampf des deutschen Bürgertums voll-zog sich schließlich in den Ätherhöhen der Idee« und »die großen Dichtungen unserer klassischen Literatur« von daher als »rühmliche Stationen« in der »Vor-geschichte« der Arbeiterklasse eingeschätzt – was in der Formulierung gipfelt: »Der revolutionäre Geist, aus dem sie geboren sind, lebt heute noch allein im Prole-tariat« [205] –, dann unterschlägt er die Ambivalenz einer bürgerlichen Ideolo-gie, die von der wenig rühmlichen bürgerlichen Wirklichkeit ihrerseits nicht un-beeinflußt geblieben ist.

Der revolutionären Momente der klassischen Literatur dürfte sich das sozial-demokratische Arbeiterpublikum der ›Freien Volksbühne‹ nur durch eine ebenso kritische Rezeption versichern, wie Mehring sie gegenüber den naturalistischen Dramen fordert. Sonst besteht hier genauso die Gefahr, die Mehring vermeiden will, daß nämlich die Volksbühnenaktivitäten nicht Energien für den politischen Kampf freisetzen, sondern binden. [206]

Mehring stellt das Dilemma, das ihn zum Griff nach der klassischen Literatur gezwungen hat, nicht offen dar. Er verschleiert es vielmehr, wenn er die offenkun-digen Theaterbestrebungen der Berliner Arbeiterschaft auf deren subjektiven Wil-len zurückführt, sich ihrer »Vorgeschichte« zu bemächtigen. Diese Bestrebungen werden deutlich durch die kontinuierlich steigende Mitgliederzahl der ›Freien Volksbühne‹. Trotz der Spaltung werden z. B. am Beginn von Mehrings Amts-zeit in der Volksbühne wie zuletzt unter Wille alle Vorstellungen dreimal vor vol-lem Haus gegeben; eineinhalb Jahre später müssen schon je fünf Aufführungen von jedem Stück arrangiert werden, um alle Mitglieder zu erreichen. Mehring in-terpretiert diesen Drang zum Theater leichtfertig, wenn er sagt, die Arbeiter wür-den durch »die hohe Bedeutung, die das Theater für den Emanzipationskampf der bürgerlichen Klassen gehabt« habe, ›angezogen‹; deswegen strebten sie da-nach, »sich die Welt des schönen Scheins *wieder* zu erobern, die in ihrer eigenen Vorgeschichte eine so bedeutsame Wirklichkeit gewesen« sei. [207]

Diesen Gedanken, den er im Juli 1893 in der ›Neuen Zeit‹, dem theoretischen Organ der Sozialdemokraten, formuliert hat, bringt Mehring in der Einführung in *Kabale und Liebe* vor ein breiteres Arbeiterpublikum, allerdings mit der we-sentlichen Variante, daß er bei den Arbeitern eine solche Vorstellung nicht mehr als gegeben voraussetzt, sondern diese erst auffordert, sie sich zu eigen zu machen. Die schon zitierten Sätze vom revolutionären Geist der großen Dichtungen der klassischen Literatur, der allein noch im Proletariat weiterlebe, und die Aufforde-rung, *Kabale und Liebe* in Ehren zu halten, richten sich nämlich ausdrücklich gegen eine Haltung der Arbeiterklasse, die »leicht geneigt« sei, Dramen wie *Emi-lia Galotti* und *Kabale und Liebe* »zu unterschätzen«. [208] Solchermaßen wird die Not zur Tugend erklärt.

Daß Mehring tatsächlich Grund zu der Befürchtung gehabt haben mag, die Arbeiter würden ohne eine solche Aufforderung dem Stück *Kabale und Liebe* nicht genug Ehrfurcht zollen, läßt sich indirekt aus einer Kritik der rechtsstehenden [209] Berliner Tageszeitung ›Post‹ anläßlich der ersten Aufführung von *Kabale und Liebe* vor der ›Freien Volksbühne‹ (noch unter Wille) im Januar 1891 schließen. Voller Zorn wirft der Rezensent da nämlich der Volksbühnen-leitung vor, daß sie »›Kabale und Liebe‹ nur aufgeführt habe, um Schiller von den Berliner Arbeitern auslachen zu lassen«. [210]

In einem gewissen Widerspruch zu der wenig respektvollen Haltung des Volks-bühnenpublikums angesichts der ersten Aufführung von *Kabale und Liebe* scheint die Feststellung Mehrings zu stehen, daß die Arbeiter, die im Volksbühnenaus-schuß mit an der Stückauswahl teilgenommen hätten, sich mit Vorliebe für Dra-men ausgesprochen hätten, deren allgemeine Geltung als Bildungsgut nicht zwei-felhaft gewesen sei. Mit solcher Motivation hätten sie auch der Aufführung von Dramen der deutschen Klassik gern zugestimmt. [211]

Dieser Widerspruch dürfte nach zwei Seiten hin aufzulösen sein:

– Der Theatergeschmack des Publikums zur Zeit der ersten *Kabale und Liebe*-Aufführung (1891) ist noch durch die positive Stellung zum Naturalismus ge-prägt. In *Kabale und Liebe* reizt deswegen die als gestelzt und unnatürlich emp-fundene Sprache zum Lachen.

– Die mit Leitungsfunktionen betrauten Arbeiter gehen nicht mit derselben Un-befangenheit wie das einfache Publikum an die klassische Dramatik heran. Sie fühlen sich unter dem Zwang, ihre Entscheidungen rechtfertigen zu müssen, und wählen deshalb Stücke aus, bei denen sie glauben, daß ihnen die Rechtfertigung nicht schwer fallen dürfte. Die Dramatik der Klassik scheint ihnen in dieser Hinsicht relativ unproblematisch und deshalb geeignet zu sein.

Mit seiner Klassikkonzeption ist Mehring selbst an der Herausarbeitung einer Konzeption der Volksbühnenarbeit beteiligt, wie er sie sechs Jahre später seinem Nachfolger im Volksbühnenvorsitz, Conrad Schmidt, heftig vorwirft: »Hätte ir-gendwer 1890 vorhersagen können, daß die ›Freie Volksbühne‹ im zehnten Jahre ihres Bestehens stolz darauf sein würde, Dramen aufzuführen, die seit zwanzig, seit fünfzig und selbst schon seit hundert Jahren bis zur Bewußtlosigkeit auf dem bürgerlichen Theater abgespielt worden sind, so wäre die ›Freie Volksbühne‹ nicht entstanden. Das damals so frische und kräftige Klassenbewußtsein der Ber-liner Arbeiter hätte dann einfach dekretiert: Weg mit der Spielerei!« [212]

Im Sommer 1900 verteidigt Mehring gegen diese ›fatale‹ Entwicklung das »ur-sprüngliche Programm« [213] der ›Freien Volksbühne‹, zu dem er zustimmend einen Aufsatz von Kautsky aus dem Jahre 1891 zitiert, in dem es heißt: »Die Aufgabe der ›Freien Volksbühne‹ geht dahin, Dramen, die ihrer Tendenz wegen bisher nicht zur Aufführung gelangen konnten, die dem Proletariat vorenthalten wurden, diesem in der Darstellung zugänglich zu machen.« [214] In seiner Ver-teidigung des ›ursprünglichen Programms‹ geht Mehring so weit, Willes ›Neue Freie Volksbühne‹ über die ›Freie Volksbühne‹ in ihrer jetzigen Form zu stellen. Die ›Neue Freie Volksbühne‹ sci »dem ursprünglichen Programm in hohem Grade treu geblieben«, ihre Leitung habe »mit einer gewiß anerkennenswerthen Findig-keit und Konsequenz immer noch Stücke aufzufinden gewußt, die nicht auf die bürgerliche Bühne gelangen können, aber von literarischem Werth und für das

Proletariat anregend sind« [215], demgegenüber habe sich die ›Freie Volksbühne‹ »von ihrem ursprünglichen Programm so weit zurückgezogen, daß sie stolz« sei, »im zehnten Jahre ihres Bestehens Faust und Hamlet aufzuführen«. [216] Die ganze Volksbühnenpraxis sei eine Ehrung des ›Geschmacks‹ »der Ahnen«. [217] Ein Festhalten an dem Prinzip, auf das die Volksbühne gegründet worden sei, hätte immerhin bedeutet, daß die Volksbühnenaktivität für die Arbeiter nicht schädlich geworden wäre; so aber bedeute die Tätigkeit dieses Arbeitervereins, daß er »den Emanzipationskampf seiner Klasse« schädige. [218] Mehring sieht hier gefährliche Parallelen zu den Volkstheaterplänen der bürgerlichen Volksbildner wie Georg Adler oder gar des Propagandisten einer »königlich preußischen Volksbühne«, Ludwig Ernst Hahn [219], die ›ganz gut wüßten‹, »weshalb sie immer auf dem prinziplosen Theaterspielen als einem höchst probaten Mittel zur ›Bildung‹ und ›Beruhigung‹ der Arbeiterklasse herumgeritten sind«. [220]

Mehring kritisiert hier die Entwicklung der ›Freien Volksbühne‹, auch wenn es wegen der neuen Einschätzung Willes und des ›ursprünglichen Volksbühnenprogramms‹ auf den ersten Blick nicht so aussieht, unter demselben Gesichtspunkt, unter dem er bei der Spaltung die Konzeption der Leitung der alten ›Freien Volksbühne‹ kritisiert hat.

Damals ging Mehring in seiner Kritik davon aus, »daß alle ›Volkspädagogik‹ [...] den Arbeiter mit der heutigen Gesellschaft ›versöhnen‹ und ihn seinem Befreiungskampfe abwendig machen« wolle [221]; dabei grenzte er die ›Freie Volksbühne‹ gegen alle »bourgeoisen ›Volksunternehmungen‹« ab, gleichgültig, ob diese der »anarchistischen« oder »der freisinnigen Spielart« [222] zuzurechnen wären. Auch jetzt, 1900, ist es Mehrings Methode, in der teilweisen Übereinstimmung der proletarischen Volksbühnenarbeit mit bürgerlichen Konzeptionen auf diesem Gebiet das entscheidende Indiz dafür zu sehen, daß an die Stelle einer revolutionären Perspektive die Einordnung in das bestehende System zu treten beginnt; damit verwandele sich die ›Freie Volksbühne‹ tendenziell aus einer ›literarischen Organisation der Arbeiterklasse‹ in einen ›bürgerlichen Theaterverein‹. [223]

Mehring lastet diese Entwicklung nicht einzelnen »Personen« als »Schuld« an, sondern erklärt sie für eine »Schuld der Verhältnisse« [224], was ihn allerdings nicht daran hindert, eine Kehrtwendung in der Vereinskonzeption nachdrücklich zu fordern.

Die ›Schuld der Verhältnisse‹ liegt für Mehring zum einen in der schon dargestellten Notwendigkeit, sich in der Auswahl der Stücke weitgehend auf das Repertoire der bürgerlichen Theater stützen zu müssen, zum andern in der geringen Zahl überhaupt für die ›ursprünglichen Zwecke‹ der Volksbühne geeigneter neuer Stücke; den dritten Punkt nennt Mehring erst jetzt, während er die beiden erstgenannten schon in seiner eigenen Amtszeit als Schwierigkeiten angeführt hat, ohne vor ihnen zu resignieren. Der dritte Punkt ist die Haltung des Volksbühnenpublikums, das gegen die von Mehring als fatal angesehene Entwicklung der ›Freien Volksbühne‹ nicht nur keinen Widerstand leistet, sondern mit ihr vollkommen zufrieden ist. [225]

Mehring berichtet zu diesem Phänomen über seine Erfahrungen mit den Arbeitern, die während der Zeit seines Vorsitzes im Ausschuß der Volksbühne gesessen hätten, um die aufzuführenden Stücke mit auszuwählen. Die ›harte Beanspruchung‹ dieser Arbeiter »durch den gewerkschaftlichen oder politischen Kampf« hätte sie nicht befähigt, vom Klassenstandpunkt aus ein ›konsequentes Programm‹ aufzustellen und durchzuführen, sondern sie seien durch ihre Überlastung nicht in der Lage gewesen, sich zusätzlich auch »noch auf dem Laufenden über die zeitgenössische Literatur« zu halten. [226] Die Folge davon sei gewesen, daß sie gerade wegen ihrer starken »Gewissenhaftigkeit« und »in dem drückenden Gefühl einer Verantwortlichkeit, von der man empfindet, daß man ihr doch nicht gerecht werden könne« sich zu Stücken ›gerettet‹ hatten, »die dadurch eine sichere Garantie bieten, daß sie schon unsere Großväter und Väter entzückt haben«. [227]

Im selben Zusammenhang muß Mehring zugeben, daß die eigentliche Stütze der Arbeit des Ausschusses zu seiner Zeit und auch später der »Aesthetiker und Literarhistoriker« Robert Schweichel gewesen sei, und ebenfalls einräumen, daß die demokratisch organisierte Leitung der Volksbühne durch Arbeiter nicht schon garantiere, daß das ursprüngliche Ziel des Vereins, Theatertätigkeit vom proletarischen Klassenstandpunkt aus, auch Wirklichkeit werde. Damit überwindet Mehring ansatzweise die formalistische Ansicht, die sein Wirken in der Volksbühne am Anfang bestimmt hat und deren Inhalt die Gleichsetzung von organisatorischer Leitung durch Angehörige der Arbeiterklasse und politischer Bestimmung durch den proletarischen Klassenstandpunkt gewesen ist. Mehring stellt mit der Abkehr von dieser Konzeption gleichzeitig implizit auch die Grundlagen des demokratischen Prinzips der Volksbühnenorganisation in Frage, wie es 1892 den Hauptpunkt seiner Abgrenzung gegen Wille und dessen Literatenfreunde gebildet hatte. Er sieht sich allerdings nicht in der Lage, eine Lösung des Problems anzugeben. Er formuliert nur sein Dilemma, wenn er schreibt: »So sehr ich heute noch wie vor acht Jahren die Auffassung vertrete, daß ein Arbeiterverein ohne demokratische Organisation weder eine Existenzberechtigung noch eine Existenzmöglichkeit hat, so sehr muß ich anerkennen, daß ich damals die thatsächlichen Schwierigkeiten, die der demokratischen Organisation der ›Freien Volksbühne‹ entgegenstehen, ganz beträchtlich unterschätzt habe.« [228]

Wie unlösbar für ihn das Problem offensichtlich ist, geht daraus hervor, daß er im selben Zusammenhang Verständnis für die Wille-Position äußert, obwohl ihm ohne Zweifel klar ist, daß diese nicht die positive Alternative zur demokratischen Volksbühnenorganisation sein kann. Schließlich führt die Alleinherrschaft der Literaten noch weniger zur Durchsetzung des proletarischen Klasseninteresses. Mehring hat sich von formalistischen Vorstellungen noch nicht vollständig lösen können. Er sieht hier nur die falsche Alternative: demokratische Verfassung, was er gleichsetzt mit dem augenblicklichen Zustand, oder zentralistische Verfassung, was für ihn gleichbedeutend ist mit der Literatenherrschaft. Der Formalismus dieser Alternative liegt im Fehlen jeglicher qualitativer Bestimmung der Inhalte, die über bestimmte Organisationsformen durchgesetzt werden sollen. Mehring denkt in abstrakten Alternativen, die beide keine Lösung darstellen, statt das Verhältnis von demokratischen und zentralistischen Momenten den inhaltlichen Notwendigkeiten sozialdemokratischer Volksbühnenarbeit entsprechend zu konkretisieren.

Mehring kann sein Dilemma auf dem Boden der deutschen Sozialdemokratie der neunziger Jahre nicht lösen. Diese macht nämlich keinen begrifflichen und keinen politisch-praktischen Unterschied zwischen objektivem Klasseninteresse der Arbeiterklasse, wie es durch die marxistische Analyse der kapitalistischen Gesellschaft zuerst einmal theoretisch erschlossen wird, und den subjektiven Bewußtseinsformen der Arbeiter, die durch eine ganze Reihe zusätzlicher Faktoren bestimmt sein können. Auf organisatorischem Gebiet bedeutet die Form der Mitgliederorganisation (im Gegensatz zur Kaderpartei) die tendenzielle Gleichsetzung von Partei und Klasse, in der Partei soll nicht eine Avantgarde organisiert werden, sondern die Masse der Arbeiter. Von daher kann sich die deutsche Sozialdemokratische Partei nicht die Erziehungsfunktion zusprechen, wie sie Lenin später in seiner Parteikonzeption als notwendig herausstellt.

Nach Lenin ist es eine der wesentlichen Aufgaben der sozialdemokratischen Partei, »immer breitere Schichten von Proletariern und Halbproletariern zu vollem sozialdemokratischen Bewußtsein emporzuheben«. [229] Um diese Aufgabe durchführen zu können, muß die sozialdemokratische Partei, wie Lenin sie sich vorstellt, eine Organisation der Avantgarde der Arbeiterklasse sein: »Gerade damit die Masse einer bestimmten Klasse lernen kann, die eigenen Interessen, die eigene Lage zu begreifen, ihre eigene Politik zu betreiben, gerade dazu ist die Organisation der fortgeschrittensten Elemente der Klasse unbedingt und um jeden Preis notwendig, auch wenn diese Elemente am Anfang einen ganz geringen Teil der Klasse ausmachen sollten.« [230] Weil hier deutlich zwischen einem möglicherweise unentwickelten Bewußtseinsstand der breiten Arbeitermassen und der politischen Einsicht der ›fortgeschrittenen Elemente der Klasse‹ unterschieden wird, stellt sich hier nicht die Alternative, vor die sich Mehring bei der Programmgestaltung der ›Freien Volksbühne‹ gezwungen sieht, nämlich entweder sich den aktuellen, von ihm selbst unter politischen Gesichtspunkten als falsch angesehenen, Wünschen der Mitgliedermehrheit der Volksbühne zu unterwerfen – oder sich nach Willes Konzept ›volkspädagogisch‹ zu betätigen und damit in die Gefahr zu begeben, die Arbeiter an der Artikulation ihrer eigenen Interessen auf diesem Gebiet zu hindern und sie hier letztlich den Interessen einiger literarisch gebildeter Intellektueller zu unterwerfen.

In Mehrings Alternative taucht bezeichnenderweise an keiner Stelle die Sozialdemokratische Partei auf, die nach der Leninschen Konzeption die Aufgabe hätte, als ›Vorhut der Arbeiterklasse‹ auch eine solche Aktivität wie den Volksbühnenverein zu kontrollieren und dabei sowohl die (objektiven) Interessen der Arbeiterklasse durchzusetzen wie das subjektive Bewußtsein der Mitglieder des Vereins weiterzutreiben. Der Idee nach wäre hier der Widerspruch – entweder Demokratie oder selbstherrlich autoritäre Leitung – auf einer höheren Ebene gelöst. Daß Mehring eine solche Lösungsmöglichkeit nicht sieht, hat seine hauptsächliche Ursache in der objektiven Situation, vor der er steht: die deutsche Sozialdemokratische Partei ist keine Vorhutorganisation vom Leninschen Typus, die in der Lage wäre oder auch nur den Anspruch stellte, für den Kulturbereich Teilstrategien im Rahmen einer revolutionären sozialistischen Gesamtstrategie zu entwickeln und von daher die Praxis ihrer Sympathisanten oder Mitglieder in diesem Bereich zu kontrollieren oder anzuleiten.

Darauf, daß es zwischen seinen eigenen Vorstellungen und denen der Arbeiter in der Volksbühnenleitung gewisse Differenzen gegeben habe, weist Mehring erst in seinem Aufsatz von 1900 hin. Solange er die Volksbühne geleitet hat, von 1892 bis 1895, hat er das dahinterstehende Problem in der doppelten Weise überspielt, daß er einerseits eigene Gedankengänge oder Motivationen als explizites Interesse der Arbeiter in der Volksbühne darstellte und daß er andererseits ausdrücklichen Wünschen der Arbeiter, auch wenn er mit ihnen nicht übereinstimmte, nachkam, sie aber so interpretierte, daß sie mit seinen eigenen Vorstellungen in Übereinstimmung schienen oder daß er sogar selbst wie der Initiator aussah.

Beides läßt sich an den Klassikeraufführungen in der ›Freien Volksbühne‹ ablesen: Führt Mehring 1900 die relativ hohe Zahl von Klassikeraufführungen, die es schon zu seiner Amtszeit in der Volksbühne gegeben hat, auf die Risikofurcht der Ausschußmitglieder zurück, die statt neuer Stücke lieber altbewährte aufführen lassen wollten [231], so stellt sich diese Frage in seiner Einführung in *Kabale und Liebe* durch die an die Arbeiter gerichtete Mahnung, »die großen Dichtungen unserer klassischen Literatur« nicht zu »unterschätzen« [232], so dar, als sei Mehring hier selbst initiativ geworden. Als Beispiel zum Beleg der ersten These läßt sich Mehrings Argumentationsgang anführen, mit dem er die Theaterfreudigkeit der Arbeiter auf deren Bedürfnis zurückführt, auch für ihren Befreiungskampf sich eines Instruments zu bemächtigen, das »hohe Bedeutung [...] für den Emanzipationskampf der bürgerlichen Klassen gehabt« habe. Er stilisiert dieses Bedürfnis hoch zu einem »Trieb, der ursprünglich aus der Arbeiterklasse hervorbricht«, der »unzerstörbar« sei und den »zerstören wollen [...] ein gefährlicher Mißgriff sein« würde. [233]

Mehring verwechselt hier seine eigene Motivation, sich mit der demokratisch-revolutionären Vergangenheit des Bürgertums auseinandersetzen zu wollen, mit der Motivation der Arbeiter, von denen gerade die, die überhaupt für die Aufführung von Klassikern eintreten, nach seinen eigenen späteren Bekundungen ganz andere Beweggründe gehabt haben als er. Für Mehring, der selber aus dem Bürgertum stammt und seinen politischen Werdegang in der bürgerlichen Demokratie begonnen hat, verkörpert sich in der Vergangenheit des Bürgertums auch ein Teil seiner eigenen Vergangenheit. Weil für ihn die Erfahrung der Diskrepanz zwischen bürgerlicher Ideologie und bürgerlicher Wirklichkeit ein wichtiger Anstoß für seinen Übergang zur Sozialdemokratie gewesen ist, bestätigt ihm die Beschäftigung mit den Manifestationen der revolutionär-bürgerlichen Ideologie indirekt immer wieder die Folgerichtigkeit seines Übergangs zum Sozialismus. Für Mehring als Angehörigen der bürgerlichen Intelligenz hat der letzte Satz in Engels Schrift *Ludwig Feuerbach und der Ausgang der klassischen deutschen Philosophie* (1886): »Die deutsche Arbeiterbewegung ist die Erbin der deutschen klassischen

Philosophie« [234] nicht nur historisch-analytische, sondern unmittelbar politisch herausfordernde Bedeutung. Wenn man von den alten Kadern der Arbeiterbewegung absieht, die bis in die sechziger Jahre noch mit politischen Vertretern des liberalen Bürgertums gemeinsam gekämpft haben – allerdings weniger um Ideen als um materielle Rechte – dann ist für die Arbeiter die Ideologie des revolutionären Bürgertums kein naheliegendes Problem. In der Arbeiterbewegung verkörpert sich ihr Interesse unmittelbar, es bedarf nicht solcher Vermittlungsschritte wie für die bürgerliche Intelligenz, für deren Selbstverständnis das Argument, das Bürgertum habe seine Ideen verraten und deren Impulse verkörperten sich nur noch in der Arbeiterbewegung, eine wichtige Rolle spielen kann.

Weniger noch als bei den bürgerlichen Ideen im allgemeinen kann bei den literarischen Kunstprodukten des Bürgertums davon ausgegangen werden, daß die Arbeiter sich hier als ›Erben‹ fühlen. Wenn Mehring das in seiner Argumentation voraussetzt, verwechselt er besonders offensichtlich seine individuellen Motive mit denen der Arbeiter. Für diese gilt nämlich nicht wie für den Philologen Mehring, der in der klassischen Literatur zu Hause ist, daß sie in deren Problemstellungen auch ihre eigenen Probleme erkennen, was eine Voraussetzung für das ›Erben‹ wäre. Auch mit dem Satz über die Dichtung der klassischen deutschen Literatur, den Mehring analog zu Engels These von der Arbeiterbewegung als Erbe der deutschen klassischen Philosophie formuliert: »Der revolutionäre Geist, aus dem sie geboren sind, lebt heute allein noch im Proletariat« [235], will er primär die Arbeiter erst auffordern, sich zur klassischen Dichtung als ›Erben‹ zu verhalten. Dabei verwechselt er die agitatorische Funktion, die diese Argumentation bei bürgerlichen Intellektuellen, wie ihm selbst, haben kann, mit der Funktion, die sie gegenüber den Arbeitern hat, die dadurch erst motiviert werden sollen, sich intensiv mit Gegenständen zu beschäftigen, mit denen sie vorher kaum Identifikationen verbinden.

Das Hauptproblem bei Mehrings Stellungnahmen zur klassischen Literatur in der Volksbühne liegt nicht in der Frage, die er selbst während seiner Leitungstätigkeit in der Volksbühne, aber auch noch in seinem Aufsatz von 1900, in den Vordergrund schiebt, ob nämlich klassische Stücke auf der Volksbühne gespielt werden sollen oder nicht, sondern in der falschen Einschätzung der ambivalenten Bedürfnisse, die die Arbeitermitglieder von der Volksbühne befriedigt sehen wollen. Bei diesen Bedürfnissen könnte nämlich unter Umständen hinter einer Forderung, die Klassiker im Repertoire zu berücksichtigen, dasselbe Motiv stecken wie hinter einem Wunsch, mehr naturalistische Stücke zu sehen. Beide Bedürfnisse könnten z. B. aus dem politischen Anspruch der Auseinandersetzung mit der bürgerlichen Ideologie entspringen, aber auch aus dem unpolitischen Bestreben, sich in den herrschenden Kulturbetrieb einzufügen, von dem sowohl die moderne wie die herkömmliche Richtung integrale Bestandteile sind. Die hauptsächliche Scheidelinie liegt nicht in der Frage, ob Klassik oder Naturalismus, sondern in der Frage, ob der Kulturbereich jenseits der Politik liegt oder ob auch hier von politischen Konzeptionen auszugehen ist.

In der zugespitzten Situation der Volksbühnenspaltung im Herbst 1892 überschneiden sich allerdings diese Probleme, so daß auch von daher Mehrings spätere Fehleinschätzungen zu verstehen sind. Im Zuge der ursprünglich politisch motivierten Abgrenzung gegen Wille und die ›Friedrichshagener‹ trifft Mehrings vorsichtige Kritik [236] an den überschwänglichen Erwartungen, die die Volksbühnenmitglieder an den Naturalismus geknüpft hatten und die sich als Erwartung an die Literaten in der alten Volksbühnenleitung konkretisiert hatten, auf breite Zustimmung unter den Ausschußmitgliedern und dem Volksbühnenpublikum. Das dürfte auch daran liegen, daß allgemein schon deshalb die Notwendigkeit eingesehen wird, in der Volksbühne mit einer neuen Konzeption zu arbeiten, weil man sich gegenüber Willes Neugründung, der ›Neuen Freien Volksbühne‹, abgrenzen will.

In wie hohem Maße die negative Abgrenzung gegen Wille in der ersten Zeit nach der Spaltung in der ›Freien Volksbühne‹ als integrierender Faktor gewirkt hat, läßt Mehring 1900 indirekt durchblicken, wenn er darüber berichtet, daß es nur zu jener Zeit, »wo die Gemüther noch in erregter Kampfstimmung waren«, gelungen sei, »die dreizehn Mitglieder des Ausschusses vollständig zusammenzubringen«; später sei selbst diese geringste Voraussetzung zur »Durchführung eines konsequenten Programms« nicht wieder zu schaffen gewesen. [237]

Aus der Einigkeit in der ersten Zeit seiner Volksbühnenleitung schließt Mehring fälschlich auf eine weitgehende Übereinstimmung in den Grundfragen der Volksbühnenarbeit. Daraus läßt sich erklären, weshalb er es versäumt, die wirklichen Bedürfnisse der Volksbühnenmitglieder zu ergründen. Gerade die Schroffheit, mit der die Volksbühnenmitglieder Wille 1892 ablehnen und die bei ihnen ein zwangsläufiges Ergebnis der heftigen Spaltungsauseinandersetzungen ist, vermag Mehring, der an diesen Auseinandersetzungen selbst nicht teilgenommen hat, darüber hinwegzutäuschen, daß damit bisher nicht viel mehr als eine persönliche (wenn auch politisch motivierte) Abkehr von Wille und seinen Literatenfreunden vollzogen worden ist, die erst in sehr bescheidenen Ansätzen auch einen Bruch mit deren Konzeptionen bedeutet.

Für Mehring selbst hat sich das von vornherein anders dargestellt. Für ihn ist Wille nie als Individuum interessant gewesen, sondern er hat ihn immer als einen Exponenten jener Fraktion der bürgerlichen Intelligenz angegriffen, mit der er seit seinem Übergang von der bürgerlichen Demokratie zur Sozialdemokratie in einer erbitterten Fehde liegt, ja, deren Verhalten im ›Fall Lindau‹ wesentlich dazu beigetragen hat, diesen Übergang zu beschleunigen.

Mehring setzt sich im Sommer 1890 in einer breit angelegten Pressekampagne für die Schauspielerin Elsa von Schabelsky ein, die als ehemalige Geliebte des einflußreichen Theaterkritikers Paul Lindau von diesem, nachdem sie sich von ihm getrennt hat, mit erpresserischen Methoden aus Berlin vertrieben werden soll, und über die Lindau, als sie sich seinen Erpressungen nicht beugt, durch seinen Einfluß einen totalen Boykott von seiten aller Berliner Theater erwirkt. [238] Als Mehring in diesem Zusammenhang den »Literatursultan« Lindau bloßstellt und frontal angreift, stößt er, wie er später selber formuliert, »auf Gegner«, in denen er »eher Bundesgenossen vermutet hätte, auf Anhänger des modernen Naturalismus«. [239]

Mehring unterscheidet in diesem Zusammenhang in seiner als Buch veröffentlichten Streitschrift *Kapital und Presse* (1891) zwei Richtungen des Naturalismus. Die erste ›wurzele‹ »unzweifelhaft in demokratischem und sozialem Boden«, wenn sie auch zu sehr von einem »hoffnungs- und trostlosen Pessimismus« beherrscht sei, der »seiner Natur nach eine reaktionäre Strömung« sei. [240] Zu dieser Richtung zählt Mehring Sudermann und Hauptmann. Seine ›Gegner‹ aber zählt Mehring zur zweiten Fraktion des Naturalismus; diese Richtung ›wurzele‹ »ganz und gar im kapitalistischen Boden«, in ihrer Nietzsche-Nachfolge liege sogar »eine Potenzierung des kapitalistischen Geistes«. [241] Wenn auch die Naturalisten dieser Richtung zum offiziellen Kulturbetrieb, den er durch die Person Lindaus repräsentiert sieht, in Opposition stünden, so gehörten sie doch letzten Endes alle zu ein- und derselben ›Clique‹, was sich beispielhaft im »Fall Lindau« gezeigt habe, wo sie in dem Moment, als Mehrings »Vorgehen gegen Lindau das gemeinsame Cliqueninteresse berührte«, sogleich als »geschlossener Ring« aufgetreten seien. [242]

Von den führenden Mitarbeitern der Volksbühne hat Mehring hier vor allem Otto Brahm im Auge, der selbst zum Freundeskreis Elsa von Schabelskys gehört hat [243] und sich nun in der von ihm herausgegebenen ›Freien Bühne‹ als einer der engagiertesten Verteidiger Lindaus hervortut. [244] Nachdem Mehring im November 1890 wegen seines Engagements in der Lindau-Affäre schon seinen Posten in der ›Volks-Zeitung‹, deren Chefredakteur er sieben Jahre lang gewesen war, verloren hat, gehört Brahm zu denjenigen Angehörigen des »Lindau-Rings« [245], die sich damit nicht zufrieden geben, sondern Mehring noch mehr Schläge versetzen wollen. So erhebt Brahm gegen Mehring mit dem Argument Klage, dieser habe ihn in seiner Schrift *Der Fall Lindau* und in einigen in der ›Volks-Zeitung‹ erschienenen Notizen beleidigt. [246] Als sich vor Gericht die Unhaltbarkeit seiner Argumente herausstellt, zieht er seine Klage beim zweiten Verhandlungstermin zurück, aber das kann nicht mehr zum Abbau einer Konfrontation beitragen, die er durch sein Verhalten entscheidend eskaliert hat.

Die Literaten in der ›Freien Volksbühne‹, Wille, Julius Hart und Bölsche sind allesamt Autoren in der von Otto Brahm herausgegebenen Zeitschrift ›Freie Bühne‹; außerdem sitzt auch Otto Brahm selbst im ersten Ausschuß der ›Freien Volksbühne‹ als Beisitzer. Von diesen Tatsachen ist Mehrings Stellungnahme zur ›Freien Volksbühne‹ in deren erster Zeit wesentlich geprägt. Schon am 2. Oktober 1890, vor Brahms Klageerhebung, schreibt Mehring in der ›Volks-Zeitung‹, er veröffentliche einen ihm zugegangenen Bericht über eine Versammlung der ›Freien Volksbühne‹ nicht, sondern überantworte ihn dem Papierkorb, weil diesem »Unternehmen jede ernsthafte Zukunft abgeschnitten« sei »angesichts der Thatsache, daß an der Spitze des Vereins vielfach dieselben Leute stehen, die erst vor wenigen Wochen gegen Männer, wie Auer und Bebel, die Anklage auf Korruption erhoben und jetzt Arm in Arm mit Herrn Brahm ihr Jahrhundert in die

Schranken fordern« [247]; aus dem Bericht sei im übrigen zu entnehmen, »daß sich die Arbeiter so gut wie ganz von dem Ulke zurückgezogen« hätten. [248] In einer Zuschrift an die Volks-Zeitung beschwert sich Wille über Mehrings Notiz und stellt sich mit den Worten vor Brahm, er fühle sich »nicht dazu berufen, einen Mann wegen eines ihm feindlichen Gerüchtes anzuklagen«. Mehring kontert in derselben Zeitungsnummer: »Weiß Herr Wille, der Moralprediger der freireligiösen Gemeinde, in der Unmoral des Herrn Brahm nur ein ›feindliches Gerücht‹ zu entdecken, so müssen wir ihn als einen – günstigstenfalls – komischen Konfusionarius betrachten« und er weiß wieder zu berichten, daß die Arbeiter dabei seien, sich von Willes Vorstellungen »auf politischem wie auf künstlerischem Gebiete mit wachsendem Widerwillen« abzuwenden. [249]

In *Kapital und Presse* zählt Mehring Wille deutlich erkennbar zu der Naturalistenfraktion, die ›ganz und gar im kapitalistischen Boden wurzele‹, wenn er in diesem Zusammenhang auf Willes Herdentier-Rede anspielt: Wenn das Proletariat wirklich »ein so viehisch verkommenes Geschlecht« wäre, wie es diese Naturalisten, die es nur im Bordell oder in der Kneipe darzustellen vermöchten, weiszumachen versuchten, dann würde sich »in der That gegen die ›Ausbeutung‹ dieser ›Herdenthiere‹ durch die ›freien Geister‹ nicht besonders viel« ›einwenden lassen‹. [250] Die Herdentier-Metapher zitiert Mehring in seiner Schrift auch aus Nietzsches Schrift *Jenseits von Gut und Böse* (»Moral ist heute in Europa Heerdenthier-Moral« [251]) und versucht damit, eine Verwandtschaft von dessen Philosophie mit den Ideen der Brahm-Willeschen Naturalistenfraktion aufzuweisen. Nietzsches Philosophie und diese naturalistische Richtung seien beide »nur eine Potenzierung des kapitalistischen Geistes«. [252]

In den ersten Volksbühnenjahren hat für Mehring diese Einschätzung der sie leitenden Literaten ausgereicht, um der ganzen Institution Volksbühne einen baldigen Untergang nicht nur zu prophezeien, sondern auch zu wünschen. [253] Er hat sich deswegen nicht die Mühe gemacht, genau zu untersuchen, in welcher Weise sich Willes und Brahms Vorstellungen konkret in die tägliche Praxis der Volksbühne umgesetzt haben. Deswegen wirkt sich seine politisch-umfassende Einschätzung der Wille-Fraktion, die nicht wie bei den meisten Volksbühnenmitgliedern im Personalistischen steckenbleibt, auf der Ebene der praktischen Volksbühnenarbeit viel weniger umfassend aus.

Mehring läßt das indirekt in der Gegenbehauptung deutlich werden, mit der er den von Julius Hart erhobenen Vorwurf, er habe bis zu seiner Wahl zum Vorsitzenden der ›Freien Volksbühne‹ »nur eine ziemlich gehässige Gesinnung« gegen diese von ihm als ›lächerlich‹ bezeichnete Unternehmung an den Tag gelegt [254], empört zurückweist. Er kennzeichnet Julius Hart wegen dieser angeblichen Verleumdung als den ›unverschämtesten Fabulisten‹ »des Musenhofs am Müggelsee« (= Friedrichshagen) und erwidert ihm in der ›Neuen Zeit‹: »Die Wahrheit ist, daß ich den Verein seit zwei Jahren privatim und öffentlich als ein höchst dankenswerthes Unternehmen vorgeschrittener Arbeitskreise anerkannt, aber seit eben so langer Zeit Herrn Wille privatim und öffentlich eine ›lächerliche‹ Persönlichkeit genannt habe, weil er in einem Athemzuge die angebliche Korruption der

Sozialdemokratischen Partei bejammerte und den Hungerboykott des Herrn Lindau als ›reines Mittel‹ anerkannte.« [255] Mehrings Würdigung der Arbeit der Volksbühne in den ersten zwei Jahren ihres Bestehens, wie er sie hier formuliert, erweckt den Eindruck, als handele es sich bei seiner Übernahme des Vorsitzes lediglich um einen Führungswechsel in dem Verein und als sei es nicht nötig, dessen ganze Arbeit neu zu überdenken und neu zu bestimmen.

Die gleiche Tendenz verfolgt Mehring, wahrscheinlich ohne es zu wollen, wenn er die Propaganda der Wille-Freunde, die die ganze Vereinstätigkeit einzig als dessen Aktivität ausgeben wollen [256], mit der Gegendarstellung zurückweist, es sei »durch schlüssige Beweise erhärtet, daß Türk viel mehr für den Verein gearbeitet hat, als Wille«. [257] Mit dieser Argumentation verharmlost Mehring den prägenden Einfluß, den Wille mit seinen Vorstellungen auf die Praxis der Volksbühne, aber auch auf die Bedürfnisse und Erwartungen der Volksbühnenmitglieder vor allem deswegen ausüben konnte, weil die Arbeiter hier unter seiner Führung ein Gebiet betraten, das für sie so gut wie gänzlich Neuland gewesen war. Mehrings Argumentation verschließt den Weg zu einem tiefgreifenden Kurswechsel, weil er trotz seiner heftigen Angriffe auf die autoritäre Vereinsstruktur unter Willes Leitung, Willes Bedeutung für die Volksbühne als nebensächlich hinstellt.

Umgekehrt ist die Argumentation ein Indiz dafür, daß Mehring sich eine grundsätzlich andere Arbeit der Volksbühne nicht vorstellen kann. Mehrings subjektiver Wille, der Volksbühnenarbeit eine andere Funktion zu geben, als es deren Gründer im Sinn hatten, wirkt sich deswegen in der Praxis wesentlich nur in der radikalen Konzeptionsänderung der Einführungsaufsätze in den Programmzeitschriften aus. Daß die Demokratisierung der Entscheidungsstrukturen keine einschneidenden Veränderungen bewirkt hat, haben wir ja schon gesehen. [258]

Am Beginn seiner Volksbühnentätigkeit steht bei Mehring die optimistische Geringschätzung der Probleme, die sich daraus ergeben, daß die bisherige Praxis des Vereins bestimmte Erwartungshaltungen der Mitglieder vorgeformt hat. Im Verlauf seiner Leitungstätigkeit verläßt ihn in seinen Bekundungen nach außen dieser Optimismus nicht. Ein Beispiel dafür ist die Darstellung seiner harmonischen Übereinstimmung mit den Arbeitern im Volksbühnenausschuß in der Frage der Klassikeraufführungen. Es ist nicht verwunderlich, daß im Laufe der Jahre die nach außen weiter vertretene optimistische Fehleinschätzung nach innen Pessimismus und Resignation provoziert, weil die tägliche Erfahrung ihr ständig widerspricht.

Das wird deutlich an Mehrings Haltung, als im April 1895 die Polizei beide Volksbühnenvereine mit der Verfügung überraschte, daß ab sofort alle Stücke, die zur Aufführung gelangen sollen, vierzehn Tage vor dem Aufführungstermin der Zensurbehörde zur Genehmigung vorgelegt werden müssen. Wegen ihrer großen Mitgliederzahl und der Leichtigkeit, mit der die Mitgliedschaft zu erreichen sei, könnten die Volksbühnenvereine nicht mehr als regelrechte Vereine bezeichnet werden, ihre Aufführungen seien deswegen wie öffentliche Aufführungen zu behandeln. [259] Diesem Angriff können sich die Volksbühnen nicht unterwerfen, ohne ihre Daseinsberechtigung aufzugeben, denn sie haben sich ja gerade zu dem Zweck, nicht der Zensur zu unterliegen, als Vereine gegründet. Mehrings Stellungnahmen zu diesem Angriff, in denen er immer wieder die Alternative aufstellt: die Volksbühne arbeitet entweder ohne Zensur oder gar nicht, scheinen von daher konsequent.

Auf einer Protestversammlung der ›Freien Volksbühne‹ gegen die Zensurverfügung fordert Mehring, es ›müsse alles versucht werden, um dem Verein die bisherige Freiheit zu sichern‹. [260] Ein von ihm initiierter Antrag des Vorstandes empfiehlt in seinem ersten Teil, gegen die Polizeiverfügung zu klagen, und im zweiten Teil, ab sofort die Vorstellungen einzustellen, d. h. sie erst dann wieder aufzunehmen, wenn das ohne Zensur möglich sein würde. Die Volksbühnenmitglieder stimmen diesem Antrag einmütig zu. Doch daraus läßt sich eher schließen, daß ihnen in dieser Situation an der Demonstration eines einheitlichen Protestes gelegen ist, als daß ihnen der Vorstand mit diesem Antrag aus der Seele gesprochen hat. Schließlich können sie kaum damit rechnen, mit der freiwillig vollzogenen vorläufigen Selbstauflösung auf jene Behörden Eindruck zu machen, die mit ihren einzelnen Behinderungsaktionen die schließliche Zerschlagung der Volksbühnenorganisationen als letztes Ziel verfolgen. Dieses letzte Ziel nimmt der Antrag des Vorstandes in seinem zweiten Teil vorweg. Der Ausgang des gleichzeitig angestrengten gerichtlichen Verfahrens wird deswegen durch dieses Vorgehen nicht im Interesse der Volksbühnenmitglieder beeinflußt, sondern im Interesse der Polizeibehörden präjudiziert.

Mehring benutzt den Angriff der Polizei wie einen Vorwand, um die Arbeit des Volksbühnenvereins, in der er keinen Sinn mehr zu sehen vermag, wenigstens nicht sang- und klanglos, sondern in einem politisch-spektakulären Schritt einzustellen. Für die Theaterpraxis der ›Freien Volksbühne‹ hat die Zensurverfügung nämlich so gut wie keine, zumindest keine aktuelle Bedeutung: in der ganzen Zeit von Mehrings Vorstandstätigkeit, drei Spielzeiten, ist mit Ausnahme von Hauptmanns *Die Weber* kein einziges Stück gespielt worden, das nicht schon zuvor für die öffentliche Aufführung auf bürgerlichen Bühnen durch die Zensur gegangen wäre. [261]

Gerade diese Tatsache, daß nämlich »der Spielplan der ›Freien Volksbühne‹ nothgedrungen auf schon bekannte Stücke von künstlerischem Werth beschränkt blieb« [262], ist es aber auch, deretwegen Mehring in einem Aufsatz anläßlich der Bestätigung der polizeilichen Zensurverfügung durch das Oberverwaltungsgericht fast ein Jahr später den Argwohn ›mancher Parteikreise‹ gegen die ›Freie Volksbühne‹ für verständlich erklärt. Allerdings weist er in diesem Aufsatz die Argumentation, durch solche Aktivitäten würden »die Kräfte und die Zeit des klassenbewußten Proletariats« ›zersplittert‹, noch zurück, wenn er erklärt: »seitdem die Arbeiter sich vor drei Jahren zu eigenen Herren im Hause des Vereins gemacht« hätten, sei ein solcher Vorwurf »sachlich unbegründet«. [263] Erst in seinem Aufsatz über die ›Freie Volksbühne‹ vom Juli 1900 läßt Mehring die wirklichen Hintergründe seines Verhaltens in der Zensurverfügungsangelegenheit deutlich werden, wenn er schreibt, der Hindernisse, die einer sinnvollen Volksbühnenarbeit im Wege gestanden hätten, sei er sich nicht von Anfang an bewußt gewesen, aber im Laufe der drei Jahre seiner Tätigkeit in der Leitung des Vereins hätten sie sich ihm so weit enthüllt, »daß, als die Freie Volksbühne dem Köllerstreich [Köller ist 1895 preußischer Innenminister] [264] erlag, mir als ihrem damaligen Vorsitzenden dies Ende nicht allzu schreckhaft erschien. Ich war längst zweifelhaft geworden, ob das Spiel die Kerze lohne, und wenn nun ein ehrenhafter Tod auf dem Schlachtfeld alle Zweifelsqualen abschnitt, um so besser!« [265] Mehring verfolgt anläßlich der Zensurverfügung die Strategie, der Volksbühne, in deren weiterer Tätigkeit er keinen politischen Sinn mehr sieht, wenigstens ein solches Ende zu bereiten, das durch seinen politisch-demonstrativen Charakter die Volksbühnenmitglieder politisch voranzutreiben vermag.

Deshalb schlägt er in der Protest-Generalversammlung der Volksbühne keinen defensiven Ton an: Er greift die Polizeiverfügung nicht an ihrem juristisch schwächsten Punkt an, an der Behauptung nämlich, von einer bestimmten Größe an sei ein Verein kein Verein mehr, sondern er attackiert sie hauptsächlich an einem nicht in der politischen Defensive, sondern nur im politischen Angriff zu überwindenden zentralen Punkt: die 1851 erlassene Verordnung über die Zensurpflicht aller öffentlichen Vorstellungen, die die Rechtsgrundlage für die polizeiliche Verfügung abgegeben hat, stehe im Widerspruch zur preußischen Verfassung, in der die Freiheit der Meinungsäußerung garantiert sei. [266] Der ›Vorwärts‹ beschreibt die Generalversammlung dann auch als ›imposante Kundgebung gegen die Zensur‹. [267]

In der Absicht, die Proteste gegen die Polizeiverfügung zu politisieren, versäumt es Mehring allerdings, bei den Volksbühnenmitgliedern auch ein Bewußtsein über die hinter ihnen liegende Volksbühnenarbeit und über seine Bedenken gegen deren entpolitisierende Tendenzen zu wecken. Im Gegenteil: die Politisierung des Protestes ist auch dazu angetan, erneut Illusionen über die politische Bedeutung der Volksbühne, die hier anscheinend so entschieden verteidigt wird, hervorzurufen. Die vorläufige und im März 1896 nach Bestätigung der Polizeiverfügung durch das Oberverwaltungsgericht auf Antrag Mehrings endgültig vollzogene Auflösung des Volksbühnenvereins [268] ist also nicht von einem Lernprozeß der Mitgliedermassen begleitet, der eine Wiederholung derselben Volksbühnenkonzeption, die sich so wenig bewährt hat, ausschlösse.

Die Auflösung der Volksbühne markiert den Tiefpunkt des ›Friedrichshagener‹ Einflusses auf die Berliner Arbeiter. Nach der 1892 erfolgten Ausschaltung ihrer direkten Einwirkungsmöglichkeiten wird jetzt auch ihren indirekten Nachwirkungen, die darauf zurückgehen, daß sie einmal den Charakter der Volksbühne entscheidend geprägt haben, ein Ende gesetzt.

Die Erkenntnis, daß das Ende der Volksbühne eine solche Bedeutung hat, bleibt den Vereinsmitgliedern allerdings weitgehend verschlossen. Im Gegensatz zu Mehring, der froh ist, ein relativ gutes Ende dieses seiner Meinung nach trüben Kapitels gefunden zu haben, hoffen die meisten Mitglieder auf eine baldige Wiederbelebung der ›Freien Volksbühne‹. Die Folge davon wird 1897 tatsächlich ihre Neugründung sein. Mit deren Zusammenhängen werden wir uns weiter unten beschäftigen. [269]

Wenn Mehrings Einsichten nicht auch die Einsichten der Mitgliedermehrheit werden, ist das nicht einfach als Schuld Mehrings zu werten, dem man vorwerfen könnte, er habe nicht genügend unternommen, um seinen Standpunkt verständlich zu machen. Der entscheidende Faktor dafür, daß Mehrings Position, obwohl sie eindeutig parteilich für die Sozialdemokratie ist, dennoch eine individuelle Position bleibt, ist jedoch darin zu sehen, daß er von der Sozialdemokratischen Partei keinerlei Unterstützung erfährt.

Statt seine politische Einschätzung in allen Konsequenzen in einer politisch bestimmten Gruppe vordiskutieren zu können, muß Mehring sie gleich in die Führungsgremien der Volksbühne einbringen. Hier aber muß er schon mit taktischer Rücksichtnahme auf die Durchsetzbarkeit seiner Vorschläge behutsam vorgehen, weil hier noch ganz andere als politische Motivationen eine Rolle spielen. Nur mit einer kulturpolitischen Konzeption der Sozialdemokratie im Rücken hätte Mehring, dann auch zusammen mit anderen Parteimitgliedern, offensiv in der Volksbühne auftreten können.

Aber die Sozialdemokratie verhält sich zu kulturpolitischen Fragen passiv und neutral. Während sie damit einerseits das Vordringen aktiver Gegenspieler wie der ›Friedrichshagener‹ erleichtert, erschwert sie auf der anderen Seite das konsequente Voranschreiten aktiver Sozialdemokraten. Das geschieht auf dem Umweg darüber, daß sie das Gefühl begünstigt, es sei alles so in Ordnung, wie es sei. Denjenigen, die wie die ›Friedrichshagener‹ letzten Endes die Eingemeindung der Arbeiter in den bestehenden Kulturbetrieb vor Augen haben, hilft diese Einstellung genauso, wie sie denjenigen, die die bestehenden Verhältnisse auch auf dem kulturellen Sektor umstürzen wollen, schadet.

3.3 Das Verhältnis der Sozialdemokratischen Partei zur Volksbühnenbewegung

Es gibt keine offizielle Haltung der Sozialdemokratischen Partei zur Volksbühnenbewegung. Die logische Folge davon ist, daß es in der Partei unterschiedliche Meinungen zu diesem Komplex gibt. *Eine* Tendenz ist allerdings in allen Positionen, wenn auch mit unterschiedlichem Gewicht, aufzufinden: eine unmittelbare politische Funktionalisierung der Volksbühnenarbeit wird abgelehnt. Die meisten Sozialdemokraten sehen es deswegen nicht als notwendig an, überhaupt politisch in die Volksbühnenbewegung einzugreifen. Insofern wird die Kritik, die sie z. B. an der Volksbühne haben, für deren Praxis nicht relevant. Kritiker, die sich in dieser Weise praktisch neutral verhalten, unterscheiden sich in ihrer Wirkung nicht von denen, die ihre Neutralität zusätzlich theoretisch begründen. Sie ändern somit nichts am Gesamteindruck, daß die Sozialdemokratie sich zur Volksbühne vorwiegend neutral verhält.

In einigen Teilen der Parteimitgliedschaft regt sich sporadisch ein gewisses Mißtrauen gegen die Volksbühne, in den ersten Jahren von einer Position aus, die mit Wille auch sein ganzes Unternehmen in Bausch und Bogen verdammt, weil sie keinen Unterschied zwischen dem Willen der Mitglieder und dem der Leitung entdecken kann. [270] Schon bevor die ›Freie Volksbühne‹ sich von Wille getrennt hat, gewinnen die Unmutsäußerungen einen grundsätzlichen Charakter, was sich daran zeigt, daß sie nicht auf Wille und die ›Freie Volksbühne‹ beschränkt bleiben, sondern daß auch Arbeitersängerbund und Arbeiterbildungsschule in die Kritik mit einbezogen werden. Zwar weist der ›Vorwärts‹ eine angebliche Behauptung Wildbergers empört zurück, der sozialdemokratische Reichstagsabgeordnete und Schriftführer des Parteivorstandes Ignaz Auer [271] habe ein offensives Vorgehen gegen all diese Institutionen gefordert [272], aber unwiderlegbar scheint dem ›Vorwärts‹ offensichtlich die Konkretisierung von Wildbergers Vorwurf zu sein: Auer habe in einem Brief an ein Vorstandsmitglied der Arbeiterbildungsschule von »Bildungsschwindel« gesprochen, und die sozialdemokratischen Vertrauensmänner Berlins hätten schon vor längerer Zeit beschlossen, »in einer öffentlichen Volksversammlung gegen die ›Freie Volksbühne‹, den Arbeitersängerbund und die Arbeiterbildungsschule vorzugehen«. [273] Die Vertrauensmänner seien hauptsächlich skeptisch gewesen über die viel größere Anziehungskraft auf die Arbeiter, die diese Unternehmungen, verglichen mit den politischen Organisationen, ausübten. Ihren etwas unpräzisen Ausdruck findet diese Skepsis in der Klage darüber, daß die Kulturunternehmungen bei ihren »Festlichkeiten kolossale Überschüsse machten«, während »die Partei [...] am 1. Mai und bei der Lassallefeier meist mit Defizit gearbeitet« habe. [274]

Mehring versucht, diese Kritiker zu beruhigen, wenn er (1893) schreibt: Die Konsequenz, »mit den Freien Volksbühnen sei lieber ganz aufzuräumen« liege ›energischen Charakteren‹ »ja im Allgemeinen nahe, und dem Parteikassier im Besonderen müßte es als eine sehr menschliche Empfindung nachgesehen werden, wenn er auf die 30 bis 40 000 Mark, mit denen der diesjährige Etat der Freien Volksbühne abschließen wird, nicht mit ungemischtem Wohlwollen blicken würde. Es ist aber doch sehr die Frage, ob von dieser Summe auch nur 30 oder 40 Pfennig ohne die Freie Volksbühne in die Parteikasse geflossen sein würden. Denn schließlich lebt auch der eifrigste Parteimensch nicht von der Politik allein«. [275] In dieser Argumentation, die die ›Freie Volksbühne‹ für eine Stätte der »geistigen Auslösung und Erfrischung« [276] derjenigen erklärt, die sonst im politischen Kampf stehen, werden von Mehring die tatsächlich vorhandenen Gefahren unterschätzt, daß entweder die Teilnahme an den Theatervorstellungen, die man für Aktivitäten der Sozialdemokratischen Partei hält, subjektiv schon als Teilnahme am politischen Kampf empfunden wird oder daß hier in der Organisationstätigkeit Energien gebunden werden können, die dem auch von Mehring eindeutig für vorrangig gehaltenen politischen Kampf tatsächlich abgehen.

Solche Bedenken bestehen in der Berliner Organisation der Sozialdemokratie weiterhin. Auf dem Sozialdemokratischen Parteitag 1893 bringt der 1. Berliner Reichstagswahlkreis einen Antrag ein, der auch angenommen wird und der lautet: »Die politisch wie gewerkschaftlich organisierten Genossen müssen sich voll und ganz der Agitation zur Verfügung stellen und sollen nicht durch Zugehörigkeit zu Landsmannschaften oder Mitgliedschaften sogenannter Vergnügungsvereine, Klubs etc. ihre Parteipflicht vernachlässigen.« [277] Die sporadischen Äußerungen des Mißtrauens sind allerdings nicht repräsentativ für die Haltung der Sozialdemokratischen Partei, zudem bleiben sie – wie der Parteitagsbeschluß von 1893 – praktisch ohne Konsequenz. [278]

Die Grundhaltung der Sozialdemokratischen Partei zur Volksbühne ist durchgängig eine der Neutralität. Während hinter dieser Neutralität letzten Endes die Vorstellung steht, in den Bereich der Kunst hätte sich Politik nicht einzumischen, interpretieren die Volksbühnenmitglieder das Schweigen der Sozialdemokratischen Partei als politische Billigung dessen, was in der Volksbühne geschieht. Das gilt schon für die ersten beiden Jahre unter Wille, wo in der Euphorie über den erstaunlichen Aufschwung der Arbeiterbewegung nach dem Fall des Sozialistengesetzes alle Arbeiterorganisationen hoffnungsvoll als wichtige Elemente des großen Emanzipationswerkes angesehen werden. Vor diesem Hintergrund kann die Tatsache, daß Wille mit der Sozialdemokratischen Parteiführung in Fehde liegt, vernachlässigt werden. Die personelle Zusammensetzung der Führung erweckt zudem den Eindruck, es handele sich hier um eine überparteilich-sozialistische Einrichtung. Daß für die beiden Berliner sozialdemokratischen Zeitungen, das ›Volksblatt‹ (den späteren ›Vorwärts‹) und die ›Volkstribüne‹, die eher den ›Jungen‹ zuneigt, derselbe Kritiker über die Aufführungen der ›Freien Volksbühne‹ berichtet, nämlich (Willes Freund) Otto Erich Hartleben [279], bestärkt solche Vorstellungen. Ein Indiz für ein scheinbares Wohlwollen der Sozialdemokratie gegenüber dieser Theaterorganisation kann auch in dem zustimmenden Ton gesehen werden, mit dem diese Kritiken über die Intentionen der ›Freien Volksbühne‹ berichten. [280] Nicht mehr abweisbar muß den sozialdemokratischen Mitgliedern der Volksbühne dieser Eindruck scheinen, wenn sie im Zentralorgan ihrer Partei den Nachdruck eines Artikels aus der ›Magdeburger Volksstimme‹ lesen, in dem die ›Freie Volksbühne‹ als Verwirklichung eines »sozialdemokratischen Theaters« [281] gepriesen wird. Zwar deutet der Griff zum Mittel des Nachdrucks an, daß der ›Vorwärts‹ es vermeiden will, hier selbst redaktionell Stellung zu beziehen, aber andererseits wirkt der Nachdruck ohne Distanzierungserklärung als eine offene Geste der Zustimmung.

In Wahrheit sind die zuletzt aufgezählten Indizien aber nicht Ausdruck des Wohlwollens der Sozialdemokratie als Partei gegenüber der ›Freien Volksbühne‹, sondern der Tatsache, daß die Trennung zwischen Politik und Kultur als Trennung von politischer und Feuilletonredaktion genauso die sozialdemokratischen Zeitungen betrifft wie die sozialdemokratische Politik im ganzen. Hier drückt sich auf der organisatorischen Ebene aus, was in dieser Zeit der inhaltliche Zentralpunkt der sozialdemokratischen Position zur Kulturpolitik ist: im kulturellen Bereich läßt die Sozialdemokratische Partei den bürgerlichen Intellektuellen, die sich anbieten, ihr auf diesem Gebiet zur Seite zu stehen, freie Hand, weil sie für diesen Bereich nicht das Primat der Politik behauptet. Selbst in der Argumentation der sozialdemokratischen Gegner der Kultur- und Bildungseinrichtungen ist diese Konzeption noch festzumachen. Mit der Vorstellung, durch die Bildungseinrichtungen könnten die Arbeiter von ihren politischen Hauptaufgaben abgelenkt werden, akzeptiert auch diese Position die Trennung von Kulturbereich und Politik und verzichtet darauf, jenen für den politischen Kampf zu funktionalisieren. Spuren dieser Anschauung finden sich auch bei Mehring, obwohl er von allen Sozialdemokraten, die sich mit der Volksbühne beschäftigen, am meisten darum bemüht ist, sie zu einem »Werkzeug der proletarischen Emanzipation« zu machen, wie er selbst es formuliert. Trotzdem heißt es im selben Aufsatz, in dem diese Zielsetzung angegeben ist (1893): »Die Freie Volksbühne ist in ihrem dritten Spieljahre so wenig ›politisch‹ gewesen wie in ihren beiden ersten; sie wird es auch in Zukunft nicht sein.« [282] Mehring unterscheidet hier zwischen politischer und unpolitischer Emanzipation. So sollen die Arbeiter dadurch, daß sie selbständig darangehen, »die Geistesschätze der dramatischen Weltliteratur sich zu eigen« zu machen, einen Beitrag zu ihrer geistigen Selbstbefreiung leisten; dies hat dann zwar indirekt auch eine politische Funktion, aber die kulturelle Tätigkeit als solche erklärt Mehring dennoch für unpolitisch.

Was bei Mehring etwas konstruiert wirkt und teilweise als Tribut an die herrschenden Meinungen innerhalb der Sozialdemokratie und bei der linken Intelligenz seiner Zeit interpretiert werden kann, macht es objektiv möglich, daß sich unter seinen Nachfolgern, ohne daß dazu eine Korrektur der Programmatik notwendig wäre, genau die prinzipienlose Theaterspielerei in der Volksbühne durchsetzt, die Mehring immer scharf attackiert hat. Allerdings fallen während Mehrings Amtszeit in der Volksbühnenleitung schon deswegen Kultur und Politik nicht ganz so weit auseinander wie vor- und nachher, weil er sich nicht einseitig auf das Feld der kulturellen Tätigkeit wirft, sondern weiter schwergewichtig als politischer Publizist für das theoretische Organ der Sozialdemokraten, die ›Neue Zeit‹, arbeitet, und damit zumindest in seiner Person eine gewisse Einheit von Kultur und Politik repräsentiert, die sich indirekt auch auf seine Volksbühnentätigkeit auswirkt.

Von der Sozialdemokratischen Partei her gesehen, ist Mehring aber derselbe Typus wie Conrad Schmidt, Curt Baake oder auch Georg Ledebour: Parteijournalisten, die sich auf dem nebensächlichen Gebiet der Kultur betätigen und denen dabei freie Hand gelassen wird, weil zum einen angenommen wird, sie würden schon irgendwie im Sinne der Sozialdemokratie handeln, obwohl deren Wille für diesen Bereich nie konkretisiert worden ist, und weil zum anderen davon ausgegangen wird, daß sie – als Fachleute – auf diesem Gebiet kompetenter seien als die Partei.

Von daher ist es verständlich, wenn Sozialdemokraten, selbst was den engen Bereich der ›Freien Volksbühne‹ betrifft, mit völlig unterschiedlichen Vorstellungen an die Öffentlichkeit treten. Das gilt sogar für die Spaltungsauseinandersetzungen, die den meisten Mitgliedern, weil hier ein so erklärter Gegner der Sozialdemokratischen Partei wie Wille einem so entschiedenen Anhänger der Partei wie

Türk gegenübertritt, als eine politisch motivierte Auseinandersetzung der Sozialdemokraten mit den Unabhängigen Sozialisten erscheint. Hier tritt der Volksbühnenausschußbeisitzer und Mitglied der Sozialdemokratischen Partei, der Redakteur Georg Ledebour, offen auf die Seite Willes und verläßt mit diesem und seinem Anhang die ›Freie Volksbühne‹, um die ›Neue Freie Volksbühne‹ mitzubegründen. [283] Das theoretische Organ der Sozialdemokratischen Partei, die ›Neue Zeit‹, räumt ihm daraufhin sogar die Gelegenheit ein, hier seinen Standpunkt und den der Wille-Fraktion zu veröffentlichen und damit auf einen Artikel des Leitartiklers der ›Neuen Zeit‹, nämlich Mehrings, zu antworten, in der dieser die Volksbühnenspaltung aus der Sicht des neuen Vorstandes dargestellt hat. [284]

Ähnlich wie die ›Neue Zeit‹, die sich jetzt, nach der Volksbühnenspaltung, zum Diskussionsforum an den Auseinandersetzungen mit kontroversen Positionen beteiligter Sozialdemokraten macht, hat sich der ›Vorwärts‹ während der aktuellen Auseinandersetzungen selbst verhalten. Er hat über die Diskussionen jeweils ausführlich berichtet, ohne aber selbst Stellung zu beziehen. Erst vier Tage nach dem endgültigen Vollzug der Spaltung ergreift der ›Vorwärts‹ in einem Kommentar zum erstenmal Partei für die ›alte‹ und gegen die ›neue‹ Freie Volksbühne. [285]

Die relative Neutralität der offiziellen Organe der Sozialdemokratie ist ein adäquater Ausdruck der wirklichen Haltung der Partei zu den Fragen von Kultur und Kunst. Den einfachen Mitgliedern der Partei und gerade den Mitgliedern des Volksbühnenvereins gegenüber hat ihr Schweigen aber eine ganz andere Wirkung. Für deren Haltung ist nicht die Diskussion im theoretischen Organ der Partei, der ›Neuen Zeit‹, prägend, aus der indirekt klar wird, daß es keine parteioffizielle Haltung in diesen Fragen gibt, sondern für sie ist entscheidend, mit welchen Meinungen jene Mitglieder und Mitarbeiter des Volksbühnenvereins, die sie als Sozialdemokraten kennen, in den Vereinsversammlungen auftreten. Sie identifizieren deren oft vorwiegend durch individuelle Überlegungen geformte Gedankengänge mit der Haltung der Sozialdemokratischen Partei selbst.

Das entspricht umgekehrt auch dem Selbstverständnis einiger Sozialdemokraten in der Volksbühne, die im besten Willen, eine sozialdemokratische Linie in der Volksbühnenarbeit durchzusetzen, nicht sehen, daß dies solange eine halbe Sache bleiben muß, wie die Sozialdemokratische Partei ihnen für ihre Tätigkeit weder Richtlinien geben kann, noch sie in irgendeiner Form zu kontrollieren bereit oder auch nur in der Lage wäre. Trotzdem glauben diese Volksbühnenmitarbeiter, nicht nur als sozialistische Individuen auftreten zu können, sondern auch als Vertreter der Sozialdemokratischen Partei mit deren Autorität als Legitimation im Hintergrund. So begründet Türk, der auch sonst am intensivsten die Chance nutzt, sein individuelles Vorgehen durch eine Scheinlegitimation absichern zu können, in einem später von Bölsche und anderen veröffentlichten Brief an Bölsche, weshalb er sich im Juli 1892 gegen den erklärten Willen Bruno Willes zum Kassierer habe wählen lassen: »weil meine Ehre und die Ehre der sozialdemokratischen Partei auf dem Spiele stand.« [286]

Es hat sich gezeigt, daß die ›Freie Volksbühne‹ auch nach der Spaltung kein sozialdemokratisches Unternehmen ist, sondern nur eine Theaterorganisation, in der an wichtigen Stellen Sozialdemokraten mit individuellen Konzepten arbeiten. Insofern kann der Einfluß, den die ›Friedrichshagener‹ indirekt auf die Praxis der ›Freien Volksbühne‹ ausüben, nicht umstandslos als Einfluß auf die Kulturpolitik der Sozialdemokratie bezeichnet werden. Das Schweigen der Sozialdemokratischen Partei zur Arbeit der Volksbühne, während gleichzeitig allen Mitgliedern offensichtlich ist, daß seit der Spaltung nicht mehr Gegner, sondern Freunde und Mitglieder der Sozialdemokratie in der Volksbühne die führende Rolle spielen, führt dazu, daß die Volksbühne zuerst nach außen, damit aber notwendigerweise schließlich auch nach innen, so *wirkt*, als sei sie praktisch gewordene sozialdemokratische Kulturpolitik. Indem jeder glaubt, es sei so, wird sie schließlich dazu.

Die Partei muß damit rechnen, mit dem, was in der Volksbühne geschieht, in irgendeiner Weise identifiziert zu werden. Angesichts dieser Entwicklung dürfte sie selbst dann nicht länger schweigen, wenn ihr nur daran läge, ihre ›neutrale‹ Haltung zu kulturellen Auseinandersetzungen beizubehalten.

Alle bloßen Bekundungen der ›Neutralität‹ können den Prozeß der Gleichsetzung von kultureller Tätigkeit im Umkreis der Sozialdemokratie mit ›sozialdemokratischer Kulturpolitik‹ nicht aufhalten. Solche Bekundungen werden nicht in vollem Maße ernst genommen, weil hinter ihnen immer die Absicht vermutet werden kann, die ungehinderte Legalität bestimmter kultureller Aktivitäten nicht zu gefährden.

Man erwartet einfach von der Sozialdemokratie, weil sie einen umfassenden Anspruch auf Veränderung stellt, daß sie auch zu den Fragen des Kultur- und Kunstbereiches eine inhaltliche Stellung hat. Wenn eine entsprechende Konzeption nirgends verbindlich faßbar ist, greift man auf das zurück, was die Praxis der vermuteten Konzeption zu sein scheint, um deren immanente Prinzipien für diese Konzeption zu halten.

Eine offizielle inhaltliche Stellungnahme der Sozialdemokratie zur Kulturpolitik ist 1895 längst überfällig. Das Ende der Volksbühne 1895 ist u. a. auch eine Bankrotterklärung der ›sozialdemokratischen Privatinitiative‹, die bis hierhin den der Sozialdemokratie benachbarten Kulturbereich bestimmt hat. Auf diesem Weg haben die ›Friedrichshagener‹ von 1890–92, gedeckt durch die Sozialdemokratische Partei, sich ein Einflußfeld in der Arbeiterbewegung sichern und ausbauen können, und dies ist umgekehrt die Ursache davon gewesen, daß Mehring nicht genügend Unterstützung erfahren hat, um die Nachwirkungen ihres Einflusses in der Volksbühne vollständig zurückdrängen zu können.

Zwischen dem Ende der ›Freien Volksbühne‹ 1895 und ihrer Wiederbelebung 1897 liegt der Gothaer Parteitag der Sozialdemokratischen Partei von 1896. Auf diesem Parteitag gibt es eine ausführliche kulturpolitische Debatte. Wir werden sehen, daß es in dieser Debatte zwar zu einem Konsens kommt, daß dieser aber nicht die Sozialdemokratie zur kulturpolitischen Initiative befähigt, sondern letzten Endes nur zur offiziellen Legitimation der Grundzüge der bisherigen Praxis führt.

Bevor wir uns der Gothaer Parteitagsdebatte zuwenden, wollen wir noch kurz einen Blick auf die ›Neue Freie Volksbühne‹ werfen, weil im Vergleich von deren Theaterpraxis mit der der ›Freien Volksbühne‹ die These von der indirekten Weiterwirkung des ›Friedrichshagener‹ Einflusses auch unter Mehrings Volksbühnenleitung noch einmal erhärtet werden kann. Außerdem ist die ›Neue Freie Volksbühne‹ für unsere Untersuchung auch deswegen von Bedeutung, weil die ›Friedrichshagener‹, als ihnen die ›Freie Volksbühne‹ 1892 aus der Hand genommen wird, sich mit ihr ein Instrument zu schaffen versuchen, mit dem sie weiter auf die Berliner Arbeiter einwirken wollen.

3.4 Die ›Neue Freie Volksbühne‹ als Theaterorganisation der ›Friedrchshagener‹ (1892–1896)

In der ›Neuen Freien Volksbühne‹ hat sich die Schriftstellergruppe, deren Kern die ›Friedrichshagener‹ ausmachen und die in der alten ›Freien Volksbühne‹ nur einen Teil der Vorstandskoalition von Sozialdemokraten beider Richtungen und Literaten gestellt hatte, von Anfang an den ausschlaggebenden Einfluß gesichert. Die zwanzig ›künstlerischen Sachverständigen‹, die laut neuer Satzung die Vereinsangelegenheiten bestimmen [287], sind zum großen Teil (acht) direkt Bewohner der Friedrichshagener ›Dichterkolonie‹: Bruno Wille, Wilhelm Bölsche, die Brüder Bernhard und Paul Kampffmeyer, Wilhelm Hegeler, Gustav Landauer, Heinrich und Julius Hart. [288] Einige von ihnen (Wille, Bölsche, die Brüder Hart) sind zugleich Mitglieder des von Wille gegründeten ›Ethischen Klubs‹, dem auch fünf weitere ›künstlerische Sachverständige‹ der ›Neuen Freien Volksbühne‹ angehören: die Schriftsteller Wilhelm von Polenz, Ernst von Wolzogen, Otto Erich Hartleben, Adalbert von Hanstein und der Kulturhistoriker Albert Dresdner. [289] Von den restlichen sieben ›künstlerischen Sachverständigen‹ gehören noch vier zum engeren Kreis Willes: Carl Wildberger, prominenter Wortführer der ›Jungen‹ und in der alten Freien Volksbühne im zweiten Vereinsjahr als Kassierer Mitglied von deren engerem Vorstand [290]; der Schriftsteller Fritz Mauthner und der Redakteur Schönhoff, beide ebenfalls im zweiten Vereinsjahr Ausschußbeisitzer der alten ›Freien Volksbühne‹ [291]; schließlich noch der Publizist Maximilian Harden, neben Brahm und anderen ein Mitbegründer der ›Freien Bühne‹. [292] Die letzten drei ›künstlerischen Sachverständigen‹ sind der Regisseur Emil Lessing, der gerade erst nach Berlin gekommen ist und fortan Vereinsregisseur der ›Neuen Freien Volksbühne‹ (für deren eigene Inszenierungen) wird, der Musikschriftsteller Max Marschalk und der Kapellmeister Victor Hollaender, ein Bruder des Romanautors Felix Hollaender, der Mitglied in Willes ›Ethischem Klub‹ ist. [293]
Bis zu einer Satzungsänderung 1894, die die Vereinsleitung wieder verkleinert, gibt es zwar eine gewisse Fluktuation bei den künstlerischen Sachverständigen, aber es ändert sich nichts an dem Grundtatbestand, daß nämlich die Schriftstellergruppe um Wille ganz allein bestimmen kann, was in der ›Neuen Freien Volks-

bühne< geschieht, sich also nicht auf irgendwelche Kompromisse einlassen muß. Unter den im Laufe dieser zwei Jahre insgesamt zehn Neulingen in der künstlerischen Leitung des Vereins befinden sich mit Willy Pastor und Hermann Teistler zwei weitere in Friedrichshagen ansässige Schriftsteller [294] und mit Max Halbe und John Henry Mackay zwei Schriftsteller, die Wille zu den häufigen Besuchern Friedrichshagens und damit zum weiteren Umkreis der ›Friedrichshagener‹ zählt. [295] Auch nach der ersten Satzungsänderung und der durch die Polizei erzwungenen Satzungsänderung 1896 bleibt der Kreis um Wille gegenüber denjenigen Mitgliedern der Volksbühnenleitung, deren Position, schon wegen der großen Fluktuation, nicht ohne weiteres festzustellen ist, allein zahlenmäßig in der Mehrheit. [296] Als Wille 1896 schließlich noch den ›Friedrichshagener‹ Wilhelm Spohr zur Vereinsleitung hinzuzieht und kurz darauf Ludwig Jacobowski, mit dem Wille seit 1889 befreundet ist [297] und der ebenfalls oft als Gast in Friedrichshagen weilt [298], zweiter Vorsitzender des Vereins wird [299], gibt es unter den Friedrichshagener Literaten keinen mehr, der nicht irgendwann in Willes Volksbühne ein Amt bekleidet hätte [300], und auch von den ›halben‹ ›Friedrichshagenern‹ nur wenige, für die das nicht zutrifft. Die ›Neue Freie Volksbühne‹ ist ein Werk der ›Friedrichshagener‹ und wird von ihnen bestimmt.

Der direkte Einfluß, den die ›Friedrichshagener‹ mit ihrem Instrument ›Neue Freie Volksbühne‹ auf die Berliner Arbeiter, und besonders auf die Sozialdemokraten unter ihnen, ausüben, ist gering. Zum einen gelingt es der ›Neuen Freien Volksbühne‹ kaum, ihren Mitgliederstamm zu vergrößern: Während die ›Freie Volksbühne‹ von Anfang an jedes Stück dreimal spielen muß, um es allen Mitgliedern zeigen zu können, und die Zahl der Vorstellungen bis zum Ende der Spielzeit 1894/95 (bis zur Zensurverfügung) auf jeweils sechs ansteigt [301], gelingt es der ›Neuen Freien Volksbühne‹ nur unter äußerster Anstrengung, sich zeitweilig von einer Aufführung je Stück auf je zwei zu steigern, um schließlich in der zweiten Hälfte der Spielzeit 1894/95 wieder auf eine Aufführung abzusinken. [302] Zum anderen ist in der ›Neuen Freien Volksbühne‹ der prozentuale Anteil der Arbeiter unter den Mitgliedern geringer als in der ›Freien Volksbühne‹ [303]; unter den Mitgliedern der ›Neuen Freien Volksbühne‹ dürften auch nur sehr wenige Anhänger der Sozialdemokratischen Partei sein, weil zum einen Wille als erklärter Gegner dieser Partei bekannt ist und zum andern prominente Wortführer der ›Unabhängigen Sozialisten‹, zum Teil personell mit den ›Friedrichshagener‹ Literaten identisch, in der Leitung der Neugründung eine wesentliche Rolle spielen (wie Landauer [304], Spohr [305] und Bernhard Kampffmeyer [306]). Auch die Presse trägt durch ihre Berichterstattung zu der unterschiedlichen Mitgliederstruktur beider Volksbühnen bei. Während der ›Vorwärts‹ über die Veranstaltungen der ›Freien Volksbühne‹ ausführlich berichtet, läßt er es bei der ›Neuen Freien Volksbühne‹ mit kurzen Notizen genug sein; dagegen wird die ›Neue Freie Volksbühne‹ sowohl von den bürgerlichen Zeitungen als auch in besonderem Maße vom Organ der ›Unabhängigen Sozialisten‹, dem ›Sozialist‹, dessen Herausgeber Landauer ist, gefördert. [307]

All dieses sagt aber nichts über den indirekten Einfluß, den das kulturpolitische Auftreten der ›Friedrichshagener‹ auf die Herausentwicklung einer kulturpolitischen Konzeption der Sozialdemokraten hat. Dieser indirekte Einfluß selbst kann nur indirekt erschlossen werden. Ein Vergleich der Theaterpraxis aller drei Volksbühnen, der alten ungeteilten sowie der beiden aus der Spaltung hervorgegangenen, zeigt, wenn man einmal von dem relativ stärkeren Gewicht zeitgenössischer Dramen in der ›Neuen Freien Volksbühne‹ absieht, das sich z. B. in dem höheren Anteil von Uraufführungen im Spielplan zeigt [308], eine weitgehende Übereinstimmung in der Zusammensetzung der Spielpläne und häufige Überschneidungen in der Stückauswahl. [309] Das ist deswegen bemerkenswert, weil in der ›Neuen Freien Volksbühne‹ das Programm voll und ganz nach den Vorstellungen der ›Friedrichshagener‹ gestaltet wird, die in der Vereinsleitung eindeutig in der Mehrheit sind und die sich, auch anders als die ›Freie Volksbühne‹, nicht so häufig auf Kompromisse mit den bürgerlichen Theatern einlassen müssen, weil sie deren Vorstellungen nicht fertig kaufen, sondern fast nur eigene Inszenierungen herausbringen. [310]

Aus diesen Tatsachen sind Schlüsse in verschiedene Richtungen zu ziehen:

– Die ›Friedrichshagener‹ haben schon in den ersten Jahren den entscheidenden Einfluß auf die Theaterpraxis der ›Freien Volksbühne‹ gehabt und ihre Vorstellungen im pluralistisch besetzten Vorstand durchsetzen können, sonst würden sie jetzt, wo sie dazu die Möglichkeit haben, Änderungen vornehmen.

– Die ›Neue Freie Volksbühne‹ ist ein Konkurrenzunternehmen zur ›Freien Volksbühne‹. Unter Umständen gelingt es ihr, durch Konkurrenzdruck das Programm der ›Freien Volksbühne‹ indirekt zu beeinflussen. Deren Leitung muß auf die unter Wille vorgeprägten Erwartungshaltungen des Publikums mehr Rücksicht nehmen, als dieses der Fall wäre, wenn nicht in Willes ›Neuer Freier Volksbühne‹ ein Programm geboten würde, das diesen Erwartungshaltungen voll entspricht.

– Im großen und ganzen spielt auch die ›Neue Freie Volksbühne‹ Stücke, die die bürgerlichen Theater in ihrem Repertoire haben, sonst könnte ihr Programm nicht so viel Ähnlichkeit mit dem der ›Freien Volksbühne‹ aufweisen, das lange Zeit vorwiegend aus dem Repertoire der bürgerlichen Theater zusammengestellt wird. Dabei kann die ›Freie Volksbühne‹ zwar als Großabnehmer einen gewissen Einfluß auf die Programmgestaltung der von ihr beschickten Theater geltend machen, der aber hat da seine Grenze, wo die von ihr gewünschten Stücke nicht auch in das laufende Programm dieser Theater aufgenommen werden könnten. [311]

Für die ›Neue Freie Volksbühne‹ sind Ähnlichkeiten und Überschneidungen ihres Programms mit dem einiger bürgerlicher Theater prinzipiell kein Problem, haben ihre leitenden Mitarbeiter doch nie den Anspruch gestellt, ein Gegentheaterprogramm zu machen, sondern sich schon in der alten ›Freien Volksbühne‹ unter dem Motto ›Die Kunst dem Volke‹ vor allem vorgenommen, breitere Schichten an die Kunst heranzuführen, und zu diesem Zwecke ein preiswertes, aber kein ›Gegentheater‹ organisieren wollen. Erst die Koppelung mit der zweiten Absicht, nämlich der ›modernen‹ Kunst ein breiteres Publikum zu schaffen, unterscheidet schließlich das Programm der ›Neuen Freien Volksbühne‹ – solange wenigstens, wie sich ihre Autoren noch nicht im bürgerlichen Theaterbetrieb durchgesetzt haben – vom Repertoire der kommerziellen Theater.

Dieser Aspekt ihrer Arbeit ist es auch, der die Frage der Zensur für sie relevant macht: sie spielt mehrfach Stücke, die noch nicht für die Aufführung auf bürgerlichen Bühnen durch die Zensur gegangen sind. Von daher betrifft die Zensurverfügung 1895 die ›Neue Freie Volksbühne‹ anders als die ›Freie Volksbühne‹, nämlich nicht vorrangig als demonstrative Demütigung, sondern direkt als Beeinträchtigung der praktischen Arbeit: das wird gleich nach dem Erlaß der Zensurverfügung vom 18. April 1895 deutlich, als drei Tage später von beiden Volksbühnen Aufführungen angesetzt sind und die der ›Freien Volksbühne‹ (Anzengrubers *Pfarrer von Kirchfeld*) durchgeführt werden kann, während die der ›Neuen Freien Volksbühne‹ (Agrells *Einsam*) verboten wird. [312]

Wenn die ›Neue Freie Volksbühne‹ dennoch auf die Zensurverfügung erst viel später und vorsichtiger reagiert als die ›Freie Volksbühne‹, die kurz darauf, wie wir gesehen haben, ihren Theaterbetrieb einstellt, dann läßt sich daraus deutlich auf die unterschiedliche Interessenlage der Führung beider Vereine schließen: Wille geht es vor allem darum, weiter Theateraufführungen zu veranstalten; auf seinen Vorschlag beschließt die Leitung der ›Neuen Freien Volksbühne‹, gegen die Polizeiverfügung in dem Sinne Klage einzulegen, die Vereinsaufführungen seien nicht als öffentlich zu klassifizieren und müßten deshalb von der Zensur ausgenommen werden. Im übrigen aber sollen bis zur gerichtlichen Entscheidung weiter Aufführungen gegeben werden, und zwar öffentliche und ›ordnungsgemäß‹ von der Zensur genehmigte. [313]

Während Mehring angesichts des Zensurerlasses der politischen Demonstration soweit den Vorrang gibt, daß er um ihretwillen die Fortexistenz der ›Freien Volksbühne‹ aufs Spiel setzt, verzichtet Wille auf die politische Demonstration, um seine Volksbühne, und sei es auch in eingeschränktem Rahmen, weiter am Leben zu erhalten.

Zwar setzt Ende des Jahres 1895 auch in der ›Neuen Freien Volksbühne‹ eine radikalere Gruppe um Bölsche und Mackay die Meinung durch, man solle die Vereinstätigkeit vorübergehend einstellen, aber sowohl in der Gerichtsstrategie der ›Neuen Freien Volksbühne‹ wie auch in Willes Verhalten nach Ergehen eines rechtskräftigen Urteils in dieser Frage läßt sich weiter dieselbe Strategie verfolgen:
– Vor dem Verwaltungsgericht stellt die ›Neue Freie Volksbühne‹ nicht wie die ›Freie Volksbühne‹ die politische Frage der Verfassungsmäßigkeit der Zensur in den Vordergrund, sondern verbleibt mit dem Festhalten an der Argumentation, ihre Vorstellungen seien als Vereinsveranstaltungen nichtöffentlich, auf einem Gebiet, wo ein juristischer Erfolg immerhin im Bereich des Möglichen liegt.

– Als die Zensurverfügung durch das Oberverwaltungsgericht endgültig bestätigt worden ist, versucht Wille in langwierigen Verhandlungen mit der Polizei, deren Zustimmung zu einer neuen Vereinssatzung zu erreichen. Durch eine Erschwerung von Ein- und Austritt soll die Volksbühne den juristischen Status eines geschlossenen Vereins zurückerhalten, dessen Vorführungen dann als nichtöffentlich zensurfrei abgehalten werden könnten.

Wille gelingt dieses Vorhaben, und im Herbst 1896 wird die schon im Sommer erneut mit öffentlichen Vorstellungen begonnene Tätigkeit der ›Neuen Freien Volksbühne‹ wieder voll mit unzensurierten Vereinsvorstellungen aufgenommen. [314]

Wir werden sehen, daß die ›Neue Freie Volksbühne‹ in dieser Angelegenheit sehr eindeutig für die Mitglieder der ›Freien Volksbühne‹ als Vorbild wirkt. 1897 streben diese mit einer sehr ähnlichen juristischen Konstruktion die Wiederaufnahme der Vereinstätigkeit an. Doch auch zwischen dem Neubeginn in der ›Neuen Freien Volksbühne‹ und der Neugründung des Vereins ›Freie Volksbühne‹ liegt das Datum des Gothaer Parteitages, auf dem, wenn auch nur in indirekter Form, doch die Grundsatzentscheidungen fallen, die auf das weitere Schicksal der Volksbühnenbewegung wesentlich einwirken. Deswegen wird die Untersuchung der Gothaer Debatte, die wir jetzt vornehmen wollen, auch die Funktion haben, eine bessere Einschätzung der Frage zu ermöglichen, was die Wiedergründung der ›Freien Volksbühne‹ für die sozialdemokratische Kulturpolitik im allgemeinen bedeutet.

4. Die Naturalismusdebatte des Gothaer Parteitages von 1896 und ihre Bedeutung für das Verhältnis der Sozialdemokratie zu den Friedrichshagenern

4.1 Grundzüge der Naturalismusdiskussion

In der sozialdemokratischen Parteitagsdebatte von Gotha-Siebleben 1896 kommt es neben Debatten über die Gewerkschafts- und die Frauenfrage im Rahmen einer ausführlichen Diskussion über die sozialdemokratische Parteipresse auch zu einer heftigen Auseinandersetzung über das sozialdemokratische Unterhaltungsblatt ›Die Neue Welt‹. [1] Die ›Neue Welt‹ wird einmal wöchentlich den meisten lokalen sozialdemokratischen Parteizeitungen beigelegt und ist damit das meistverbreitete sozialdemokratische Organ. [2]

In der Diskussion über die ›Neue Welt‹, in die auch Bebel und Liebknecht eingreifen, wird vom Parteitag ein gewisser Konsens über die Haltung zur naturalistischen Kunst erzielt, der sich dahingehend konkretisiert, daß einige Anträge, die eine Verurteilung der ›Neuen Welt‹ angestrebt haben, von den Antragstellern zurückgezogen werden, weil sie diesem Konsens widersprechen. [3] Insofern kann hier davon gesprochen werden, daß die Sozialdemokratische Partei durch den Parteitag, ihr höchstes Entscheidungsorgan, zu einigen Fragen der Kunst explizit Stellung nimmt.

Zentralgegenstand der Debatte ist die Kritik am Naturalismus. Diese bleibt jedoch unzureichend [4], weil die Diskussion weitgehend auf die Frage beschränkt bleibt, ob es der Anstand erlaube, in Romanen solche ›schmutzigen Dinge‹ darzustellen, wie es z. B. in Wilhelm Hegelers *Mutter Bertha* geschehe, in dem geschildert wird, wie peinlich es der Romanheldin ist, ihrem Freund deutlich zu machen, daß sie eine Toilette aufsuchen muß. [5] Hegelers Roman ist, ohne daß diese Stelle gestrichen worden ist, in der ›Neuen Welt‹ abgedruckt worden; und die Gegner des Naturalismus meinen, in der Debatte durch das Hervorkehren dieses Punktes ein so starkes Geschütz aufzufahren, daß es kaum noch jemand wagen werde, sich für den Naturalismus auszusprechen. Frohme, Redakteur der sozialdemokratischen Zeitung ›Hamburger Echo‹, einer der Hauptredner gegen den Naturalismus auf dem Parteitag, zitiert diese Stelle aus Hegelers Roman und fährt dann fort: »Wenn die naturalistische Kunst glaube, es rechtfertigen zu können, derartige absolute, stinkende Schweinereien in Romanen bieten zu dürfen [...], dann hört einfach alles auf.« [6]

Der Effekt von Frohmes Vorstoß entspricht einerseits seinen Intentionen; denn tatsächlich wird das Problem des Naturalismus im weiteren Verlauf der Debatte fast gänzlich auf diese ›Schweinerei‹ in Hegelers Roman reduziert. Das zeigt sich z. B. daran, daß von den zehn Rednern, die noch zum Punkt ›Neue Welt‹ spre-

chen und die ansonsten sehr verschiedene Ansichten und Argumentationsketten
vortragen, acht direkt zu der von Frohme zitierten Szene aus *Mutter Bertha* Stellung nehmen, wodurch sie den Charakter eines Zentrums bekommt, um das die
übrige Diskussion kreist.

Dadurch werden alle wesentlichen Fragen, die für eine Bestimmung des Verhältnisses der Sozialdemokratie zum Naturalismus beantwortet werden müßten,
umgangen. Solche Fragen wären: Welche Funktion wird der Kunst überhaupt zugesprochen? Ist die bürgerlich-oppositionelle Kunst für die Arbeiterklasse brauchbar? Wenn ja, wie ist sie zu funktionalisieren? Aber es hätten genauso die grundlegenden Fragen nach dem Verhältnis zur bürgerlichen Intelligenz unabhängig
vom Bereich der Kunst aufgeworfen werden müssen.

Gerade durch das Ausklammern dieser Fragen und die Beschränkung auf das
Thema ›Schweinerei‹ wird es dem Parteitag auch möglich, einen Konsens zu er-
zielen, in dem auf die Verurteilung der Publikationspraxis der ›Neuen Welt‹ verzichtet wird. Diesem Konsens kann selbst Edgar Steiger, gegen den als verant-
wortlichen Redakteur der ›Neuen Welt‹ sich die Angriffe hauptsächlich richten,
ohne weiteres zustimmen. Er besteht darin, daß weiterhin naturalistische Romane
in der ›Neuen Welt‹ abgedruckt werden können, sofern ›Auswüchse‹ vermieden
werden.

Ungewollt bahnt Frohme selbst einer solchen Versöhnung den Weg, wenn er
erklärt, Steigers allgemeine Konzeption von der »Bedeutung der Kunst [...] Wort
für Wort« ›zu unterschreiben‹, und sich damit gegen den möglichen Vorwurf
wendet, er und seinesgleichen seien »Vandalen, die gegen die Kunst wüthen«,
während sie in Wahrheit »nur die Auswüchse des Naturalismus« ›bekämpf-
ten‹. [7] Schon der nächste Redner (der Delegierte Schreck) nimmt die hier angedeutete Möglichkeit eines Kompromisses auf, wenn er seinerseits Frohmes Angriff für übertrieben erklärt, aber auch erwähnt, daß Steiger selbst zugegeben habe,
auch Fehler bei der Stoffauswahl gemacht zu haben. [8] Steiger selbst interpretiert die inkriminierte Stelle aus *Mutter Bertha* als komisch, fährt aber gleich darauf fort: »Daß ich mich in dem Inhalt manchmal vergriffen habe, gebe ich zu, und
was an mir liegt, den Inhalt der ›Neuen Welt‹ zu verbessern, werde ich thun;
unterstützen Sie mich in diesem Streben, so gut Sie können!« [9] Mit diesem Ein-
lenken sind endgültig die Weichen für einen Kompromiß gestellt, und es ist die
Ebene gefunden, auf der fast alle weiteren Redner argumentieren: Schoenlank
wendet sich einerseits gegen Prüderie und meint andererseits doch, was »die von
Frohme verlesene Stelle aus der *Mutter Bertha*« ›betreffe‹, »der gute Steiger
hätte hier ein bischen retouchieren sollen« [10]; der Delegierte Antrick meint,
wenn Steiger »in Zukunft etwas vorsichtiger in der Auswahl des Stoffes« sein
wolle, könne sich der Parteitag »wohl damit zufrieden geben«. [11]

Es folgt ein Redebeitrag von Wilhelm Liebknecht, der sich schon relativ früh,
nämlich Anfang 1891, gegen alle Illusionen einer Übereinstimmung der Grund-
tendenzen von naturalistischer Kunst und sozialistischer Politik ausgesprochen
hatte. [12] In seiner Interpretation des Naturalismus ist auch jetzt, auf dem Gothaer Parteitag, noch zu spüren, daß er versucht, zu wesentlicheren Fragen bei des-

sen Beurteilung vorzudringen. So begründet er die Ablehnung der naturalistischen Kunst durch die Arbeiter damit, daß diese sich nicht mit Produkten der »Fäulniß der kapitalistischen Gesellschaft« identifizieren könnten. [13] Aber während er diesen Ansatz nicht weiter verfolgt, schwenkt er auf die durch Frohmes Zitat vorgegebene Diskussionsebene ein. Gleich dreimal kommt er in seiner kurzen Stellungnahme auf die ›unanständigen Stellen‹ in der ›Neuen Welt‹ zu sprechen; von: »Es giebt Dinge, die man in anständiger Gesellschaft nicht sagt und thut [...]. Wenn Jemand das natürliche Bedürfnis, das Bertha gehabt hat, hier in diesem Saal verrichten würde, dann würde jeder sagen, das ist zwar natürlich, aber äußerst unanständig [...]; und ob ich das in diesem Saale oder vor einem Leserkreis von 240 000 Familien thue, so ist das gar kein Unterschied« – über: »Ich drücke mich drastisch aus, das Thema bringt es ja mit sich: Die Schweinerei gehört nicht in die ›Neue Welt‹ hinein!« – bis zu dem lateinischen Sprichwort, mit dem er seine Rede abschließt: »cacatum non est pictum!« [14] Mit seiner scherzhaften Empfehlung an Steiger, wie Homer die Romanprotagonisten in bestimmten Situationen mit einer Wolke zu umhüllen, bei gleichzeitiger ausdrücklicher Anerkennung von dessen grundsätzlichen Intentionen (»theoretisch bin ich mit den gestrigen Ausführungen Steigers durchaus einverstanden« [15]), lenkt auch Liebknecht auf einen Kompromiß zu, der von Steiger als einziges Zugeständnis die künftige Streichung ›unanständiger Stellen‹ verlangt.

In dieser grundsätzlichen Linie folgt ihm auch der Delegierte Fischer, Berlin, einerseits: »Ich bin gewiß kein Moralfex«, andererseits: »aber man läßt sich doch nicht im Kloset photographieren« – und schließlich: »Das muß Steiger beseitigen, dann wird das Mißbehagen verschwinden.« [16] Auch Bebel verbindet in der abschließenden Rede zum Komplex ›Neue Welt‹ den Antrag, jede Verurteilung der ›Neuen Welt‹ zu unterlassen, mit dem Ratschlag an Steiger, »mit größerer Energie seinen Rotstift zu benutzen«, und konkretisiert das auch für die *Mutter Bertha*: »gewisse Stellen konnten ganz gut ohne Gefahr für den übrigen Inhalt gestrichen werden«. [17]

Steiger dürfte es nicht schwerfallen, sich auf den Kompromiß, naturalistische Romane in gereinigter Fassung weiter abdrucken zu dürfen, einzulassen. Das läßt sich aus der Tatsache ableiten, daß er schon vor Beginn der Auseinandersetzungen um den Kurs der ›Neuen Welt‹ von sich aus Streichungen in der *Mutter Bertha* vorgenommen hat. Dabei hat er sich offensichtlich von derselben Absicht leiten lassen, die man ihm jetzt für die Zukunft abverlangt, nämlich, mögliche Punkte des Anstoßes zu vermeiden. Ausgerechnet in derselben Nummer der ›Neuen Welt‹, in der die vielzitierte Toilettenszene erscheint, fehlt durch Steigers Streichung eine ganze Szene des Romans. In dieser wird die erste Liebesnacht Berthas mit ihrem neuen Freund Friedrich geschildert. In der Buchfassung ist diese Szene enthalten. [18] Sie ist eher dezent als anstößig, aber doch so deutlich, daß Steiger sicher nicht zu Unrecht vorausgesehen hat, daß ein Teil der ›Neue Welt‹-Leser sich von dieser Szene unangenehm berührt fühlen würde. Eine andere Streichung zeigt die freiwillige Bereitschaft Steigers, auch harmlosere Stellen zu streichen, um jede nur denkbare Schwierigkeit zu umgehen. In ironischer Form wird in *Mutter Bertha* beschrieben, wie ein Lehrjunge in selbstmörderischer Absicht ins Wasser springen will, aber mitten in einem Apfelkorb auf einem Lastkahn landet. In der Buchfassung heißt es hier, der Junge sei »mit dem Popo zuerst« unten angekommen. Den zitierten Teil des Satzes streicht Steiger wohl wegen des ›unanständigen‹ Wortes ›Popo‹. [19]

Daß Steiger nicht auch die inkriminierte Passage des Romans gestrichen hat, ist also nicht auf prinzipielle Einwände gegen solcherart Streichungen zurückzuführen, sondern nur auf eine geringfügig falsche Lokalisierung des Punktes, wo nach Ansicht der Sozialdemokraten die Anstandsgrenze überschritten wird.

Für die Naturalismusdiskussion des Parteitages hat die Reduktion der Fragestellung zur Folge, daß das vordergründige Ergebnis der Debatte so gut wie ohne Bedeutung ist. Probleme, die das Verhältnis zu Fragen der Kunst in der Partei bestimmt haben und weiter bestimmen, werden kaum andiskutiert und deshalb auch nicht vom Parteitag geklärt. Die eigentliche Bedeutung der Gothaer Parteitagsdiskussion können wir nur dadurch bestimmen, daß wir herausarbeiten, zu welchen Problemen hier, sei es unabhängig von den oder indirekt vermittelt über die vordergründigen Diskussionsgegenstände Stellung genommen wird. So ist es nicht nur unser Interesse am Verhältnis der Sozialdemokratie zu den ›Friedrichshagenern‹, das ein solches Verfahren sinnvoll erscheinen läßt, sondern es wird auch durch den Charakter der Debatte selbst nahegelegt.

4.2 Die Konzeption Edgar Steigers

Eine Reihe von Merkmalen verbindet Edgar Steiger mit jenem Literatentypus, den wir abgekürzt mit dem Begriff ›Friedrichshagener‹ bezeichnet haben. Steiger gehört zu jenen Literaten, die Ende der achtziger Jahre, selber etwa dreißigjährig [20], eine ihnen zugedacht bürgerliche Karriere aufgegeben haben, um sich zugleich der Sozialdemokratie und dem Naturalismus zuzuwenden. Wie Bruno Wille hat Steiger ursprünglich Theologe werden wollen. 1889 hat er eine programmatische Schrift über den Naturalismus veröffentlicht *(Der Kampf um die neue Dichtung)* und hat gleichzeitig begonnen, sich als sozialdemokratischer Agitationsredner zu betätigen. [21] Nach dem Fall des Sozialistengesetzes ist er festangestellter Redakteur an verschiedenen sozialdemokratischen Zeitungen [22] geworden. Auch er wendet sich später (1898) [23] wieder von der sozialdemokratischen Partei ab, um als freier Schriftsteller nur noch für bürgerliche Presseorgane als Theaterkritiker, Essayist und Gebrauchslyriker tätig zu sein. Auch er tut sich als aktiver Förderer der Volksbühnenbewegung hervor: 1898 ist er in München an einer durch Wille selbst initiierten und durch dessen Münchener Freundeskreis getragenen Volksbühnengründung beteiligt. [24]

In anderen Punkten unterscheidet sich Edgar Steiger vom ›Friedrichshagener‹ Typus, und wir müssen auch diese herausarbeiten, um genau bestimmen zu können, in welcher Weise die Haltung der Sozialdemokratischen Partei zu Steiger eine Haltung zu den ›Friedrichshagenern‹ ist. Bei Wille und seinem engeren Kreis hängen literarisches und politisches Engagement enger zusammen als bei Steiger; so suchen sie eine politische Identität, die ihrer literarischen Oppositionshaltung auch in den ideologisch-inhaltlichen Momenten möglichst weitgehend entsprechen soll. Während unter dem Sozialistengesetz die Bedingungen einer relativen politisch-ideologischen und organisatorischen Selbständigkeit sowohl von lokalen Parteigliederungen als auch von Gruppen und Individuen in der Partei gegeben sind, ändert sich das mit dem Fall des Sozialistengesetzes. Deswegen sehen sich alle jene, die sich einer verschärften Parteidisziplin, wie sie jetzt verlangt und durchgesetzt werden kann, nicht unterordnen wollen, gezwungen, mit der Partei zu brechen. Von den Intellektuellen bürgerlicher Herkunft, die ihre bürgerliche Berufslaufbahn aufgegeben haben und jetzt gezwungen sind, sich ihren Lebensunterhalt im Umkreis der Arbeiterbewegung zu verdienen, sind zu diesem Schritt aber nur diejenigen in der Lage, die hoffen können, sich durch ihre Trennung von der Partei nicht völlig von ihrer neuen Reproduktionsbasis zu isolieren. Das ist in Berlin der Fall, wo sich die Literaten mit einer breiten Oppositionsbewegung gegen die Parteispitze verbünden können. Anders ist die Situation in Leipzig, wo Steiger, wenn er die Absicht hätte, mit der Partei zu brechen, nicht damit rechnen könnte, genügend Gleichgesinnte zu finden, um sich eine Existenzgrundlage als politischer Publizist durch ein neues Publikum zu sichern. Aus einer Beobachtung von Steigers späterem Verhalten läßt sich aber die Vermutung begründen, daß er solche Absichten nie zu entwickeln braucht, weil für ihn die Einheit seiner unmittelbar politischen Haltung und seiner sonstigen Überzeugungen nicht im selben Maße wichtig ist wie für den engeren Kreis der ›Friedrichshagener‹. Als er 1898 seinen Redakteursposten in der ›Neuen Welt‹ niederlegt, weil er trotz aller taktischen Erfolge bei der Gothaer Naturalismusdebatte in der Partei keine wirkliche Unterstützung für seine Position finden kann, und als er sich gleichzeitig von allen Parteiaktivitäten zurückzieht, bleibt er dennoch bis zu seinem Tod (1919), Mitglied der Sozialdemokratischen Partei, für die er, nach dem vorläufigen Abschluß von deren Rechtsentwicklung, ab 1917 auch wieder journalistisch tätig wird. [25] In der Parteitagsdebatte von 1896 spielen die individuellen Motive Steigers, aus denen heraus er sich bei ähnlicher Ausgangslage Anfang der neunziger Jahre anders verhalten hat als die ›Friedrichshagener‹, keine Rolle. Hier werden nämlich alle Ähnlichkeiten und Überschneidungen der Steigerschen Position mit derjenigen der ›Friedrichshagener‹ übersehen angesichts des einen wesentlichen Unterschiedes, daß Steiger sich nicht politisch gegen die Partei gestellt hat.

Die Position, die Steiger auf der Parteitagsdebatte einnimmt, stimmt in wesentlichen Momenten mit Positionen der ›Friedrichshagener‹ überein. Wir wollen zuerst diese Übereinstimmungen darstellen, um uns dann noch kurz jenen Argumentationen Steigers zuzuwenden, in denen er eher eine abweichende Meinung vertritt.

Steiger schließt seine Rede vor dem Parteitag mit der Willenserklärung, daß das »arbeitende Volk [...] auf allen Gebieten des Lebens« die Führung übernehmen solle; dazu sei es nötig, das »Gute und Schöne« aus Vergangenheit und Gegenwart in die zukünftige Gesellschaft mit hinüberzunehmen, damit das Volk seiner

Führungsaufgabe gewachsen sei und »damit es nicht im Frondienst verkümmert, sondern damit wir alle ganze Menschen werden«. [26] Der Wechsel aus der dritten Person, in der Steiger bis dahin vom Volk geredet hat, ins kollektive ›wir‹, in das er sich selbst miteinbezieht, ist wahrscheinlich kein Grammatikfehler, der auf ein ungenaues Stenogramm zurückzuführen wäre. [27] Eher ist diese Formulierung als präziser Ausdruck der Vorstellung zu sehen, daß der *Künstler* der ›Befreiung‹ nicht mehr bedürfe, daß er nämlich schon den ›ganzen Menschen‹ darstelle, zu dem die Angehörigen des Volkes durch die Überwindung der Fesseln, die sie jetzt noch von diesem Ziel trennten, erst werden sollten. Auch in seiner Artikelserie in der ›Leipziger Volkszeitung‹, die dem Gothaer Parteitag vorausgeht und in der er auf die ersten Anwürfe gegen die ›Neue Welt‹ [28] geantwortet hat, hat Steiger diesen Gedanken anklingen lassen in der These, die Kunst sei dazu bestimmt, »durch Pflege von Phantasie und Gemüt den Arbeiter zum *Vollmenschen* zu erziehen«. Damit solle der menschlichen Verkümmerung entgegengewirkt werden, die durch die »Lohnsklaverei« verursacht werde. [29]

Die gleiche Logik hat Willes Argumentation in der ›Philosophie der Befreiung‹ bestimmt, wenn er die Absage an demokratische Organisationsformen in Arbeiterbildungseinrichtungen einerseits damit begründet hat, daß die »unterdrückte Volksklasse«, um deren Bildung es sich hier handele, durch die »Knechtschaft« »eine gewisse Einbuße an geistigen und sittlichen Kräften erlitten« habe und deshalb auf dem Gebiet der Wissenschaft und Kunst trotz allen Interesses keine Entscheidungsbedürfnisse erhalten dürfte, und wenn er dem auf der anderen Seite das Bild des ›echten Künstlers‹ als des berufenen Kunsterziehers entgegengesetzt hat, für den das Menschheitsziel, die Freiheit, schon verwirklicht sei: »Der echte Künstler entwickelt das Kunstwerk aus seinem Innern heraus [...]. Frei, seiner eigenen Natur, nicht äusseren Weisungen und Wünschen folgend.« [30]

Aus der Tatsache, daß in dieser Konzeption der Bereich der Kunst und Kultur als etwas Gegebenes betrachtet wird, das für wenige Menschen, die Künstler, schon Besitz ist, während die übrigen sich um eine Teilhabe bemühen müssen, ziehen Wille und Steiger dieselbe Konsequenz, nämlich, Fragen der Kunstpolitik als Erziehungsfragen zu behandeln. Der Begriff *Erziehung*, der in der Argumentation gegen Wille in den Auseinandersetzungen um die Volksbühnenspaltung eine wesentliche Rolle gespielt hat [31], taucht bei Steiger in den Aufsätzen der ›Leipziger Volkszeitung‹, aber auch in der Parteitagsdebatte selbst, mehrfach auf. [32] Er glaubt sich in der Absicht, die Arbeiter zur Kunst erziehen zu wollen, mit den Delegierten des Parteitages so einig zu sein, daß er die Vorwürfe gegen die vorherrschende Rolle des Naturalismus in der ›Neuen Welt‹ mit dem Argument abzuwehren versucht, er wolle die ›moderne Kunst‹ nur als ein (taktisch) besonders brauchbares Mittel für die »Erziehung des arbeitenden Volkes zur Kunst überhaupt« einsetzen. [33] Für eine Einführung in die Kunst überhaupt kommt die moderne Kunst nach Steiger deshalb besonders in Frage, weil zu ihrem Verständnis keine breite »historische Bildung« Voraussetzung sei, über die die Arbeiter ja nicht verfügten. [34]

Die Ähnlichkeit von Steigers Konzeption mit den Vorstellungen, wie sie im

Kreise der ›Friedrichshagener‹ entwickelt worden sind, geht in diesem Punkt noch weiter. Das wird dort deutlich, wo auch Steiger es nicht dabei bewenden läßt, die Erziehung der Arbeiter zur Kunst zu fordern, sondern genauer ausmalt, mit welchen Schritten diese Idee zu verwirklichen sei. Dabei zeigt sich, daß der Gedanke vom Künstler als ›Vollmensch‹ [35] schon in der bürgerlichen Klassengesellschaft die zentrale Vorstellung ist, von der her die praktischen Schritte konzipiert werden. In seiner *Philosophie der Befreiung* hat Bruno Wille sich diese Strategie so vorgestellt, daß jene Individuen, die schon nahe an einer solchen Vollkommenheit seien, zuerst an der eigenen »Innerlichkeit« arbeiten und sich »von jeglicher Unvernunft und Knechtschaft« erlösen müßten, um sodann als »Adelsmenschen [...] ihren Kraftüberschuß den zurückgebliebenen Mitmenschen widmen und mit ihrer [...] intellektuellen Überlegenheit ganze Massen mit sich fortreissen und veredeln« zu können. Dies sei der Weg, »die latenten Kräfte [...] der mangelhaft kultivierten Masse zur Entfaltung zu bringen«. [36] Gustav Landauer beschreibt in seinem Aufsatz *Durch Absonderung zur Gemeinschaft* (1901) die Weiterentwicklung dieses Konzeptes: Es sei ihnen, den »Vorgeschrittenen« [37], bzw. der »Vorhut«, nicht gelungen, bei ihrem Weg ins ›Volk‹ die Masse selbst aufzurütteln, es sei ihnen nur möglich gewesen, »einzelne Menschen« aus der Masse herauszubrechen und in ihre Gemeinschaften der ›Vorgeschrittenen‹ mit aufzunehmen. [38] Diese Gemeinschaften, in denen sich diejenigen zusammenfänden, die, wie die Künstler, frei von den Bindungen der Welt geworden sind, sollten »Mittelpunkte des neuen Lebens« sein und durch ihr ›vorbildliches Leben‹ missionarisch auf die Menschen einwirken, die noch nicht so weit seien. [39] So könne die weitere Einwirkung auf die breiten Massen mit dem Postulat in Übereinstimmung gebracht werden: »Wir dürfen nicht zu den Massen hinuntergehen, wir müssen ihnen vorangehen.« [40]

Es versteht sich, daß Steiger in dieser Richtung nicht so weit vorstößt wie Wille und Landauer, für die Kunstprogramm und politisch-weltanschauliches Programm eine unlösliche Einheit bilden, während Steigers Existenz in der Partei letzten Endes nur auf der Basis der von ihm selbst in Anspruch genommenen und von der Partei zugestandenen relativen gegenseitigen Unabhängigkeit von Kunst und Politik möglich ist. Aus diesem Grunde beschränkt sich die Übereinstimmung von Steigers Kunsterziehungskonzeption mit der von Wille und Landauer auf den eingeschränkten Bereich der Kunst selbst.

Hier geht auch Steiger davon aus, daß die Künstler und ›Kunstfreunde‹, die das Glück haben, wegen ihrer Rezeptionsfähigkeit für die Kunst auch zu den ›Vollmenschen‹ zu gehören, auf keinen Fall bei ihrer kunsterzieherischen Tätigkeit »z. B. auf das Bildungsniveau der großen Arbeitermassen in den katholischen Bezirken Bayerns oder des Rheinlands Rücksicht nehmen« dürften. [41] Es sei nicht möglich, »mit einemmal [...] der ganzen grossen Masse des arbeitenden Volkes die Augen und Ohren« für die Kunst zu öffnen. Deshalb sei es notwendig, »zunächst eine kleine Jüngerschar« ›heranzuziehen‹, »die [...] allmählich die Kunst genießen lernt«. [42]

In diesem Kunsterziehungskonzept, das sich letztlich wie das von Wille an der

Einweihungsidee religiöser Orden orientiert, kann für demokratische Strukturen kein Platz sein. Die Herrschaft der Kunstfreunde aus der bürgerlichen Intelligenz über die kulturellen Aktivitäten im Umkreis der Sozialdemokratie wird theoretisch abgesichert. Der Gedanke, wie das mit dem Charakter der Sozialdemokratischen Partei als Arbeiterpartei zu vereinbaren sei, taucht bei Steiger gar nicht mehr auf, während Wille zwar ebenfalls den Gedanken einer Führung des Proletariats auf dem Kunstsektor abgelehnt hat, aber wenigstens noch explizit mit dieser Vorstellung sich auseinanderzusetzen für nötig hielt. [43]

Steiger legitimiert sein Vorgehen mit einem Hinweis auf Lassalle, der sich mit seinen politischen Vorstellungen zuerst an die *fortgeschrittensten Elemente* der Arbeiterbewegung gewandt habe [44], um auf diese Weise seine Ideen an die Arbeiter herantragen zu können, ohne »auf das damalige tiefe Bildungsniveau« hinabsteigen zu müssen. [45] Den gleichen Begriff der ›fortgeschrittenen Elemente‹ in der Arbeiterklasse benutzt Steiger auch für sein Kunsterziehungskonzept. Es sei bei der Kunsterziehung nötig, »an die in künstlerischer Hinsicht fortgeschritteneren Elemente, die in den Städten Gelegenheit haben, etwas Schönes zu sehen«, ›anzuknüpfen‹. [46]

Ausdrücklich lehnt Steiger es ab, sich in der Kunstpolitik an den politisch fortgeschrittensten Teilen der Arbeiterklasse zu orientieren. Er geht auf dem Parteitag sogar so weit, *politische* ›Niveauunterschiede‹ innerhalb der sozialdemokratischen Arbeiterschaft ganz abzuleugnen. Die rhetorisch gestellte Frage, an welches »Niveau der Arbeiterschaft« man bei der »Kunsterziehung« anknüpfen solle, beantwortet er sich selbst damit, daß es dabei nicht um das politische Niveau gehen könne, denn: »den besseren oder den weniger besseren Sozialdemokraten, von dem heute schon die Rede war, [...] den kenne ich nicht«. In der Konsequenz bleibt ihm nur die Klassifizierung nach fortschrittlicher oder rückschrittlicher Haltung ›in künstlerischer Hinsicht‹. Das heißt aber nichts anderes als die Orientierung an der jeweils ›neuesten‹ bürgerlichen Kunst, weil der Grad der Annäherung an diese den Maßstab dafür abgibt, wieweit ein Arbeiter ›fortschrittlich‹ oder ›rückschrittlich‹ zu nennen ist.

Insofern ist Steiger auch nicht einfach ein Verfechter der naturalistischen Kunstrichtung, sie ist für ihn nur eine Form der modernen Kunst. Wenn er sich in der Gothaer Debatte und in der ›Neuen Welt‹ für die naturalistische Kunst einsetzt, hat das nach seinen eigenen Erklärungen die taktische Bedeutung, die Arbeiter zunächst an eine Form der ›neuen Kunst‹ heranzuführen, die sie relativ leicht verstehen könnten. [47] Zur ›neuen Kunst‹ rechnet er in einem der erwähnten Aufsätze in der ›Leipziger Volkszeitung‹ genauso wie den »Naturalismus« auch den »Realismus« und den »Symbolismus«. [48]

Steiger versucht, eine Analogie zwischen der sozialdemokratischen Arbeiterschaft und den aktuellen bürgerlichen Kunstrichtungen über die Begriffe des ›Neuen‹, ›Modernen‹ und ›Fortschrittlichen‹ zu konstruieren. Unter Verwendung eines linearen Fortschrittsbegriffes geht Steiger davon aus, daß die Avantgarde auf politischem Gebiet, für die er die Sozialdemokratie erklärt, und die Avantgarde auf künstlerischem Gebiet, die sich für ihn in der jeweils ›modernsten‹ Kunst repräsentiert, natürlicherweise zusammengehen müßten. Sollte die »neue Kunst, in der das zuckende Herz des Jahrhunderts pocht, dem Kulturträger dieses Jahrhunderts, dem klassenbewußten Arbeiter, gar nichts zu sagen haben?« [49] – oder: »sollte es mit der Kunstpflege in unserem Lager wirklich so jämmerlich bestellt sein, daß wir Sozialdemokraten, die wir in der Politik und in der Gesellschaftswissenschaft an der Spitze marschieren, in der Aesthetik ein halbes Menschenalter hinter der Bourgeoisie herhinken?« [50]

Hier gibt Steiger unumwunden zu, daß es in der Kunsterziehung darum gehe, der Bourgeoisie nachzufolgen und sich zu einem Punkt vorzuarbeiten, wo diese schon stehe. Allerdings verknüpft sich für ihn die Idee vom Vorsprung der Bourgeoisie in Fragen der Kultur und Kunst nicht mit dem Begriff der ›bürgerlichen Kunst‹. Dieser Begriff böte – selbst wenn er mit der Vorstellung verbunden wäre, in der bürgerlichen Gesellschaft könne es nur eine bürgerliche Kunst geben, und wenn er auf diese Weise keinen Bewertungsmaßstab für das Eingreifen in die aktuelle Kunstdiskussion darstellte – doch die Möglichkeit, auf der analytischen Ebene das Verhältnis der Sozialdemokraten zu den aktuellen Kunstrichtungen zu klären und eine Leitlinie für sozialdemokratische Kunstpolitik aufzustellen. Diese Leitlinie müßte bei Anerkennung solcher Voraussetzungen etwa ›kritische Distanz‹ lauten. Statt einer solchen Grundhaltung strebt Steiger aber die der emphatischen Zustimmung an. Seine Argumentation läuft deshalb auf verschiedenen Wegen immer wieder darauf hinaus, den klassenübergreifenden und klassenlosen Charakter der Kunst, ganz besonders der modernen Kunst, herauszustellen.

Zu diesem Zweck stellt Steiger die Alternative auf: »Echte Dichtung oder sozialdemokratisches Traktätchen« [51], um sich für die *echte Dichtung* zu entscheiden, die im Gegensatz zum Traktätchen tendenzlos sei. Die Tendenzlosigkeit ergibt sich für Steiger daraus, daß ein Kunstwerk nichts anderes sei als die ›Abspiegelung eines Stückes Welt‹. [52] Zwar sieht Steiger in der künstlerischen Widerspiegelung der Wirklichkeit auch das subjektive Moment, daß der »Spiegel«, um den es hier gehe, »kein totes Metall, sondern [...] eine lebendige Menschenseele« sei; aber die Subjektivität des Künstlers wird in seiner Argumentation darauf eingeschränkt, daß er »ein Kind seiner Zeit, ein Sohn seines Jahrhunderts« sei. [53] Von einer durch die Klassenlage bedingten Subjektivität ist nicht die Rede. Von der Vorstellung ausgehend, daß es zwischen Zeitgenossen eigentlich keine Differenzen im Kunstverständnis geben dürfte, kann Steiger folgerichtig – wie wir gesehen haben – die Distanz der sozialdemokratischen Arbeiter zur ›modernen Kunst‹ nur mit der zeitlichen Kategorie der Zurückgebliebenheit interpretieren.

Daß in den naturalistischen Romanen immer wieder Sozialdemokraten negativ dargestellt werden, während bisweilen Angehörige der Bourgeoisie positiv geschildert werden, erklärt Steiger mit der besonderen Realistik dieser Romane. Auch bei der Schilderung der Arbeiter müsse die Kunst »die furchtbare Wahrheit [...] vertreten« und dürfe sich deswegen nicht darauf beschränken, »nur Arbeiter ›in Frack‹« zu schildern, »wie sie zufällig auf einer Rednertribüne auftreten«, sondern müsse auch zeigen, wie unter Umständen eines Arbeiters »Thaten im Widerspruch mit seiner Theorie stehen«, weil das schließlich in der Wirklichkeit selbst auch vorkomme. [54]

Gegen den Vorwurf, die naturalistischen Romane richteten sich in ihrer Tendenz häufig gegen die Sozialdemokratie, argumentiert Steiger so, als seien diese Romane die Wirklichkeit selbst: »Unsere Arbeiterschaft ist doch wohl geschult und gebildet genug, um zu begreifen, daß die heilige Sache, für die wir alle kämpfen, nicht davon abhängt, ob der eine oder andere ein schwacher Mensch ist mit Gebrechen und Lastern, ob da oder dort ein räudiges Schaf herumläuft. Nein, die große Sache wird durch solche Existenzen immer und wieder bestätigt.« [55] Steiger weigert sich, der Häufigkeit der Darstellung gerade solch ›räudiger Schafe‹ aus der Arbeiterbewegung eine besondere Funktion zuzumessen oder darin ein System zu sehen. Er erklärt diese Erscheinung vielmehr für ›zufällig‹: »Man erwartet, daß der Verfasser alle Bourgeois als Lumpen und alle Sozialdemokraten als Engel schildere, und ist empört, wenn einmal zufällig das Gegenteil geschieht.« [56] Während dieser Vorwurf eigentlich nur eine Reaktion auf die tendenziöse Verzerrung der Wirklichkeit durch einige naturalistische Romane ist, weist Steiger ihn unter Berufung auf die programmatische Absicht der Naturalisten zurück, ohne jede Tendenz »einfach ein Stück Welt, wie es ist«, ›abzuspiegeln‹. [57] Er geht davon aus, daß diese Absicht in den naturalistischen Kunstwerken verwirklicht worden sei, und kann deswegen seinerseits den Naturalismuskritikern vorwerfen, sie beabsichtigten eine tendenziöse Verzerrung der Wirklichkeit in sozialdemokratischem Sinne, statt ›echter Dichtung‹ befürworteten sie ›sozialdemokratische Traktätchen‹. [58]

Für den Bereich der künstlerischen Wirklichkeitsschilderung stellt der Sozialdemokrat Steiger also nicht die Forderung auf, von den sozialdemokratischen Vorstellungen über die Wirklichkeit auszugehen, sondern bezieht im Gegenteil den Standpunkt einer objektiven Instanz jenseits dieser Vorstellungen, von dem her die sozialdemokratische Sichtweise als Einseitigkeit erscheint. Dieser Standpunkt deckt sich mit dem Selbstverständnis jener Literaten, die als Künstler über den Widersprüchen der Welt zu stehen meinen und die von daher Wert darauf legen, ihre Unparteilichkeit zu betonen.

Steiger geht davon aus, daß die Idee von der *Unparteilichkeit der Kunst* in der Sozialdemokratischen Partei fest verankert ist. Das wird daran deutlich, daß er auf dem Parteitag um Zustimmung für den Naturalismus gerade mit dem Argument wirbt, dieser sei völlig unparteilich. Neben den programmatischen Positionen des Naturalismus, die auf die getreue Wiedergabe der Wirklichkeit zielen, führt Steiger als Beleg noch das inhaltliche Moment an, daß der Naturalismus im Gegensatz zur alten Kunst nicht mehr bevorzugt Angehörige der oberen Klassen darstelle, sondern daß es ihm um die Darstellung des Menschen an sich ohne Rücksicht auf die Klassenzugehörigkeit gehe: »Die Kunst [...] versenkt sich auf einmal in die geringste Menschenseele. Ja, die Kunst ist demokratisch geworden, man braucht keine Könige mehr auf der Bühne, man braucht keine Fürsten, keine Barone und Grafen in den Romanen; jetzt ist der Arbeiter oder wer es sei, jeder Mensch ganz losgelöst von seiner sozialen Stellung ein gleich interessantes Objekt. Wir entdecken in ihm ganz dieselben Eigenschaften und verfolgen sie.« [59]

Steiger argumentiert hier wie ein bürgerlicher Sozialreformer, wenn er den Arbeitern den Naturalismus damit schmackhaft machen will, daß dieser eine Kunstrichtung sei, in der auch sie berücksichtigt würden, und daß sie hier gegenüber den anderen Klassen nicht mehr unterprivilegiert seien. Hinter dem programmatischen Anspruch der Sozialdemokraten, die Klasseninteressen der Arbeiter über die Interessen der anderen Klassen zu stellen, bleibt er weit zurück.

Aus der inneren Logik der Anschauung vom Künstler als Vollmenschen schon in der Klassengesellschaft läßt sich stringent eine Position ableiten, die sich in Steigers Äußerungen zur Literaturdebatte in Ansätzen vorfindet und die wenig später im Zusammenhang mit dem Aufkommen des Revisionismus eine wichtige Rolle für die sozialdemokratische Kunstpolitik zu spielen beginnt. Neben der Idee vom klassenübergreifenden Charakter der Kunst, der sich aus ihrem Standort jenseits der aktuellen gesellschaftlichen Widersprüche ergibt, ist ein zweites konstitutives Element dieser Position die Vorstellung, daß die politischen und ökonomischen Kampfziele der Sozialdemokratie bloß untergeordnete Mittel zur Erreichung des in Begriffen wie ›Vollmenschentum‹ oder ›höheres Menschentum‹ angedeuteten Hauptzieles seien. Das Ziel wird nicht als Einheit von materiellen und ideellen Werten gesehen, sondern die ideellen Werte werden als das qualitativ höher zu Bewertende dargestellt, dessen Erreichung durch eine Verbesserung der materiellen – politischen wie ökonomischen – Lage bloß erleichtert werde. Wenn nun erklärt wird, dem Künstler sei es möglich, sich über alle äußeren Widerstände hinwegzusetzen und schon jetzt zum Vollmenschen zu werden, wird zugleich der Bereich angegeben, in dem eine Erreichung des Endzieles ohne vorherige Umwälzung der gesellschaftlichen Verhältnisse möglich ist: es ist dieses der Bereich der Kunst; dieser ist, wenn auch in eingeschränkter Weise, dem Nichtkünstler ebenfalls zugänglich. Auf diese Weise wird die Teilhabe an der Kunst, der eine solch überragende Funktion zugesprochen worden ist, praktisch zu einem Mittel der *Versöhnung* mit der gegenwärtigen Wirklichkeit. Diese Wirklichkeit braucht tendenziell nicht mehr in der politischen Realität überwunden zu werden, sondern ist nur noch in der individuellen Psyche zu transzendieren, um an das ›eigentliche Endziel‹ zu gelangen.

Ansätze dieser Konzeption finden sich in Steigers Äußerungen im Zusammenhang der Literaturdebatte in folgenden Punkten:

– Steiger bezeichnet die sozialistische Bewegung als die »größte Kulturbewegung aller Zeiten« [60], deren letztes Ziel es sei [61], »das große Kulturerbe der Vergangenheit der Gesamtheit der Menschen« zu »übermitteln«. Steiger faßt den Begriff ›Kultur‹ hier sehr allgemein: Er will in dem zitierten Satz eine Aussage machen über das Verhältnis des Sozialismus zu den positiven Leistungen von Vergangenheit und Gegenwart überhaupt. Hier ist es nach seiner Vorstellung Ziel des Sozialismus, allen Menschen (›der Gesamtheit‹) den Genuß dessen zu ermöglichen, was bisher nur wenigen vorbehalten gewesen ist. Wichtig in unserem Zusammenhang ist an dieser Zielbestimmung, daß der Sozialismus für Steiger wesentlich nicht als qualitativer Sprung der gesellschaftlichen Entwicklung erscheint, sondern als eine Stufe höherer quantitativer Verbreitung schon vorhandener positiver Elemente. Sich um die Teilhabe an diesen schon vorhandenen positiven Elementen hier und jetzt individuell oder in Gruppen zu bemühen, kann unter dieser Voraussetzung nicht als Abweg vom Endziel interpretiert werden, sondern muß geradezu als Schritt auf das Endziel hin gelten.

– Für den engeren Bereich der Kunst gibt Steiger dasselbe Ziel an, indem er ihn dem »Kulturerbe«, das im Sozialismus der »Gesamtheit der Menschen« übermittelt werden soll, zurechnet. Dabei äußert er sich in emphatischen Formulierungen über den Kunstgenuß als den eigentlichen Daseinszweck des Menschen, und er läßt diese These, bei der er sich auf Goethe beruft, sowohl für die Vergangenheit wie für die Gegenwart und die sozialistische Zukunftsgesellschaft gelten: »Und gehört zu diesem Kulturerbe nicht auch die Kunst, in der allein [!] der Mensch sich selbst genießen und, wie Goethe in Künstlers Abendlied so schön sagt, das enge Dasein zur Ewigkeit erweitern kann?« [62] Hier gilt der Kunstgenuß in der gegenwärtigen Klassengesellschaft nicht nur als individuelle Vorwegnahme der zukünftigen Befreiung, sondern es wird auch für die sozialistische Zukunftsgesellschaft behauptet, daß der eigentliche Lebenszweck erst im Kunstgenuß erreichbar sei. Der Sozialismus wird deswegen gepriesen, weil er allen Menschen den ungehinderten Kunstgenuß ermöglicht.

Die Steiger-Zitate in den letzten beiden Absätzen stammen nicht aus der Parteitagsdebatte, sondern aus Steigers Aufsätzen in der ›Leipziger Volkszeitung‹, die er kurz vor dem Gothaer Parteitag geschrieben· hat. Für diese Aufsätze gilt, daß Steiger in ihnen seine Kunstkonzeption noch freimütiger darstellen kann als auf dem Parteitag, wo er sich in der Defensive befindet. In der ›Leipziger Volkszeitung‹ schreibt er dagegen für ein Publikum, das durch ebendiese Zeitung – wie er selbst hervorhebt – seit zwei Jahren zur Kunst erzogen worden sei. [63] Auf dem Gothaer Parteitag betont Steiger die Bedeutung der politischen und ökonomischen Aufgaben der Sozialdemokratie mehr als in der ›Leipziger Volkszeitung‹. Dadurch wird die oben dargestellte Konzeption entschärft und kann so von den Parteitagsdelegierten leichter übersehen werden, obwohl ihre wichtigsten Gesichtspunkte von Steiger auch auf dem Parteitag offen vertreten werden. Das wird besonders im letzten Absatz seines ausführlichen Eingangsvortrages deutlich:

– Zur Gewichtung des Verhältnisses von ökonomischer Befreiung und Kunstgenuß heißt es da, anders als in der ›Leipziger Volkszeitung‹: »Die Kunst ist mir das Zweite, für das ich leben und sterben möchte. In erster Linie liegt mir an der großen Befreiung des arbeitenden Volkes aus ökonomischer Noth.« [64]

– Steiger fährt fort, ihm liege in »zweiter Linie aber schon jetzt an der Emporhebung des Volkes, damit es theilnehmen kann an den Kulturgenüssen«, und er begründet die Notwendigkeit, das Volk schon jetzt an den Kulturgenuß heranzuführen, mit den ›Zielen, denen die Sozialdemokratie zustrebe‹. Als gemeinsamen Nenner dieser Ziele gibt er an, daß »alle ganze Menschen werden« sollten. [65] In dieser Argumentation sind also wieder die beiden Motive enthalten, daß der ›Kulturgenuß‹ zum ›ganzen Menschen mache‹ und daß solcher ›Kulturgenuß‹ hier und jetzt möglich und anzustreben sei.

– Es findet sich in diesem Absatz auch wieder der Begründungszusammenhang, der die Verbindung der vergangenen und der Gegenwartskultur mit der Zukunftsgesellschaft herstellt: »Wir wollen, daß das arbeitende Volk die Führung übernimmt auf allen Gebieten des Lebens [Zwischenruf: sehr richtig!] und das wollen wir nicht durch Vernichtung früherer Kulturen, damit wir nachher aus dem Nichts etwas schaffen, sondern wir wollen alles [!] Gute und Schöne und die ganze Fähigkeit, dieses Gute und Schöne zu genießen, herübernehmen aus den früheren Gesellschaften und hinlegen auf den Tisch des arbeitenden Volkes, damit dieses als der große Kulturkämpfer der Gegenwart das Kulturerbe der Gegenwart übernehmen kann.« [66] Wie in der Volkszeitung nimmt Steiger auch hier den Kulturbereich von jeder Revolutionierung im Klasseninteresse der Arbeiter aus. Von der Argumentation in der ›Leipziger Volkszeitung‹ unterscheidet sich diese Passage allerdings darin, daß hier nicht mehr der Kunstgenuß als die eigentliche Erfüllung des Lebens auch in der Zukunftsgesellschaft propagiert wird. Daß diese Weglassung taktisch motiviert ist, läßt sich indirekt daraus erschließen, daß Steiger in diesem Satz auch sonst so sehr taktiert, daß seine Argumentation darüber ihre Logik verliert: Im ersten Teil des Satzes knüpft Steiger an das radikale Selbstverständnis der meisten Parteitagsdelegierten an, wenn er die Führungsrolle des Volkes im Kunstbereich propagiert. Anscheinend hat er damit Erfolg, was der im Protokoll vermerkte spontane Zuruf ›sehr richtig!‹ andeutet. Dieser taktisch motivierte erste Teil des Satzes steht zu der von Steiger inhaltlich im zweiten Teil vertretenen Position in deutlichem Widerspruch, läßt sich doch aus der These, daß es darum gehe, die alte Kunst ›herüberzunehmen‹, gerade nicht die Herrschaft des Volkes über den Kunstbereich begründen.

Im Gegenteil: indem die weitere Gültigkeit der alten Kunst behauptet wird, wird zugleich deren berufenen Schöpfern und Interpreten, das heißt aber den bürgerlichen Künstlern und Kunstsachverständigen, eine weiterhin bestimmende Rolle auf dem Kunstsektor zugesprochen. Ihr Herrschaftsanspruch über diesen Bereich wird in Steigers Argumentation legitimiert, und das ist auch dessen Absicht.

Steigers theoretische Position gleicht in vielen Punkten der der ›Friedrichshagener‹. Von daher ist es nicht als Zufall anzusehen, wenn er sich in seiner kulturpolitischen Praxis in der Sozialdemokratischen Partei als leitender Redakteur der ›Neuen Welt‹ ganz offensichtlich zum Protektor der Friedrichshagener macht, indem er ihren literarischen Produkten einen hervorragenden Platz in der ›Neuen Welt‹ einräumt. Steiger übernimmt die Redaktion der wöchentlich erscheinenden Literaturbeilage zu den sozialdemokratischen Parteizeitungen mit der 9. Nummer des Jahres 1896. Da er in den ersten Nummern nach eigenen Worten erst den

»bereits von früher angehäuften Lesestoff zum Abdruck« bringen muß [67], kann er erst einige Wochen später sein eigenes Programm voll durchführen. In Nr. 14 beginnt der Abdruck von Hans Lands Roman *Der Neue Gott,* zwei Nummern später erscheint die erste Folge einer längeren Erzählung von John Henry Mackay mit dem Titel *Die letzte Pflicht.*

Obwohl die zuletzt angeführte Erzählung mit 8 Fortsetzungen fast ebensoviel Gewicht für die ›Neue Welt‹ hat wie der *Neue Gott* (10 Fortsetzungen) [68] und obwohl Mackay den Sozialdemokraten als Anarchist und erklärter Feind der Sozialdemokratie bekannt ist, erhebt sich gegen den Abdruck seiner Erzählung während der ganzen Auseinandersetzung über die ›Neue Welt‹ im Jahre 1896 kein Widerspruch. Das liegt offensichtlich daran, daß gegen diese Erzählung keine ›sittlichen Bedenken‹ aufkommen. ›Sozialdemokratische Bedenken‹ könnten näm- lich auch gegen diese Erzählung sehr wohl erhoben werden, deren Tendenz eine Nietzschesche Verachtung für das als armselig ausgegebene Leben des Normal- bürgers ist. Der Grund für die Armseligkeit des normalen Lebens, das in der Ge- schichte eines Dorfschullehrers vorgestellt wird, liegt nach Mackay im Fehlen der großen Leidenschaften, die dem Leben erst ihren Wert verliehen. In Mackays Wertsystem, das auch der *Letzten Pflicht* zugrunde liegt, steht der große Verbre- cher genauso wie der große Held oben, während der nicht aus der Masse heraus- ragende Normalmensch am Ende der Werteskala rangiert.

Als der Abdruck des *Neuen Gott* und der *Letzten Pflicht* in Nr. 24 der ›Neuen Welt‹ abgeschlossen worden ist, beginnt Steiger schon in der übernächsten Num- mer mit dem Abdruck von Hegelers *Mutter Bertha,* das heißt wieder eines Ro- mans, der von einem ›Friedrichshagener‹ geschrieben worden ist. Für die Sozial- demokratische Partei bekommt die Wiedergabe der Romane von Land und Hege- ler in der ›Neuen Welt‹ deswegen eine solche Bedeutung, weil zum einen der Abdruck ohne jeden redaktionellen Kommentar erfolgt und zum anderen die ›Neue Welt‹ als Beilage zu den sozialdemokratischen Parteizeitungen einen halb- offiziellen Charakter hat. Insofern wird der Anschein einer Identifikation der Par- tei mit den Intentionen der Romane erweckt. Ein Teil der Parteimitglieder fühlt sich durch diesen Anschein so provoziert, daß er eine Parteidiskussion über die beiden Romane verlangt. Allerdings geht es den Delegierten, die auf dem Parteitag diesen Teil der Mitglieder vertreten, nur darum, daß nicht der Naturalismus eine parteioffizielle Billigung erfährt. Die politisch-inhaltlichen Positionen, die Land und Hegeler implizit in ihren Romanen vertreten und die nur bedingt mit der Frage ›Naturalismus oder nicht‹ zusammenhängen, werden demgegenüber in der Diskussion vernachlässigt, obwohl für die breite Leserschaft der ›Neuen Welt‹ die Einflüsse, die von hier ausgehen können, viel mehr ins Gewicht fallen dürften.

Eine Einschätzung der Funktion, die die Gothaer Literaturdebatte für die Ge- schichte der sozialdemokratischen Kulturpolitik hat, ist nicht möglich ohne die Be- urteilung auch jener Faktoren, die gerade dadurch, daß ihre Erörterung nicht für nötig gehalten wird, stillschweigend hingenommen und damit indirekt gebilligt werden. Wir wollen deshalb in einer Interpretation der Romane *Der neue Gott* und *Mutter Bertha* die Gesichtspunkte herausarbeiten, die für eine Beurteilung dieser Romane und ihrer möglichen Wirkung auf das sozialdemokratische Publikum, das ihnen die ›Neue Welt‹ zuführt, vom Standpunkt der sozialdemokratischen Partei aus hätten relevant sein müssen.

Auch zur Frage, wie die Sozialdemokratie 1896 zu den ›Friedrichshagenern‹ steht, sollen die Romaninterpretationen weitere Klarheit bringen. Den Charakter einer indirekten Stellungnahme zu den ›Friedrichshagenern‹ hat die Parteitagsdebatte nämlich nicht nur wegen der Auseinandersetzung mit der Position Steigers, sondern auch wegen der Diskussion über die beiden Romane. Diese sind nämlich Variationen jenes Typus von ›Friedrichshagener Roman‹, wie wir ihn im zweiten Kapitel vorgestellt haben.

4.3 Hans Lands Roman ›Der neue Gott‹

Hans Land ist in den Jahren nach 1891 nicht mehr zum engeren Kreis der ›Friedrichshagener‹ zu rechnen. Er spielt weder in den ersten Jahren der Volksbühnenbewegung noch bei den ›Jungen‹ oder ›Unabhängigen Sozialisten‹ eine Rolle und wird weder als Bewohner noch als Besucher Friedrichshagens erwähnt. Erst viele Jahre später, 1909–1911, wird Land in Führungspositionen der von Wille gegründeten ›Neuen Freien Volksbühne‹ gewählt, für kurze Zeit sogar zu deren erstem Vorsitzenden [69], das geschieht aber zu einer Zeit, als Wille selbst sich schon von der aktiven Volksbühnenarbeit zurückgezogen hat, und kann deswegen nicht als Indiz einer Zugehörigkeit Lands zum Wille-Kreis gewertet werden. Vorher hat sich Land an der Arbeit der Volksbühne nicht beteiligt.

Seinen Roman *Der neue Gott* hat Land aber 1890 geschrieben, das heißt in einem Jahr, in dem er seiner objektiven Situation und seinem Selbstverständnis nach dem engeren Kreis der ›Friedrichshagener‹ noch zuzurechnen ist. [70] In einem Aufsatz mit dem Titel *Die Kunst und das Volk* formuliert Land 1890 in der ›Freien Bühne‹ Gedanken, die deren Herausgeber Otto Brahm so sehr mit den gleichzeitig entstandenen Volksbühnenideen Willes übereinzustimmen scheinen, daß er dem Aufsatz von Land den eine Woche zuvor im ›Volksblatt‹ veröffentlichten »Aufruf zur Gründung einer ›Freien Volks-Bühne‹« anfügt – mit der redaktionellen Überleitung, Willes Aufruf sei ein Beweis dafür, »wie kräftig die soeben [d. i. von Land!] vorgetragenen Anschauungen nach Leben ringen«. [71]

Ein Vergleich von Lands Aufsatz mit Willes Konzeptionen zeigt tatsächlich Übereinstimmung in wesentlichen Punkten. Es geht Land wie Wille darum, das Volk an einen Kunstbereich heranzuführen, der von ihnen als etwas unabhängig von seinem Publikum Vorgegebenes aufgefaßt wird. So bedauert es Land, daß »die breite Masse des Volkes von all’ dem reichen künstlerischen Leben, das innerhalb der oberen Klassen sich vollzieht, so gänzlich unberührt bleibt« [72] – und hält es für die Hauptaufgabe der Kunsterziehung, die breiten Volksmassen an jene Kunst heranzuführen, die bisher den ›Gebildeten‹, bzw. den ›oberen Klassen‹ vorbehalten gewesen sei. Auf musikalischem Gebiet stellt Land beispielsweise populäre Kunstformen wie Volkslied, Walzer- und Operettenmusik einem nicht näher spezifizierten als hohe Kunst anerkannten Bereich so gegenüber, daß er jene als ›Vorhöfe‹, diesen aber – Land redet selbst vom »Besten und Höchsten, das unsere großen Meister geschaffen« – als das »Allerheiligste« der musikalischen Kunst bezeichnet. Wie Wille hat Land die Absicht, Kunst und Volk zusammenzubringen, und wie Wille denkt er dabei an einen recht einseitigen Annäherungsprozeß, bei dem nur das Volk sich verändert, indem es seine Rezeptionsfähigkeit erhöht, die Kunst aber das bleibt, was sie ist, nämlich bürgerliche Kunst.

In mehrfacher Hinsicht unterscheidet sich Lands Aufsatz aber auch von Willes Konzeption:

– Während Wille mit Realismus und Naturalismus Kunstrichtungen durchsetzen will, die nicht allgemein anerkannt sind, fühlt Land sich in Übereinstimmung mit dem Kunstverständnis der ›oberen Klassen‹. In Willes Aufruf zur Volksbühnengründung ist deswegen davon die Rede, daß »der Geschmack der Masse in allen Gesellschaftsklassen« korrumpiert worden sei [73] und daß erst die neuen Kunstrichtungen die Befreiung von dieser Geschmackskorruption gebracht hätten und weiter brächten. Die ›redlich strebenden Dichter, Journalisten und Redner‹, die nach Willes Vorstellung diesen Prozeß vorantreiben und zu denen er sich auch selber zählt, fühlen sich nicht wie Land als Teil der Oberklassen, sondern stehen diesen und den bei ihnen herrschenden Kunstvorstellungen oppositionell gegenüber.

– Aus diesen unterschiedlichen Voraussetzungen ergibt sich auch ein unterschiedliches Auftreten gegenüber den Arbeitern, die die Hauptmasse des neuen Kunstpublikums darstellen sollen. Obwohl Wille wie Land diesem Publikum die Kompetenz abspricht, über Fragen der Kunst zu urteilen, und deshalb sich und seinesgleichen die unbeschränkte Führung in diesem Bereich vorbehält, versucht er dennoch, sich den Arbeitern als Bündnispartner vorzustellen, und propagiert seine ›volkspädagogischen Intentionen‹ in letzter Konsequenz erst dann offen, als er sich von der Arbeiterbewegung losgesagt hat. Demgegenüber stellt sich Land schon 1890 als Herrschaftstechniker dar. Er propagiert Kunst als ein Erziehungsmittel, das – richtig eingesetzt – stärker wirken könne als Kirche und Schule. Land erinnert an die griechische Mythologie, wo »die Macht des Gesanges [...] wilde Thiere zähmt«. In ähnlicher Weise sei die Kunst in der Lage, gegenüber dem ›Naturmenschen‹ zu wirken, »dessen Affecte gewöhnt sind, sich frei auszutoben [...], der rücksichtslos seinen Trieben zu folgen pflegt«. Solch ein ›Naturmensch‹ ist für Land auch der »Proletarier«, über den er schreibt, er sei »ein ideales Material für künstlerische Beeinflussung«. [74]

– Im Gegensatz zu Wille hält Land die Verwirklichung der Pläne, Kunst und Volk zusammenzubringen, nur durch staatliche Initiative für möglich. Er ruft deshalb nicht wie Wille zur Selbstorganisation des potentiellen Publikums auf, sondern appelliert an den Staat, die nötigen Mittel zur Verfügung zu stellen. Er preist die Kunst als Veredelungs- und Versöhnungsmittel an, um den Staat davon zu überzeugen, daß er durch die Förderung der Kunst seinen eigenen Zwecken dienen könne. Hauptsächlich spielt Land dabei auf die Möglichkeit zur Befriedung der Arbeiter an: In der Rezeption der künstlerischen Gestaltung der Welt lerne das Volk, sich als Teil des Großen und Ganzen einzuordnen (»Sein eigenes Leben, vom Künstler belauscht und nachgebildet, zeiget dem Volke, daß es lerne, sich selbst zu verstehen und daß es seinen Platz einmal frei überschaue von künstlerischer Höhe« [75]). Der Dichter sei imstande, das »schönheitsliebende, arme, im Dunkel verkommende Volk« zu erfrischen, zu erheben und ihm Gutes zu bringen, und er werde verstanden werden, »denn in dem Letzten und Verkommensten schlummert der Mensch, des Wesen gut und freundlich ist, der einen Drang hat zum Versöhnen, dessen Hoffen das Licht und dessen Furcht das Dunkel«. [76]

— Während Land staatlich subventionierte Dichterlesungen für eine Form hält, in der diese Ideen schnell und problemlos Wirklichkeit werden könnten, hält er die ›deutsche Volksbühne‹ noch für ein fernes ›Traumbild‹: »Dies Dornröschen schlummert noch tief im verzauberten Schloß, und fern ist der Tag, da es erwachen wird.« [77]

— Der Skepsis, die Land in diesem Punkt zeigt, entspricht, daß er auch sonst mehr als die meisten anderen ›Friedrichshagener‹ bürgerlich-konventionellen Vorstellungen verhaftet bleibt. Das hat insofern eine politische Seite, als es vermuten läßt, daß Land sich weniger als die meisten seiner Kollegen durch die gesellschaftliche Situation von 1890 verunsichert fühlt. Diesen Gesichtspunkt gilt es für die Interpretation des Romans *Der neue Gott* festzuhalten, in dem Land jene Situation darzustellen versucht.

— Ein in ähnlicher Weise ungebrochenes Selbstgefühl oder zumindest der Versuch, ein solches zu demonstrieren, wird in Lands Aufsatz an den Stellen deutlich, wo der Autor über die Rolle des Dichters spricht. Nachdem er über die Funktion von Musik und bildender Kunst zwar auch mit Emphase, aber noch mit einiger Distanz gesprochen hat, beginnt er die Passage über die Dichtung mit den Worten: »Und nun neiget Euch! Der letzte tritt heran, der Dichter, der sein Volk sucht.« Nachdrücklich betont Land, daß er hier nur den »echten Dichter« im Auge habe, dieser allein solle zum Volk reden dürfen. Mitten in dieser Passage, in der er zuerst über ›den Dichter‹ nur in der dritten Person geredet hat, wechselt er plötzlich in die erste Person Plural über, der Lobpreis der Dichter enthüllt sich als Selbstlob: »Auf denn, und führet die Kunst in das Volk, bringt Freude und Trost, veredelt und erhebt! Die von *uns* durch weite Klüfte getrennt, *wir* wollen sie *uns* wieder näher bringen, den Menschen in ihnen erfrischen und stärken.« [78]

Lands Roman *Der neue Gott* zeigt, daß auch ihn die politischen und sozialen Bewegungen seiner Zeit beschäftigen; aus seinem Aufsatz *Die Kunst und das Volk*, der etwa gleichzeitig geschrieben worden ist, wird aber deutlich, daß er den sozialdemokratischen Ideen noch ferner steht als die meisten seiner Kollegen aus dem Umkreis der ›Friedrichshagener‹. Insofern sind die Ideen, die er in diesem Aufsatz vorbringt, zum Teil (z. B. die Propagierung der Ehrfurcht vor dem Dichter) wie Vorwegnahmen von Positionen zu lesen, die die anderen ›Friedrichshagener‹ erst nach dem endgültigen Bruch mit der Sozialdemokratie in solcher Offenheit verkünden.

Im *Neuen Gott* erzählt Land die Geschichte des jungen Grafen, Generalssohnes und Husarenoffiziers Friedrich von der Haiden, der zur Zeit des Sozialistengesetzes seinen Beruf aufgibt und seine Familie verläßt, weil er etwas gegen das soziale Elend tun will. Er setzt seine Unterschrift unter einen sozialdemokratischen Aufruf und bricht damit alle Brücken zu seinem bisherigen Leben ab. Er beginnt, sich seinen Lebensunterhalt als Übersetzer zu verdienen. Nachdem er sich in einer Volksversammlung ein zweites Mal öffentlich zu den sozialdemokratischen Ideen bekannt hat, wird er von den Sozialdemokraten als einer der Ihren anerkannt. Man bittet ihn, in einem geheimen Arbeiterbildungsverein den Unterricht in Kulturgeschichte zu übernehmen. Haiden erklärt sich dazu bereit. Doch er hat kaum damit begonnen, als ihn persönliche Probleme aus der neu eingeschlagenen Bahn werfen. Nach dem plötzlichen Tod seines Vaters, der die Handlungsweise seines Sohnes nicht verwinden konnte, erfährt Haiden nämlich, daß seine früh verstorbene Mutter, die er immer als Symbol der tiefsten Reinheit verehrt hatte, eine Tochter aus einer außerehelichen Beziehung hat, deren Existenz sie vor aller Welt geheim gehalten hat. [79] Haiden empfindet diese Nachricht als einen so schweren Schock, daß er nichts anderes mehr denken kann. Weil er nicht mehr zur Arbeiterbildungsschule kommt, beschließt man dort, sich von ihm zu trennen. Als Haiden schließlich erfährt, daß seine Halbschwester ein Straßenmädchen geworden ist, wird seine Verstörung grenzenlos. Er gerät in Geldsorgen, weil sein Verleger ihm keine Texte zum Übersetzen mehr geben will und die Übersetzungen, die Haiden ihm bis dahin geliefert hat, für unzureichend erklärt. Haiden kann ihm den Vorschuß, von dem er bis dahin gelebt hat, nicht zurückzahlen, fühlt sich aber bei seiner Ehre zur Rückzahlung verpflichtet. Andererseits spürt er ob dieser Ehrenpflicht eine solche Schuldenlast auf sich ruhen, daß er dadurch demoralisiert wird. Die Zahl der Arbeitslosen ist groß, und es gelingt ihm nicht, eine Arbeit zu finden. Er ist vor Hunger entkräftet und wegen seiner vielen Schwierigkeiten auch psychisch am Ende, als ein ehemaliger Bekannter, der inzwischen zum Polizeispitzel geworden ist, beginnt, ihn zu bearbeiten. Diesem gelingt es schließlich, Haiden durch nicht mehr als die Verlockung einer warmen Mahlzeit zur Preisgabe des geheimen Treffpunktes des Arbeiterbildungsvereins zu bewegen. Alle Mitglieder der Arbeiterbildungsschule werden verhaftet. Haiden wird von einigen Arbeitern als Verräter verdächtigt, schon wenige Stunden nach dem Verrat auf der Straße entdeckt und von ihnen so zusammengeschlagen, daß er sechs Wochen im Krankenhaus liegen muß. Als er aus dem Krankenhaus entlassen wird, hat er keine konkrete Perspektive mehr, wohl aber den verschwommenen Wunsch, doch das Richtige zu tun. Dazu bekommt er Gelegenheit, als vor ihm auf der Straße ein junger Arbeiter zusammenbricht, der mit Parteipapieren und Mitgliederlisten der Sozialdemokratischen Partei auf der Flucht vor Polizeispitzeln ist, die ihm unmittelbar folgen. Haiden ergreift die geheimen Papiere, um sie an ihren Bestimmungsort weiterzubringen. Das Eis eines Kanals jedoch, den er auf der Flucht überqueren muß, ist brüchig. So findet Haiden den Tod – und kann, weil mit ihm die Papiere im Kanal versinken, eine Reihe gefährdeter Sozialdemokraten vor dem Polizeizugriff retten und seinen Verrat dadurch wiedergutzumachen.

Dieser Hauptstrang des Romans wird von Nebenhandlungen begleitet, die sich um die Nebenfiguren ranken. Die wichtigsten von diesen sind der Student Ernst Hart, der Arbeiter Fritz Herning und der Arzt Bernhard Jacoby. In ihren Lebensläufen kontrastiert Land dem Schicksal Haidens andere Möglichkeiten des Verhältnisses zur sozialen Frage und zur Sozialdemokratie.

Ernst Hart ist Sohn eines Fabrikanten, Student der Chemie mit schriftstellerischen Ambitionen – er will einen Roman schreiben – und Sympathisant der Sozialdemokratie. Er entwirft für die Sozialdemokraten Aufrufe und unterrichtet an der geheimen Arbeiterbildungsschule. Auf Drängen seiner Eltern, die ihn von seiner politischen Betätigung abbringen wollen, verläßt er Berlin, um sein Studium in Heidelberg zu beenden. Dort widmet er sich tatsächlich nur noch seinem Studium. Ohne seine Sympathien völlig von den Sozialdemokraten abzuwenden, hält er jetzt die staatlichen Sozialgesetze schon für den entscheidenden Hebel zur Lösung der sozialen Frage.

Fritz Herning, Facharbeiter in der Fabrik von Harts Vater, ist einer der führenden Sozialdemokraten Berlins. Ihm ist alles nebensächlich außer der Politik, z. B. sind ihm jegliche familiären Rücksichten fremd. Daß er wegen seiner politischen Tätigkeit aus seinem Betrieb entlassen wird, ist für ihn keine Katastrophe, denn er hat Ambitionen, Berufspolitiker zu werden. Am Schluß des Romans steht Hernings Triumph: Er wird zum sozialdemokratischen Reichstagsabgeordneten gewählt.

Bernhard Jacoby, Sohn eines Pfandleihers und Jude, versucht, als Armenarzt das soziale Elend zu lindern. Zwar versteht er die Sozialdemokraten und fühlt sich mit ihnen verschwommen in den Motiven einig, aber er lehnt ihr ›politisches Bekenntnis‹ ab. Jacoby liebt und achtet die Menschen, auch wenn sie schlecht sind. Er ist selbstlos bereit, jedem zu helfen.

Zum Typus des ›Friedrichshagener Romans‹, wie wir ihn im ersten Kapitel herausgearbeitet haben, gehörte, daß der Romanautor den Helden des Romans in die Probleme hineinstellte, denen er sich selbst konfrontiert sah. In der Regel war eine starke *Identifikation des Autors mit seinem Helden* auszumachen. In Lands Roman ist dieses Modell insofern modifiziert, als der Autor offensichtlich drei Figuren des Romans mit Merkmalen seiner eigenen Person ausstattet, um sie holzschnittartig auf diese hin zu typisieren. Das deutet darauf hin, daß es ihm noch nicht gelungen ist, die Widersprüche, in die er sich selbst hineingestellt fühlt, auf einen gemeinsamen Nenner zu bringen.

Beim Grafen Haiden ist es der Gang des Privilegierten ins Volk, mit dem Land sich, wie aus seinem Aufsatz *Die Kunst und das Volk* deutlich wird, identifiziert. Die Analogie von ›Adligem‹ (wie Haiden) und ›Künstler‹ (wie Land) wird im Roman selber in einer Diskussion zwischen dem Grafen Haiden und seinem Freund, dem Arzt Hans Stein, angedeutet. Die Diskussion geht um die Frage, ob die Adligen oder die Künstler als die eigentlichen Kulturträger anzusehen seien. Während der Bürgerliche Hans Stein dieses Prädikat den Adligen zusprechen will, vertritt der Adlige Haiden die Meinung, diese Funktion sei vom Adel auf die Künstler übergegangen. [80]

Bei Ernst Hart sind die Identifikationsmomente noch deutlicher greifbar. Land stellt ihn als einen Intellektuellen bürgerlicher Herkunft dar, der sich zum einen als Lehrer in einem Bildungsverein der Arbeiterbewegung zuwendet, zum anderen Schriftsteller werden will und beabsichtigt, einen »sozialen Roman« mit dem Grafen Haiden als Hauptfigur zu schreiben [81] – also das Buch, das Land mit dem *Neuen Gott* selber verfaßt hat.

Im Armenarzt Bernhard Jacoby konstruiert Land eine Gestalt, die von allen Widersprüchen gereinigt ist und als eine Art Ich-Ideal fungiert. Die Gemeinsamkeit von Land und Jacoby besteht darin, daß beide Juden sind. Die Gestalt Jacobys ist im Roman ganz auf dieses Merkmal hin zugeschnitten. Am deutlichsten wird das in der Darstellung von Jacobys Verhältnis zu seinem Vater, der als hartherziger und geiziger Pfandleiher geschildert wird und damit getreu dem zeitgenössischen antisemitischen Negativklischee des Juden entspricht. Dadurch bekommt Jacobys von Liebe und Verstehen geprägte positive Bewältigung des Verhältnisses zu seinem Vater exemplarische Bedeutung. [82] In ihr wird in idealer Weise vorgeführt, wie ein Jude mit seinem Judentum fertigwerden kann. Damit aber überwindet die Romangestalt Jacoby ein Problem, das eines der Hauptprobleme auch ihres ›Schöpfers‹ Hans Land ist.

Abgesehen von der einen Differenz, daß Land nicht nur mit einer Romanfigur, wie sonst in den ›Friedrichshagener Romanen‹ üblich, starke Identifikationen verbinden, finden wir in seinem Roman fast alle Motive wieder, die den ›Friedrichshagener Romantypus‹ konstituieren: *Scham* über seine privilegierte Stellung ist es, die Haiden dazu bewegt, sich von seinen gesellschaftlichen Kreisen zu lösen. Er grübelt im ersten Kapitel des Romans über der Frage: »Ist es recht, seinem Vergnügen zu leben, [...] zu genießen, inmitten einer armseligen Gesellschaft, die hohlen Auges dem Gelage zuschaut?« [83]

Bernhard Jacoby sieht im *Mitleid* nicht nur das eigene Motiv, um dessentwillen er sich den Armen als Arzt zuwendet, sondern das Signum einer neuen Epoche. An die Stelle des Geschäfts, das in der bürgerlichen Erwerbsgesellschaft der angebetete Gott sei, trete jetzt das »große Mitleid« als der »neue Gott«: »nun drängt und treibt es: der neue Gott – das große Mitleid – sucht eine neue Welt zu schaffen«. [84] Dieser ›neue Gott‹, das Mitleid, spielt für Land eine so große Rolle, daß er nach ihm seinen ganzen Roman nennt.

In derselben Vision, in der Jacoby in dem Roman von dem neuen Gott erzählt, schildert er den Gegensatz zwischen der alten Welt, »da alle als Feinde beieinander wohnten« [85], und der neuen Welt der »Liebe« und der ›Gemeinsamkeit‹ [86] auch als *Gegensatz zwischen Stadt und Land* – allerdings in der Form eines Gleichnisses, nicht als Realitätsschilderung –: »die Tore sprangen auf, die Mauern fielen, und wie zu einem lauten Frühlingsfest aus den schwarzen, dunklen Gassen der Stadt strömten die Menschen auf den grünen Plan hinaus, ergriffen sich bei den Händen und jubelten zum blauen Himmel auf«. [87]

Wie die anderen Helden der Friedrichshagener Romane fühlt sich der Graf Haiden von den Arbeitern, vom ›Volk‹, fast in gleichem Maße *abgestoßen* wie *ange-zogen*. Schwärmt er als Redner in einer Volksversammlung noch: »Was ich als Knabe geträumt, als Jüngling fiebernd begehrt habe, – jetzt wird es mir. – Ich stehe vor ihm, – ich darf zu ihm sprechen, es hört mich, – das ich liebe, – das kämpfende, leidende, heilige Volk« [88], so ist er nur Stunden später dem näheren Verkehr mit dem geliebten Volk nicht gewachsen. Nach der Versammlung trifft er in einer Gastwirtschaft mit einer Gruppe sozialdemokratischer Arbeiter zusammen. Er kann sich ihnen nur unter größtem Widerwillen nähern: von ihren »Ausdünstungen« fühlt er sich ›atembeklemmend eingehüllt‹, die billigen Zigarren, die man ihm anbietet, raucht er »entsetzt« mit; schließlich bricht er ohnmächtig zusammen, nachdem er voller Selbstüberwindung, aber von Hochrufen der Arbeiter angefeuert, einen Schluck ›Fusel‹ aus einer Schnapsflasche, die man herumgehen läßt, getrunken hat.

Wie in den anderen ›Friedrichshagener Romanen‹ werden auch im *Neuen Gott* auf vielfältige Weise gesellschaftliche Probleme in *Liebes- oder Sexualbeziehungen* gespiegelt. Das geschieht ganz offen, wenn etwa Bernhard Jacoby dem Grafen Haiden begreiflich zu machen versucht, wie ähnlich er seiner Mutter sei und daß er ihr Verhalten deshalb verstehen müsse. Dieselbe Leidenschaft, die seine Mutter dazu bewegt habe, sich einem Mann hinzugeben, ohne mit ihm verheiratet zu sein, beseele auch ihn selbst, wenn er dazu bereit sei, alles aufzugeben, um seinen politischen Ideen zu folgen: »dieses Beste haben Sie von ihr; sich hinzugeben – erwägungslos sich hinzugeben [...], Sie haben es von ihr empfangen. Als Sie Gedanken, die Sie liebten, fanden und mit einem Federstrich sich hingaben dem, was Sie für gut erkannt [...], da durchschoß Sie der gleiche Strom, der diese [...] in die Arme des Geliebten riß«. [89] Während hier die Leidenschaft von Haidens Annäherung an die Arbeiterbewegung mit Liebesleidenschaft gleichgesetzt wird und indirekt seine mißglückte Beziehung zum Volk mit dem ›Fehltritt‹ seiner Mutter, ist umgekehrt in Haidens sexuellen Problemen – in der Qual, die ihn erfüllt, weil ihm in seinem ganzen Leben noch kein Liebesglück zuteil geworden ist [90] – unschwer eine Parallele zum Mißlingen seiner Versuche, sich der Arbeiterklasse zu nähern, zu erkennen. Allerdings wird im Roman für Haidens Liebesunglück noch eine zweite Begründung gegeben: Seit ihn das ›große Mitleid‹ ergriffen habe, also seit er sich dem sozialen Elend zugewandt habe, habe es für ihn keine Ruhe mehr gegeben, die »Freuden der Welt« seien ihm verschlossen gewesen. [91] Hinter dieser Begründung steht die Vorstellung, die Hinwendung zum Volk sei ein bis zur Selbstverleugnung uneigennütziges Werk.

In Lands Vorstellungswelt scheint die *Askese* mit dem Dienst am Volk untrennbar verbunden zu sein. Er führt sie in seinem Roman gleich in drei Varianten vor. Ihre erste Form haben wir beim Grafen Haiden beobachten können, bei dieser Romanfigur erscheint sie als selbstquälerische Triebunterdrückung. Antithetisch steht dazu im Roman eine Form der Askese, die der sozialdemokratische Arbeiterpolitiker Franz Herning repräsentiert. Wo Haiden selbstfeindlich ist, ist Herning menschenfeindlich; er will keine Gefühle kennen, für ihn zählt nur die Politik. Gegen Haidens Sorge um seine Schwester wendet er sich mit großer Heftigkeit: »Wir haben mehr zu tun! Es gibt für uns nur eins: die Partei. Aus dem Wege die Weiber!« [92]

Auf andere Weise asketisch sind die Idealgestalten des Romans: der Armenarzt Bernhard Jacoby und seine Schwester Judith, die sich aufopfert, indem sie für arme Arbeiterkinder einen Kindergarten einrichtet und älteren Kindern Nähunterricht gibt. [93] Judith bringt nicht nur ihren Schützlingen selbstlose Liebe dar, sondern wird auch selbst als liebenswerte und anziehende Frau geschildert. Haiden bewundert in einer Szene ihre ›wohlgebildete Gestalt‹, ihre ›geistvollen Züge‹ und »das stolze Hebe[n] und Senken ihrer vollen Brust«. [94]

Bernhard Jacoby singt in seiner Vision vom Anbruch der Zeit des ›neuen Gottes‹ ein begeistertes Loblied auf die Liebe, die jetzt die ihr bisher gesetzten engen Grenzen überwinde: »Die Liebe fand ihre Grenzen nicht mehr an den Wänden des Familienhauses. Wie der Strom im März zerriß sie die Dämme und brach ins Weite aus.« [95] Sowohl Bernhard wie Judith Jacoby wenden ihre Liebeskraft der gesamten Menschheit und nicht einem einzelnen Partner zu. Der Frage ihres Vetters, warum sie nicht heiraten, begegnen beide in einer Romanszene mit einem fassungslosen Erstaunen, dessen Gründe nicht ausgeführt werden. Es wird der Eindruck erweckt, eine auf den ersten Blick so selbstverständliche Frage sei tatsächlich völlig absurd, für so selbstlose Menschenfreunde wie die Jacobys könne und dürfe es kein privates Liebesglück geben. Im Wortlaut heißt die Szene mit dem Vetter Isidor: »›Warum heirat'st Du nicht, Judith?‹ / Sie sah ihn groß an. / ›Na ja, worauf wartest De? Unsinn! Unn Du auch, Bernhard‹. / Dieser wollte mit einer Grobheit herausfahren. / ›Man darf Dir nichts übelnehmen‹, sagte Judith.« [96] Die besondere Form der Askese Judith und Bernhard Jacobys, Selbstbeschränkung ohne emotionale Verkümmerung, wird auch symbolisiert durch ihr gemeinsames Leben in einem Haushalt, das auf der Basis der Geschwisterliebe als einer Liebe ohne Sexualität ruht.

Land stellt das in seinen Augen gelungenste Verhältnis zu den gesellschaftlichen Gegenwartsproblemen zugleich als die gelungenste Form der Askese dar. Damit steht er in einem tiefgreifenden und grundsätzlichen Gegensatz zu den Sozialdemokraten. Diese wollen nämlich die gesellschaftlichen Veränderungen nicht darauf gründen, daß deren Vorkämpfer auf ihre eigenen Interessen verzichten, sondern im Gegenteil darauf, daß sie ihre eigenen Interessen optimal im Kollektiv durchsetzen. Dieser Differenz entspricht die unterschiedliche Vorstellung davon, wer die Vorkämpfer sein sollen. Sind es für die Sozialdemokraten die bis dahin Unterprivilegierten, teilt Land mit den anderen ›Friedrichshagenern‹ die Vorstellung, daß sie nur aus dem Kreis der Privilegierten kommen könnten.

In der Errettung der Prostituierten Marie durch den Armenarzt Bernhard Jacoby führt Land beispielhaft vor, wie er sich die Rollenverteilung bei der Lösung der sozialen Frage vorstellt: auf der einen Seite steht in der Prostituierten das völlig hilflose Opfer der gesellschaftlichen Verhältnisse, auf der anderen Seite der selbstlose Retter, von dessen übermenschlichen Anstrengungen [97] allein es abhängt, was aus dem Opfer wird.

Von den insgesamt zehn Frauengestalten [98], die in Lands Roman vorkommen, sind fünf Prostituierte. Drei von diesen spielen wichtige Rollen im Romangeschehen: Anna, die Schwester Hernings, Marie, die Halbschwester des Grafen von Haiden, und Ida, deren Gönnerin, selbst auch Prostituierte, aber in ›besseren Kreisen‹ verkehrend. Allein aus diesen Angaben wird schon deutlich, daß das Thema Prostitution im *Neuen Gott* einen wichtigen Stellenwert hat. Die Prostitution ist dabei mehr als ein Symbol für die Lage der Unterdrückten. Sie wird vielmehr als *die* Form der Unterdrückung dargestellt, in der sich das Wesen der bürgerlichen Gesellschaft am reinsten konkretisiert. Die Kategorie, mit der die Gesellschaft, wie sie in Lands Roman erscheint, auf ihren Begriff gebracht werden kann, ist die der *Käuflichkeit.* Daß in dieser Gesellschaft alles zum Geschäft wird und käuflich ist, wird im Extrem daran deutlich, daß diese »Gesellschaft [. . .] Liebe kauft und sich verkaufen läßt« (so die Prostituierte Ida zu Bernhard Jacoby, der sich mit ihr in dieser Analyse einig ist). [99] Deswegen sieht Jacoby in der Prostituierten das prägnanteste Opfer der gegebenen gesellschaftlichen Verhältnisse: »Hat sie nicht der Gesellschaft das blutig*ste* Opfer gebracht?« [100]

Die Käuflichkeit als kennzeichnende Kategorie dieser Gesellschaft scheint in Lands Roman alle Klassen und Schichten gleichermaßen zu betreffen. Dieser Eindruck wird auch dadurch erweckt, daß die drei ausführlicher geschilderten Prostituierten ihrer Herkunft nach aus den verschiedensten gesellschaftlichen Bereichen kommen: da ist Marie, die uneheliche Tochter von Haidens adliger Mutter, dann Anna, das Arbeiterkind, das seine Stellung als Dienstmädchen aufgegeben hat, um auf den Strich zu gehen, und schließlich Ida, die aus einer gutbürgerlichen Beamtenfamilie stammt: ihr Vater war Rechnungsrat, ihr Onkel ist Polizeirat. [101]

Weil alle Klassen und Schichten dem unmenschlichen Geschäftsprinzip in ähnlicher Weise unterworfen sind, geht es in der Konzeption Bernhard Jacobys und des Grafen von Haiden darum, alle Gesellschaftsglieder von diesem Joch zu befreien. Allerdings gibt es hier graduelle Unterschiede. Haidens Ansicht, daß die neue Lebensauffassung der gegenseitigen Brüderlichkeit statt der gegenseitigen Konkurrenz unterschiedslos von den Angehörigen der verschiedenen Gesellschaftsklassen erfaßt werden könne [102], wird im Roman widerlegt, nicht zuletzt durch die Schilderung seiner eigenen Unfähigkeit, gemäß den neuen Prinzipien zu leben.

Bernhard Jacoby, dessen Position Land als vorbildlich herausstellt, sieht wie Haiden die Ursache der gesellschaftlichen Mißstände darin, daß im Bereich der Wirtschaft ein furchtbarer Kampf geführt werde. Unterschiedlich zu Haidens Position aber ist seine Auffassung, daß aus diesem Kampf ganze Klassen als besonders benachteiligt und unterdrückt hervorgehen. [103] Diesen gilt es nach Jacobys Meinung zuerst und in besonderem Maße das »große Mitleid« zuzuwenden. Wenn Land Jacoby aus dem Grundprinzip, daß jedes Gesellschaftsglied gegenüber jedem anderen nur auf den geschäftlichen Vorteil bedacht ist, auch die Klassenunterschiede herleiten läßt, scheint sich damit seine Kapitalismuskritik enger an marxistische Positionen anzunähern, als das sonst bei den Friedrichshagenern der Fall ist. Verwandtschaft zu solchen Positionen scheint auch in dem Gegenprinzip des »Gemeinsam-Empfindens« – der Solidarität also – zu liegen, das Jacoby neben dem ›großen Mitleid‹ als Grundprinzip der neuen Gesellschaft ansieht. Demgegenüber hat Wille, Exponent der mit anarchistischen Gesellschaftsentwürfen sympathisierenden Mehrheit der ›Friedrichshagener‹, als Grundlage seiner Zukunftsgesellschaft gerade die Prinzipien der freien Konkurrenz und des Egoismus beibehalten wollen. [104]

Doch aus dem Roman wird an anderer Stelle deutlich, daß hinter dieser scheinbar tiefgreifenden Differenz doch eine sehr ähnliche Grundposition steht.

Das zeigt sich in der Konkretisierung der Kapitalismuskritik in der Romanhandlung. So werden die Geschäftspraktiken der metallverarbeitenden Fabrik geschildert und kritisiert, deren Mitinhaber Ernst Harts Vater ist und in der auch Franz Herning bis zu seiner politisch motivierten Entlassung arbeitet. Hauptpunkt der Kritik ist das unmenschliche Verhalten der Betriebsleitung gegenüber dem Kleinproduzenten und Sozialdemokraten [!] Karl Mertens, einem ehemaligen Angestellten dieser Fabrik, der sich selbständig gemacht hatte, um seine große Familie ernähren zu können. Mertens, der ebenfalls eine Metallverarbeitungsproduktion aufgenommen hat, hat seinem ehemaligen Arbeitgeber das Versprechen gegeben, ihm keine direkte Konkurrenz zu machen, d. h. keine Artikel zu produzieren, die dieser in seinem Sortiment anbietet. Umgekehrt hält sich die Firma Hart & Co., ein millionenschweres Großunternehmen, entgegen aller Moral nicht in gleicher Weise zurück. Sie beginnt die Produktion von Lampenfüßen aufzunehmen, obwohl dieses der Artikel ist, auf den sich Mertens ausschließlich spezialisiert hat. Aufgrund ihrer größeren Kapazitäten sind Hart & Co. ohne weiteres in der Lage, Mertens Preise zu unterbieten und ihm jegliche Kundschaft abzunehmen. Mertens steht vor dem geschäftlichen Ruin.

Bei der Darstellung dieser Vorgänge im Roman spielt der Sozius des alten Hart, Gehrt, eine Schlüsselrolle. Gehrt wird »der Amerikaner« [105] genannt, weil er eine Zeitlang in Amerika gewesen ist und die dort üblichen Geschäftsmethoden erlernt hat. Er ist es, der trotz Harts Widerstand auf eine hemmungslose Erweiterung der Produktion drängt. Mertens sieht in ihm den Schuldigen dafür, daß Hart & Co. beginnen, ihn niederzukonkurrieren: »Gehrt, der Amerikaner, der steht hinter ihm [d. i. dem alten Hart] wie mit der Hetzpeitsche und treibt ihn zu immer neuen Unternehmungen.« [106] In diesem Konflikt erscheint nicht mehr die Konkurrenz überhaupt als die Ursache allen Übels, sondern nur noch deren übermäßige Zuspitzung, bzw. die Kapitalkonzentration. Ohne daß es im Roman dazu kommt, wird als Lösung des Konflikts die rücksichtsvolle Selbstbeschränkung der Produzenten angestrebt. Theodor Hart, zweiter Sohn Harts und Student der Theologie, versucht, diese Lösung zu erreichen. Als er nach zwei fehlgeschlagenen Versuchen nicht mehr daran glaubt, diese Lösung durchsetzen zu können, und aus Verzweiflung schon Sozialist werden möchte, ist es Bernhard Jacoby, der ihm diese Skepsis ausreden will. In seiner Mitleidsphilosophie und der Idee der gegenseitigen Rücksichtnahme aller Menschen, die er ausdrücklich gegen die sozialistische Lösung stellt, steuert Jacoby auf den Versöhnungsweg zu, der in dem vertrauensvollen gegenseitigen Interessenausgleich und in der Selbstbeschränkung des Stärkeren läge.

Es wird hier deutlich, daß es Land weniger um eine grundsätzliche Auseinandersetzung mit der bürgerlichen Gesellschaft geht als vielmehr um eine Kritik an der als Auswuchs verstandenen Konzentrationsentwicklung des Kapitalismus zum Monopolkapitalismus. Insofern verteidigt Land ideologisch ebenso wie Wille die gesellschaftlichen Positionen des kleinen und mittleren Bürgertums gegen die Großbourgeoisie. Die unterschiedlichen Lösungsversuche lassen sich nicht auf grundsätzlich verschiedene Positionen zurückführen, sondern auf die Ableitung der jeweiligen Kapitalismuskritik aus unterschiedlichen Oberflächenerscheinungen.

Land stellt die Abwendung des Grafen von Haiden von der *Sozialdemokratie* nur als verständlich dar. Sie wird von ihm nicht als unabweisbare Notwendigkeit gerechtfertigt, wie dies in den anderen ›Friedrichshagener Romanen‹ geschieht, wenn deren Helden den Bruch mit der Sozialdemokratie vollziehen. Das wird am deutlichsten in Reflexionen des Grafen von Haiden, in denen er kurz vor seiner selbstmörderischen Verzweiflungstat am Schluß des Romans ein Resümee seines Ganges zum Volk zieht. Als zwei Jungen auf der Straße zur Wahl des Sozialdemokraten Herning aufrufen, bezieht Haiden das als stummen, aber heftigen Vorwurf auf sich selbst und legt ihnen in seinen Gedanken die Worte in den Mund: »Wählt nur Franz Herning! Keinen anderen. Dieser ist der Mann der Kraft und Treue. Andere sind Verräter. [...] Wählt Herning! Das Volk hilft sich selbst. Seine eingeborenen Söhne läßt es für sich reden; keine falschen Propheten, die aus höheren Regionen niedersteigen, um ihre angefressene Ehre da unten zu verbrämen. Wählt Herning! Teilt keinen billigen Lorbeer aus an verfahrene Glücksritter; laßt Euch von Namen und Titel nicht blenden!« [107] Dieser indirekte Aufruf an die Arbeiter, nur auf sich selbst und ihresgleichen zu vertrauen, hat durch seine Stellung am Romanschluß ein starkes Gewicht. Ihm folgt nur noch der Tod Haidens und der Triumph Franz Hernings, der aus der Wahl als Sieger hervorgeht und nun Reichstagsabgeordneter wird. Diese Fakten scheinen in der Romanhandlung Haidens Reflexionen so sehr praktisch zu bestätigen, daß der Leser darin eine Botschaft des Autors vermuten könnte.

In Wahrheit aber entspricht dieser Romanschluß nicht einer Wunschvorstellung seines Autors, sondern geht zurück auf die Forderung, eine realistische Darstellung zu liefern, die er an sich selbst richtet. [108] Die Alternative zum Sieg des Sozialismus, von der er nur eine verschwommene Vorstellung hat, hat in der Realität von 1890 noch keine konkrete Form angenommen. Er kann sie deswegen in seinem Roman nicht als Handlungsalternative konkretisieren. 1889/90 scheint vielen Intellektuellen im Umkreis der Friedrichshagener der Sieg der Sozialdemokratie so sehr als Tatsache bevorzustehen, daß sie es nicht mehr für möglich halten ihn zu verhindern und deshalb ihre Energien auf das Ziel konzentrieren, der gesellschaftlichen Entwicklung nach diesem Sieg eine Richtung zu geben, die ihren Vorstellungen besser entspricht. [109]

Dieselbe Tendenz zeigt sich in Lands Roman bei Bernhard Jacoby. Jacoby verkehrt freundschaftlich mit Sozialdemokraten und erkennt ihre Motive an. Auch mit ihrem Ziel, soweit es darin bestehe, das ›Gute zu wollen‹, erklärt er sich einverstanden; nach seinen Worten werde ihn und seine Schwester nur »das politische Bekenntnis [. . .] immerdar« von den Sozialdemokraten trennen. [110] Wenn er auch meint, daß die Sozialdemokraten sich in schwerwiegenden Irrtümern verfangen hätten, so sieht er in ihnen doch die zu seiner Zeit fortgeschrittenste Kraft. Er kann ihnen ihr Irren schon deswegen nicht übelnehmen, weil er sich noch nicht in der Lage fühlt, seine eigenen weltanschaulichen Einsichten klar und zusammenhängend zu formulieren. So organisiert zwar seiner Ansicht nach die Sozialdemokratie augenblicklich gerade die »Besten und Einsichtsvollen«, aber sie ist für ihn doch nur eine Übergangserscheinung. Über die Anhänger der Sozialdemokratie sagt er: »Sie flüchten mit ihren Gedanken in das Fabelreich des Ideals: der sozialistische Staat ist das zauberische Trugbild, zu dem sie emporstarren wie der verschmachtende Wüstenwanderer zur Fata morgana [. . .] Ich kann nicht an ihn glauben.« [111]

Vor die Frage gestellt, wie denn nach seiner Meinung »der neue Gott die Welt gestalten werde«, kann Jacoby nur antworten: »Ich – ich weiß es nicht. – Ich weiß es nicht. Aber, daß er da ist, sehe ich. Ich fühle seinen Atem. Er ist da! Wie die Feuersäule meiner wandernden Väter, da sie auf Wüstenwegen in dunkler Nacht das Land ihrer Sehnsucht suchten, geht er der Welt voran.« [112]

Daß Jacobys Zukunftsvorstellungen so verschwommen sind, ist im Zusammenhang des Romans notwendig. Zum einen repräsentiert Jacoby im Gegensatz zu fast allen anderen Romanfiguren keine relevante gesellschaftliche Kraft: während die sozialdemokratische Idee im Roman nur in Andeutungen vorgestellt werden muß, weil sie aus der Wirklichkeit außerhalb des Romans bekannt ist, müßte Jacobys Weltanschauung voll begründet werden, um als Alternative bestehen zu können. Diese Aufgabe ginge entschieden über Lands Kräfte. Zum zweiten will Land mit dem Verzicht auf eine Konkretisierung der weltanschaulichen Vorstellungen desjenigen seiner Romanhelden, mit dem er am meisten sympathisiert, erreichen, daß sich mehr Leser mit diesen Anschauungen identifizieren, als es möglich wäre, wenn sie nicht so vage gehalten wären.

Um Jacobys Position trotz dieser Schwäche höher als die sozialdemokratische Position zu stellen, greift Land zu einem dramaturgischen Trick. Er läßt Franz Herning, den sozialdemokratischen Arbeiterführer, dem Armenarzt Jacoby das Lob aussprechen, dieser sei Sozialist: (Herning): »›Übrigens, der Doktor Jacoby hier, der sich über unseren sozialistischen Staat immer lustig macht, ist selber ein Sozialist‹.« (Jacoby:) »›Was? Ich? Wie können Sie so etwas sagen, Herning?‹« (Herning:) »›Ihr zweites Wort ist: »Wir alle sind füreinander verantwortlich.« Wer das sagt und, wie Sie, danach handelt, der ist der wahre Sozialist‹.« [113] Ähnlich äußert sich Ernst Hart über Jacoby in einem Gespräch mit Haiden: »›Herr Graf, er ist mein Ideal!‹ ›Aber doch kein Sozial-Demokrat?‹ ›Doch, doch! Er ist einer; er weiß es bloß nicht‹.« [114] Wenn Jacoby einerseits von Exponenten der Sozialdemokratie bestätigt wird, er erfülle alle Bedingungen, die sie sich selbst stellten, und könne deswegen als einer der Ihren anerkannt werden, und wenn er auf der anderen Seite selber die sozialdemokratischen Ideen für unzureichend erklärt und über sie hinausgehen will, ergibt eine einfache Rechnung, daß seine Position höherwertig einzuschätzen ist als die sozialdemokratische.

Diese subtile und indirekte Art, Kritik an der Sozialdemokratie zu üben, hat besonders gute Aussichten, auch auf Anhänger der Sozialdemokratie zu wirken. Direkte Angriffe auf die Partei und ihre Ideologie könnten demgegenüber viel eher erkannt und abgewehrt werden oder würden unwirksam bleiben, weil sie einen Solidarisierungseffekt mit der angegriffenen Partei bei deren Anhängern provozieren würden. Dieser Aspekt spielt nicht so sehr eine Rolle für die allgemeine Beurteilung des Romans, denn Land hat ihn nicht vorrangig für ein sozialdemokratisches Lesepublikum geschrieben, wohl aber ist er wesentlich für eine Kritik an der Redaktion der ›Neuen Welt‹, die die Einflüsse des *Neuen Gottes* unkommentiert auf ein breites sozialdemokratisches Lesepublikum wirken läßt. [115]

4.4 Wilhelm Hegelers Roman ›Mutter Bertha‹

Hegeler gehört zum engeren Kreis der ›Friedrichshagener‹. Mit 19 Jahren hat er 1889 in Genf mit dem Jurastudium begonnen und ist 1891 zum Studium nach Berlin gekommen. Etwa ein Jahr später gibt er sein Studium auf, um Schriftsteller zu werden. [116] Kurz darauf unterschreibt er als einer von zwanzig ›künstlerischen Sachverständigen‹ den Gründungsaufruf zu Willes ›Neuer Freier Volksbühne‹. [117] Zu dem Titel ›künstlerischer Sachverständiger‹ ist Hegeler, der zu dieser Zeit noch kein Stück Literatur veröffentlicht hat, außer durch sein Selbstverständnis nur durch seine persönliche Annäherung an den Kreis der ›Friedrichshagener‹ ›legitimiert‹. Am deutlichsten dokumentiert sich diese in seinem gleichzeitigen Umzug nach Friedrichshagen. [118] Dort vollendet Hegeler 1893 sein Erstlingswerk, den Roman *Mutter Bertha*. [119]

In einer 1900 verfaßten autobiographischen Skizze beschreibt Hegeler seine eigene Situation in der Zeit der Arbeit an dem Roman: »Ich hatte begonnen, Romane zu schreiben. Das heißt nur im Kopf. Denn sobald ich begann sie aufs Papier zu bringen, haperte es schon bei den ersten Sätzen.« [120] Die Ursache für seine Schwierigkeiten beim Schreiben sieht Hegeler später in seiner damaligen fundamentalen Verunsicherung über den eigenen Standort in den gesellschaftlichen Auseinandersetzungen der Zeit und im gänzlichen Fehlen einer positiven Zukunftsperspektive, mit der er sich hätte identifizieren können. Als die widersprüchlichen Pole, in deren Spannungsfeld er sich damals befunden habe, gibt Hegeler an – einerseits: »Ich war überzeugter Sozialdemokrat und glaubte, daß man alles thun müsse, um den neuen Zustand der Gesellschaft herbeizuführen.« [121] Andererseits sei ihm die politische Ideologie der Sozialdemokraten zu einseitig gewesen: »Ich fühlte, wie wenig Befriedigung ich von hierher holen konnte. Ihr Allheilmittel lag in einer Änderung der ökonomischen Lage. Es kam so ziemlich darauf hinaus, daß, wenn erst alle satt zu essen hätten, auch alle glücklich wären. Ich hatte satt zu essen und war nichts weniger als glücklich, sondern von hundert Qualen und Zweifeln gepeinigt.« [122] Einen anderen Widerspruch sieht Hegeler darin, daß er »von Verachtung für die Bourgeois« erfüllt gewesen sei und sich doch habe sagen müssen, daß er »eigentlich selber einer sei«. [123] Er habe sich wegen seiner privilegierten Stellung im Unrecht gefühlt, habe den Plan gefaßt, das Schreinerhandwerk zu erlernen, ohne die Kraft besessen zu haben, diesen Plan durchzuführen. Er habe sein juristisches Studium aufgegeben, um Schriftsteller zu werden, aber es sei ihm wegen seiner Unsicherheit nicht gelungen, etwas zu Papier zu bringen. [124] So habe er hilflos inmitten seiner Widersprüche gesessen und sei auf dem Wege gewesen, der Melancholie zu verfallen. Hegeler faßt die Situationsbeschreibung so zusammen: »Damals war der Begriff Übergangsmensch sehr im Schwunge: ein Mensch, der der alten Zeit entwachsen ist, ohne für die neue reif zu sein, und der deshalb dem Untergang verfallen ist. Ich hielt mich für einen solchen Übergangsmenschen.« [125]

Die Abfassung des Romans *Mutter Bertha* geht einher mit der Überwindung dieser existenziellen Krise und wird von Hegeler als ein Teil der Bewältigung dieses Zustandes empfunden. Die Kraft für die Fähigkeit, seine Schwierigkeiten zu überwinden, bezieht Hegeler nach Darstellung seiner Autobiographie aus der persönlichen Begegnung mit einem jungen Doktor der Philosophie, Eugen Kühnemann, der ihm in vielem als Gegenbild zu seiner Verworrenheit erscheint. Für die Interpretation des Romans ist nicht die biographische Tatsache wichtig, wohl aber sind es die Kategorien, die Hegeler zu ihrer Beschreibung benutzt und die auf das neue Selbstverständnis oder das neue Ich-Ideal Hegelers hinweisen. Hegeler ist sich der Tatsache, daß seine Romane durch diese Faktoren entscheidend bestimmt werden, bewußt und begreift in seiner Autobiographie sein Romanschaffen als mittelbares Angehen seiner persönlichen Probleme: »Aus den letzten Jahren etwas mitzuteilen, was mein inneres Werden ʾerklärt, fällt mir schwer. Übrigens steht ja auch ein gut Stück von dem, was mich bewegte und quälte, was ich hoffte und wünschte, in meinen Büchern.« [126]

Über Hegelers Situation zur Zeit der Fertigstellung des Romans *Mutter Bertha* läßt sich aus der Autobiographie folgendes ausmachen: die Unsicherheit, die Hegeler in der Selbstinterpretation, er sei ein ›Übergangsmensch‹ zusammengefaßt und für unausweichlich erklärt hat, weicht der Faszination durch die »unverzagte Sicherheit, mit der dieser Mensch [der bewunderte Dr. Eugen Kühnemann] auf sein Ziel lossteuerte«. [127] Hegeler fühlt auch in sich »die Hoffnung auf ein Ziel« zunehmen. [128] Über dieses Ziel vermag er inhaltlich so gut wie nichts zu sagen, gegenüber seiner Verunsicherung, deren Ursachen er präzise angeben konnte, bleibt seine neue Sicherheit abstrakt. Aus den Gleichnissen, mit denen er sie beschreibt, wird deutlich, daß mit den Worten »Ziel« und »Sicherheit« eigentlich nur Gemütsstimmungen gemeint sind, die eine relative Zufriedenheit mit den gegebenen persönlichen und allgemeinen Verhältnissen spiegeln. An die Stelle der Desintegration, die Hegeler wie einige andere seiner Schriftstellerkollegen zeitweise, wenn auch mit vielen Schwankungen und Vorbehalten, in die Nähe der Sozialdemokratie geführt hat, tritt das Arrangement mit der bestehenden Gesellschaft. In der Rückschau wird die Verunsicherung als Irrweg und der Integrationsprozeß als Heimkehr empfunden: Hegeler schreibt, er habe das »Gefühl« gehabt, »das der Wanderer hat, wenn er nach langem Marsch durch unwirtliche Einsamkeiten, wo er schon Furcht vor sich selbst bekommen hat, wieder an die Stätte menschlicher Behausung gelangt, wenn er Licht schimmern, Rauch aufsteigen sieht und das fröhliche Geräusch menschlicher Thätigkeit vernimmt [...]. Ich lebte auf [...]. In so gehobener Seelenverfassung konnte ich meinen ersten Roman [d. i. *Mutter Bertha*] beenden«. [129]

Die einzige inhaltliche Angabe über die positiven Werte, nach denen er sein Leben nach Überwindung der Persönlichkeitskrise ausrichten will, macht Hegeler indirekt, wenn er im Tone der Bewunderung von seinem Freund Kühnemann berichtet: »Zum erstenmal traf ich einen Menschen, der in einer rein geistigen Sphäre lebte.« [130] Auch diese Kategorie zeigt Hegelers Abwendung von den Gegenwartsproblemen, von denen er sich bis dahin bedrängt gefühlt hat. Darüber hinaus macht sie Hegelers Bemühen deutlich, sich mit einer konventionell konzipierten Dichterrolle zu identifizieren, zu deren konstitutiven Momenten die Vorstellung gehört, der Dichter stehe über den Widersprüchen seiner Gegenwart und sei nicht Parteiungen, sondern einer höheren Sphäre verpflichtet. Die Hochachtung vor einer ›rein geistigen Sphäre‹ muß inhaltlich und formal auch auf das Romanschaffen selbst unmittelbare Auswirkungen haben. Auch diesen Aspekt gilt es für die Interpretation der *Mutter Bertha* festzuhalten, weil er die Vermutung nahelegt, daß es sich hier vielleicht – im Gegensatz zur einhelligen Meinung der Delegierten des Gothaer Parteitages – nicht um einen genuin naturalistischen Roman handelt: müßte doch die Ausrichtung an Prinzipien einer isolierten geistigen Sphäre in Widerspruch zum Naturalismus treten, der sich ausschließlich an der materiellen Wirklichkeit orientieren will. [131]

Zwar ist hier eine der Wurzeln für die Fehleinschätzung von Hegelers Roman durch die Sozialdemokraten zu sehen, aber eine größere Rolle als die unzureichende literarästhetische Einordnung Hegelers spielt in diesem Zusammenhang sicher das Fehlen einer politischen Bestimmung von Hegelers Position. Deren wesentliche Faktoren stimmen mit denen des ›Friedrichshagener Typus‹ überein. Hegelers Besonderheit im Vergleich mit den anderen ›Friedrichshagenern‹ besteht darin, daß er seine Abwendung von der Sozialdemokratie nicht polemisch zu begründen braucht, weil er seine Sympathien für den Sozialismus noch kaum öffentlich und zumindest nicht schriftlich bekundet hat. Insofern braucht er im Moment der Abwendung, in dem er den Roman *Mutter Bertha* schreibt, seine Ablehnung der Sozialdemokratie nicht zu thematisieren, sondern kann die damit zusammenhängenden Probleme weitgehend überspielen und braucht sie in seinem Roman nicht auftauchen zu lassen.

Für Hegelers politische Position kurz nach Abfassung des Romans *Mutter Bertha* gibt es ein Indiz. Es ist ein Brief an die Vereinszeitschrift der ›Neuen Freien Volksbühne‹ vom Februar 1894. In diesem Brief kündigt Hegeler zusammen mit zwei weiteren Mitgliedern [132] den Austritt aus dem Verein ›Neue Freie Volksbühne‹ an, falls in Zukunft nicht verhindert werde, daß bei Vereinsveranstaltun-

gen politische Flugblätter verteilt würden. Die Briefschreiber beschweren sich darüber, daß die Ordner gezögert hätten, sozialdemokratische Flugblattverteiler bei
einem Konzertabend der ›Neuen Freien Volksbühne‹ aus dem Saal zu werfen.
Auf den Flugblättern waren die Besucher aufgefordert worden, in dem Lokal, in
dem das Konzert stattfand, weder Speisen noch Getränke zu bestellen, um damit
gegen die Weigerung des Wirtes zu protestieren, seine Räume für Veranstaltungen
von Sozialdemokraten zu vermieten. Solche Boykottaufrufe sind in den neunziger
Jahren ein häufig benutztes defensives Kampfmittel der Sozialdemokraten, mit
dem sie sich gegen ihre gesellschaftliche Diskriminierung zur Wehr setzen. Hegeler
und die anderen Briefschreiber reagieren auf die Flugblattverteilung mit einer
schroffen Gereiztheit, die selbst Wille für stark übertrieben hält: in seiner
Antwort auf den Brief akzeptiert er Boykottaufrufe als adäquates Kampfmittel gegen ›unduldsame Wirte‹. Für Hegeler hingegen bedeutet die Flugblattverteilung eine »Herabwürdigung der Bestrebungen« der ›Neuen Freien Volksbühne‹, deren Besucher die eindeutige Absicht hätten, »aus den trüben Alltags-
sorgen sich zur Höhe reiner Kunst ohne Nebenzwang erheben« zu lassen. Einen
solchen ›Nebenzwang‹ sehen die Briefschreiber in der Flugblattverteilung. Wenn
es so weitergehe, werde die ›Neue Freie Volksbühne‹ »um kein Haar anders«
sein als die »Freie Volksbühne, von der wir uns gerade der Partei-Schreckensherr-
schaft halber losgesagt haben«. [133]

Aus solchen Formulierungen spricht nicht nur die Abwendung von der Sozialdemokratie, sondern die Allergie des Renegaten, der sich durch erbitterte Abwehr
von den Ideen befreien will, mit denen er einmal sympathisiert hat. [134]

Auf den ersten Blick hat Hegelers Roman *Mutter Bertha* wenig Ähnlichkeit mit
Lands Roman. Ihre Gemeinsamkeiten werden erst vor dem Hintergrund des
›Friedrichshagener Romantypus‹ sichtbar, zu dem beide, wenn auch in verschiedener Intensität, zu rechnen sind. In Hegelers *Mutter Bertha* wird die Geschichte
der Hinwendung eines Studenten zu den unteren Volksklassen zwar nahezu mit
denselben Implikationen dargestellt, die wir auch sonst bei den ›Friedrichshagener
Romanen‹ ausmachen können, aber sie ist ihrer politischen Seite entledigt und
wird nur noch als Liebesgeschichte erzählt.

Der Roman handelt von der Liebe des Jurastudenten Friedrich Graebe und der
neunzehnjährigen Kellnerin, später Blumenbinderin, Bertha. Ort der Handlung ist
Berlin. Bertha ist Mutter eines unehelichen Kindes, das sie aus einem flüchtigen
Verhältnis mit einem Künstler hat. Friedrich, ein an seiner Isolation leidender Intellektueller, lernt Bertha in einem Lokal kennen, in dem sie arbeitet, und verliebt
sich in sie. Nach anfänglichem Zögern – sie will nicht noch einmal eine solche
Enttäuschung erleben wie mit dem Vater ihres Kindes – wird Bertha Friedrichs
Geliebte. Sie nehmen sich ein gemeinsames Zimmer und beginnen, miteinander
zu leben. Friedrich verspricht Bertha, sie zu heiraten, scheut sich aber – in Rücksicht auf die Vorstellungen seiner mittelständischen Eltern – davor, eine solche
unstandesgemäße Ehe einzugehen. Zur Vorbereitung seines Examens fährt Friedrich für mehrere Monate heim zu seinen Eltern, während Bertha mit dem Kind in
Berlin bleibt. Bertha konzentriert sich ganz auf die Liebe zu ihrem Kind. Als dieses

lebensgefährlich erkrankt, von Friedrich keine Hilfe kommt und sie wegen ihrer Armut keinen guten Arzt bezahlen kann, sieht sie sich in einer ausweglosen Lage. Um ihr Kind zu retten, erduldet sie schließlich die Vergewaltigung durch einen Scharlatan, der ihr die Heilung des Kindes verspricht. Mit ihrem Entschluß, sich für das Wohl des Kindes aufzuopfern, verzichtet Bertha auf jede Glückserwartung für ihr eigenes Leben. Zur gleichen Zeit erreicht sie nämlich ein erneutes Heiratsangebot Friedrichs. Dieser hat am Sterbebett seiner Mutter den Eltern die Einwilligung in seine Verbindung mit Bertha abgerungen. Um die Heirat zu erreichen, müßte Bertha nur ihr Kind in ein Krankenhaus geben und umgehend in Friedrichs Heimatstadt fahren, weil sonst die Gefahr besteht, daß Friedrichs engstirniger Vater seine Zustimmung zu der Eheschließung wieder zurückzieht. Bertha beschließt, bei ihrem Kind auszuharren. Als dieses stirbt und Bertha darüber hinaus mit Friedrichs Unverständnis und Ablehnung ihres Verhaltens konfrontiert wird, begeht sie Selbstmord.

Friedrich Graebe, der Held des Romans, ist von Hegeler mit *autobiographischen Zügen* ausgestattet worden. [135] Er hat das gleiche Alter wie Hegeler, als er den Roman schreibt [136], ist wie dieser aus dem Rheinland zum Studium nach Berlin gekommen [137] und studiert wie dieser Jura. [138]

Von den in den ›Friedrichshagener Romanen‹ immer wiederkehrenden Motiven tauchen einige am Rande (wie das Gefühl der Beklemmung durch die *Stadt* und dagegengesetzt das Lob der freien *Natur* [139]), andere, wie wir noch sehen werden, auch an zentraler Stelle auf.

Ein ganzer Motivkomplex fehlt jedoch in der *Mutter Bertha: Mitleid und Scham* über die eigene privilegierte Stellung spielen in Friedrichs Verhältnis zu Bertha keine Rolle. Und das, obwohl Berthas soziale Lage als nicht eben rosig geschildert wird und Friedrich als Beamtensohn und Jurastudent zu den ›oberen Volksklassen‹ zu rechnen ist. Das Fehlen dieser Motive fällt besonders deswegen auf, weil sie in Hegelers autobiographischer Beschreibung der eigenen Probleme eine so große Rolle spielen. Dort heißt es z. B.: »Mit welchem Recht war ich vor anderen bevorzugt? Mit welchem Recht konnte ich in anständigen Restaurants speisen, mich gut anziehen, Theater besuchen, Vergnügungen genießen? Das Gefühl des Unrechts wurde so stark in mir, daß mir die Bissen im Halse schwollen, und ich mich vor jedem zerlumpten Bettler wegen meines reinen Hemdes schämte.« [140] Wenn Hegeler an gleicher Stelle erklärt, daß er keine finanziellen Probleme gehabt habe [141], deutet er darauf hin, daß sein Gefühl, privilegiert zu sein, nicht bloß eine philosophische Angelegenheit ist, sondern daß es eine materielle Basis hat. Für Hegeler selbst besteht diese in den gesicherten Einkünften, die er aus geerbten Ländereien bezieht. [142]

Die Romanfigur Friedrich unterscheidet sich von Hegeler nicht nur darin, daß sie sich nicht privilegiert fühlt, sondern auch darin, daß es keinerlei Anzeichen für eine ausgesprochen gute materielle Situation gibt. Allerdings geht Hegeler nicht so weit, seinen Romanhelden Friedrich mit einer materiellen Basis auszustatten, die sich von seiner eigenen explizit unterschiede und damit die Möglichkeit der Identifikation einschränkte. Er entzieht sich einer solchen Alternative, indem er im Roman keinerlei Angaben über Friedrichs finanzielle Lage macht. Das fällt insofern auf, als Hegeler die materiellen Verhältnisse aller anderen Hauptfiguren und selbst die einer Reihe von Nebenfiguren detailliert darstellt. [143] Es wird deutlich, daß Hegeler hier einen ganzen Problemkomplex nicht durch direktes Angehen bewältigen kann und ihn daher zu verdrängen sucht.

Die Differenz von Hegelers *Mutter Bertha* zu den anderen ›Friedrichshagener Romanen‹ liegt weniger darin, daß die Motive Privileg, Scham, Mitleid hier keine Rolle spielen, denn sie wirken, wie wir gesehen haben, ex negativo auch hier auf den Romaninhalt. Die Differenz liegt mehr in der unterschiedlichen Methode der Problembewältigung. Während Land, Hollaender und Mackay ihre Probleme gerade durch fiktive Offenlegung zu bewältigen versuchen, hofft Hegeler, wie auch aus der autobiographischen Skizze hervorgeht, sie zum Teil durch Verdrängung zu überwinden. Insofern erscheinen in seinem Roman die bewegenden Probleme stärker verschlüsselt.

Zurück zu den Motivüberschneidungen zwischen dem ›Friedrichshagener Typus‹ und Hegelers Roman: Friedrichs Verhältnis zu Bertha ist durchgehend davon geprägt, daß er sich von ihr sowohl *angezogen* wie *abgestoßen* fühlt. Dieses Motiv wird von Hegeler wie ein Leitmotiv behandelt, indem er jeweils an den Höhepunkten der Übereinstimmung zwischen Friedrich und Bertha ein trennendes Moment, das oft nur aus einer Belanglosigkeit besteht, einfließen läßt. Eine solche kontrapunktische Darstellung liegt auch bei der Stelle des Romans vor, an der die meisten Redner des Gothaer Parteitages Anstoß nehmen, nämlich Berthas Bedürfnis, eine Toilette aufzusuchen. Dieses Bedürfnis schreckt Friedrich und Bertha nämlich bei ihrem ersten gemeinsamen Spaziergang aus ihrer traumhaften, weltvergessenen Fröhlichkeit auf und stößt sie in die Wirklichkeit zurück. [144]

Als Friedrich und Bertha zusammengezogen sind, heißt es im Roman: »Für die beiden brach jetzt eine glückliche Zeit heran.« In die genauere Schilderung dieser ›glücklichen Zeit‹ fließt eine Reihe von Indizien ein, die zeigen, wie sich unausgesprochen Differenzen zwischen beiden herausbilden. Das geht von Friedrichs Faulheit am frühen Morgen, die Bertha nicht verstehen kann, über Friedrichs Verwunderung darüber, daß Bertha sich nicht täglich gründlich wäscht, bis zu Berthas Abwehr von zärtlichen Annäherungsversuchen Friedrichs »außer der Zeit«. [145]

Ein Beispiel für die Kombination von Anziehen und Abstoßen ist auch ein Satz wie der folgende, der die morgendlichen Abschiedsküsse beschreibt, die Friedrich Bertha gibt, wenn sie zur Arbeit geht: »Er schmiegte ihr zierliches frostklares Gesichtchen an sich und drückte ein paar [...] Küsse auf ihren roten Mund, der noch den kräftigen Kaffeegeruch ausatmete, was er in seiner Verliebtheit aber gar nicht merkte ...« [146] Der ›kräftige Kaffeegeruch‹ ist ein Zeichen für Berthas trotz aller Zartheit derbe proletarische Existenz. Wenn Hegeler das Liebesverhältnis Friedrichs zu Bertha in dieser Szene so darstellt, als werde es nur dadurch ermöglicht, daß Friedrich ›in seiner Verliebtheit‹ über die objektiven Hindernisse, die diesem Verhältnis im Wege stehen, hinwegsieht, und wenn in anderen Szenen

für Berthas Verhältnis zu Friedrich das gleiche zutrifft [147], dann gilt zwangs-
läufig, daß sich bei Hegeler wie bei den anderen ›Friedrichshagenern‹ langfristig
die Kräfte der Abstoßung gegenüber denen der Anziehung als die ausschlaggebenden erweisen müssen. Daß es im Vergleich zu anderen Romanen nebensächliche
Faktoren sind, die bei Hegeler das Zusammengehen von Angehörigen verschiedener Klassen als unmöglich erscheinen lassen sollen, ist zum einen darauf zurückzuführen, daß Hegeler die ganze Problematik des Klassenbündnisses auf die einer
Liebesgeschichte reduziert, zum anderen hat es seine Ursache in Hegelers Versuch,
den Roman im Tone ironischer Distanz zu schreiben. Dieser Versuch ist seinerseits zu erklären aus Hegelers Absicht, im Schreiben des Romans Distanz zur
›sozialen Frage‹ und ihren quälenden Ansprüchen an ihn zu gewinnen. [148]

Es liegt nahe, daß in der *Mutter Bertha,* weil eine Liebesgeschichte im Vorder-
grund steht, die Sexualität eine noch zentralere Rolle spielt als in den anderen
Romanen, wo in den *Liebes- und Sexualbeziehungen* die politisch-gesellschaftlichen
Beziehungen der Romanfiguren durch Spiegelung bloß verdoppelt werden. In der
Mutter Bertha spielen hingegen sexuelle Beziehungen fast in allen Handlungs-
wendepunkten entscheidend mit. Friedrichs sexuelle Unbefriedigtheit bringt ihn
mit Bertha zusammen; die Probleme mit Berthas Kind, das sie einer flüchtigen
Sexualbeziehung verdankt, belasten Berthas und Friedrichs Verhältnis zueinander;
Berthas Versuch, sich Geld für einen teuren Arzt bei ihrem Arbeitgeber zu leihen,
scheitern an dessen sexueller Hörigkeit, die seine Frau ausnutzt, um ihn beliebig
unterdrücken zu können und ihm jede Hilfeleistung an Bertha zu verbieten [149];
Berthas Vergewaltigung durch den Scharlatan – Hegeler nennt ihn einen ›rasenden
Wollüstling‹ [150] – treibt die Romanhandlung schließlich unaufhaltsam der
Katastrophe zu.

In drei Fällen wird im Roman geschildert, daß die Kluft zwischen Angehörigen
verschiedener gesellschaftlicher Schichten auf Dauer nicht durch Liebesbeziehungen
überwindbar ist. Das zeigt sich hauptsächlich im Scheitern von Berthas und Friedrichs gemeinsamem Leben, aber auch in der Schilderung von Berthas unglücklicher
Beziehung zu dem Künstler, dem Vater ihres Kindes, sowie in der Darstellung der
völlig verunglückten Ehe des Blumenhändlers Pohle, Berthas Arbeitgeber, mit
einer luxusfreudigen Schauspielerin. Diesen mißlungenen Beziehungen setzt Hegeler im Roman allerdings keine geglückte Liebesbeziehung entgegen. Auch die Ehe
von Friedrichs Eltern z. B. ist unglücklich, obwohl sie nicht aus verschiedenen
Verhältnissen stammen. Insofern erweckt Hegeler nicht den Eindruck, daß für
Scheitern oder Gelingen einer Liebesbeziehung die Übereinstimmung oder Differenz in der sozialen Herkunft die entscheidende Ursache ist.

Wenn dieser Gesichtspunkt bei der Interpretation des Verhältnisses von Bertha
und Friedrich dennoch berücksichtigt wird, dann ist das nicht aus der Roman-
immanenz abzuleiten, sondern zum einen aus den Motivüberschneidungen mit anderen ›Friedrichshagener Romanen‹ und zum anderen aus der Übereinstimmung
von Hegelers Schilderung der Liebessehnsucht Friedrichs im Roman und der Beschreibung seines eigenen Bemühens, die politisch-gesellschaftliche Isolation zu
überwinden, wie er es in seiner autobiographischen Skizze darstellt. Was die

Phänomene angeht, ist die Ausgangslage Friedrichs im Roman die gleiche wie die Hegelers in seiner Selbstdarstellung: beide quält dieselbe trostlose Einsamkeit, den einen aus Gründen seiner sexuellen Problematik, den anderen aus politisch-gesellschaftlichen Gründen. Genaugenommen handelt es sich hier um denselben Tatbestand: die Isolation und das Bewußtsein dieser Isolation. Er wird nur einmal schwergewichtig unter individualpsychologischen und das andere Mal vorrangig unter politischen Gesichtspunkten *interpretiert*. Die Analogie der Situationsbeschreibung im Roman und in der Autobiographie ist weniger als Ergebnis einer bewußt vorgenommenen Parallelkonstruktion zu sehen, sondern eher als notwendiger Ausdruck der engen Verflechtung, in der sich individuelle und gesellschaftliche Problematik dem Autor in seiner Wirklichkeit darstellen. [151]

Hegeler schreibt über sich selbst: »Ich saß stundenlang auf meinem Zimmer, das an der Wand einen riesigen Schimmelfleck gleich einer Eiterbeule hatte, in dem die Luft so schlecht war, daß man es bei geschlossenen Fenstern nicht aushalten konnte. Da ich keinen Menschen hatte, mit dem ich mich aussprechen konnte, beschäftigte ich mich viel mit mir selbst. Ich verzweifelte daran, je aus meiner Melancholie herauszukommen.« [152] Hegeler stellt Friedrich in einer Anfangsszene des Romans so dar: Er »saß« »trübsinnig vor dem Arbeitstisch« und »betrachtete« »das frierende Kerzenlicht«, »von dessen Rand kristallene Tropfen mit Eisperlen herabrieselten«. Er kann Bertha, die er gerade zum erstenmal gesehen hat, nicht vergessen. Hegeler fährt fort: »Dann entkleidete er sich völlig und legte sich in das mit feuchtkalter Wäsche bedeckte Bett, das ihn begrub wie Schnee, in dunkle Nacht und öde, trostlose Einsamkeit, wo er allein war mit seinen schwarzen Gedanken. / Als er aber nach einer Stunde unruhigen Schlafes erwachte, da wälzte er sich unter den glühenden Decken ruhelos hin und her im Schmerz einer unbefriedigten Begierde. / Und das Bett – vorhin sein Sarg – ward ihm jetzt zur Hölle.« [153]

Die Analogie geht über die Ausgangslage hinaus bis in die Lösungsversuche hinein. Hegeler selbst geht auf sozialdemokratische Volksversammlungen, um dort Kontakt zum Volk zu bekommen und seine Isolation zu überwinden; mit der eigenen Schicht hat er gebrochen, von dort erhofft er sich keine Lösung. Seine Romanfigur Friedrich versucht, in Tanzlokalen Zugang zum anderen Geschlecht zu finden. Dabei ist es Friedrich klar, daß er dort nicht auf Mädchen aus den eigenen gesellschaftlichen Kreisen stoßen wird. Von einem Mädchen aus der Unterschicht erhofft er sich größere sexuelle Freizügigkeit als von einer Partnerin aus der eigenen Schicht. [154]

In der weiteren Romanhandlung treten diese Ausgangsmotive immer mehr zurück, auch wenn es um Liebesbeziehungen geht. In diesen Beziehungen spielen im Laufe des Romans immer weniger solche Konflikte eine Rolle, die durch die gesellschaftlichen Unterschiede der Partner bedingt sind. Statt dessen werden die Partnerbeziehungen durch gesellschaftsunspezifische Probleme belastet.

So sind die meisten Paare des Romans nicht in der Lage, ein richtiges Verhältnis zur Sexualität zu gewinnen, die in Hegelers Darstellung den Eindruck einer dämonischen Kraft macht, über die der Mensch Herr werden müsse, wenn er nicht in seinen persönlichen Beziehungen scheitern wolle. Wenn im Romanverlauf Liebesbeziehungen mißlingen, wird das mehrfach darauf zurückgeführt, daß in ihnen oder für ihr Zustandekommen der Faktor Sexualität eine zu gewichtige Rolle gespielt habe. Zwar wird eine solche Schlußfolgerung nicht direkt ausgesprochen, aber durch die Darstellung nahegelegt.

Am deutlichsten wird das in der Schilderung der Ehe des Blumenhändlers Pohle. Dieser, bis dahin ein redlicher Mann von einigem Selbstbewußtsein, gerät gegenüber seiner Frau in ein Hörigkeitsverhältnis, das von Hegeler mit kräftiger Farbigkeit ausgemalt wird. Pohles Frau wird von ihm als »starkknochige Person, die den Gärtner um Haupteslänge« ›überragt‹, beschrieben, der Puder auf ihrem ›vollen Gesicht‹ kann nicht verdecken, daß sie nicht mehr die Jüngste ist. Erwähnenswert an ihrer äußeren Erscheinung ist Hegeler noch die ›hochrote Seidenbluse‹, die sie trägt, und die »weiße Kamelie« »vor dem üppigen Busen«. [155] Pohle selbst ist in dieser Ehe zur Jämmerlichkeit heruntergekommen, in wenigen Sätzen umreißt Hegeler seine Situation: »Nach einer Weile kam der Meister herein. Mit seinem gealterten Gesicht in der auffallenden, jugendlichen Toilette machte er einen trübseligen Eindruck. Die Unterlippe, die nicht wie sonst die gewohnte Cigarre halten durfte, klaffte wulstig herunter. Aus ihrem brennenden Rot sprach etwas wie ungestillte Sinnenlust ...« [156] – wenig später wird die Darstellung noch weiter zugespitzt: Pohle, »wie ein miserabel armer, ausgehungerter, vor Gier vergehender Dieb, immer auf der Lauer zu stehlen, klammerte sich an seiner Frau empor, einen Kuß von ihren jugendlich glänzenden Lippen zu erhaschen. Aber sie geruhte nicht. Und so vermochte sein lechzender Mund nur von der weißen Kamelie zu nippen«. [157]

Eine so eindeutige Rolle spielt die Abhängigkeit von der und durch die Sexualität im Verhältnis von Bertha und Friedrich nicht. Aber auch hier wird in einigen Situationen der Eindruck erweckt, daß Friedrichs sexuelles Verlangen ihn selbst erniedrige und insofern sein Verhältnis zu Bertha von vornherein belaste. Nachdem Friedrich Bertha das erstemal (»Halb besinnungslos vor Angst und Leidenschaft« [158] mit der unvermittelten und unverblümten Forderung überrascht hat: »Geben Sie sich mir hin!« [159] und Bertha sein Ansinnen abgelehnt hat, versucht er immer wieder und mit verschiedenen Mitteln, sein Ziel doch zu erreichen. Hegeler beschreibt in einem Bild die Beziehung, die Friedrich zu dieser Zeit zu Bertha hat: »Manchmal aber blickte er auch Bertha an, treuherzig und flehend wie ein Hund, der bittend mit dem Ausdruck der Angst seinen großen Kopf auf das Knie der Herrin legt.« [160] Dasselbe Bild taucht noch einmal gegen Ende des Romans auf, als Friedrich nach dem Tode seiner Mutter nach Berlin fährt und Bertha nach monatelanger Trennung gerade einen Tag, nachdem sie von dem Scharlatan vergewaltigt worden ist, zum erstenmal wiedersieht. Von seinen stürmischen Küssen fühlt Bertha sich in ihrer Situation aufs äußerste abgestoßen: »Während er sie unter seinen Küssen begrub, im blinden egoistischen Drang seiner Gefühle, waren ihre Empfindungen dieselben wie gestern bei dem Greise. Für sie war jetzt die ganze Liebe nur das eine: Schmutz. –« Friedrich, der ihre abweisende Haltung nicht versteht, dringt weiter auf sie ein. Hegeler vergleicht ihn wieder mit einem Hund und Bertha mit dessen Herrin: »Er streichelte bekümmert mit seiner breiten Hand über ihre Wangen, wie ein großer, dummer, treuer Hund, der die in Irrsinn rasende Herrin anschaut – in seinem Schmerz nichts weiß, als seine Tatze auf sie legen und ihre Knie lecken.« [161] Hegeler greift nicht nur dort zu einer solchen Bildlichkeit, wo er die problematischsten Momente in dem Verhältnis von Bertha und Friedrich gestalten will, sondern auch an einem Punkt, wo es ihm um die Darstellung ihrer unbeschwerten Liebesfröhlichkeit geht: »Sie wurden ganz ausgelassen; hier abseits von den großen Wegen [...] konnte man sich schon gehen lassen. Und die beiden betrugen sich wie ein paar junge Hunde.« [162] In Hegelers Darstellung läßt die Sexualität – positiv wie negativ – den Menschen wie ein Tier handeln. Es scheint daher für den Menschen notwendig zu sein, sich ihrer zu erwehren, und nicht, ein positives Verhältnis zu ihr herzustellen.

Diese Tendenz ist nicht nur aus der abwertenden Beschreibung der Sexualität abzuleiten, sondern auch umgekehrt aus der positiven Wertung der »übersinnlichen Freuden«, die Friedrich aus *der* Liebe bezieht, die Bertha ihn durch ihre Briefe erfahren läßt, als sie getrennt sind. In diesem Zusammenhang beurteilt Hegeler es auch als positiv, daß die sexuelle Leidenschaft, die in Berthas und Friedrichs Verbindung anfangs eine so große Rolle gespielt hatte, anderen Gefühlen Platz gemacht hat. Über die Wirkung von Berthas Briefen auf Friedrich heißt es: »Aus diesen Zeilen glänzte ihm ihr Bild immer schöner hervor. Nun merkte er erst, was sie ihm war, was ihre Liebe war, was er an ihr liebte! [...] Schon in Berlin war ganz allmählich eine Wandlung ihres Verhältnisses eingetreten. Es war zarter geworden, die Freuden intimer. Die Riesenflamme der Leidenschaft, in der sie früher, Körper an Körper, gen Himmel loderten, hatte sich geklärt. Ein einziger Kuß ihrer Lippen entzückte ihn. [...] Hier in der Ferne lebte seine Liebe ganz von diesen übersinnlichen Freuden.« [163]

Während der ›sinnlichen Liebe‹ im Roman *Mutter Bertha* zwar keine völlige, aber doch eine weitgehende Absage erteilt wird, singt Hegeler – ganz ähnlich wie Land im *Neuen Gott* – ein Hohelied auf eine andere Form der Liebe. Bei Hegeler ist es die Mutterliebe, auf deren Bedeutung für den Roman schon dessen Titel hinweist. Im Gegensatz zur Partnerliebe erfüllt für Hegeler die Mutterliebe, die er in der Liebe Berthas zu ihrem Kind vorführt, all jene Ansprüche, die in der ethischen Tradition des Abendlandes an die Partnerliebe gestellt werden: Bertha ist bereit, ohne jede Rücksicht alles für ihr Kind hinzugeben und ihm bis in den Tod treu zu sein, was für sie heißt, ihrem Kind durch ihren Selbstmord in den Tod zu folgen. [164] Der Konflikt zwischen Partnerliebe und Mutterliebe zieht sich durch den ganzen Roman hindurch. Ist es zu Anfang nur die Tatsache, daß Bertha überhaupt ein uneheliches Kind hat, an der Friedrich sich stößt, so wird spätestens zu dem Zeitpunkt, wo das Kind nach Berlin geholt wird, klar, daß es um mehr geht – um die Frage nämlich, ob ihr Kind oder ihr Geliebter in Berthas Herzen den ersten Platz einnimmt. [165] Wenn Bertha sich schließlich hundertprozentig für ihr Kind und gegen Friedrich entscheidet, ist das kein voluntaristischer Schritt, sondern die Konsequenz aus Friedrichs Versagen, das in diesem Zusammenhang für das Versagen auch aller anderen Partnerbeziehungen im Roman steht.

Auch zu diesem Vorgang gibt es eine Parallelhandlung, die seine Aussagekraft verstärkt: Friedrichs Mutter, die in ihrer Ehe nie glücklich gewesen ist – und die sich immer davor »gegraut« hat, »daß sie sterben müsse, ohne Liebe zu finden«, bemerkt die Veränderung im Wesen ihres Sohnes, als er in den Semesterferien zu Hause ist. Sie merkt, daß er eine Geliebte hat, und beginnt, sich selbst nach seiner Sohnesliebe zu sehnen und die Kühle, die bis dahin auch im Verhältnis Mutter–Sohn vorgeherrscht hat, zu überwinden. Der Durchbruch zur Liebe ihres Sohnes gelingt ihr, als sie ihm zeigen kann, daß sie Bertha und ihres Sohnes Liebe zu Bertha akzeptiert, die Friedrich glaubte, vor seinen Eltern verbergen zu müssen. Auch hier erweist sich die Mutterliebe als eine übermenschliche Kraft, indem auch hier die Mutter in ihrer Liebe die Kraft findet zu sterben. Das deutet sich schon in der Szene an, wo die Liebe zwischen Mutter und Sohn offenbar wird: »Sie fühlte die Freudenthränen ihres Sohnes warm in ihren Schoß rieseln. Ach, wie ihr das wohltat! Endlich, endlich war ihre bange Angst der letzten Monate, ihr zitterndes Hoffen gestillt. Sie fühlte den Strom der Liebe rieseln, nach dem sie so lange sich gebangt und gesehnt hatte. Und wie warm, wie wohl ihr auf einmal wurde! Jetzt durfte sie beruhigt sterben«. [166] Tatsächlich führt von dieser Szene ein direkter Weg zum Tode der Mutter. Einen Tag nach dieser riesigen emotionalen Anspannung fühlt sie sich so ermattet, daß sie im Bett bleiben muß. Das zeigt den Beginn einer Krankheit an, von der sie sich nicht mehr erholt und an der sie zwei Monate später stirbt. Die Krankheit bleibt bis zuletzt rätselhaft, weil ihre Ursachen vom Arzt nicht diagnostiziert werden können. Für den Roman heißt das, daß das Motiv der Todesbereitschaft durch die alle menschlichen Schranken überwindende Liebe nicht mit ›banalen‹ alternativen Erklärungsmöglichkeiten für den Tod der Mutter ›entwertet‹ werden kann.

Unter dem Aspekt der Darstellung gesellschaftlicher Konstellationen in der Form von Liebesverhältnissen hat die Mutterliebe eine ähnliche Funktion wie in verwandten Romanen die Geschwisterliebe (vgl. Hollaenders *Weg des Thomas Truck*, Lands *Neuen Gott*): in ihnen soll einerseits Isolierung, Einsamkeit und emotionale Verkümmerung als überwindbar dargestellt werden, ohne daß dies aber die Zuwendung zu einer andern Klasse oder Schicht bedeutet: die eigenen Grenzen sollen gewissermaßen überwunden, ohne überschritten zu werden. [167]

Die bisher interpretierten Inhalte des Romans *Mutter Bertha* waren insofern von Bedeutung, als sie den Zusammenhang, der auch zwischen diesem in der ›Neuen Welt‹ abgedruckten Roman und dem ›Friedrichshagener Romantypus‹ besteht, verdeutlichen sollten. Sie geben somit zwar Punkte an, die *sozialdemokratischen Anschauungen widersprechen*, jedoch lediglich solche, deren wirklicher Charakter nur indirekt und über einige Vermittlungsschritte erschlossen werden kann. Es ist deswegen nicht verwunderlich, daß keinem der Kritiker des Abdrucks dieser Romane in der ›Neuen Welt‹ diese Gesichtspunkte aufgefallen sind. Bemerkenswerter ist es bei einigen weiteren Aspekten des Romans, die zum einen dessen Besonderheit sind und zum anderen einem Sozialdemokraten unmittelbar als gegen seine eigenen Anschauungen gerichtet hätten auffallen müssen.

Der erste dieser Aspekte hängt noch mit der Frage der *Sexualität* und ihrer gesellschaftlichen Bewertung zusammen. Für das Romangeschehen und dessen tragischen Ausgang spielt es eine entscheidende Rolle, daß Bertha sich wegen ihres unehelichen Kindes moralisch schuldig fühlt. Gegen Ende des Romans tritt das Motiv, daß ihre totale Aufopferung für ihr Kind Sühne sei für die Schuld, die sie mit dessen Zeugung auf sich geladen hat, in den Vordergrund. Dabei erscheint dieses Motiv nicht in der Form des Schuldvorwurfs einer unverständigen und prüden Umwelt, sondern – ohne auch nur die geringste Relativierung, durch die der Autor die gesellschaftlichen Ursachen dieser Vorstellung hätte andeuten können – als Selbstanklage und Reflexion Berthas: »von neuem durchfuhr sie der Gedanke: Das Kind würde ihr Verhängnis sein. [...] Das, was man thut, ohne das Gefühl des Sündhaften zu haben, konnte das Sünde sein? Sie wälzte die Frage hin und her in ihrem unruhigen Kopf. Sie überlegte, wie es zugegangen war. Sie wollte die Schuld auf ihren Verführer schieben. Sie haßte ihn [...] Aber ein Rest blieb ihr immer selbst zur Schuld. Sie verstand sich nicht mehr, wie sie damals so hatte sein können.« Über ihr Verhältnis zu ihrem Kind denkt sie in diesem Zusammenhang: »was sie früher aus Instinkt gethan, das erkannte sie jetzt als ihre einzige Pflicht. Ihm gehörte ihr ganzes Leben, jeder Gedanke [...] Alles hatte sie ihm zu geben, da sie ihm alles geraubt in seiner Geburt: das Glück und die Ehre [...]« [168]

Mit ihrem Selbstmord bestätigt Bertha die Bedeutung dieser Gedanken. Sie begründet ihn nämlich nicht nur mit ihrer überwältigenden Liebe zu ihrem Kind – in einem Abschiedsbrief an Friedrich schreibt sie, daß sie ihrem Kind folgen müsse, weil es ihre Liebe auch im Tod noch brauche [169], – sondern auch damit, daß sich der Sinn ihres Lebens erfüllt habe, nachdem sie ihre Schuld gesühnt habe. Als Sühne empfindet sie es nämlich, daß sie um ihres Kindes willen die Vergewaltigung durch den Scharlatan erduldet hat, was sie für eine Erniedrigung, wie sie tiefer nicht möglich ist, hält: »Ihr war, als habe sie eine große Sühne vollbracht. Jetzt hatte sie ihrem Kinde alles gegeben. Nun gehörten sie beide einander ganz allein: Kind und Mutter.« [170]

Hegeler versucht in seiner Darstellung, den Tod Berthas versöhnlich darzustellen. Zwar verzichtet er nicht darauf, auch die Schrecken und Ängste dieses Todes zu benennen, aber er versucht, ihn als eine klare und eindeutige Konsequenz aus Berthas Leben und Fühlen hinzustellen und nicht gerade umgekehrt als *falsche* Schlußfolgerung aus der Einsicht in ihre elende Lage. Die Konsequenz der Selbstzerstörung statt der Veränderung der schlechten Verhältnisse, die sie mit ihrem Selbstmord zieht, erscheint so als tragisch und nicht abweisbar. Das heißt, daß die Schuld-und-Sühne-Überlegungen, die sie anstellt, sich schließlich als stärker erweisen als die gegenläufigen Gedanken, mit denen sie immer wieder ihre Schuldkomplexe zu zerstreuen versucht hat.

So hat sie Friedrich gegenüber anfangs die Tatsache, daß sie ein uneheliches Kind hat, als ganz normal hinzustellen versucht, – sie komme aus München, dort sei das nichts Außergewöhnliches: »in München ist das nicht so schlimm. Da haben alle Mädchen ein Kind«. [171] Aber Bertha hat auch weit darüber hinausgehende Überlegungen angestellt, in denen sie den Normen einer sexualitätsfeindlichen Umwelt nicht nur defensiv gegenübertritt, sondern sogar sich ihnen entgegenstellt. Sie vergleicht sich einmal mit den »Mädchen aus geordneten Verhältnissen« [172], also aus bürgerlichen Kreisen, für die Sexualität nur in der Ehe, und auch da nur in unterdrückter Form, existiert. Einerseits beneidet sie diese Mädchen um ihre »Reinheit« [173], andererseits freut sie sich daran, emanzipierter zu sein als jene. Für Momente ist sie bereit, eine Lanze für die »freie Liebe« zu brechen: »Freie Liebe! [...] Es klang wie ein Ruf zum Kampf. [...] Die Fenster glühten wie purpurne Standarten mit schneeweißen Borten. Sie fühlte sich kampfesmutig und des Kampfes schon überhoben. [...] Und ganz leise, als spräche sie zu vielen, vielen atemlos Lauschenden, sagte sie: – Freie Liebe! [...] Freiheit, ist das nicht ein schönes Wort? Und Liebe, ist das nicht auch ein schönes Wort? [...] Beides zusammen aber sollte so etwas Häßliches geben? [...]« [174] Für Berthas weiteres Verhalten spielen diese Gedanken keine Rolle, sie bleiben darüber hinaus auch insofern vereinzelt, als weder eine andere Romanfigur noch der Erzähler ähnliche Überzeugungen vertreten. Im Widerstreit mit dem Schuld-Sühne-Komplex bleiben Berthas zwischenzeitliche emanzipatorische Ideen, ohne daß dieser Streit direkt ausgefochten würde, einfach durch den Lauf der Romanhandlung die unterlegenen. Sie scheinen nicht mehr zu sein als schöne, aber irrelevante Zukunftsträumereien. Das muß für sozialdemokratische Leser und Kritiker des Romans deswegen von Bedeutung sein, weil Bertha in der zitierten Passage Positionen einnimmt, für die die Sozialdemokraten größte Sympathien haben. Sie entsprechen nämlich genau den Vorstellungen, die Bebel in dem Buch *Die Frau und der Sozialismus* propagiert, und dieses Buch ist, in millionenfacher Auflage verbreitet, zu dieser Zeit eines der populärsten Werke der sozialistischen Literatur in Deutschland. [175] In dem Satz ›Die Fenster glühten wie purpurne [rote] Standarten‹ wird auf diese Beziehung angespielt.

Hegeler kann Berthas Emanzipationsgedanken für den Handlungsablauf deswegen keine größere Bedeutung geben, weil darin die Möglichkeit menschlicher Handlungsalternativen sichtbar würde und der Eindruck von tragischer Verstrikkung und der Bestimmung der menschlichen Geschicke durch unumstößliche eherne Gesetze nicht zu erwecken wäre. Aber gerade darum, einen solchen Eindruck zu suggerieren, geht es Hegeler. Berthas Emanzipationsgedanken haben in dieser Hinsicht geradezu die Funktion, aufzuzeigen, daß sie sich ohne jegliches persönliche Unrechtsbewußtsein in jene Schuld verstrickt, die zu ihrem Untergang führt. Daß Hegeler versucht, tragische Zwangsläufigkeit zu konstruieren, zeigt sich auch darin, daß er nur Bertha selbst den Schuldvorwurf gegen sich selber richten läßt und nicht ihre Umwelt; denn das Aufeinanderprallen verschiedener gesellschaftlicher Normen ergäbe dann, wenn unterschiedliche Personen oder Personengruppen die unterschiedlichen Normen verträten, mehr eine politisch-gesellschaftliche Auseinandersetzung als einen tragischen Konflikt.

Das Schuld-und-Sühne-Motiv wird im Roman durch ein zweites, mehrfach wiederkehrendes Motiv verstärkt. Dieses Motiv ist die Unzugänglichkeit und un-menschliche *Unbeugsamkeit des Rechts*. Dafür steht die Figur des Gerichtsrats, Friedrichs Vater, der kaum menschliche Regungen kennt und an die Heiligkeit des Rechts glaubt. Symbol für diese Auffassung vom Wesen des Rechts ist die Gips-büste des Rechtsgelehrten Puchta, bei dem Friedrichs Vater studiert hat und den er verehrt. In der Beschreibung einer Szene, in der Friedrichs Vater dieser Büste gegenübersteht, vermischen sich die stummen Gedanken der Romanfigur mit der gleichsam objektiven Darstellung des Erzählers: Er »trat vor die Büste seines Leh-rers Puchta [...] und bohrte seine Augen in dieses ernste, überirdische Gesicht [...] Und er blieb stumm, als betete er zu ihm, zu diesem Denkergeist, der auch aus einer anderen Welt stammte, dem auch die Definitionen und Begriffe Thaten und Leben gewesen waren, der den Gedanken ausgesprochen hatte von der ›Hei-ligkeit des Rechts‹ und dessen Wahlspruch lautete: Fiat justitia, pereat mun-dus!« [176] Hegeler will die hier ausgesprochene Idee, daß das Recht seinen Weg gehen müsse, auch wenn darüber die Welt zugrunde gehen sollte, nicht in dem Sinne propagieren, daß er sie für eine positive Anschauung erklärt. Er akzep-tiert sie nur auf die Weise, daß er ihre Gültigkeit durch die Romanhandlung be-stätigen läßt.

Es liegt nahe, Hegelers Position mit der zu vergleichen, die die autobiographisch eingefärbte Romanfigur Friedrich zum Puchta-Komplex einnimmt. Für Friedrich ist die Puchta-Büste, die ihm sein Vater geschenkt hat, zum einen eine quälende Erinnerung an die öde Freudlosigkeit seines Elternhauses und an die Gedanken-welt seines Vaters, zum andern repräsentiert sie ihm die Welt der juristischen Wis-senschaft, deren Anforderungen er sich meint unterwerfen zu müssen, auch wenn sein Privatleben darunter leidet. Trotz all der trüben Assoziationen, die sich für ihn mit der Puchta-Büste verbinden, ist er bereit, sie in Ehren zu halten, was darin seinen Ausdruck findet, daß er die Büste vom Heimatort nach Berlin und in den Semesterferien von Berlin wieder mit in den Heimatort nimmt, so daß er sie ge-wissermaßen immer bei sich hat und ihr überall einen Ehrenplatz einräumen kann. Ohne ein positives Verhältnis zum Gedankengut Puchtas zu haben und ohne ein solches auch nur aufbauen zu wollen, ist er doch bereit, es durch Hinnehmen zu akzeptieren.

Wenn Hegeler als Autor Berthas Situation als tragisch hinstellt und wenn er die Puchtasche These, daß der Vollzug des ›Rechts‹ menschlichem Einfluß letzten Endes nicht zugänglich sei, durch die Suggestivkraft seiner Darstellung indirekt zu bestätigen sucht, ist das nicht ein passives Hinnehmen ungeliebter, aber sich als übermächtig erweisender Wirklichkeiten wie bei den Romanfiguren, sondern ein aktiver Vorgang, weil er diese Wirklichkeiten ja selbst erst konstruiert. Wenn er sich auch subjektiv in derselben Situation befinden mag wie die Romanfiguren – nämlich, daß er sich von Mächten, die außerhalb seiner Einflußmöglichkeiten lie-gen, daran gehindert fühlt, das zu realisieren, was er eigentlich für wünschenswert hält – dann liegt doch zumindest darin ein entscheidender Unterschied, daß er die-sen Mächten im Rahmen der Romanwirklichkeit soviel Gestalt geben muß, daß sie einen objektiven Charakter zu bekommen scheinen.

Unter diesem Gesichtspunkt betrachtet, ist *Mutter Bertha* im Gegensatz zur Meinung der sozialdemokratischen Parteitagsdelegierten kein naturalistischer Roman. Seinem Anspruch nach versucht der Naturalismus nämlich, die Oberflächenphänomene zu erfassen und zur Darstellung zu bringen. Übernatürliche Mächte können im Romangeschehen nur insoweit Platz finden, als sie in der subjektiven Vorstellungswelt einzelner Romanfiguren eine bestimmende Rolle spielen. Auf keinen Fall aber können Kräfte jenseits der materiellen Wirklichkeit den Anschein von Objektivität zugesprochen bekommen.

Mit der Konstruktion der anonymen Mächte und Gesetzmäßigkeiten will Hegeler das, was er einmal als subjektives Versagen empfunden hat – seine Kontaktschwierigkeiten und seine Unfähigkeit, die eigene gesellschaftliche Isolation zu durchbrechen – als objektiv notwendig hinstellen, um seine Schuldgefühle und sein Leiden daran zu überwinden. Diese Hauptintention seines Romans versucht er, auch mit einer entgegengesetzten Methode durchzusetzen. Der Konstruktion von Tragik des Geschehens tritt das Darstellungsmittel der *Ironie* gegenüber, mit dem eine Distanz zu diesem Geschehen hergestellt wird, die Nicht-Betroffenheit signalisieren soll.

Es gibt im Roman verschiedene Formen der Ironie. Die erste hat Ähnlichkeiten mit der kontrapunktischen Darstellungsweise, mit der wir uns schon beschäftigt haben. [177] Sie soll Desillusionierung bewirken und zu große Identifikation mit der Handlung gerade an deren Höhepunkten verhindern. Der erste Kuß, den Friedrich Bertha gibt, wird z. B. so geschildert: »ganz nahe an Berthas Stuhl heranrückend, zog er sie an seine Brust und gab ihr einen Kuß. Schmatz! [...] Wie das knallte!« [178] Die zweite Form dient dazu, bestimmte Tendenzen karikierend schärfer herauszuarbeiten, als das in einer nüchtern-realistischen Darstellungsweise möglich wäre. Ein Beispiel dafür haben wir in der Schilderung der jämmerlichen Ehe des Blumenhändlers Pohle kennengelernt. [179]

Neben diesen harmlosen Formen der Ironie gibt es eine dritte, durch die der Erzähler seine Überlegenheit demonstrieren will. Der Versuch, Betroffenheit zu vermeiden oder zu verbergen, schlägt hier um in eine vom Ton her großbürgerliche Arroganz. Das hätte den Sozialdemokraten auffallen müssen und können, zumal auch sie selbst und ihre Ideen in dieser Weise von Hegeler dargestellt werden.

Einen solchen Ton schlägt Hegeler z. B. an, wenn von jungen Verkäuferinnen die Rede ist. Diese sind zunächst in der Vorstellungswelt von Friedrichs Freund Heinrich flatterhafte Geschöpfe, die sich allein nur danach sehnen, daß ein flüchtiger Liebhaber ihnen seine Gunst schenken möge: »Sehen Sie dort die kleinen Ladenmädchen. Sechs Stück. [...] Jede hat einen Schatz [...] Und ganz todmüde legen sie sich heute abend ins Bett, und morgen früh denken sie schon wieder nach, wen sie am nächsten Sonntag küssen werden [...]« [180] Der Erzähler übernimmt diese Sichtweise, wenn er Heinrichs Begegnung mit einigen anderen Verkäuferinnen am nächsten Morgen so beschreibt: »Und wie er so ausschreitet, kommen die kleinen Mamsells an ihm vorbei. Sie sind noch ein bißchen gähnerig. Aber sie puffen sich schon in die Seite und zwitschern wie die Sper-

linge [. . .]« [181] Könnte man hier noch sagen, der Erzähler stelle die subjektive
Vorstellung Heinrichs dar, so ist das an einer anderen Stelle auszuschließen. Hier
spricht eindeutig der Erzähler selbst im Tone einer ironischen Überlegenheit über
die ›kleinen Ladenmamsells‹, die auf Berthas geschicktes verkaufsförderndes Arrangement einer Unzahl für unverkäuflich gehaltener Hyazinthenpflanzen herein-
fallen: »Die kleinen Ladenmamsells aus dem Stickereigeschäft drüben, die niemals
säumten, wo es etwas zu sehen gab, waren in der Frühstückspause auch hinunter
gelaufen. Eigentlich wollten sie heute Nachmittag ›konditern‹ gehn, aber nachdem
sie das gesehn, stand bei ihnen fest, daß jede von ihnen so einen blauen ›Strutz‹
haben mußte.« [182]

Eine ähnliche Haltung des Autors wird da deutlich, wo er der Wirtin Friedrichs
und Berthas falsch gebrauchte Fremdwörter in den' Mund legt, in der Absicht,
sie lächerlich erscheinen zu lassen. [183]

Zweimal ist in Hegelers Roman von der *Sozialdemokratie,* bzw. von Sozialdemokraten die Rede. In der ironischen Sichtweise erscheinen sie und ihre Ideen
als skurrile, wenn auch nicht unsympathische Abartigkeiten.

Da ist der arme Lehrjunge Jakob, der aus seiner miserablen Situation sich ständig in eine Traumwelt zu flüchten versucht, in der er als reicher Mann nur so mit
Goldstücken um sich wirft. Als er in seiner Träumerei wieder einmal alles falsch
gemacht hat und von seinem Meister dafür geprügelt worden ist, resigniert er, aber
es regen sich in ihm zugleich träumerische Trotzgedanken. Diese nennt Hegeler,
ohne sie genauer darzustellen, ›sozialdemokratische Gedanken‹: »Melancholisch,
mit sozialdemokratischen Gedanken setzte Jakob sich wieder an den Tisch und
putzte all das Öl, mit dem er so verschwenderisch umgegangen war, wieder herunter.« [184] Die Ironie, bzw. Verniedlichung liegt hier darin, daß der Leser,
der Jakob als versponnenen Träumer kennt, weiß, daß dessen ›sozialdemokratische Gedanken‹ nicht mehr als eine flüchtige Laune sind und zumindest keinerlei
politische Bedeutung haben.

Nur eine Randfigur ist der einzige ›echte‹ Sozialdemokrat des Romans, ein
dicker freundlicher Droschkenkutscher, der Heinrich, Friedrich, Bertha und deren
Kind auf einer Sonntagsnachmittagsfahrt durch den Grunewald kutschiert. Er wird
folgendermaßen charakterisiert: »der Droschkenkutscher, der als Sozialdemokrat
im allgemeinen viel zu stolz war, um mit seinen Fahrgästen sich zu unterhalten,
erwies sich diesen vier Leutchen gegenüber, aus denen er sich nichts Rechtes zu
machen wußte, als ganz besonders leutselig«. [185] Durch seine Formulierung, in
der eine Kausalbeziehung ausgedrückt wird, macht Hegeler aus dem Droschkenkutscher nicht einfach einen freundlichen Menschen, der zum einen Sozialdemokrat ist und zum anderen eine kleine Marotte hat, sondern einen – wenn es nur
nach ihm selbst ginge – freundlichen Menschen, der nur dadurch, daß er Sozialdemokrat ist, eine Marotte hat, die seine Freundlichkeit einschränkt.

In beiden Fällen, dem des Lehrjungen Jakob und dem des Droschkenkutschers,
handelt es sich um sehr harmlose Formen der Karikatur. Wenn hier Sozialdemokraten sich über sich selbst lustig machten, wäre an dieser Art Humor nichts Be-
denkliches. Aber Hegeler macht diese Scherze nicht von innen, auf der Basis einer

grundlegenden Übereinstimmung mit der Sozialdemokratie, sondern von außen, als jemand, der gerade alle Anfechtungen durch sozialdemokratisches Gedankengut zu überwinden trachtet.

Das wirkt sich auf den Roman in der Weise aus, daß der ironischen Distanz zu hilflosen Vorformen des Klassenbewußtseins die kritiklos-lobende Befürwortung eines *loyalen Arbeitnehmerverhaltens* gegenübersteht. Ein solches legt nämlich Bertha an den Tag, als sie in Pohles Blumenladen arbeitet und Pohles Geschäftsinteressen ohne jede Bedenken als eigene Interessen versteht. Erst durch diesen Zusammenhang wird der sozialdemokratiefeindliche Charakter der an sich harmlosen Karikaturen deutlich.

Die Art und Weise, in der Hegeler Berthas Arbeitnehmerverhalten positiv bewertet, hätte auch schon für sich allein genommen ein weiterer Punkt sein müssen, den Widerstand der Sozialdemokraten gegen den Roman hervorzurufen. Statt dessen wird auf dem Parteitag die Romanheldin Bertha als Verkörperung eines heroischen proletarischen Charakters aufgefaßt. [186] Bertha ist hingegen im Roman eine Arbeiterin, wie ein Unternehmer sie sich nur wünschen kann. Als erste positive Eigenschaft ist ihrem späteren Chef Pohle ihre ›Ehrlichkeit‹ aufgefallen. [187] Als Kellnerin hat sie nämlich einmal einem Gast, der ihr ein, wie sie meinte, überhöhtes Trinkgeld gegeben hatte, dieses zurückgegeben, und Pohle hat diese Szene beobachtet. Für Pohle ist Bertha eine Ausnahmegestalt, die sich prinzipiell von den anderen Blumenmädchen, die er beschäftigt hat, unterscheidet: Sie »schien ihm nicht so raffiniert als all die andern«. [188] Während er an die anderen Blumenbinderinnen, die er »Teufelsbraten« nennt, nur 40–60 Mark im Monat zahlt, bietet er Bertha von vornherein einen Lohn von 120 Mark monatlich an, obwohl sie nicht einmal den Beruf der Blumenbinderin gelernt hat. Bertha rechtfertigt seine Erwartungen, indem sie sich völlig mit ihrer Tätigkeit und dem geschäftlichen Erfolg von Pohles Betrieb identifiziert. Hegeler schildert z. B., wie sie mit Friedrich Blumenläden in vornehmen Geschäftsstraßen anschaut, um Anregungen für ›ihren Laden‹ zu bekommen: »Ach, mit welchem Neid sie die vornehmere Dekorierung betrachtete, das elektrische Licht, die schwarze Samtdecke, die zierlichen Porzellantäfelchen, auf denen die Preise notiert waren! Das alles fehlte noch in ihrem Laden. Aber sie würde es schon kriegen, der Alte mußte ran, ob er brummte oder nicht, sie wollte es ihm schon abluchsen. Schließlich war es ja sein eigener Vorteil [...]« [189] Ohne Distanz und eher im Tone der Bewunderung als in neutralem Ton beschreibt Hegeler Berthas Verhältnis zu ihrer Arbeit: »Was sie für eine Begeisterung, einen unbändigen Eifer hatte – einfach unglaublich! Nachdem sie morgens in aller Früh die eingefrorenen Scheiben abgewaschen [...] hatte, brachte sie den ganzen Tag damit zu, Bouquets zu binden und wieder aufzumachen, Körbchen mit Blumen zu schmücken und wieder umzuordnen. Nur mittags gönnte sie sich eine kurze Pause [...] Aber was sie verdroß, war, daß nicht gleich die Kunden kommen wollten. O, haufenweise hätten sie anrücken müssen; sie hätte am liebsten überlaufen sein mögen, damit sie mal all ihre schönen Blumen los würde [...] Ach, wenn die Leute sich doch nur recht fleißig verlobten, Hochzeiten und Taufen hielten, sich begraben ließen und Bühnenjubiläums feierten, damit sie Bestellungen bekam, und das Geschäft blühte«. [190]

In einer konkreten betrieblichen Konfliktsituation stellt Bertha sich auf die Seite des Blumenhändlers Pohle und gegen den Lehrjungen Jakob. Auch dieses Verhalten wird von Hegeler gerechtfertigt und von einer positiven Eigenschaft, nämlich ihrem ›praktischem Sinn‹ abgeleitet. Es geht darum, daß Jakob versehentlich statt 200 Hyazinthenzwiebeln 5000 bestellt hat, was zu einer Katastrophe für das Geschäft zu werden droht. Als Jakob wegen dieses verhängnisvollen Versehens aus seiner Lehrstelle entlassen werden soll, findet Bertha das angemessen: »In ihrem praktischen Sinn wußte sie die Wut des Gärtners ganz gut zu würdigen.« [191] Als Jakob sich bei ihr Trost suchen will, weiß sie ihm nur zu sagen: »Sie haben da etwas Fürchterliches angerichtet, Jakob. Wenn der Meister Schaden hat, so will er Ihren Vater auf Ersatz verklagen. Ich weiß ja nicht, ob er es thun wird, aber das Recht hat er doch jedenfalls dazu.« [192] Statt sich in irgendeiner Weise mit dem Jungen zu solidarisieren, rechtfertigt Bertha hier sogar mögliche Zwangsmaßnahmen des Geschäftsinhabers, die dieser noch gar nicht ergriffen hat, verstärkt also bloß den Druck auf den Lehrjungen Jakob.

An die Mitgliedermassen der Sozialdemokratischen Partei herangetragen, hat Hegelers *Mutter Bertha* wie Lands *Der neue Gott* objektiv die Funktion subtiler antisozialdemokratischer Propaganda, auch wenn Hegeler, als er den Roman geschrieben hat, subjektiv eine solche Absicht nicht verfolgt hat. Es ist auch anzunehmen, daß in der Wirkung des Romans auf das bürgerliche Leserpublikum, das durch die Buchfassung erreicht worden ist, andere Schwerpunkte eine Rolle gespielt haben als die, auf die wir unsere Interpretation zugespitzt haben. Es wäre deshalb unangemessen, dem Autor Hegeler wegen seines Romans einen Vorwurf zu machen; als bürgerlichem Intellektuellen ist ihm durchaus die Einnahme eines bürgerlichen Standpunktes zuzubilligen. Vorwürfe können sich allein gegen die Redaktion der ›Neuen Welt‹ richten, die den Roman vor ein breites sozialdemokratisches Publikum stellt, ohne sich zu seinem Charakter zu äußern.

4.5 Die Funktion der Parteitagsdebatte und ihrer Rezeption für das Verhältnis der Sozialdemokratie zu den ›Friedrichshagenern‹

Wir haben schon zu Beginn dieses Kapitels die Haupttendenz der Gothaer Naturalismusdebatte herauszuarbeiten versucht und dabei festgestellt, wie die taktische Verkürzung der anstehenden Problematik auf die Frage von Anständigkeit oder Unanständigkeit der naturalistischen Literatur dazu führt, daß die eigentlichen Probleme, die hier im Hintergrund stehen, nämlich das Verhältnis zur bürgerlichen Intelligenz und die Einschätzung der gesellschaftlichen Funktion der Kunst, kaum andiskutiert werden. Die Verkürzung verrät, daß man sich nicht für fähig hält oder scheut, künstlerische Produkte von einem sozialdemokratischen Standpunkt her zu beurteilen. Man bemüht sich geradezu um einen Beurteilungsstandpunkt, der nicht in den Verdacht geraten kann, politisch zu sein. Die moralisch-prinzipielle Position bietet sich dafür an. Von solch diffuser Grundlage aus sind aber die Romane von Land und Hegeler nicht adäquat zu interpretieren und erst recht nicht erfolgreich zu attackieren. Deswegen gelingt es Steiger, auf dieser Ebene alle Angriffe gegen die Romane abzuwehren und seine Position auf der ganzen Linie durchzusetzen, mit der einzigen Einschränkung, daß ›anstößige‹ Stellen in Zukunft stärker zensiert werden sollen.

Eine etwas andere Position nimmt auf dem Parteitag nur der Delegierte Bérard ein. Er greift die Romane nicht so sehr aus moralischen Gründen an, obwohl er dem Delegierten Frohme in dieser Hinsicht zustimmt, er kritisiert vielmehr, daß in ihnen der Ansatz eines kämpferischen klassenbewußten Elements fehle. Über die *Mutter Bertha* sagt er nämlich: »So was darf überhaupt nicht vorkommen. Ein so heroischer, muthiger Charakter, wie die Mutter Bertha, verkehrt mit einem Kerl, der ihr unsittliche Anträge macht, ganz anders: die giebt ihm ein paar Ohrfeigen, daß er hintorkelt und dann ist die Sache abgemacht.« [Das Protokoll vermerkt hier: Große Heiterkeit. Zuruf: Das ist wahre Realistik!] [193] Derselbe Redner sagt über den *Neuen Gott:* »Der Roman von Hans Land *Der neue Gott* wird von manchen Genossen geradezu als eine Verhöhnung der Sozialdemokratie aufgefaßt.« [194] Die Schwäche von Bérards Position liegt darin, daß auch er sich nicht traut, von der Kunst, die von der Sozialdemokratischen Partei gefördert wird, eine parteiliche Stellungnahme für die Sache der Sozialdemokratie zu verlangen oder zumindest selbst bei der Beurteilung der Romane explizit einen sozialdemokratischen Standpunkt einzunehmen. Deswegen argumentiert er im Grunde nur mit der Forderung nach Objektivität.

Deutlich zeigt sich diese Schwäche daran, daß es Steiger sehr leicht fällt, gegen Bérards Äußerungen in einer Weise Stellung zu beziehen, die ihm den Beifall des Parteitags sichert und ihm fortan Angriffe aus dieser Richtung erspart. Er macht das, indem er behauptet, Bérards Forderung sei überflüssig, denn sie werde vom Roman schon eingelöst. Es gelingt ihm nämlich nachzuweisen, daß Hegeler nicht etwa das Verhalten der *Mutter Bertha* habe kritisieren wollen, sondern daß es ihm darum gegangen sei, sie als positive Figur darzustellen. Daß das eigentliche Problem nicht darin liegt, ob Bertha ungerechtfertigt negativ oder in ausreichender Weise objektiv oder positiv dargestellt wird, sondern darin, welches die positiven oder negativen Werte sind, die einer solchen Einschätzung zugrunde liegen, wird nicht deutlich. So kann Steiger die Tatsache, daß Bertha von Hegelers bürgerlichem Standpunkt aus als heroische Figur – aber eben als bürgerlich-heroische Figur – dargestellt wird, dazu benutzen, die verschwommene Forderung nach einem proletarischen Heroismus schon für erfüllt zu erklären: »In diesem Weibe ist die größte Weiblichkeit und der größte Heroismus verkörpert. Als ihr Kind auf dem Todtenbette liegt, als es aufgegeben ist, und da die Nachbarin kommt und ihr von dem Quacksalber erzählt, der es retten würde – ist es da wunderbar, daß sie nach dem Strohhalm greift? Und tritt ihr dieser miserable Wüstling entgegen und fordert als Preis für ihr gerettetes Kind ihren Leib, ihre Ehre, und sie opfert es mit dem festen Entschluß, für immer allem Lebensglück zu entsagen und nur ihrem Kinde zu leben, und als das Kind stirbt, da geht es mit ihm in den Tod. Das ist eine so gewaltige Seelenthat, so erschütternd, daß ich nicht begreifen kann, wie man hierüber zu lachen wagt. [das Protokoll vermerkt: Lebhafte Zustimmung] [...] Ich finde, wenn eine Kellnerin, wenn ein Mädchen aus dem Volke am Schluß für ihr Kind in den Tod geht, so ist das ein Heroismus sondergleichen, der nur Achtung verlangt.« [195]

Mit derselben Argumentationsstruktur scheint Steiger Bérards Angriffe gegen Lands *Neuen Gott* zurückgewiesen zu haben. Mehring berichtet über diese im stenographischen Protokoll des Parteitages nur ungenau festgehaltene Passage von Steigers Rede, er habe gesagt, man könne in diesem Roman keine Verhöhnung der Sozialdemokratie sehen, sondern diese werde im Gegenteil so positiv dargestellt, daß er als verantwortlicher Redakteur gezweifelt habe, ob er ihn überhaupt in der ›Neuen Welt‹ habe abdrucken lassen können, ohne den Boden der Objektivität zu verlassen. [196]

Wenn Steiger diesen Gedanken tatsächlich so vorgetragen hat, müßte aus der Bereitschaft der Parteitagsdelegierten, eine solche These widerspruchslos hinzunehmen, geschlossen werden, daß sie im Kunstbereich bereit sind, den bürgerlichen Standpunkt als den objektiven anzuerkennen. Das hieße zugleich, daß sie die eigenen parteilichen Ansichten für subjektive Verzerrungen der Wirklichkeit halten müßten.

Der zweite Gedanke Steigers in der erwähnten Passage ist, daß positive Darstellung und Verhöhnung der Sozialdemokratie sich eindeutig gegenseitig ausschließen müßten. Dieser Gedanke ist dem Parteitag mit Sicherheit vorgetragen worden, wenn nicht von Steiger – was von Mehring bekundet wird –, dann zumindest vom Delegierten Fischer, in dessen Redebeitrag es – laut Protokoll – heißt: »Welches sind denn die Vorwürfe Bérards? Die Sozialdemokratie werde verhöhnt! (Das ist nicht einmal wahr, die Sozialdemokratie soll darin sogar verherrlicht werden.)« [197] Aus dem offensichtlichen Schweigen der Parteitagsdelegierten (auch) zu diesem Punkt läßt sich schließen, daß die Sozialdemokraten nicht das Recht nehmen, zu Kunstprodukten einen *parteilichen* Standpunkt einzunehmen. Sonst hätte ihnen der Gedanke kommen müssen, daß positive Beurteilung und Verhöhnung der Sozialdemokratie keine absoluten Gegensätze sein müssen, sondern sehr wohl in ein und derselben Darstellung zusammenfallen können. Was z. B. von einem bürgerlichen Standpunkt aus als Lob gemeint ist, kann von einem sozialdemokratischen Standpunkt, weil die Bewertungskategorien sich fundamental unterscheiden, als üble Verleumdung erscheinen.

Die mangelnde Fähigkeit der Sozialdemokraten, selbst einen politischen Klassenstandpunkt einzunehmen, oder, was unmittelbar damit zusammenhängt, im Auftreten oder in den Äußerungen halber Gegner oder halber Freunde deren Klassenstandpunkt zu erkennen, ist das Kernproblem beim Verhältnis der Sozialdemokraten zu den bürgerlichen Intellektuellen vom Schlage der ›Friedrichshagener‹ schon Anfang der 90er Jahre gewesen und ist es, wie wir gerade sehen konnten, auch noch auf dem Gothaer Parteitag. Die ambivalente Beziehung dieser Intellektuellen zur Sozialdemokratie wird nicht in ihrer inneren Logik begriffen, sondern es wird, je nachdem, die eine oder die andere Seite des Widerspruchs allein gesehen und für einzig ausschlaggebend gehalten.

So ist es auf dieselbe Grundhaltung der Sozialdemokratie zurückzuführen, daß 1891/92 ein scharfer Trennungsstrich zwischen den Friedrichshagenern und der Partei gezogen wird und daß jetzt, 1896, eine indirekte Rehabilitierung erfolgt. Diese Haltung kann positiv als der Wille beschrieben werden, klare und eindeutige Positionen zu beziehen, ganze Zustimmung oder ganze Ablehnung (entweder [...] oder) und ein Gemisch von Zustimmung und Ablehnung (zwar [...] aber) zu vermeiden. Negativ kann diese Haltung aber als die Unfähigkeit begriffen werden, ein differenziertes politisches Bündniskonzept zu entwickeln, in dem festgelegt würde, in welchen Punkten und inwieweit Interessenübereinstimmung, bzw. Interessendifferenz dem Bündnispartner gegenüber bestünde. Auf seine Weise hätte gerade ein solches Konzept erst eine wirkliche, nicht nur an der Oberfläche eindeutige Politik ermöglicht.

Auf dem Gothaer Parteitag wirkt sich das Fehlen eines solchen Bündniskonzeptes als entscheidender taktischer Vorteil des ›Neue-Welt‹-Redakteurs Steiger aus. Er braucht nur einige positive Elemente in den Romanen zu nennen und zu belegen, um zu erreichen, daß keine grundsätzlichen Angriffe mehr vorgetragen werden und nur noch die Frage der ›Anständigkeit‹ diskutiert und vom gesamten übrigen Problemkomplex isoliert gelöst wird. Steigers eigene Position, die, wie wir gesehen haben, der der ›Friedrichshagener‹ sehr ähnlich ist, wird von den Delegierten auf die gleiche oberflächliche Weise eingeschätzt. Angesichts der Tatsache, daß er Parteimitglied ist und journalistisch für die Partei arbeitet, ist man bereit, seine Position erst einmal grundsätzlich zu akzeptieren und gegenläufige Tendenzen in seinen Äußerungen zu übersehen.

Diese Haltung zeigt sich besondert deutlich in einem Redebeitrag Bebels, in dem dieser, statt Steigers Position vom sozialdemokratischen Standpunkt aus zu beurteilen, sich mit dessen kunstpädagogischer Initiative und ihren Zielen solidarisch erklärt, so als sei Steigers Position im Zentrum der Partei und nicht an deren Peripherie. So sagt Bebel: »Ich erkläre rund heraus, daß ich die ›Neue Welt‹ unter der Redaktion Steiger's ihrem Inhalt und ihrer Haltung nach für eine bedeutende Verbesserung halte. [...] Andererseits habe ich am allerwenigsten, und mit mir die gesamte Parteileitung verkannt, daß Steiger mit seinen neuen Ideen einen schweren Stand in der Partei haben wird. Ich habe ihm das oft gesagt und ihm einigemale den Rath gegeben, nicht zu stürmisch vorzugehen, sondern daran zu denken, daß wir in der Partei Elemente haben, die politisch und ökonomisch auf dem radikalsten Standpunkte stehen, daß es bei uns aber auch Leute gibt, die in Bezug auf Literatur und Kunst durchaus konservativ sind [...], die durch das Fernhalten von jedem geistigen Genuß an Genüsse gewöhnt sind, die himmelweit von dem Ideal Steigers entfernt sind.« [198] Mit diesen Worten versäumt Bebel nicht nur selber, eine kritische Stellung zu Steiger einzunehmen, sondern er schirmt diesen zugleich gegen die geäußerte und gegen künftige Kritik ab, indem er ihn für fortgeschrittener als seine Kritiker erklärt und sich selbst mit seinen Intentionen identifiziert.

Wilhelm Liebknecht, der 1891 in einem Aufsatz über das ›Jüngste Deutschland‹ eine politische Einschätzung der literarischen Revolte des Naturalismus gegeben hat, erinnert als einziger Redner an die damaligen Auseinandersetzungen mit der bürgerlichen literarischen Intelligenz. In dem erwähnten Aufsatz hatte Liebknecht die Illusionen, die einige Sozialdemokraten sich über die Verwandtschaft von Naturalismus und Sozialismus machten, mit den Worten zurückgewiesen: »der Hauch der sozialistischen oder meinetwegen auch nur der sozialen Bewegung ist nicht auf die Bühne des ›Jüngsten Deutschland‹ gedrungen«. [199] Diese Distanzierung vom Naturalismus hat die sozialdemokratische Kulturpolitik eine Zeitlang auf dem Umweg bestimmen können, daß Mehring sie anderthalb Jahre später im Zusammenhang seiner Volksbühnentätigkeit aufgegriffen, präzisiert und weiter ausgebaut hat. Auf dem Gothaer Parteitag knüpft Liebknecht an seine alte Konzeption an. Wieder sieht er im Naturalismus ein »Produkt der Decadence, d. h. der Fäulnis der kapitalistischen Gesellschaft« [200], aber er erklärt damit nicht mehr das Verhältnis der Autoren des ›Jüngsten Deutschland‹ zur sozialdemokratischen Bewegung wie noch 1891, sondern nur noch ihre »gewisse prickelnde Lust, alle sexuellen Dinge auszumalen«. Das heißt in anderen Worten, daß er seinen allgemeinen Begriff vom ›Jüngsten Deutschland‹ jetzt nur noch auf jene Stellen in der *Mutter Bertha* konkret zu beziehen vermag, die nach seiner Ansicht als »Schweinerei« zu bezeichnen sind. Statt der Entwicklung eines distanzierten Verhältnisses zu den Romanen empfiehlt er konsequent nur die Streichung der angeblich anstößigen Stellen. [201]

Die Verengung seiner Analyse läßt Liebknecht, der immerhin in der Debatte als einziger an die alten Auseinandersetzungen erinnert, verkennen, wie ähnlich Steigers Position der des ›Jüngsten Deutschland‹ ist. Zwar ist auch ihm aufgefallen, wie rückhaltlos sich Steiger mit den von ihm geförderten Romanen identifiziert, aber weil Steiger sich bereit zeigt, an dem angeblich zentralen Punkt der unanständigen Passagen in den Romanen Zugeständnisse zu machen, d. h. zu streichen, kann Liebknecht die Anhaltspunkte für Steigers Sympathie fürs ›Jüngste Deutschland‹ zwar nicht übersehen, aber doch vernachlässigen. So erklärt Liebknecht zum einen, er sei »mit der Ansicht Steigers in bezug auf die Bedeutung des ›Jüngsten Deutschland‹ nicht einverstanden« [202], zum anderen aber versichert er: »Theoretisch bin ich mit den gestrigen Ausführungen Steigers durchaus einverstanden.« [203] Dieser Widerspruch ist so aufzulösen, daß Liebknecht zwar die Hauptsache, nämlich die kunstpädagogischen Grundpositionen Steigers, die in vollem Einklang mit den Intentionen der bürgerlichen Literaten vom ›Jüngsten Deutschland‹ stehen, akzeptiert, aber in der Nebensache, der tendenziellen Beschränkung auf die naturalistische Kunst, Bedenken anmeldet. Auch Liebknecht deckt Steiger mehr, als daß er ihn politisch durchschaut: Er beschließt seine Rede in der Form humorvoller ›Empfehlungen‹ an »Freund Steiger«, wie er in Zukunft mit »anstößigen Sachen« verfahren solle. [204]

Die indirekte Rehabilitation der Friedrichshagener wird auf dem Gothaer Parteitag nicht bewußt vollzogen. Sie kann überhaupt nur deshalb so reibungslos vor sich gehen, weil es sich um ein gänzlich anderes Problem als in den Jahren 1890/91

(Auseinandersetzungen mit den ›Jungen‹) und 1892 (Auseinandersetzungen im Zusammenhang der Volksbühnenspaltung) zu handeln scheint.

Die Debatte endet nicht in der Weise mit einem Sieg der ›Friedrichshagener‹, daß etwa ihre bevorzugte Kunstrichtung, der Naturalismus, einen Sieg davontrüge; der Naturalismus wird nur durch Subsumtion unter den Begriff ›Kunst‹ akzeptiert. Was sich durchsetzt, ist aber gerade das Kernstück der Vorstellungen, die die ›Friedrichshagener‹ in die Arbeiterbewegung einzubringen versucht haben: die Hochachtung vor der Kunst als einer über dem Parteienstreit der Gegenwart stehenden Macht, vor der es sich zu verneigen gelte und deren Schöpfer und Übermittler in Ehren zu halten seien. Ausgeschlossen ist in dieser Anschauung jede Funktionalisierung der Kunst für den politischen Kampf, letzten Endes auch in der Kompromißform, die Mehring in der Volksbühne mit der Konzeption einer parteilichen Rezeption zu praktizieren versucht hat.

Wie sehr die beschriebene Vorstellung von der Funktion der Kunst am Ende der Debatte das Feld bestimmt, zeigt sich in den Zusammenfassungen der Parteitagsergebnisse, wie sie zum einen von Paul Singer, einem der beiden Vorsitzenden der Sozialdemokratischen Partei, im Schlußwort zum Parteitag und zum anderen von der Redaktion des Zentralorgans ›Vorwärts‹ in einem Leitartikel nach Abschluß des Parteitages formuliert werden.

In Singers Argumentation wird mit der Akzeptierung eines idealistischen Kunstverständnisses, das unter den gegebenen gesellschaftlichen Verhältnissen eine Öffnung zur bürgerlichen Ideologie bedeutet, geradezu in dem Sinne geworben, daß die Sozialdemokratie sich in dieser Hinsicht als den bürgerlichen Parteien überlegen erwiesen habe; diese wüßten für die Bestimmung ihrer Aufgaben der Kunst nicht so eine hervorragende Funktion einzuräumen wie die Sozialdemokraten. Über die ›Neue Welt‹-Debatte sagt Singer, sie habe »die deutsche Arbeiterschaft auf der Höhe der geistigen Entwicklung gezeigt«; er fährt fort: »Mitten im tiefsten Elend und im Kampf ums tägliche Brot, ausgebeutet vom Kapital, entrechtet von der bürgerlichen Gesellschaft, strebt die deutsche Arbeiterschaft nach Geistesnahrung und will den höchsten Idealen des Menschenlebens, der Kunst entgegeneilen. Welche Partei außer der unserigen kann sich noch eine solche Diskussion leisten? Welcher Partei ist die Kunst noch ein Leitstern für die Bahnen, die sie in Zukunft zu wandeln hat?« [Das Protokoll vermerkt: Lebhafter Beifall] [205]

Der Leitartikel des ›Vorwärts‹ führt am nächsten Tag denselben Gedanken näher aus: »Ohne jede Überhebung können wir es sagen, es giebt keine Partei im Reiche, welche eine Debatte aufweisen könnte, wie die, die der Gothaer Parteitag über die ›Neue Welt‹ geführt hat. Einmal hat ein Kongreß einer bürgerlichen Partei die Frage der Unterhaltungsliteratur behandelt – es war vor mehreren Jahren auf einem Parteitag der Deutschen Volkspartei – aber wie kläglich steht jene Debatte neben dem Geisteskampfe, der in [Gotha-] Siebleben aus Anlaß der Kritik der ›Neuen Welt‹ sich entwickelte. Es war eine große, prinzipielle, von den höchsten Gesichtspunkten getragene Debatte. Es war ein Beweis dafür, daß unsere Partei mit Beackerung des Feldes der Politik und der Wirthschaft ihre Aufgabe nicht erfüllt sieht, daß sie allein unter allen Parteien vor keiner Frage des

Lebens Halt macht, zu allen Stellung nimmt, weil sie nicht begrenzte Aufgaben hat, sondern eine aufstrebende Klasse vertritt, die Träger einer neuen Weltanschauung ist.« [206]

Die Reste von Klassenkampf-Vokabular wirken wie Fremdkörper in einem Text, dessen Selbstlob, obwohl seine Verfasser das wahrscheinlich nicht bewußt beabsichtigen, objektiv die fatale Funktion haben muß, die selbstkritische Aufarbeitung der fast in jeder Hinsicht fehlgelaufenen Gothaer Naturalismus-Diskussion zu verhindern. Es wird der Eindruck erweckt, alles sei in Ordnung und könne gar nicht besser sein.

Das ist eine schwere Hypothek für alle Sozialdemokraten, die eine kritischere Vorstellung von der Funktion der Kunst haben oder die gegenüber den ›Friedrichshagenern‹ weiterhin wachsam sind.

Wir werden an zwei Beispielen sehen, daß es sozialdemokratische Einschätzungen der Gothaer Naturalismusdiskussion gibt, die sich von der offiziellen Version unterscheiden und die brauchbare Ansätze enthalten. Gemeinsam ist beiden Stellungnahmen zur Parteitagsdiskussion, die wir untersuchen werden, einem Aufsatz Franz Mehrings und einem kurzen Theaterstück Friedrich Bosses, daß sie die Ähnlichkeit der Steigerschen Position mit z. B. der von Bruno Wille erkennen. Aus unterschiedlichen Gründen vermögen aber auch sie nichts an der Rehabilitation der ›Friedrichshagener‹ zu ändern.

Mehring interpretiert in seinem Aufsatz *Kunst und Proletariat,* den er eine Woche nach dem Gothaer Parteitag für die ›Neue Zeit‹ schreibt, in die Parteitagsdebatte die Inhalte hinein, die dort eigentlich hätten im Vordergrund stehen müssen. Er versucht, den Eindruck zu erwecken, seine eigene Position sei identisch mit der, die sich auf dem Parteitag als verschwommener Konsens der Delegierten durchgesetzt hat. Während er mit einem solchen taktischen Schritt einerseits den positiven Effekt bewirken will, daß aus der mißglückten, weil an Oberflächenphänomenen hängengebliebenen, Gothaer Debatte, für die Bewußtseinsentwicklung der Sozialdemokraten doch noch etwas herausgeholt werden kann, setzt sich Mehring damit auf der anderen Seite unter den Zwang, das Ergebnis der Debatte zu akzeptieren, auch wenn es ihm eigentlich nicht behagt.

Mehring betont zuerst den bürgerlichen Charakter der sogenannten ›modernen Kunst‹: »Die moderne Kunst ist bürgerlichen Ursprungs. Wir rechnen es ihr nicht zur Schande an, daß sie ihren Ursprung nicht verleugnet, daß sie sich je länger je mehr in die Grenzen der bürgerlichen Gesellschaft rückwärts konzentriert. Man kann von Niemand verlangen, daß er über seinen Schatten springen soll.« [217] Als nächstes interpretiert Mehring den Widerstand, der auf dem Parteitag der Veröffentlichungspraxis der ›Neuen Welt‹ entgegengebracht worden ist, als klassenbewußten Widerstand gegen die bürgerliche Beeinflussung. Entschieden wendet er sich gegen die These einer »angeblich konservativen Tendenz [...] in Sachen der Kunst« auf seiten der sozialdemokratischen Arbeiter, obwohl die Ablehnung der in der ›Neuen Welt‹ abgedruckten Romane auf dem Parteitag tatsächlich eher mit konservativen Argumenten begründet wurde. Mehring setzt dagegen die Argumentation: »Was wir verlangen, ist [. . .], daß die starken Vorbehalte, welche die arbeitende Klasse gegen die moderne Kunst macht, nicht am falschen Orte gesucht werden. Sie liegen nicht in irgendeiner Rückständigkeit des Proletariats, und wir halten es für eine Illusion, die mit bitteren Enttäuschungen enden wird, wenn das Proletariat zum Verständnis der modernen Kunst erzogen werden soll.« [208]

Im nächsten Argumentationsschritt vergleicht Mehring die Auseinandersetzungen auf dem Gothaer Parteitag mit denen um die Volksbühne von 1892. Den verbindenden Punkt sieht er nicht so sehr in der Frage der modernen Kunst oder des Naturalismus, sondern in der Kunsterziehungskonzeption, die 1892 tatsächlich eine entscheidende Rolle gespielt hatte, an deren Berechtigung auf dem Gothaer Parteitag aber niemand gezweifelt hat. Im Gegenteil hatten dieser Tendenz in Steigers Redebeitrag alle Redner Beifall gezollt, während nur an Steigers Eintreten für den Naturalismus Kritik geübt wurde. Mehring kann insofern die Analogie, die er hier richtig sieht, nur mit größter taktischer Vorsicht formulieren. Er macht das, indem er die Analogie zuerst heraufbeschwört, dann aber gleich wieder zurückweist und für unberechtigt erklärt: »Mit dieser Art Volkspädagogik hat es überhaupt seine eigene Bewandtnis. Die Frage ist ja schon vor Jahren einmal in der ›Neuen Zeit‹ diskutiert worden [209], als die Freie Volksbühne sich zu ihrem Heile die ›Erzieher‹ abschüttelte. Wir sind natürlich weit davon entfernt, die ›Erziehung‹, welche die Redaktion der ›Neuen Welt‹ beabsichtigt, auf dieselbe Stufe zu stellen mit dem abgeschmackten und anmaßenden Präzeptorentum der anarchistisch-bürgerlichen Konfusionsräte, die ihrerzeit die Freie Volksbühne beglücken wollten.« [210] Auch an dieser Stelle kann Mehrings taktisches Konzept deutlich werden: Mehring möchte die Redaktion der ›Neuen Welt‹ beeinflussen, von einigen Tendenzen abzurücken, die er für gefährlich hält. Er möchte es aber vermeiden, sie offen anzugreifen. Deswegen wählt er einen indirekten Weg. Er weist einen Verdacht zurück, den er gerade erst selbst subtil erhoben hat. Damit will er die Redaktion zwingen, ebendenselben Verdacht im nachhinein auch durch ihre eigene Praxis zu widerlegen.

Diese Taktik ist gewagt und muß dann scheitern, wenn sie nicht zur Korrektur versehentlicher Fehlentscheidungen, sondern zur Abwehr relevanter politischer Strömungen eingesetzt werden soll. Wie sehr Mehring durch seine Taktik der eigenen Kritik die Spitze abbricht – und deswegen trotz der Einsicht, daß hier seine alten Gegner rehabilitiert werden, deren beginnenden Vormarsch nicht zu stoppen vermag, wird in seinem Aufsatz da am deutlichsten, wo er sich zu Steiger nicht nur neutral verhält, sondern ihn sogar lobt, als sei dessen Haltung durch ein Lob zu beeinflussen. Die objektive Funktion eines solchen Lobes muß aber sein, daß der Druck, unter den Steiger geraten ist, gemildert wird und dieser weniger Grund als etwa bei einem Angriff sehen muß, seine Position zu korrigieren. Die erwähnte Stelle heißt bei Mehring: »Wir bestreiten durchaus nicht, daß die ästhetische und literarische Bildung der Arbeiter noch außerordentlich gefördert werden kann [. . .], und wir wüßten niemanden, der für diese Arbeit berufener wäre als der Redakteur der ›Neuen Welt‹.« [211]

Neben den taktischen Rücksichten gibt es wahrscheinlich noch einen zweiten Grund, weshalb Mehring aus seiner Einsicht, daß es sich hier um die gleiche Auseinandersetzung handele wie 1892, nicht dieselbe Konsequenz zieht wie damals, nämlich eine kämpferische Gegenposition zu beziehen. Dieser zweite Grund dürfte die Resignation sein, mit der er sich daran erinnert, wie er ein Jahr vorher die Volksbühnenarbeit unter dem Eindruck ihres Mißlingens eingestellt hat. Das schließliche Scheitern seines Eingriffsversuchs von 1892 macht es verständlich, daß er eine Wiederholung fürchtet und deshalb andere Formen der Auseinandersetzung vorzieht.

Wenn die Aufdeckung von Gemeinsamkeiten Willes und Steigers, wie sie Friedrich *Bosse* in einem Schwank mit dem Titel *Die Arbeiter und die Kunst* 1897 unternimmt [212], ebenfalls nicht dazu führt, daß die alten Argumente gegen die ›Friedrichshagener‹ nun gegen ihr Auftauchen in anderer Form gerichtet werden können, liegt das hauptsächlich daran, daß Bosse selbst mit seinem Stück nicht eine solche Absicht verfolgt. Er möchte seinem Stück ein glückliches Ende geben und läßt deshalb die widerstreitenden Positionen, die er zuerst aufzeigt, sich schließlich zu einer allgemeinen, nicht sehr präzise bestimmten Versöhnung zusammenfinden. Die Wirkung ist ähnlich wie bei Mehring: Die Übereinstimmung, die nur das Ergebnis harter Auseinandersetzungen sein könnte, wird fiktiv als schon hergestellt ausgegeben. Die eigentlich unabdingbare Auseinandersetzung scheint von daher überflüssig, findet nicht statt, so daß gerade die Fiktion der Übereinstimmung das Zustandekommen einer wirklichen Übereinstimmung verhindern kann.

Friedrich Bosse, geb. 1848, Malermeister in Leipzig, Mitglied des von Bebel gegründeten Leipziger Arbeiterbildungsvereins, erster Vorsitzender von dessen getarnter Fortsetzung unter dem Sozialistengesetz (›Fortbildungsverein für Arbeiter‹) und Gründer des ersten Arbeitertheaters in Leipzig [213], stellt in dem Schwank *Die Arbeiter und die Kunst* dar, wie die Auseinandersetzungen des Gothaer Parteitags von der Mitgliederbasis der Sozialdemokratischen Partei aufgegriffen werden. Es handelt sich um ein Debattierstück, in dem die relevanten Positionen der Gothaer Debatte jeweils von einer der insgesamt sechs Figuren des Stückes verkörpert werden.

In der Person des Schriftstellers Willmers hat Bosse in seinem Stück Edgar Steiger und Bruno Wille in einer einzigen Gestalt zusammengefaßt. Die Identität Steigers wird unmittelbar deutlich, wenn er als Redakteur der ›Zukunftsblume‹ (= ›Neue Welt‹) [214] und der ›Volkszeitung‹ (= ›Leipziger Volkszeitung‹, wo Steiger ebenfalls Redakteur ist) [215], vorgestellt wird. Die ›Zukunftsblume‹ wird weiter charakterisiert als ein ›Familienblatt‹, das dennoch der minderjährigen Arbeitertochter Liesel vorenthalten werden muß, weil es »kein Blatt für junge Mädchen« sei [216] – eine Anspielung auf den Vorwurf der Unsittlichkeit, der gegen die ›Neue Welt‹ erhoben wurde. Wenn gleich zu Anfang des Stückes ausdrücklich der »Parteitag« mit den Diskussionen über »Kunst und [...] Volk, Litteratur und Proletariat« [217] angesprochen wird, wird ebenfalls ohne jedes Versteckspiel klar, daß hier die Problematik des Gothaer Parteitages abgehandelt werden soll. Daß mit Willmers auch Bruno Wille gemeint ist, deutet zuerst der

Klang des Namens an, dann aber auch das Projekt, das Willmers zusammen mit dem sozialdemokratischen Schuhmachermeister und Vorsitzenden eines Arbeiterbildungsvereins, Klaar, verwirklichen will, nämlich die Organisierung von Theateraufführungen für das Volk, die nicht durch Laien, sondern durch Berufsschauspieler gegeben werden sollen und die zum einen »dem Volk die Kunst erobern« und zum anderen »die Masse« für die moderne Literatur gewinnen sollen. [218]

Stücke von Ibsen, Hauptmann und Halbe sollen aufgeführt werden; Willmers behält sich die künstlerische Leitung des Projektes vor, während Klaar die technisch-organisatorische Seite regeln und die Arbeiter »für die Sache interessieren soll«; all dieses sind deutliche Anspielungen auf die Berliner ›Freie Volksbühne‹, besonders aber die Darstellung von Willmers als des Erfinders einer solchen Idee. Willmers: »Denken Sie nur, den großartigen Gedanken, der Arbeiterpartei eine neue Kunst zu bringen. Das ist noch niemals dagewesen in der Welt, begreifen Sie das?« [219]

Willmers Position wird von Bosse durch die Darstellung kritisiert; Willmers erscheint als Heißsporn mit etwas verworrenen Ideen. In der Gestalt des Bildungsvereinsvorsitzenden Klaar tritt, was auch der Name andeutet, dem Redakteur Willmers die sozialdemokratische Vernunft und Erfahrung gegenüber, die diesem sichtlich fehlt. Immer wieder muß Klaar Willmers dämpfen oder korrigieren, etwa wenn Willmers sich über den Geschmack des Volkes an Tingel-Tangel-Unterhaltung erregt. Seinem Ausruf in diesem Zusammenhang: »Dieser elende, blöde Haufen, der nicht einmal den Mut hat zuzugreifen, selbst dann, wenn man sein Bestes will« setzt Klaar entgegen: »Halt! Keine Beleidigung!« und versucht, ihm zu erklären, wie solche Erscheinungen aus der objektiv elenden Situation der arbeitenden Menschen abzuleiten sind. [220]

Klaar ist kein ausgesprochener Gegner der »modernen Richtung« in der Literatur, aber er knüpft auch keine großen Erwartungen an sie. Anders als für Willmers, der Hauptmann, Halbe und Fleischlein für Autoren von »weittragender, großartiger Bedeutung« hält, deren Werke unbedingt in die Arbeiterschaft hineingetragen werden müßten, sieht Klaar ihre Funktion mehr auf das Bürgertum beschränkt: »Mag sein, für die bürgerliche Welt. Aber für Arbeiter?« Innerhalb des Bürgertums ist die ›moderne Richtung‹ nach Klaars Ansicht ein Indiz für die Existenz oppositioneller Regungen, mit denen sich die Arbeiter aber nach seiner Ansicht schon deswegen nicht umstandslos identifizieren können, weil diese Regungen noch ziellos und unklar sind. So sagt Klaar, er freue sich »der großen Bewegung der Litteratur« und fährt fort: »Wo sich was bewegt, muß Gärung vorhanden sein, nach Gärung muß Klärung folgen.« [221]

Für die Arbeiter hat nach seiner Meinung die moderne Literatur nicht denselben aufklärenden Effekt wie für das Bürgertum. Daß die Zustände schlecht seien und der Änderung bedürften, sei den Arbeitern klar. Für sie sei es wichtig, positive Anstöße zu bekommen und nicht perspektivlose Zustandsbeschreibungen. Ähnlich Mehring hält Klaar in dieser Hinsicht die deutsche klassische Literatur für nützlicher. Während Mehring das in seinem 1896er Aufsatz *Kunst und Proletariat* mit dem optimistischen Grundzug der Literatur des noch revolutionär gesinnten Bürgertums im späten 18. Jahrhunderts begründet [222], geht Klaar noch weiter, indem er meint, etwa aus Schillerdramen unmittelbare Handlungsanweisungen beziehen zu können. Gegen Willmers' Lob der modernen Literatur, die ›mit zwingender Logik im Zuhörer den Gedanken erwecke, daß es so nicht weitergehen könne‹, wendet Klaar ein: »Das ist es ja gerade, der Gedanke sitzt schon in der Brust jedes aufgeklärten Arbeiters fest, aber das Wie bleibt die Frage! Nein, nein, da lobe ich mir doch meinen Schiller, der zeigt es wenigstens noch, wie man, wenn die Bedrückung zu groß wird, mit Tyrannen umgehen muß.« [223]

Gegen Ende des Stückes taucht als deus ex machina – unerwartet – Klaars Sohn Walter auf. Er, sowohl jung, also nicht dem Alten verhaftet, als auch klassenbewußter Arbeiter, hat die Funktion, die widerstrebenden Positionen Willmers und Klaars miteinander zu vermitteln. Walter nimmt eine dritte Position zu den Fragen der Kunst ein. Über diese wird nicht viel gesagt, weil allzu präzise Fixierung sich gegen die Versöhnungsfunktion richten könnte. Aber es wird doch soviel deutlich, daß er meint, große (»hehre, göttliche« [224]) Kunst könne in einer Zeit verschärfter Klassenkämpfe nicht gedeihen, deswegen könne es auch nicht ein unmittelbares Übereinstimmen von Kunst und Arbeiterbewegung geben. Hauptaufgabe sei aktuell die Schaffung besserer Lebensbedingungen, die erst den Boden für eine Blüte der Kunst abgeben könnten. Zur Lösung dieser Hauptaufgabe könnten aber auch Künstler und Kunstfreunde ihren Beitrag leisten. Walter erklärt Willmers: »wir können Männer, wie Sie, wohl brauchen, stellen Sie sich mit uns in Reih' und Glied, aber wühlen Sie nicht den Schmutz hinter uns und neben uns auf, sondern tragen Sie uns die Fahne voran in Kampf und Streit«. [225] Während hier den kunstproduzierenden Intellektuellen beinahe wieder die Führerrolle zugestanden wird, die sie so gerne einnehmen wollen, steht Walter in seinen anderen Äußerungen eher auf dem Standpunkt, daß ein gegenseitiges Bündnis zwischen Kunstproduzenten und Arbeitern anzustreben sei: »Jeder an seinem Platz, einer muß den anderen stützen!« [226] Auf dieser letzten Formulierung und nicht auf der zuvor angeführten beruht dann auch die Versöhnung zwischen Walter und Willmers; Willmers antwortet nämlich auf den zuletzt zitierten Satz: »Wenn Sie das so meinen, da möchte ich wohl dabei sein, hier haben Sie meine Hand.« [227]

Klaar hat schon vorher Punkte der Übereinstimmung mit Willmers festgestellt, als dieser selbstkritisch zugestanden hatte: »man ist doch nicht unfehlbar und trifft doch trotz dem besten Willen nicht immer das Richtige«. Klaar hat ihm daraufhin geantwortet: »Bravo, Herr Willmers! So gefallen Sie mir! Ich glaube doch, wenn wir Hand in Hand gingen, brächten wir auch noch was miteinander fertig.« [228] Jetzt soll er auch in die Versöhnung zwischen Walter und Willmers miteinbezogen werden. Das geschieht einerseits dadurch, daß Walter ihm entgegenkommt, indem er die »Volksbildung«, die Klaar als Vorsitzendem eines Arbeiterbildungsvereins am Herzen liegt, für einen eminent wichtigen Faktor des Emanzipationskampfes erklärt, und andererseits dadurch, daß Klaar selbstkritisch eingesteht, zu den ›Alten‹ zu gehören, die allmählich der jungen Generation das Feld überlassen müßten. Sein versöhnlicher Schlußsatz heißt: »leben wir auch in einer Welt voll Gegensätze und sieht es manchmal auch recht bunt aus, vorwärts geht es trotz alledem! Denn die Jungen setzen ein, wo die Alten aufgehört!« [229]

Die Schlußszene von Bosses Stück *Die Arbeiter und die Kunst* demonstriert die Sehnsucht der sozialdemokratischen Arbeiter nach Einheit und solidarischem Zusammenhang. Das wird nicht nur aus den Worten deutlich, die die Figuren wechseln, sondern auch aus den Regieanweisungen des Autors, in denen es mehrfach heißt, daß die Kontrahenten sich die Hände reichen. Damit wird die Versöhnung zur sinnlichen Anschauung gebracht.

Ähnliche Hoffnungen darauf, daß alle, die einmal Sympathie für die Arbeiterbewegung bekundet haben, zusammenhalten könnten und daß zumindest in der Partei selbst keine Zwietracht auftauchen möge, ziehen sich durch die sozialdemokratische Parteigeschichte hindurch. Wir haben sie auch bei den Auseinandersetzungen um die Volksbühnenspaltung kennengelernt, wo sie lange Zeit den Bruch mit Wille hinausgezögert haben. Die Gefahr dieser verständlichen Hoffnung liegt darin, daß sie den praktischen Verfall der Einheit der Partei begünstigt, indem unter dem Deckmantel einer fiktiven Einheit letzten Endes allen Parteimitgliedern und Sympathisanten das Betreiben einer unterschiedlichen Politik ermöglicht wird. 1896 und in den folgenden Jahren ist diese Gefahr besonders groß, weil zu den schon länger zugestandenen Differenzen in der praktischen Politik mit der Herausbildung des Revisionismus [230] auch Differenzen in der theoretischen Fundierung dieser Politik treten. Von daher ist in der versöhnlichen Haltung gegenüber Steiger nicht nur der Verzicht auf die Entwicklung einer eigenständigen sozialdemokratischen Kulturpolitik zu sehen, sondern darüber hinaus eine grundsätzliche Vernachlässigung ideologischer Probleme, deren Konsequenz sein muß, daß nichtsozialistische Theorien innerhalb der Sozialdemokratischen Partei Fuß fassen und ungehindert Boden gewinnen können.

Für die weitere Entwicklung der Volksbühnenbewegung liegt das wichtigste Ergebnis der Gothaer Naturalismus-Diskussion darin, daß das höchste Beschlußorgan der Sozialdemokratischen Partei die Ehrfurchtshaltung zur Kunst akzeptiert und sich selbst zu eigen gemacht hat. Diese Haltung hat Mehring zurückdrängen und durch die parteiliche Rezeptionshaltung ersetzen wollen. Die Unmöglichkeit, unter den gegebenen Umständen dieses Ziel durchzusetzen, hat ihn dazu bewogen, dem Ende der ›Freien Volksbühne‹ den Vorzug vor einem perspektivlosen Weiterbestehen zu geben. Jetzt, 1896, hat der Parteitag implizit Mehrings Motivationen verworfen; es gibt keinen triftigen Grund mehr, die Volksbühnenarbeit nicht wieder aufzunehmen.

Die ›Friedrichshagener‹ im Vorstand der ›Neuen Freien Volksbühne‹ halten nach der indirekten Rehabilitation ihrer Grundpositionen in der Parteitagsdebatte nunmehr die Chance für gekommen, die ehemaligen Mitglieder der ›Freien Volksbühne‹ in ihre Organisation hineinzubekommen, ohne noch mit Widerstand von seiten der Sozialdemokratischen Partei rechnen zu müssen. Kurz nach dem Gothaer Parteitag beginnt die ›Neue Freie Volksbühne‹ im Winter 1896/97 erstmals eine Flugblattwerbung für ihren Verein. Es werden Flugblätter vor Berliner Großbetrieben verteilt, in denen direkt die Arbeiter und Arbeiterinnen angesprochen werden, die vorher zum Publikumsstamm der ›Freien Volksbühne‹ gehört haben. Die ›Neue Freie Volksbühne‹ weist darauf hin, daß sie, da die ›Freie Volksbühne‹ nicht weiterbestehe, die einzige Organisation sei, die den Arbeitern einen Theaterbesuch ermögliche. Die alten Differenzen zwischen den beiden Volksbühnen solle man in dieser Situation endlich vergessen: »Sollte von der alten Gehässigkeit in Euren Reihen noch etwas vorhanden sein, so begrabt endlich die Streitaxt und lasset von der vorliegenden Sachlage Euch über die Triebfedern dieser und jener Persönlichkeit belehren.« Schließlich wirbt die ›Neue Freie Volksbühne‹ noch besonders mit ihrer Strategie angesichts der Zensurverfügung: »Unser Verein hat unter schweren Opfern an Arbeitskraft, Zeit und Geld die Kastanien aus dem Feuer geholt. Das werdet Ihr doch anerkennen, indem Ihr ihn jetzt kräftig unterstützt!« [1]

Gerade das letzte Argument zeitigt ganz andere als die beabsichtigten Wirkungen. Es gelingt nicht, die Mitgliederzahl zu steigern, diese stagniert vielmehr auf einem niedrigeren Stand als vor der Zensurverfügung [2]; aber es wird den Anhängern der ›Freien Volksbühne‹ ein Weg gewiesen, dem sie nur zu folgen brauchen, um auch ihre Organisation wieder zu beleben.

5.1. Die Wiedergründung der ›Freien Volksbühne‹ 1897

Die ehemaligen Mitglieder der ›Freien Volksbühne‹ folgen, als sie Anfang 1897 die Neugründung ihres Vereins anstreben, eindeutig dem Beispiel der ›Neuen Freien Volksbühne‹. Mehrings Rigorismus, der einmal breite Zustimmung gefunden hat, ist vergessen.

Auf die im Oberverwaltungsgerichtsurteil angedeutete Möglichkeit, durch eine engere Organisationsform der Zensurverfügung unter Umständen ausweichen zu können, hatte Mehring im März 1896 in der ›Neuen Zeit‹ noch geantwortet: »vielleicht hätte man« der ›Freien Volksbühne‹, »wenn sie sich ein wenig geduckt und geschmiegt hätte, ihr ferneres Leben gestattet. Aber selbst wenn es sich nicht nur um eine entfernte Möglichkeit, sondern um eine starke Wahrscheinlichkeit oder absolute Gewißheit gehandelt hätte, so wäre es der ›Freien Volksbühne‹ nicht würdig gewesen, sich auf eine derartige Schattenjagd zu begeben. Sie hat sich vielmehr vorgestern aufgelöst«. [3] Als es Wille jetzt in der Tat durch ›Dukken‹ und ›Schmiegen‹ gelungen ist, seine ›Neue Freie Volksbühne‹ wieder zum Leben zu erwecken, geben die ehemaligen Mitglieder der ›Freien Volksbühne‹ nichts mehr auf Mehrings Worte, sondern wollen es Wille nachtun: ein Komitee arbeitet eine neue Satzung aus, die auf die in den Verhandlungen mit der ›Neuen Freien Volksbühne‹ zutage getretenen polizeilichen Forderungen eingeht. Im März 1897 ruft das Komitee zur Neugründung der ›Freien Volksbühne‹ auf. [4]

Wenn auch auf Grund der Tatsache, daß die ›Neue Freie Volksbühne‹ zu diesem Zeitpunkt schon seit etwa einem halben Jahr arbeitet, die Neugründung der ›Freien Volksbühne‹ nach außen wieder den Charakter einer Spaltung bekommt, steht hinter dieser Spaltung jedoch nicht mehr wie 1892 die erklärte Absicht, es anders zu machen als Wille, sondern die Absicht, es ihm nachzutun. War die Ablehnung Willes der Ansatzpunkt, von dem her Mehring in Übereinstimmung mit der Mitgliedermehrheit die Verwirklichung einer Gegenkonzeption angehen konnte, fehlt bei der Neugründung der ›Freien Volksbühne‹ jede klare Abgrenzung gegenüber Willes Unternehmen und durch Mehrings Verzicht auf den Volksbühnenvorsitz auch der personelle Träger einer möglichen Gegenkonzeption. Wenn es nur um das Motiv ginge, sich wieder die Möglichkeit zur Teilnahme an Theateraufführungen zu verschaffen, ohne damit irgendwelche weiteren Zwecke zu verfolgen, hätten sich die ehemaligen Mitglieder der ›Freien Volksbühne‹ auch Willes Verein anschließen können. Aber obwohl dieses Motiv tatsächlich die Hauptrolle für die Neugründer der ›Freien Volksbühne‹ spielt, sind die alten Ressentiments der Sozialdemokraten unter den Volksbühnenmitgliedern gegen Wille noch so stark, daß eine solche Lösung nicht möglich wäre. Auf der Neugründungsversammlung stößt ein entsprechender Vorschlag Willes, der auf eine Fusion beider Vereine hinausliefe, auf einmütige Ablehnung. Das kann als ein Indiz dafür gelten, daß die Sozialdemokraten unter den Mitgliedern der ›Freien Volksbühne‹ weiterhin in der Mehrheit sind.

Eine von Conrad Schmidt und anderen eingebrachte und von der Neugründungsversammlung angenommene Resolution, die die Ablehnung von Willes Fusionsvorschlag begründen soll, behauptet allerdings, »daß sachliche, nicht persönliche Gründe ein Hand-in-Hand-Gehen trotz anerkennenswerten Entgegenkommens unmöglich machten«. [5] Diese Formulierung stellt die wirklichen Gründe der Ablehnung auf den Kopf und soll hauptsächlich den Sinn haben, zur ›Neuen Freien Volksbühne‹ ein zwar distanziertes, aber nicht zu unfreundliches Verhältnis herzustellen; zudem ist sie eine Replik auf Willes rhetorisches Angebot, zugunsten der gemeinsamen Sache zurückzutreten, wenn nur seine Person ein Hindernis sei. (»Wer an meiner Person Anstoß nimmt, der soll befriedigt werden, obgleich ich etwas anderes als Gehässigkeit verdiene.« [6]) Mit ihrer Formulierung täuschen die Verfasser der Resolution sich und die Volksbühnenmitglieder darüber hinweg, daß ›sachliche Differenzen‹ zur ›Neuen Freien Volksbühne‹, etwa Unterschiede in der Konzeption, tatsächlich, zumindest in bewußter Form, nicht bestehen und daß es gerade ihre Aufgabe wäre, solche Differenzen herauszuarbeiten, wenn sie die Notwendigkeit einer eigenen Gründung rechtfertigen wollen. Dementsprechend wird von den angeblichen ›sachlichen Gründen‹ in der Resolution auch kein einziger ·inhaltlich benannt.

In seinem 1900 geschriebenen Aufsatz *Die Freie Volksbühne* läßt Mehring zwischen den Zeilen anklingen, daß er gegen die Neugründung der ›Freien Volksbühne‹ gewesen sei. Das wird aus der Formulierung deutlich: Nachdem er ausführlich die Zweifel beschrieben hat, die er schon vor Erlaß der Zensurverfügung an der Praxis der Volksbühne gehabt habe, und die Genugtuung, die er empfunden habe, daß der ›Freien Volksbühne‹ auf dem ›Schlachtfeld‹ der Zensurverfügung ein ›ehrenhafter Tod‹ möglich gewesen sei, fährt er fort: »*Jedoch* den Berliner Arbeitern war die Sache lieb geworden, und als es möglich war, die Freie Volksbühne wieder aufzuthun, zögerten sie nicht lange damit.« [7]

Zwar ist auch diese Formulierung nicht gerade als besonders deutlich zu bezeichnen, aber vor diesem Aufsatz hat Mehring sich noch weniger dazu durchringen können, seine Position öffentlich zu bekunden und z. B. vor einer Wiedergründung des Vereins zu warnen. Er hat sich vielmehr recht zwiespältig verhalten.

Mehring setzt zum einen seine Unterschrift unter einen Aufruf, der zum 7. März 1897 eine ›große öffentliche Volksversammlung‹ zu dem Thema einberuft: »Wie stellt sich die Arbeiterschaft Berlins zur Gründung eines Vereins ›Freie Volksbühne‹?« Damit trägt er die Mitverantwortung für die Wiedergründung der ›Freien Volksbühne‹, deren konstituierende Versammlung schon drei Wochen später, am 1. April 1897, stattfindet. [8] Mehring läßt es sogar geschehen, daß man ihn in den Ausschuß des wiedergegründeten Vereins wählt. Auch damit erweckt er den Anschein von Kontinuität.

Auf der anderen Seite lehnt es Mehring sogleich, als die ersten Gedanken an eine Neugründung der ›Freien Volksbühne‹ auftauchen, strikt ab, wieder deren Vorsitz zu übernehmen. [9] Ein Jahr später schließlich scheidet er auch aus dem Ausschuß wieder aus und verläßt die Volksbühnenorganisation gänzlich und für immer. [10]

Auch hierfür dürfte die resignative Anerkennung der Tatsache, daß der Verein, wie er es später formuliert, sich auf »abschüssigen Wegen befindet« [11], den

Hauptgrund abgegeben haben, aber wieder äußert Mehring gegenüber den Volksbühnenmitgliedern oder der Öffentlichkeit darüber kein Wort. Und wieder gibt es
einen aktuellen Anlaß, den Mehring wie einen Vorwand benutzt, der ihm das
Verschweigen seiner wirklichen Hauptmotive möglich macht. In diesem Fall hat
der Anlaß die doppelte Funktion, den Volksbühnenmitgliedern sowohl Mehrings
Schritt plausibel zu machen, als auch ihnen keinen Grund zu geben, ihm zu folgen,
weil es sich dafür scheinbar um viel zu persönliche Motive handelt.

Mehring protestiert nämlich mit der Niederlegung seines Amtes in der Volksbühnenleitung dagegen, daß Conrad Schmidt, der neue erste Vorsitzende des Vereins, es ihm verwehrt, eine persönliche Erklärung gegen Leopold Schönhoff, den
Kritiker des ›Vorwärts‹, unkommentiert in der Vereinszeitung abzudrucken. Mit
Schönhoff, der 1897/98 für den ›Vorwärts‹ die Aufführungen der Volksbühne
rezensiert, hat sich im Frühjahr 1898 eine polemische Auseinandersetzung ange-
bahnt, weil er nach Meinung der Mehrheit der Volksbühnenmitglieder mißgün-
stige Kritiken über die Vereinsaufführungen geschrieben hat. [12] In diese Auseinandersetzung will Mehring mit seiner persönlichen Erklärung eingreifen und wertet es als ›Treulosigkeit‹, daß Conrad Schmidt und dann auch die Ausschußmehr-
heit beschließen, diese Erklärung nur zusammen mit einer Distanzierungserklärung des Volksbühnenvorstandes abzudrucken. Mehring glaubt, daß das seine
Polemik wirkungslos machen würde, mit der er weniger Schönhoff persönlich als
vielmehr einen Exponenten jener »Schriftstellerclique« [13] attackieren will, gegen
die er seit der ›Affäre Lindau‹ kämpft.

Schönhoff, im zweiten Spieljahr der alten Volksbühne noch unter Willes Leitung für geraume Zeit einer der Ausschußbeisitzer [14], ist nämlich einer der
Mitbegründer der ›Neuen Freien Volksbühne‹ [15] und, wie Mehring ihm besonders vorwirft, einer der Hauptpropagandisten des Schriftstellerboykotts gegen
die ›Freie Volksbühne‹ gewesen, mit dem die Literaten im Umkreis von Wille
die Arbeiter dazu zwingen wollten, sich wieder ihrer Führung anzuvertrauen. Dieser Schriftstellerboykott hat damals tatsächlich zu einer Isolierung der ›Freien
Volksbühne‹ von allen Schriftstellern geführt, die nicht direkt mit der Sozialdemokratischen Partei sympathisierten. Den Erfolg, den sich die Initiatoren dieser
Aktion erhofften, hat sie allerdings nicht gehabt, meinten diese doch, eine literarische Organisation müsse ohne Literaten über kurz oder lang ihren Betrieb einstellen. Dennoch kann allen an der Aktion beteiligten Literaten mit Recht der
Vorwurf gemacht werden, daß sie 1892 bewußt eine Behinderung der Arbeit der
›Freien Volksbühne‹ angestrebt haben.

Wenn Mehring Schönhoff angreift, will er damit nicht nur irgendein Mitglied
der sogenannten ›Schriftstellerclique‹ treffen, sondern eines ihrer Bindeglieder zur
Sozialdemokratischen Partei. Eine solche Rolle spielt nämlich Schönhoff, der schon
vor der Volksbühnenspaltung als freier Mitarbeiter für den ›Vorwärts‹ schreibt,
für den er jetzt, 1897/98, die Theaterkritiken verfaßt. [16] Schönhoffs Zwischen-
stellung zwischen ›Friedrichshagener‹ Literaten und Sozialdemokratischer Partei
gibt ihm in Mehrings Augen eine besonders gefährliche Bedeutung. Deswegen hält
Mehring es für dringend notwendig, ihn anzugreifen. Gerade die gewisse Mittler-

funktion ist es aber auch, deretwegen Schönhoff in dieser Angelegenheit mit Conrad Schmidts Schutz rechnen kann; dieser ist nämlich, wie wir gleich sehen werden, in ähnlicher Weise ein Mittler zwischen den alten Kontrahenten der Volksbühnenbewegung und strebt bewußt eine gewisse Annäherung an die ›Neue Freie Volksbühne‹ an.

Für Mehring bedeutet die Erfahrung, daß die Volksbühnenleitung sich schützend vor die verhaßte ›Clique‹ stellt, zwar auch eine persönliche Enttäuschung, aber vor allem ist sie ihm ein Indiz dafür, daß alle Hoffnung auf eine vielleicht doch noch positive Entwicklung der Volksbühne trügerisch ist.

Tatsächlich steckt hinter dem Verhalten der Volksbühnenleitung und besonders von Conrad Schmidt, der Schönhoff in einer Generalversammlung der Volksbühne öffentlich gegen die Angriffe Mehrings und anderer in Schutz nimmt (Schönhoff sei nicht böswillig parteilich, er habe nicht unfreundlicher geschrieben als die anderen Rezensenten [17]), mehr als nur kollegiale Verbundenheit (Conrad Schmidt ist wie Schönhoff Schriftsteller und freier Mitarbeiter des ›Vorwärts‹ [18]); es handelt sich hier vielmehr um ein Indiz unter anderen für eine atmosphärische Wiederannäherung von ›Freier‹ und ›Neuer Freier Volksbühne‹.

Deutlicher ablesbar ist diese Entwicklung daran, daß in einer neuen Einrichtung der ›Freien Volksbühne‹ – einführenden Vorträgen in den Generalversammlungen des Vereins über allgemeine künstlerische Themen, unabhängig von den aufzuführenden oder aufgeführten Theaterstücken – mehrere leitende Mitarbeiter der ›Neuen Freien Volksbühne‹ und Freunde Willes als Vortragsredner auftreten können, so Rudolf Steiner, Max Martersteig, Wilhelm Spohr und Wilhelm Bölsche. [19]

Für diese Wiederannäherung ist Conrad Schmidt der geeignete Mann, gehört er doch zum Kreis der Gründer der alten ›Freien Volksbühne‹ [20] und ist es ihm doch erspart geblieben, bei der Spaltung 1892 für eine der beiden Fraktionen Stellung nehmen zu müssen, weil er weitab von den Auseinandersetzungen als Dozent in Zürich tätig war. Conrad Schmidt gelingt es, 1899 mit Curt Baake auch den zweiten der Mitbegründer der alten ›Freien Volksbühne‹ aus den Kreisen der hauptberuflichen sozialdemokratischen Redakteure wieder zur Leitung des Vereins heranzuziehen. [21] 1902 wird Baake 2. Vorsitzender des Vereins. [22] Die Führung der Volksbühne haben mit Schmidt und Baake zwei Angehörige der Intelligenz inne, die einerseits einmal mit Wille über die Volksbühnenkonzeption einig gewesen sind, die sich beide auf der anderen Seite immer als Parteijournalisten loyal zur Sozialdemokratischen Partei verhalten haben und die zum dritten zwischen diesen beiden Bestimmungen keinen Widerspruch haben verspüren müssen.

Die Differenz, die zwischen ›Freier‹ und ›Neuer Freier Volksbühne‹ nach Schmidts und Baakes Übernahme der Volksbühnenleitung noch besteht, bezieht sich nicht mehr wie unter Mehring auf die grundsätzliche Zweckbestimmung des ganzen Unternehmens, sondern ist zum einen durch die anhaltenden Ressentiments der breiten Masse der Volksbühnenmitglieder gegen Wille als bekannten Gegner der Sozialdemokratischen Partei bedingt [23] – als sich unter den Volksbühnenmitgliedern Unzufriedenheit mit Conrad Schmidt breitmacht, spielt z. B. das Argument, er verkehre freundschaftlich mit Wille, eine wichtige Rolle [24] –, zum anderen wirkt sich die jetzt prinzipiell gleiche Zielsetzung der beiden Volksbühnen, das Volk zum Kunstverständnis zu erziehen, in der Theaterpraxis beider Vereine doch noch in Nuancen verschieden aus, weil die Literaten, die den Spielplan der ›Neuen Freien Volksbühne‹ bestimmen, darunter vor allem verstehen, den Stücken, die sie selbst oder ihre literarischen Freunde geschrieben haben, einen Absatz zu sichern, also für sich selbst ein Publikum heranzubilden, während die sozialdemokratischen Redakteure unter Kunst mehr die als solche anerkannten Kulturgüter verstehen. In Conrad Schmidts eigenen Worten stellt sich das so dar: [...] »wenn es sich um neue, aber nur mäßiges Interesse bietende Werke handelt, dann ist eine Volksbühne von 7000 Mitgliedern doch wirklich nicht der Ort, um experimentierend die Bühnenwirkung derselben zu erproben«. [25]

Daß sich die Volksbühnen nicht organisatorisch vereinigen oder daß sich die Mitglieder der ›Freien Volksbühne‹ nicht gleich unter Verzicht auf eine eigene Gründung in die ›Neue Freie Volksbühne‹ begeben haben, ist kein Argument gegen die weitgehende inhaltliche Übereinstimmung der Arbeit beider Vereine. Dieser Tatbestand ist vielmehr folgendermaßen zu begreifen: Wille hat 1896/97 die durch die Gothaer Parteitagsdiskussion entstandene Situation zwar in einer Hinsicht richtig eingeschätzt, als er meinte, die Vorstellungen der ›Friedrichshagener‹ seien jetzt bei den sozialdemokratischen Arbeitern leichter unterzubringen als vorher, er hat sich aber in anderer Hinsicht dennoch geirrt, wenn er glaubte, selber mit seinen engeren Freunden wieder als personeller Träger der Übermittlung dieser Vorstellungen auftreten zu können. Kraß ausgedrückt: die ›Friedrichshagener‹ haben ihre Funktion nahezu völlig verloren, nachdem wesentliche Elemente ihrer ideologischen Positionen von Teilen der Sozialdemokratie selber aktiv vertreten werden. Steiger, Schönhoff, Conrad Schmidt und Baake können gerade deswegen dieselben Ideen, d. h. bürgerliche Positionen zur Kunst, unter den sozialdemokratischen Arbeitern verbreiten, weil gegen sie keine Ressentiments, die aus früheren Auseinandersetzungen herrühren, bestehen. Die ›Friedrichshagener‹ bekommen paradoxerweise gerade dadurch den Wind aus den Segeln genommen, daß ihre Vorstellungen sich in dem Bereich, den sie beeinflussen wollten, durchsetzen.

Die Position der sozialdemokratischen Parteijournalisten, die inhaltlich die Rolle der ›Friedrichshagener‹ übernehmen, stärkt sich in Laufe der nächsten Jahre in dem Maße, wie ihre Vorstellungen auf kulturpolitischem Gebiet von entsprechenden allgemeinpolitischen Konzeptionen einer relevanten Fraktion der Sozialdemokratie flankiert werden. Das aber geschieht mit dem Aufkommen des Revisionismus.

5.2 Die Revisionisten in der ›Freien Volksbühne‹ und ihr Verhältnis zu den ›Friedrichshagenern‹

Um die Jahreswende 1896/97 vor der Wiedergründung der ›Freien Volksbühne‹ hat sich die programmatische Annäherung von Teilen der Sozialdemokratie an die Positionen der ›Friedrichshagener‹ noch nicht voll durchgesetzt. Insofern kann die ›Neue Freie Volksbühne‹ zu dieser Zeit den Mitgliedern der ›Freien Volksbühne‹ gegenüber noch eine Art Vorreiterrolle spielen. Wir haben das an der Frage der Satzungsumkonstruktion schon beobachtet. Wichtiger ist aber die Vorreiterrolle auf der Ebene der Programmatik. Hier können die ›Friedrichshagener‹ deutlich formulieren, was die Sozialdemokraten in der ›Freien Volksbühne‹ sich mit Rücksicht auf ihre Partei (noch) nicht offen auszusprechen trauen, obwohl es auch ihrer Praxis letzten Endes als Konzeption zugrunde liegt.

In dem Flugblatt der ›Neuen Freien Volksbühne‹, das etwa um diese Zeit an die Berliner Arbeiter verteilt wird und über das wir schon berichtet haben [26], stehen folgende programmatische Sätze: »›Der Mensch lebt nicht vom Brot allein!‹ Richtet Eure Ansprüche auch auf die höchsten Geistesgüter, auf Erkenntnis, Wissen und Kunst! – So oft Ihr ein gutes Theater oder Konzerthaus besuchtet, ist gewiß der Gedanke erschütternd in Eure Seele gefallen: Die Kunst ist ein hohes, reines, beglückendes Lebensgebiet; aber das arbeitende Volk ist von ihrer Herrlichkeit wesentlich ausgeschlossen [...] begnügt Euch nicht damit, daß Ihr für eine ferne Zukunft arbeitet. Nein, schon jetzt und noch viele Jahre lang sollt Ihr Gelegenheit haben, Kunstschätze zu genießen! Desto mehr Begeisterung werdet Ihr auch im Kampfe für die fernere Zukunft haben.« [27] Hier wird zwar im letzten zitierten Satz der Beschäftigung mit der Kunst eine Funktion für den ›Kampf um die Zukunft‹ zugesprochen, aber dieser Verweis ist entschieden mehr noch als in vergleichbaren Äußerungen Steigers im Zusammenhang der Gothaer Naturalismusdebatte [28] zur Floskel erstarrt. Das wird dann deutlich, wenn man ihn im Zusammenhang mit den entscheidenden Sätzen, die ihm vorangehen, liest, in denen der ›Genuß der Kunstschätze‹ hier und heute dem Kampf für die ›ferne Zukunft‹ geradezu entgegengestellt wird.

Zur gleichen Zeit, in der dieses Flugblatt verteilt wird, beginnt in der ›Neuen Zeit‹ eine Artikelserie von Eduard Bernstein mit dem Titel *Probleme des Sozialismus*. In dieser Artikelserie entwickelt Bernstein für die Politik der Sozialdemokratie im großen und ganzen dieselbe Konzeption, die, laut Flugblatt, der Theatertätigkeit der ›Neuen Freien Volksbühne‹ zugrunde liegt: die Sozialdemokratie soll ihre Politik nach Bernstein nicht mehr vorrangig am »Endziel« ausrichten, sondern an den kleinen Schritten praktischer Reformpolitik. [29] Nach Abschluß der Artikelserie faßt er seinen Gedankengang Anfang 1898 in der ›Neuen Zeit‹ in folgender Formulierung prägnant zusammen: »ich habe für das, was man gemeinhin unter ›Endziel des Sozialismus‹ versteht, außerordentlich wenig Sinn und Interesse. Dieses Ziel, was immer es sei, ist mir nichts, die Bewegung alles«. [30] Diese Formulierung Bernsteins spielt in den folgenden Auseinandersetzungen und bei der Herausbildung einer ›revisionistischen‹ Fraktion in der Sozialdemokratie eine entscheidende Rolle, an ihr definieren sich Anhänger und Gegner Bernsteins. [31]

Unter einer revisionistischen Position verstehen wir hier eine Position, die im Gegensatz zum theorielosen Reformismus (oder: ›Opportunismus‹) auf der Einheit von Theorie und Praxis besteht und deshalb die theoretischen Grundanschauungen der Partei, die sich seit den Jahren des Sozialistengesetzes am revolutionären Marxismus orientieren, zugunsten neuer theoretischer Grundlagen, die der reformerischen Praxis entsprechen, ›revidieren‹ will. [32] Die Vertreter dieser Richtung, die zunächst von ihren Gegnern mit dem Namen ›Revisionisten‹ bezeichnet werden [33], akzeptieren nach einigem Zögern selbst diese Bezeichnung für ihre Position. [34]

Die Revisionisten verwandeln die 1895 begründete Zeitschrift ›Der sozialistische Akademiker‹, die seit 1897 unter dem Titel ›Sozialisitsche Monatshefte‹ erscheint, in ihr eigenes theoretisches Organ. In dieser Zeitschrift vollzieht sich die Versöhnung zwischen Teilen der Sozialdemokratie auf der einen und den ›Friedrichshagenern‹ auf der anderen Seite nicht nur auf der Ebene bloßer Ideenverwandtschaft, sondern handgreiflicher: In dieser Zeitschrift, die sich selber programmatisch als »freies Discussions-Organ für alle Anschauungen auf dem gemeinsamen Boden des Sozialismus« versteht [35], publizieren die ›Friedrichshagener‹ literaturtheoretische Aufsätze, eigene Dichtungen und zuweilen politische Stellungnahmen. [36] Besonders häufig schreiben hier Wilhelm Bölsche und Gustav Landauer [37], aber auch Julius Hart und Bruno Wille bekommen Gelegenheit, hier zu veröffentlichen. [38]

Was bei aller ideologischen und unmittelbar-praktischen Annäherung vor dem Arbeiterpublikum der ›Freien Volksbühne‹ zu dieser Zeit noch undenkbar erscheint, wird vor der intellektuellen und zum Revisionismus tendierenden Leserschaft des ›Sozialistischen Akademikers‹ und der ›Sozialistischen Monatshefte‹ offen vollzogen: die Rehabilitation der ›Friedrichshagener‹. Man hält es, wie wir am Beispiel der Volksbühne gesehen haben, zwar nach wie vor für falsch, den ›Friedrichshagenern‹ von sozialdemokratischer Seite den Weg zu den Arbeitern zu öffnen, aber im eigenen Kreis ist man bereit, sie als seinesgleichen anzuerkennen.

Daß die ehemals scheinbar linksoppositionellen Angehörigen und Sympathisanten der ›Jungen‹ jetzt im Organ der rechten Opposition gegen die offizielle Parteilinie als Autoren auftauchen, wirft nachträglich noch einmal ein Schlaglicht auf die widersprüchliche Stellung der ›Jungen‹, haben doch alle genannten Autoren ihre theoretischen Positionen im Laufe der neunziger Jahre nur modifiziert, aber nicht entscheidend korrigiert. Gerade ihre Kunstvorstellung, die sie in den ›Sozialistischen Monatsheften‹ jetzt als ›Fachleute‹ verbreiten können, hat am wenigsten Veränderungen erfahren.

Einer der ersten deutschen Sozialdemokraten, die sich unumwunden zum Bernsteinschen Revisionismus bekennen, ist Conrad Schmidt, der neue Leiter der ›Freien Volksbühne‹. Kurz nachdem Bernstein seinen Satz von ›Endziel und Bewegung‹, der praktisch die Umkehrung der bisherigen Programmatik der Sozialdemokratie verlangt, in der ›Neuen Zeit‹ veröffentlicht hat, bringt Conrad Schmidt Bernsteins Gedanken in einem Aufsatz, dem er den Titel *Endziel und Bewegung* gibt, im Zentralorgan der Partei ›Vorwärts‹ an die breite Parteiöffentlichkeit. [39] Conrad Schmidt greift in diesem Aufsatz nicht zu ebenso schroffen Formulierungen wie Bernstein, der bekundet, er habe für das sogenannte ›Endziel des Sozialismus wenig Sinn und Interesse‹. Schmidt erklärt demgegenüber, in dem Begriff »›Bewegung‹« »im proletarisch-sozialistischen Sinne« sei das »›Endziel‹, die Emanzipation der Arbeiterklasse, als das belebende und forttreibende Prinzip« implizit enthalten. Diese scheinbare Differenz zu Bernstein hat aber nur den taktischen Charakter, Bernsteins Vorstellungen den Massen der Mitglieder der Sozialdemokratischen Partei, die zwar weithin eine reformistische Praxis betreiben und akzeptieren, aber auf ihre revolutionäre Ideologie, das heißt auch auf ihr revolutionäres Ziel, nicht verzichten wollen, annehmbar zu machen. Daß Schmidts Formulierung diese Funktion hat, geht daraus hervor, daß er an dieser Stelle vorgibt, nicht eigene Vorstellungen zu äußern, sondern sich darauf zu beschränken, Bernsteins Gedanken wiederzugeben. [40] Es ist Schmidt zwar daran gelegen, Bernsteins Ideen zu verbreiten, nicht aber daran, über sie eine heftige Diskussion in Gang zu setzen, die die Gefahr einer völligen Ablehnung Bernsteins in sich trüge.

Aus Schmidts größerer Anpassung an den revolutionären Wortschatz der deutschen Sozialdemokratie spricht eine Einsicht, die Bernstein, der im Londoner Exil lebt und in engem Kontakt mit der dortigen viel klarer einen reformistischen Kurs steuernden Arbeiterbewegung steht, nicht so unmittelbar haben kann, daß nämlich unter den deutschen Arbeitern immer noch die revolutionären Hoffnungen stark verankert sind. Auf der anderen Seite rechnet Schmidt langfristig deutlich mit einem Sieg der reformistischen Vorstellungen auch in Deutschland, weil er meint, sowohl die politische wie die gewerkschaftliche Arbeiterbewegung gehe in Deutschland, wie anderswo, schon jetzt von dem Gedanken aus, daß »eine ökonomische Hebung der Arbeiter innerhalb der kapitalistischen Gesellschaftsordnung [...] möglich« sei. Wenn man noch dazu annimmt, daß der »Kapitalismus noch nicht in absehbarer Zeit in einer großen Katastrophe« ›zusammenstürzen‹ werde, ergibt sich nach Meinung Conrad Schmidts notwendigerweise eine Politik, die durch Reformen die Lage der Arbeiter Schritt für Schritt zu verbessern trachtet.

Das bedeutet aber auch in der Konsequenz, daß nicht mehr die »unmittelbare Aufhebung des kapitalistischen Privateigentums« auf dem Programm steht, sondern das schrittweise Zurückdrängen der Macht der Kapitalisten. Dieses soll zum einen durch den Kampf der Arbeiter um die unmittelbare Verbesserung ihrer ökonomischen Lage geschehen, zum anderen durch Einflußnahme auf den Staat mit dem Ziel, eine »immer weiter erstreckte gesellschaftliche Kontrolle über die Produktionsbedingungen« zu erreichen sowie »die Einschränkung der Sphäre, in der die anarchische Konkurrenz und damit das Privateigenthum der Kapitalisten frei zu schalten vermag«. Weil Conrad Schmidt die Tendenz zu einer solchen Politik in der Praxis der Sozialdemokratie schon enthalten glaubt, sieht er keinen Grund, jetzt, wo die parteioffizielle und von den Mitgliedermassen geteilte Ideologie dem noch widerspricht und wo es deshalb kaum möglich scheint, Bernsteins Vorstellungen programmatisch in der Partei durchzusetzen, einen Konfrontationskurs zu steuern.

Er versucht deswegen einerseits, versöhnliche, d. h. in diesem Falle zugleich radi-

kale, Töne anzuschlagen, wenn er festhält, Bernstein und sein ›Endziel‹ sei das
gleiche wie das aller Sozialisten, unterschiedliche Vorstellungen hätten sie nur
über den Weg, wie man zu diesem Endziel gelange: »das der Bewegung eingebo-
rene Endziel, die wirkliche Tendenz desselben bleibt diegleiche. Welche Formen
die Entwicklung der kapitalistischen Gesellschaft immer annehmen mag, dem
Feinde, den sie fürchtet, kann sie nirgends entweichen«.

Andererseits versucht er, ein Fundament für offene Fraktionsbildung in der
Partei zu legen und diese zugleich theoretisch zu legitimieren, indem er die Fest-
legung einer für alle Parteimitglieder verbindlichen Haltung in dieser Frage als
unmöglich hinstellt: weil sich im Verhältnis von Endziel und Bewegung in jeder
konkreten Situation eine unterschiedliche Gewichtung ergebe, sei »jede Möglichkeit einer allgemein-giltigen, etwa die Partei als Prinzip bindenden Lösung hier
von vornherein ausgeschlossen«.

Conrad Schmidt greift hier schon zum selben taktischen Mittel wie Bernstein,
der in einer Zuschrift an den im Oktober 1898 in Stuttgart stattfindenden Parteitag der Sozialdemokratischen Partei zwar die Erörterung seiner Ideen anheim-
stellt, aber, ohne das mit der Frage seiner Parteimitgliedschaft zu verknüpfen, eindeutig klar macht, daß er sich einem Votum des Parteitages nicht unterordnen
werde: »Das Votum einer Versammlung, und steht sie noch so hoch, kann mich
selbstverständlich in meinen, aus der Prüfung der sozialen Erscheinungen gewonnenen Anschauungen nicht irre machen. Was ich in der ›Neuen Zeit‹ geschrieben
habe, ist der Ausdruck meiner Überzeugung, von der ich in keinem wesentlichen
Punkte abzugehen mich veranlaßt sehe.« [41]

Die Sozialdemokraten treten Bernsteins Ansinnen weder in Stuttgart noch auf
den folgenden Parteitagen entgegen. Zwar üben sie heftige Kritik an seinen Theorien, aber sie schließen ihn nicht aus der Partei aus. Das bedeutet für die Sozialdemokratische Partei den Beginn offener Fraktiosbildung. Sie ist jetzt auch in ihrem
Auftreten nach außen keine Einheit mehr. Das muß seine Konsequenzen für die
›Freie Volksbühne‹ schon deswegen in besonderem Maße haben, weil mit Conrad Schmidt einer der eifrigsten Vorkämpfer des Revisionismus in der deutschen
Arbeiterbewegung an der Spitze des Volksbühnenvereins steht. [42]

Mit einer taktisch-versöhnlichen Haltung kommt Schmidt den Bedürfnissen der
Volksbühnenmitglieder entgegen, die schon in der Zeit der Auseinandersetzungen
mit Wille gezeigt haben, daß in ihnen zwar die Hoffnung lebt, ihre kulturelle
Aktivität möge in irgendeinem sinnvollen Zusammenhang mit der Sozialdemokratie stehen, daß sie aber nicht viel mehr als eine atmosphärische Nähe zur Partei anstreben und sich auf jeden Fall, solange es irgend geht, aus fraktionellen
Auseinandersetzungen zwischen Sozialisten heraushalten wollen. Praktisch bedeutet der Verzicht auf explizite Auseinandersetzungen aber, wie auch schon zu Zeiten Willes, daß der Fraktion, die in diesem Bereich zufälligerweise etwas mehr an
den Schaltstellen sitzt, das Feld kampflos überlassen wird.

In der ›Freien Volksbühne‹ sind das jetzt die Revisionisten. Zum einen werden diese von Conrad Schmidt zur Arbeit des Vereins neu hinzugezogen, zum anderen nähern sich langjährige Mitarbeiter der Volksbühne von sich aus dem Revisionismus an. Das letztere gilt für Conrad Schmidt selbst; ebenfalls für Robert Schmidt, den ehemaligen Klavierarbeiter, dann Gewerkschaftsführer und sozialdemokratischen Reichstagsabgeordneten, der der Volksbühne seit ihrer Gründung 1890 als Mitglied angehört und seit 1892 verschiedentlich leitende Funktionen in ihr wahrgenommen hat [43]; des weiteren für Wolfgang Heine, den Reichstagsabgeordneten der Sozialdemokratie und ehemaligen Rechtsvertreter der ›Freien Volksbühne‹ vor dem Verwaltungsgericht. [44] Zur ersten Gruppe sind zu zählen: Joseph Bloch, Herausgeber und Redakteur der Zeitschrift ›Der sozialistische Akademiker‹ und ihrer Nachfolgerin ›Sozialistische Monatshefte‹, die zum theoretischen Organ der Revisionisten wird; Bloch wird 1901 als Beisitzer in den künstlerischen Ausschuß der ›Freien Volksbühne‹ kooptiert und wird dort eine treibende Kraft [45]; ferner: Kurt Eisner, leitender Redakteur des ›Vorwärts‹, den er 1905 zusammen mit fünf anderen revisionistischen Redakteuren wegen ihrer Ablehnung des Massenstreiks gezwungenermaßen verläßt; bis er bald darauf ganz aus Berlin weggeht, ist er ebenfalls Mitglied des künstlerischen Ausschusses der ›Freien Volksbühne‹, in den er 1902 gewählt worden ist; auch Eisner gehört zu den vorantreibenden Elementen im Verein, von ihm stammt eine Reihe von in die Stücke einführenden Beiträgen in der Programmzeitschrift [46]; einer der Redakteure, die mit ihm 1905 die ›Vorwärts‹-Redaktion verlassen müssen, Julius Kaliski, wird 1909 zum Schriftführer der ›Freien Volksbühne‹ gewählt und nimmt in den nächsten Jahren bedeutenden Einfluß auf die Spielplangestaltung [47]; neben dem Vorsitzenden Conrad Schmidt und Kurt Eisner schreibt auch der Revisionist Friedrich Stampfer für die Programmzeitschrift; Stampfer, der Herausgeber einer »Korrespondenz für die sozialdemokratische Parteipresse« [48] ist, wird zusammen mit Eisner 1902 in den Volksbühnenausschuß gewählt. [49] Rein zahlenmäßig nehmen die Revisionisten von den leitenden Posten damit ungefähr die Hälfte ein [50], ihre wirkliche Bedeutung für die ›Freie Volksbühne‹ ist jedoch größer, weil sie größere Aktivitäten entwickeln als die anderen führenden Mitglieder des Vereins. [51]

Als Mitarbeiter oder Förderer der ›Freien Volksbühne‹ tut sich noch eine ganze Reihe von anderen Wortführern des Revisionismus in der Sozialdemokratie hervor: Bernstein selbst, der vor dem Verein Vorträge über Shaw und Freiligrath hält, aber auch auf einer Protestversammlung der Volksbühne gegen die Polizeizensur als erster Redner auftritt [52]; Wally Zeppler, die von Conrad Schmidt 1900 für die Wahl in den Volksbühnenausschuß protegiert wird, in der Wahl nicht genügend Stimmen auf sich vereinigen kann, aber später als Vortragsrednerin auftritt [53]; von den sozialdemokratischen Reichstagsabgeordneten, die zum revisionistischen Flügel der Partei zu rechnen sind, setzen sich für die ›Freie Volksbühne‹ ein: Paul Göhre, der 1913/14 Beirat für Musikpflege wird [54], sowie Eduard David, Albert Südekum und Hermann Molkenbuhr, die sich u. a. 1910 angesichts einer neuen Zensurverfügung der Polizei öffentlich auf Protestkundgebungen zur ›Freien Volksbühne‹ bekennen. [55] Als materieller Förderer der

›Freien Volksbühne‹ betätigt sich der Mäzen der Revisionisten, der Sozialdemokrat, Privatdozent für Physik und vermögende Bankiersschwiegersohn Leo Arons. [56]

Mehrere führende Revisionisten, die nicht in Berlin ansässig sind, versuchen, in anderen Orten nach dem Berliner Vorbild Freie Volksbühnen zu gründen. Hier sind zu nennen: der Arbeitersekretär und spätere Reichstagsabgeordnete Carl Severing, der 1904 in Bielefeld eine Volksbühne gründet [57]; der Genossenschaftler Heinrich Kaufmann [58], der zeitweise die Hamburger ›Freie Volksbühne‹ leitet [59]; der österreichische Revisionist und sozialistische Abgeordnete des österreichischen Reichstages Engelbert Pernerstorfer, Mitgründer und aktiver Mitarbeiter einer ›Freien Volksbühne‹ in Wien [60]; schließlich ist hier noch der deutsche sozialdemokratische Reichstagsabgeordnete Georg von Vollmar zu erwähnen, der zwar der praktische Begründer des Reformismus in der deutschen Sozialdemokratie ist, aber nicht direkt den Revisionisten zugerechnet werden kann, weil er seine praktisch-reformistische Tätigkeit nicht theoretisch zu legitimieren versucht; Vollmar beteiligt sich in München an einer Volksbühnengründung. [61]

Während wir in der »Neuen Freien Volksbühne« erkennen konnten, daß sie mehr und mehr den Charakter einer Theaterorganisation der ›Friedrichshagener‹ annimmt, läßt sich für die ›Freie Volksbühne‹ feststellen, daß in ihr seit der Wiedergründung 1896 ständig der Einfluß der Revisionisten wächst und schließlich beherrschend wird, so daß sie als eine Theaterorganisation der Revisionisten angesehen werden kann. Das intensive Interesse, das die Revisionisten an der Volksbühnenbewegung haben, wird nicht nur durch die überdurchschnittliche Repräsentanz von Mitgliedern dieser Gruppierung in den Leitungsorganen der Volksbühne deutlich, wo sie, die in der sozialdemokratischen Partei eine kleine Minderheit darstellen, schon personell die stärkste Fraktion sind, sondern ist auch umgekehrt daran ablesbar, daß von denen, die als Wortführer des Revisionismus auftreten, ein erheblich größerer Prozentsatz als von den übrigen Sozialdemokraten aktiv in die Volksbühnenbewegung eingreift: nämlich ungefähr jeder vierte der bekannteren Revisionisten. [62]

Für die Mitglieder der ›Freien Volksbühne‹ ist in den ersten Jahren nach der Wiedergründung die Tatsache entscheidend, daß mit Conrad Schmidt ein bekannter Sozialdemokrat an der Spitze des Vereins steht. Wiederum scheint die Volksbühne ein sozialdemokratisches Unternehmen zu sein; was dort geschieht, ist in den Augen der Mitglieder durch die Sozialdemokratische Partei politisch legitimiert. Die Partei, die weiterhin in dieser Frage nicht direkt Stellung bezieht, fördert wieder durch ihr Verhalten indirekt solche Vermutungen: Anfang 1902 wird Conrad Schmidt zum Theaterkritiker beim Zentralorgan ›Vorwärts‹ bestellt [63], damit werden seine Ansichten über Theaterfragen gewissermaßen in einen halbparteioffiziellen Rang erhoben.

Das ist besonders deswegen bemerkenswert, weil anderthalb Jahre vorher Mehring in der ›Neuen Zeit‹ zum erstenmal von seiner bis dahin nach außen gezeigten Loyalität gegenüber der ›Freien Volksbühne‹ abgerückt ist und in dem Aufsatz *Die Freie Volksbühne* heftige Angriffe gegen deren Arbeit unter der Leitung von Conrad Schmidt vorgetragen hat, woraus sich mit einer Antwort Conrad Schmidts und einer Gegenantwort Mehrings eine regelrechte öffentliche Polemik entwickelt hat. [64]

In der Auseinandersetzung 1900 greift Mehring zu äußerst scharfen Formulierungen, die in einem auffälligen Widerspruch zu seinem in allen vorherigen Konflikten zu beobachtenden zögernden und vorsichtigem Auftreten stehen. So schreibt er etwa, daß Schmidt in der ›Freien Volksbühne‹ »Dinge« geschehen ließe, »die nicht einmal an einem bürgerlichen Kaffeekränzchen zu entschuldigen wären«. [65] Schließlich geht er sogar so weit, die ›Neue Freie Volksbühne‹ der ›Freien Volksbühne‹ provokativ als Gegenbild vorzuhalten, obwohl dort nach wie vor sein alter Feind Wille den Vorsitz innehat. Er weist darauf hin, daß die ›Neue Freie Volksbühne‹ immer noch als tendenziell oppositionelles Theaterunternehmen betrachtet werden könne, weil sie sich um die Aufführung von modernen Stücken bemühe, die im kommerziellen Theater nicht ohne weiteres gespielt würden. Verglichen damit habe sich die ›Freie Volksbühne‹ viel weitgehender dem bürgerlichen Theaterbetrieb angepaßt: »Die Neue Freie Volksbühne ist dem ursprünglichen Programm in hohem Grade treu geblieben, der kleine Kreis ästhetisch und literarhistorisch gebildeter Schriftsteller, der an ihrer Spitze steht [...] hat mit einer gewiß anerkennswerthen Findigkeit und Konsequenz immer noch Stücke aufzufinden gewußt, die nicht auf die bürgerliche Bühne gelangen können, aber von literarischem Werthe und für das Proletariat anregend sind.« [66]

Mehring will hier nicht etwa ernsthaft vorschlagen, der ›Neuen Freien Volksbühne‹ nachzueifern. Er will lediglich in provokativer Form verdeutlichen, daß die ›Freie Volksbühne‹ die ›Neue Freie Volksbühne‹ in der ›prinzipienlosen Theaterspielerei‹ nicht nur eingeholt, sondern gewissermaßen schon ›rechts überholt‹ habe.

Die Schärfe von Mehrings Stellungnahme ist ein weiteres Indiz einerseits für die offenen Fraktionsbildungen in der Sozialdemokratie und zum anderen für Mehrings Überzeugung, daß in der ›Freien Volksbühne‹ die revisionistische Fraktion die Macht ergriffen habe und daß deshalb, anders als noch vor zwei Jahren, wo er ohne öffentliche Erklärung seinen Sitz im Volksbühnenausschuß nach den ersten schwerwiegenden Differenzen mit der Volksbühnenleitung niedergelegt hatte, jetzt eine weitere Rücksichtnahme nicht mehr zu vertreten sei. Mehring stellt sich damit indirekt auf denselben Standpunkt wie Rosa Luxemburg, die im selben Jahr 1900 in der Schrift *Sozialreform oder Revolution* die politische Trennung von den Revisionisten, konkret: den Parteiausschluß Bernsteins, fordert. [67]

Die 1902 erfolgende Berufung Conrad Schmidts zum Theaterkritiker des ›Vorwärts‹ ist vor diesem Hintergrund eine offene Provokation gegenüber denjenigen Mitgliedern der ›Freien Volksbühne‹, die dem Revisionismus ablehnend gegenüberstehen. Ihnen wird damit zugleich ein Argument in die Hand gegeben, das nicht nur ihrem engeren Anhängerkreis, sondern auch den breiten Mitgliedermassen der Volksbühne einleuchtend sein muß: es sei ein Unding, wenn der Verant-

bringen, woraufhin dieser zurücktritt, um einer Generalversammlung die Entscheidung in dieser Frage zu überlassen.

Auf der Generalversammlung zeigt sich zweierlei: zum ersten, daß die konsequenten Gegner der Revisionisten in der Minderzahl sind; sie können sich mit ihren Forderungen nicht durchsetzen, besonders nachdem Curt Baake ihnen vorgeworfen hat, sie benutzten die Frage der Rezensententätigkeit Schmidts nur als Vorwand, und nachdem sie in ihrer Antwort auf Baakes Vorwurf tatsächlich zusätzlich politische Vorwürfe gegen Schmidt erhoben haben. Zum anderen zeigt sich in der Versammlung, daß auch die Revisionisten sich solange nicht durchsetzen können, wie sie alleine auftreten. Erst als zwei prominente Berliner Sozialdemokraten, die Gegner der Revisionisten sind und die offizielle Parteilinie vertreten, Adolf Hoffmann und der Reichstagsabgeordnete Fritz Zubeil [68], sich für Schmidt aussprechen, stimmt die Mehrheit der anwesenden Volksbühnenmitglieder einer Vertrauensresolution für Schmidt zu.

Das bedeutet innerhalb des Vereins das Ende der Opposition gegen die Übernahme der ›Freien Volksbühne‹ durch die Revisionisten. Die Wortführer dieser Opposition, Julius Cohn und Benno Maaß, die seit zwei Jahren in den Organen des Vereins dieselbe Argumentation vertreten wie Mehring in der ›Neuen Zeit‹ 1900, treten samt ihren Anhängern von allen Funktionen im Verein zurück. Im Gegenzug besetzen die Revisionisten die meisten der freiwerdenden Plätze mit Männern ihres Vertrauens. Die Folge davon ist, daß am Ende des Konflikts, der sich an der Frage möglicher Interessenüberschneidungen Conrad Schmidts in seinen beiden Funktionen als Leiter einer Theaterorganisation und als Theaterkritiker entzündet hatte, die Interessenverquickung zwischen dem ›Vorwärts‹ und der Volksbühne noch sehr viel enger geworden ist: neben dem Theaterkritiker Schmidt, der wieder Vorsitzender der ›Freien Volksbühne‹ wird, bekommt mit der Wahl von Willi Wach in den Volksbühnenausschuß ein weiterer ›Vorwärts‹-Redakteur einen leitenden Posten im Verein; schließlich zieht in den Ausschuß mit dem Revisionisten Kurt Eisner auch noch gleich der Chefredakteur des zentralen Parteiorgans mit ein. [69]

Wir konnten in den Revisionisten im großen und ganzen die Vollstrecker des Willens der ›Friedrichshagener‹ sehen, die darauf zielten, die Arbeiter in den bürgerlichen Kulturbetrieb, dem auch mehr oder weniger oppositionelle bürgerliche Kunstrichtungen zuzurechnen sind, zu integrieren. Insofern kann mit der völligen Machtübernahme der Revisionisten in der ›Freien Volksbühne‹ die Einflußnahme der ›Friedrichshagener‹ auf die Kulturpolitik der Arbeiterbewegung im wesentlichen als abgeschlossen betrachtet werden.

Die Bilanz fällt für die ›Friedrichshagener‹ positiv aus, obwohl sie organisatorisch abgesicherte Einflußpositionen noch nicht wieder haben erringen können. Das braucht jedoch für die ›Friedrichshagener‹ kein dringendes Problem mehr zu sein, seit sie in den Revisionisten nicht nur verschwommen Gleichgesinnte, sondern, wie sich am Beispiel der Publikationspraxis der ›Sozialistischen Monatshefte‹ und der Vortragsveranstaltungen der ›Freien Volksbühne‹ gezeigt hat, verläßliche Bündnispartner gefunden haben. Es ist vor diesem Hintergrund nur noch

wortliche für die Volksbühnenarbeit zugleich der Verantwortliche für deren Kritik in der Parteizeitung sein solle. Im Volksbühnenausschuß gelingt es ihnen sogar, mit dieser Argumentation eine knappe Mehrheit gegen Schmidt zustande zu eine Frage der Zeit, daß es zu engerer organisatorischer Zusammenarbeit kommen wird, die Weichen für eine solche Entwicklung sind bereits gestellt.

Seit Mehrings Angriffe (1900) von der Leitung der ›Freien Volksbühne‹ erfolgreich zurückgewiesen worden sind und Mehrings Anhänger 1902 im Verein ihren letzten Einfluß verloren haben, steht fest, daß Mehrings Tätigkeit in der Volksbühnenleitung keine tieferen Spuren in der Organisation hinterlassen hat. Die Periode der Zurückdrängung des ›Friedrichshagener‹ Einflusses wird nachträglich zur Episode gestempelt.

6. Ausblick und Fazit

Bis 1914, also bis zu dem Zeitpunkt, an dem die Sozialdemokratische Partei mit ihrer Zustimmung zu den Kriegskrediten unmißverständlich ihre Integration ins bestehende System bekundet, gibt es noch eine Reihe heftiger innerparteilicher Auseinandersetzungen um die Grundlinie der Politik. Diese greifen auch auf den kulturpolitischen Sektor über. Wir werden uns mit diesen Auseinandersetzungen nicht ausführlich beschäftigen, weil die bürgerlich-oppositionellen Literaten in ihnen kaum noch eine Rolle spielen, aber wir werden sie doch in einem Schlußausblick streifen, weil sonst leicht der fatale Eindruck entstünde, die bis 1902 vorgenommenen grundsätzlichen Weichenstellungen in der Kulturpolitik hätten schon einen endgültigen, nicht mehr zu korrigierenden Charakter. Doch es gibt zumindest einen Zeitraum, wo nicht nur Widersprüche zur kulturpolitischen Integrationsstrategie deutlich werden, sondern auch die Chance zu einem grundlegenden Kurswechsel noch einmal durchscheint.

Es ist dies das Jahr 1906. In der sozialdemokratischen Parteipresse findet eine breite kulturpolitische Diskussion statt, in der vor allem das Bedürfnis nach einer politischen Bildungsarbeit artikuliert wird. Die Diskussion hat ihre Ursache in der Zuspitzung der gesellschaftlichen und politischen Widersprüche in den ersten Jahren nach 1900, die eine beinahe vorrevolutionäre Situation heranreifen lassen.

In den neunziger Jahren schien den meisten Sozialdemokraten das Hauptmerkmal der gesellschaftlichen Entwicklung deren zwar langsame, aber doch kontinuierliche Vorwärtsbewegung zu sein. Vor diesem Hintergrund konnten revisionistische Vorstellungen entstehen und sich verbreiten. Die Jahre 1900–1903 stehen dann aber im Zeichen einer Wirtschaftskrise, die nicht auf Deutschland beschränkt bleibt und die die Hoffnungen auf eine relativ konfliktlose ökonomische und gesellschaftliche Aufwärtsentwicklung illusionär erscheinen läßt. [1] In der nächsten konjunkturellen Aufschwungphase ab 1903 beginnen die Arbeiter, ihre Forderungen sehr viel kämpferischer zu vertreten als in den Jahren vor 1900. Die russische Revolution 1905/06 mit ihrem neuentdeckten Kampfmittel des politischen Massenstreiks wird unter diesen Voraussetzungen von den deutschen Arbeitern mit brennendem Interesse beobachtet und diskutiert. In der ›Massenstreikdebatte‹ sehen sich die Revisionisten wegen ihrer Ablehnung des Massenstreiks in der deutschen Sozialdemokratie plötzlich in ihrem Vormarsch gestoppt und isoliert.

Auch die bürgerliche Volksbildung reagiert auf die ökonomische und politische Krise. Seit 1900 ist hier eine Abkehr vom Prinzip der relativen politischen Indifferenz in der Bildungsarbeit zu beobachten. Sollte die Bildung bisher die Integration der Arbeiter in das bestehende System auf dem Wege der individuellen Auf-

stiegshoffnung erreichen, beginnt man jetzt, das Schwergewicht auf die direkte
ideologische Beeinflussung zu legen. [2] Gegen 1905 hat sich die sog. ›neue Richtung‹, die nach eigenem Selbstverständnis den positivistischen Bildungsbegriff der
›alten Richtung‹ durch eine neue Wertorientierung ablösen will, in der bürgerlichen Volksbildungsbewegung weitgehend durchgesetzt. [3]

Wenn die meisten Beiträge zur sozialdemokratischen bildungspolitischen Debatte von 1906 die Aufrichtung des Primats der Politik im Bildungsbereich fordern, überschneidet sich in dieser neuen Tendenz zweierlei: zum einen die Notwendigkeit, sich gegen die ›neue Richtung‹ der bürgerlichen Volksbildung schärfer abzugrenzen, als das gegenüber der ›alten Richtung‹ geschehen ist, zum andern das Bedürfnis nach einer intensiveren politisch-theoretischen Schulung, die
zur Bewältigung der neuen Klassenkampfaufgaben notwendig scheint. [4]

Die Debatte hat Konsequenzen: 1906 wird ein ›Zentralbildungsausschuß‹ der
Sozialdemokratischen Partei eingerichtet, der die verschiedenen Arbeiterbildungs-
bestrebungen anleiten und kontrollieren soll. Zur gleichen Zeit wird in Berlin eine
zentrale Parteischule gegründet, deren Grundkonzeption darin deutlich wird, daß
sie als »parteigenössische Kriegsschule« [5] bezeichnet wird. An dieser Schule werden vor allem Sozialdemokraten vom linken Flügel der Partei als Lehrer tätig. [6]
Eine weitere Maßnahme ist die Ausbildung von ›Wanderrednern‹, die als Propagandisten des wissenschaftlichen Sozialismus durch das ganze Deutsche Reich
geschickt werden, um Vorträge zu halten und Schulungskurse durchzuführen. [7]

Das Abklingen der revolutionären Bewegtheit von 1905/06, dessen Konsequenz
eine erneute Verschiebung der Kräfteverhältnisse in der Sozialdemokratie zugunsten der reformistischen Pragmatiker und der Revisionisten ist, nimmt zwar den
politischen Bildungsbestrebungen, gegen die sich ein wachsender passiver Widerstand regt [8], ein Großteil ihrer Stoßkraft, aber die Neuformulierung der Bil-
dungsziele ist dennoch als ein wesentlicher Schritt vorwärts einzuschätzen. Zumindest bringt er die Widerspruchsentwicklung in der kulturpolitischen Diskussion
auf die Ebene, auf der sich die anderen politischen Widersprüche in der Partei
bewegen, und baut damit den ›Integrationsvorsprung‹ ab, den bis dahin der kulturpolitische Bereich gegenüber der allgemeinen Politik gehabt hat.

Auch auf die Volksbühne greift die Diskussion um eine kulturpolitische Neu-
orientierung über. Als die Revisionisten sich in der Partei in die Enge getrieben
sehen, versuchen sie, ganz ähnlich wie Wille 1890, die ›Freie Volksbühne‹ als
Hebel zu benutzen, um ihren schwindenden Einfluß auf die sozialdemokratischen
Arbeiter zu behaupten und wieder auszubauen. Zu diesem Zweck entwickeln sie
Anfang 1906 den Plan, der Volksbühne ein eigenes Theater zu bauen oder zu
kaufen. Als ›Freies Kunstheim‹ soll dieser Theaterbau darüber hinaus zum kulturpolitischen Zentrum der Arbeiterbewegung werden, indem er nicht nur für
Theatervorstellungen und andere künstlerische Darbietungen, sondern auch für
Vortragsveranstaltungen genutzt werden soll. Die Berliner Arbeiterbildungsvereine werden aufgefordert, sich mit der ›Freien Volksbühne‹ organisatorisch zusammenzuschließen, um die materiellen Voraussetzungen für das Projekt zu schaffen. [9]

Als Mehring gegen die neuen Pläne der Volksbühnenleitung mit zum Teil wörtlich denselben Argumenten zu Felde zieht, mit denen er schon 1900 die Volksbühnenpraxis kritisiert hat [10], trifft er in der gewandelten politischen und kulturpolitischen Situation von 1906 in der Sozialdemokratischen Partei plötzlich nicht mehr auf Indifferenz, sondern auf breite Resonanz und Zustimmung. [11] Die Volksbühnenleitung sieht sich angesichts des Widerstandes, der dem Projekt entgegenschlägt, gezwungen, ihren Vorschlag zurückzuziehen. Damit haben die Revisionisten zwar eine kulturpolitische Niederlage erlitten, aber sie können es mit ihrer flexiblen Haltung immerhin erreichen, ihre Führungspositionen in der ›Freien Volksbühne‹ zu behaupten. Damit bleibt ihnen die Chance, in Ruhe auf eine Veränderung der innerparteilichen Konstellationen zu warten, um dann erneut die Durchsetzung ihrer Vorstellungen zu versuchen.

Das geschieht, als die ›Neue Freie Volksbühne‹, die inzwischen die ›Freie Volksbühne‹ an Mitgliederzahl weit überflügelt hat [12], die Idee eines eigenen Volksbühnentheaters aufgreift und sich anschickt, das Projekt unter dem Namen ›Volkskunsthaus‹ tatsächlich zu realisieren. Durch Geldsammlungen unter Mitgliedern und Förderern und durch Inanspruchnahme staatlicher Kredite schafft die ›Neue Freie Volksbühne‹ die Voraussetzungen dafür, 1912 mit den Bauarbeiten zu einem eigenen Theater beginnen zu können. [13] In dieser Situation schließt die ›Freie Volksbühne‹ einen Kooperationsvertrag mit der ›Neuen Freien Volksbühne‹, der ihr die Mitnutzung des künftigen ›Volkskunsthauses‹ sichert. Im Februar 1914 folgt schließlich der organisatorische Zusammenschluß beider Volksbühnenorganisationen zum ›Verband der Freien Volksbühnen‹. [14] Um der Idee eines eigenen Theaters willen ist die Leitung der ›Freien Volksbühne‹ bereit, ihre organisatorische Selbständigkeit aufzugeben und einem Verband beizutreten, in dem durch entsprechende Satzungskonstruktionen die ›Neue Freie Volksbühne‹ sich alle wesentlichen Entscheidungsmöglichkeiten vorbehalten hat. [15] Damit wird nicht nur die Idee der notwendigen kulturellen Desintegration der Sozialdemokratie aufgegeben, die 1906 einer der Gründe zur Ablehnung eines eigenen Theaterbaus gewesen ist, sondern darüber hinaus die 1892 zumindest organisatorische Loslösung der sozialdemokratischen Kulturarbeit vom herrschenden Einfluß der bürgerlichen Literaten wieder rückgängig gemacht. Das Ergebnis ist eine kulturpolitische Versöhnung mit dem bürgerlichen Kulturbetrieb, die auf der gleichen Linie liegt wie der wenig später im imperialistischen Krieg geschlossene politische ›Burgfrieden‹ mit dem herrschenden System.

Wenn auch in dem ganzen Zeitraum, den wir untersucht haben, die Einstellung zu Fragen der Kunst die Rolle eines Motors der Integration spielen kann, ist das doch nur vor dem Hintergrund möglich, daß integrationistische Tendenzen in der gesamten Politik der Sozialdemokratie wirksam werden. Die Konzeptionslosigkeit auf dem Kunstsektor, die das Eindringen ›rechter‹ Vorstellungen begünstigt, ist ein Indiz für das auch sonst fehlende Bewußtsein von der Notwendigkeit des umfassenden ideologischen Kampfes. An diesem Punkt aber scheiden sich die Wege einer revolutionären und einer bürgerlichen Arbeiterpolitik. Insofern kann eine Einschätzung der kulturpolitischen Konzeptionen, auch wenn diese im Zusammenhang der gesamten Politik nur von untergeordneter Bedeutung sind, doch für die Beurteilung des Gesamtcharakters einer Partei, die sich programmatisch die Überwindung des bestehenden Systems zum Ziel setzt, von Wichtigkeit sein.

Bürgerliche Arbeiterpolitik ist darauf ausgerichtet, im Kampf um unmittelbare Tagesinteressen Positionen innerhalb des durch die gegebenen ökonomischen und politischen Verhältnisse gesteckten Rahmens auszubauen. Revolutionär-sozialistische Politik schließt zwar den Kampf um Tagesinteressen nicht aus, bestimmt sich aber von einem langfristigen Ziel her, das die bestehenden Verhältnisse grundlegend negiert. In den Tageskämpfen ist dieses Ziel nicht direkt greifbar, sondern nur in Form der Ideologie präsent, die gleichermaßen den Charakter einer programmatischen Zielprojektion wie den einer politischen Bestimmung des Weges zum Ziel hat. Für eine sozialistische revolutionäre Politik stellt sich dies Problem schärfer als für die revolutionäre bürgerliche Politik im Zeitalter der bürgerlichen Revolutionen: Weil die Ideologie in der sozialistischen Revolution eine immense Rolle spielt, ist die Vernachlässigung des ideologischen Kampfes ein sicheres Anzeichen für den nicht revolutionär-sozialistischen Charakter der deutschen Sozialdemokratie.

Während die Bourgeoisie vor der bürgerlichen Revolution (etwa in Frankreich) ihre ökonomische Macht schon soweit ausbauen konnte, daß sie die Staatsmacht von einer Position realer ökonomischer Stärke aus zu erobern vermochte, muß in der sozialistischen Revolution die Eroberung der politischen Macht dem Aufbau neuer ökonomischer Strukturen, die prinzipiell anderen Gesetzmäßigkeiten folgen als in der kapitalistischen Gesellschaft, vorausgehen. Das heißt, daß hier die Umwälzung der Basis der Umwälzung des politischen Überbaus folgt. Die revolutionäre Umgestaltung wird nicht von einer durch ökonomische Strukturen abgesicherten realen Machtposition, sondern von einer Position der *potentiellen* Stärke aus vorgenommen, die aus zwei Komponenten besteht: zum einen daraus, daß die ökonomischen Strukturen so weit entwickelt sind, daß sie zur kapitalistischen Produktionsweise in Widerspruch geraten und für eine sozialistische Wirtschaftsform umgestaltet werden können, zum anderen in der bewußten Bereitschaft der Mehrheit der Arbeiterklasse, in deren Interesse diese Umgestaltung liegt, die politische und soziale Umwälzung durchzuführen, das heißt aber in einem ideologischen Faktor. Hieraus ergibt sich einerseits für die Sozialisten die Notwendigkeit, ständig um ideologische Klarheit und Einheitlichkeit in den eigenen Reihen und in der Arbeiterklasse zu kämpfen, und andererseits für alle, die die sozialistische Revolution verhindern wollen, die Chance, auf dem Felde des ideologischen Kampfes wichtige Siege zur Aufrechterhaltung der bestehenden Verhältnisse zu erringen.

Die kulturpolitische Unsicherheit und Konzeptionslosigkeit der Sozialdemokraten, die einen wesentlichen Anteil an der ideologischen Eingemeindung der Arbeiterbewegung in die bürgerliche Ideenwelt hat, ist nicht einfach als Ergebnis des Einflusses, den die ›Friedrichshagener‹ ausgeübt haben, einzuschätzen. Zum einen ist sie schon vor deren Auftreten sichtbar, zum andern läßt sich das auch daran erkennen, daß die alten Probleme nur in neuer Form auftauchen, als die ›Friedrichshagener‹ als Personengruppe keine Rolle in der sozialdemokratischen Kulturpolitik mehr spielen. Allerdings haben die ‹Friedrichshagener› 1890, als die Sozialdemokratie – durch den Fall des Sozialistengesetzes plötzlich zur legalen Massenpartei geworden – vor dem Zwang gestanden hat, diese gänzlich neue Situation durch neue politische und organisatorische Maßnahmen in den Griff zu bekommen, auf dem kulturpolitischen Sektor die entscheidenden Weichenstellungen vornehmen können.

Daß es ihnen dabei gelungen ist, in den Köpfen der Arbeitermitglieder der ›Freien Volksbühne‹ einige bürgerliche ideologische Positionen zu verfestigen, hat Konsequenzen, die weit über den Zeitpunkt hinaus wirksam sind, an dem den ›Friedrichshagenern‹ mit der Volksbühnenspaltung ihr Instrument aus der Hand genommen wird. Wenn die deutschen Sozialdemokraten nämlich schon im allgemeinen den ideologischen Kampf vernachlässigen, so sehen sie noch viel weniger die Notwendigkeit, ihn in den eigenen Reihen zu führen. Das heißt aber, daß Vorstellungen, die sich einmal in den Köpfen von sozialdemokratischen Arbeitern festgesetzt haben, nicht mehr danach befragt werden, woher sie kommen und welche objektive Funktion sie haben, sondern daß ihnen, wie anderen Vorstellungen auch, zugestanden wird, sich im innerparteilichen Willensbildungsprozeß der demokratischen Massenpartei durchsetzen zu können. Dabei haben auf die Dauer die bürgerlichen Ideen gegenüber den sozialistischen die besseren Erfolgsaussichten, weil hinter ihnen der ideologische Druck der staatlichen, halbstaatlichen und privaten feudalen und bürgerlichen Propagandisten steht, während es die Sozialdemokratie – und das ist besonders ein Versäumnis der linken Kräfte in der Partei, deren Selbstverständnis eine solche Politik hätte entsprechen können – nicht schafft, dagegen die ständige ideologische Gegenoffensive zu organisieren.

ANHANG

1 Vgl. *Mehring*: Geschichte der deutschen Sozialdemokratie, II. Teil, S. 18.
2 Abgesehen von den Konsumgenossenschaften, die aber nur eine untergeordnete Rolle spielen (vgl. ebd. S. 14).
3 Vgl. ebd. S. 14; vgl. *Buchwald:* Die deutsche Volksbildungsarbeit im Zeitalter des Liberalismus, S. 11.
4 Vgl. z. B. die programmatische Formulierung der Aufgaben der wenig später (1871) gegründeten ›Gesellschaft zur Verbreitung der Volksbildung‹. Man will »der Bevölkerung, welcher durch die Volksschulen im Kindesalter nur die Grundlagen der Bildung zugänglich gemacht werden, dauernden Bildungsstoff und Bildungsmittel zuführen, um sie in höherem Grade zu befähigen, ihre Aufgaben in Staat, Gemeinde und Gesellschaft zu erfüllen« – zit. nach *Fritz*: Das moderne Volksbildungswesen, S. 52.
5 Vgl. z. B. Schulze-Delitzsch in einer Rede vor Berliner Arbeitern am 2. Nov. 1862: »ohne einen gewissen Grad von Bildung wird allerdings der Arbeiterstand nie fähig sein, sich fruchtbar an den politischen Aufgaben der Gegenwart zu beteiligen« (Hermann *Schulze-Delitzsch*: Schriften und Reden in 5 Bänden, Berlin 1910, II. Bd., S. 15 ff. – zit. nach *Buchwald*: Die deutsche Volksbildungsarbeit im Zeitalter des Liberalismus, S. 83).
6 Vgl. *Mehring*: Geschichte der deutschen Sozialdemokratie, II. Teil, S. 33 ff., S. 77 ff.
7 Vgl. *Mayer*, Gustav: Die Trennung der proletarischen von der bürgerlichen Demokratie in Deutschland 1863–1870, S. 154/55.
8 Vgl. *Meier*, Artur: Die Bestrebungen der revolutionären deutschen Arbeiterbewegung zur systematischen sozialistischen Bildung und Erziehung erwachsener Werktätiger, S. 28.
9 *Liebknecht*: Wissen ist Macht, Macht ist Wissen, S. 3.
   Die Parole ›Wissen ist Macht‹ stammt als bürgerliche Kampfparole gegen den Feudalismus ursprünglich von Francis Bacon (»knowledge is power«) in ›Religious meditations‹ (1598) (nach *Brumme*: Wilhelm Liebknecht über die Bildung und Erziehung des werktätigen Volkes, Habilschrift (masch.), Berlin 1960, S. 318 ff. – Angabe von *Meier*, Artur: Die Bestrebungen der revolutionären deutschen Arbeiterbewegung zur systematischen sozialistischen Bildung und Erziehung erwachsener Werktätiger. S. 227; vgl. auch ebd. S. 22).
10 *Liebknecht*: Wissen ist Macht, Macht ist Wissen, S. 39.
11 Ebd. S. 43.
12 Ebd. S. 42.
13 Ebd. S. 39.
14 Ebd. S. 43.
15 Ebd. S. 43.
16 Ebd. S. 41/42.
17 Ebd. S. 37.
18 Ebd. S. 37.
19 Ebd. S. 13.
20 Ebd. S. 20.
21 Ebd. S. 17.
22 Ebd. S. 4.

23 Ebd. S. 16/17.
24 Ebd. S. 42.
25 Ebd. S. 35.
26 Vgl. *Schulz*, Klaus-Peter: Proletarier/Klassenkämpfer/Staatsbürger, S. 53.
27 *Liebknecht:* Wissen ist Macht, Macht ist Wissen, S. 36.
28 Ebd. S. 20.
29 Ebd. S. 8.
30 Ebd. S. 38. Liebknechts relative Unvorsichtigkeit bei dieser und den vorigen Stellen läßt sich vielleicht darauf zurückführen, daß er hier jeweils polemisch zugespitzte Gegenpositionen gegen grundlegende Rechtfertigungsargumentationen der bürgerlichen Volksbildner bezieht.
31 Ebd. S. 44/45.
32 Vgl. unten S. 12 ff.
33 Vgl. *Schraepler*: August Bebel, S. 17.
34 Aus dem ›Aufruf der sozialdemokratischen Parteivertretung an die Mitglieder, Deutschland, 18. September 1880‹ (abgedruckt in: Der Sozialdemokrat, 26. 9. 1880 – zit. nach *Fricke*: Die deutsche Arbeiterbewegung 1869–1890, S. 150–152).
35 Genau 81:10, vgl. die Tabellen, die Fricke der Schrift von Ignaz *Auer*: Nach zehn Jahren. Material und Glossen zur Geschichte des Sozialistengesetzes, Nürnberg 1913, S. 357–362, entnommen hat (*Fricke*: Die deutsche Arbeiterbewegung 1869–1890, S. 135–138).
36 Genau 57 (1878) : 39 (1879–1885), vgl. ebd. S. 138–140 (nach derselben Quelle).
37 Vgl. *Nestriepke*: Geschichte der Volksbühne Berlin, S. 2.
38 Vgl. Geschichte der deutschen Arbeiterbewegung (Autorenkollektiv DDR), Bd. 1, S. 390–392.
39 Vgl. *Fricke*: Die deutsche Arbeiterbewegung 1869–1890, S. 219 ff.; vgl. auch die Statistik ebd. S. 227.
40 Ein Beispiel: 1884 bedarf es einer wochenlangen Kampagne des ›Sozialdemokrat‹, um die Mehrheit der sozialdemokratischen Reichstagsfraktion – die als einzige sozialdemokratische Gruppe in Deutschland legal und öffentlich auftreten darf und die schon deswegen von den Parteimitgliedern einigermaßen kontrolliert werden kann und deren Vorstand immerhin unter dem Sozialistengesez als Parteileitung fungiert – davon abzubringen, die Kolonialpolitik des Deutschen Reiches durch die Zustimmung zur Subventionierung regelmäßiger Dampferverbindungen nach Übersee indirekt zu unterstützen. (Vgl. *Fricke*: Die deutsche Arbeiterbewegung 1869–1890, S. 152/53; vgl. Geschichte der deutschen Arbeiterbewegung – Autorenkollektiv DDR –, Bd. 1, S. 392.)
41 Vgl. *Selo*: »Die Kunst dem Volke«, S. 31.
42 Vgl. den Gründungsaufruf der ›Gesellschaft zur Verbreitung von Volksbildung‹ – zit. nach *Meier*, Artur: Die Bestrebungen der revolutionären deutschen Arbeiterbewegung zur systematischen Bildung und Erziehung erwachsener Werktätiger, S. 27.
43 Vgl. unten S. 64–66.
44 Nach Meier, Artur: Die Bestrebungen der revolutionären deutschen Arbeiterbewegung zur systematischen Bildung und Erziehung erwachsener Werktätiger, S. 14.
45 Vgl. oben Anm. 4 zu Kap. 1.
46 Vgl. *Siemering*: Arbeiterbildungswesen in Wien und Berlin, S. 83, 90; *Fritz*: Das moderne Volksbildungswesen, S. 63.
47 Organisationen und Institutionen mit vorwiegend Bildungsaufgaben sind:
   Gründungsjahr: *Organisation:*
   1878   Humboldt-Akademie (Gründung durch Max Hirsch)
   1888   Gesellschaft Urania
   1890   Verein für Volksvorlesungen (Frankfurt a. Main)
   1890   Volksverein für das katholische Deutschland

1890	Gesamtverband der evangelischen Arbeitervereine
1892	Comenius-Gesellschaft
1892	Deutsche Gesellschaft für ethische Kultur
1898	Rhein-Mainischer Verein für Volksvorlesungen
1899	Verband für volkstümliche Kurse von Hochschullehrern
	des Deutschen Reiches

(Vgl. *Meier,* Artur: Die Bestrebungen der revolutionären deutschen Arbeiterbewegung zur systematischen Bildung und Erziehung erwachsener Werktätiger, S. 14, 27; vgl. *Emmerling:* Fünfzig Jahre Volkshochschule in Deutschland, S. 17; vgl. *Fritz:* Das moderne Volksbildungswesen, S. 51, 67; vgl. *Siemering:* Arbeiterbildungswesen in Wien und Berlin, S. 71/72, 90).

48 Vgl. *Fritz:* Das moderne Volksbildungswesen, S. 68, 72.

49 Der *Gesamtetat* der Sozialdemokratischen Partei ist um die Jahrhundertwende etwa genauso groß wie die Summe, die durch private Stiftungen *allein* für den Aufbau von *Volksbibliotheken* aufgebracht wird. In den ersten Jahren des 20. Jahrhunderts wird das Verhältnis noch ungünstiger: der Parteietat ist nur ca. halb so groß wie die private Finanzierungssumme für die Volksbibliotheken. (Vgl. Protokoll über die Verhandlungen des Hamburger Parteitages der Sozialdemokratischen Partei Deutschlands 1897, S. 26/27; vgl. Protokoll über die Verhandlungen des Essener Parteitages der Sozialdemokratischen Partei Deutschlands 1907, S. 67; vgl. *Fritz:* Das moderne Volksbildungswesen, S. 62.)

50 Man denke nur an die Volksbühnenkonzeption der ›Friedrichshagener‹, aber auch an die ›Freie Hochschule‹, die Wille und Bölsche 1902 gründen (vgl. *Siemering:* Arbeiterbildungswesen in Wien und Berlin, S. 85, 90; vgl. *Wille:* Die freie Hochschule, pass.); außerdem werden Wille und Bölsche selber später Lehrer an der Arbeiterbildungsschule (vgl. unten S. 16).

51 ›Über Arbeiterbildungsschulen‹, Artikel in der ›Volkstribüne‹, Bd. 5, 1891, Nr. 2 V. 10. 1. 1891. Zwar ist der Artikel nicht namentlich gezeichnet, doch geht aus dem Text klar hervor, daß Paul Ernst der Autor ist (Hinweis auf längere Abwesenheit von Berlin wegen Krankheit u. ä. – vgl. *Ernst,* Paul: Entwicklungen, S. 189, 193).

52 Vgl. *Siemering:* Arbeiterbildungswesen in Wien und Berlin, S. 166; vgl. *Wille:* Philosophie der Liebe, S. 36.

53 Die Liebknecht-Rede, aus der auch die folgenden Zitate stammen, ist im ›Vorwärts‹ vom 2. August 1891 in einem Bericht über ›Das Sommerfest der Berliner Arbeiter-Bildungsschule‹ abgedruckt: ›Vorwärts‹, 8. Jg., 1891, Nr. 178 v. 2. 8. 1891.

54 *Liebknecht:* Wissen ist Macht, Macht ist Wissen, S. 44/45.

55 Wie Anm. 53; einen Druckfehler aus der ›Vorwärts‹-Fassung der Rede haben wir berichtigt, es heißt dort ... »welche ihnen obliegt« ... statt ... »welche ihm obliegt« ...

56 Vgl. auch Liebknechts Satz aus der zitierten Rede (wie Anm. 53): »Früher als wir es wünschten, sind wir durch den Bildungsdrang der Arbeiter zur Eröffnung der Schule veranlaßt worden und da ist nicht Alles so ausgefallen, wie wir es gewünscht hätten.«

57 Wie Anm. 53.

58 Vgl. *Siemering:* Arbeiterbildungswesen in Wien und Berlin, S. 166; vgl. ›Vorwärts‹, 8. Jg., 1891, Nr. 82 v. 9. 4. 1891 – als Fächer sind dort angegeben: Buchführung, Stenographie, Zeichnen, Deutsch, Naturwissenschaft, Geschichte, Nationalökonomie, Rechnen, Schreiben.

59 So in einer Anzeige der Arbeiterbildungsschule in der ›Volkstribüne‹, Bd. 6, 1892, Nr. 40 v. 1. 10. 1892.

60 Vgl. Liebknecht in der zitierten Rede (wie Anm. 53): »So haben sich auf unser jüngstes Ausschreiben viele hervorragend befähigte Männer gemeldet.«

61 Vgl. *Wille:* Philosophie der Liebe, S. 30, 36.

62 Ebd. S. 30, 36.

63 Vgl. *Bölsche:* Hinter der Weltstadt, S. 212.

64 Vgl. unten S. 53 ff.
65 Rudolf Steiner, der zum weiteren Umkreis der ›Friedrichshagener‹ zu rechnen ist
   und der 1897 als Geschichtslehrer an die Arbeiterbildungsschule berufen wird, berichtet in seinen Erinnerungen über seine Unterrichtskonzeption und die Reaktion
   der Schulleitung: »Ich erklärte dem Vorstande, wenn ich den Unterricht übernähme,
   so würde ich ganz nach meiner Meinung von dem Entwicklungsgange der Menschheit
   Geschichte vortragen, nicht in dem Stil, wie das nach dem Marxismus jetzt in sozialdemokratischen Kreisen üblich sei. Man blieb dabei, meinen Unterricht zu wünschen.« (Steiner, zit. nach *Hemleben*: Rudolf Steiner, S. 74). – Zu den ›Friedrichshagenern‹ hat Steiner folgende Beziehungen: er ist freundschaftlich verbunden mit
   Hartleben, Jacobowski, Mackay, Bölsche und Wille (vgl. *Hemleben*: Rudolf Steiner,
   S. 69–76; *Stern*: Ludwig Jacobowski, S. 35, 39, 133, 146; *Wille*: Aus Traum und
   Kampf, S. 34 – vgl. dazu unten S. 18 ff.). Steiner gehört auch eine Zeitlang zum
   ›künstlerischen Ausschuß‹ der ›Neuen Freien Volksbühne‹ (vgl. *Nestriepke*: Geschichte der Volksbühne Berlin, S. 199 – vgl. dazu unten S. 133 ff.).
66 Vgl. *Fricke*: Zur Organisation und Tätigkeit der deutschen Arbeiterbewegung (1890
   bis 1914), S. 184.
67 Vgl. *Siemering*: Arbeiterbildungswesen in Wien und Berlin, S. 166.
68 Vgl. z. B. *Kosiol* ›Organisationen für die theoretische Bildung der Arbeiterklasse‹
   in: Die Neue Zeit, 24. Jg., 1905/06, II. Bd., S. 68.
69 Diese Zahlen nennt Heinrich Schulz in: Politik und Bildung. 100 Jahre Arbeiterbildung, Berlin 1931, S. 78 – Angabe nach *Meier*, Artur: Die Bestrebungen der revolutionären deutschen Arbeiterbewegung zur systematischen Bildung und Erziehung
   erwachsener Werktätiger, S. 38.
70 Nach *Siemering*: Arbeiterbildungswesen in Wien und Berlin, S. 167.
71 Nach *Fricke*: Zur Organisation und Tätigkeit der deutschen Arbeiterbewegung
   (1890–1914), S. 184 (1903/04 lag sie noch bei 764 – vgl. ebd. S. 184).
72 Nach *Siemering*: Arbeiterbildungswesen in Wien und Berlin, S. 167.
73 In einer einzigen der bürgerlichen Arbeiterbildungseinrichtungen in Berlin, den
   ›volkstümlichen Kursen von Berliner Hochschullehrern‹ lassen sich z. B. im Winter
   1898/99 3497 Teilnehmer unterrichten, von denen ca. 50 Prozent Arbeiter sind. Das
   heißt, daß von dieser einen bürgerlichen Bildungseinrichtung schon dreimal soviel
   Arbeiter angesprochen werden wie von der gesamten sozialdemokratischen Arbeiterbildung in Berlin im selben Zeitraum – nach *Siemering*: Arbeiterbildungswesen in
   Wien und Berlin, S. 73.

ANMERKUNGEN ZU KAPITEL 2

Zum Forschungsstand: Über die Literaten aus dem Umkreis des ›Friedrichshagener Dichterkreises‹ liegen bisher nur Monographien vor, die schwerpunktmäßig jeweils deren
literarisches Schaffen zum Gegenstand haben. Ähnlich ist auch die Diss. von Wilhelm
Richaard *Cantwell* »The Friedrichshagener Dichterkreis: A study of change and continuity
in the German literature of the Jahrhundertwende« (Phil. Diss. Wisconsin 1967) einzustufen. Cantwell liefert im Grunde nichts anderes als Kurzmonographien über Wille,
Bölsche und die Brüder Hart. Die Beziehung zur Sozialdemokratie bleibt bei Cantwell
ein Randphänomen. Vom Ansatz her brauchbar ist der Aufsatz von Josef *Poláček*
»Zum Thema der bürgerlich-individualistischen Revolte in der deutschen pseudosozialen
Prosa / Hans Land, Felix Hollaender, John Henry Mackay« (1964). Obwohl der Auf-
satz sehr kurz ist, gelingt es Poláček, die wesentlichen politisch-ideologischen Motiva-
tionen der bürgerlich-oppositionellen Literaten herauszuarbeiten.
Einige Gegenstände, mit denen wir uns beschäftigen, hat auch Georg *Fülberth* in seiner
Arbeit über die sozialdemokratische Kulturpolitik zwischen 1890 und 1914 untersucht.
Fülberths 1972 unter dem Titel »Proletarische Partei und bürgerliche Literatur« erschie-

nenes Buch stützt sich wesentlich auf die Ergebnisse der Dissertation desselben Autors »Sozialdemokratische Literaturkritik vor 1914 / Die Beziehungen von Sozialdemokratie und bürgerlicher ästhetischer Kultur in den literaturtheoretischen und -kritischen Beiträgen der ›Neuen Zeit‹ 1883–1914, der ›Sozialistischen Monatshefte‹ 1895–1914 und bei Franz Mehring 1888–1914; (Phil. Diss. Marburg 1970). Unsere Arbeit ist in gewisser Hinsicht eine Ergänzung von Fülberths Untersuchung, mit deren Grobeinschätzungen wir vielfach übereinstimmen: wir haben uns nämlich darum bemüht, bei Themenbereichen, die von Fülberth nur gestreift werden, mehr ins Detail zu gehen, und umgekehrt, Komplexe, die bei Fülberth ausführlich behandelt werden, weitgehend auszuklammern.

Die praktisch-politische Position der ›Friedrichshagener‹ Literaten um 1890 ist in letzter Zeit indirekt insofern untersucht worden, als Hans Manfred *Bock* in seinem Aufsatz »Die ›Literaten- und Studenten-Revolte‹ der Jungen in der SPD um 1890« (1971) die ambivalente ›linksoppositionelle‹ Gruppe der ›Jungen‹ analysiert hat, deren Wortführer zum großen Teil aus dem Umkreis der ›Friedrichshagener‹ kommen. Unsere Darstellung der ›Jungen‹ unterscheidet sich von der Bocks durch unser Interesse, vor allem die politische Rolle der ›Friedrichshagener‹ Literaten einzuschätzen und weniger die Gruppe der ›Jungen‹ als ganze.

1 So geht es z. B. Felix Hollaender (vgl. *Mendelssohn*: S. Fischer und sein Verlag, S. 108). Hollaender bezieht ab 1893 (vgl. *Flemming*: Felix Hollaender und sein Werk, S. 564) einen monatlichen Vorschuß von 100 Mk., das entspricht in etwa einem durchschnittlichen Arbeitereinkommen.

2 Siehe Protokoll des Vereins ›Durch‹, Sitzung vom 22. April 1887 (Protokollant Bruno Wille). Das Faksimile des handschriftlichen Protokolls ist bei Soergel: Dichtung und Dichter der Zeit, S. 119 abgedruckt. (Im Original wird ss statt ß geschrieben.)

3 Protokoll des Vereins ›Durch‹ wie Anm. 2.

4 Gest. ist Wille 1928 (vgl. *Mehring*: Geschichte der deutschen Sozialdemokratie, II. Teil, S. 760 – im Personenverzeichnis); persönliche Angaben nach *Wille*: Mein Werk und Leben, S. 12–18 und: Wer ist's (1912).

5 Vgl. *Wille*: Mein Werk und Leben, S. 18.

6 Vgl. *Stern*: Ludwig Jacobowski, S. 147.

7 Vgl. *Wille*: Aus Traum und Kampf, S. 25.

8 Vgl. *Soergel*: Dichtung und Dichter der Zeit, S. 208.

9 Vgl. *Wille*: Mein Werk und Leben, S. 19; vgl. Soergel: Dichtung und Dichter der Zeit, S. 120.

10 Vgl. *Mehring*: Geschichte der deutschen Sozialdemokratie, II. Teil, S. 678–680; vgl. auch unten S. 53 ff.

11 Vgl. *Jordan*: Die Romane Bruno Willes, S. 102 und pass.

12 Vgl. *Wille*: Der Glasberg, S. 387 ff., 426 ff.

13 Vgl. *Bölsche*: Friedrichshagen in der Literatur, S. 321–323.

14 Gest. ist Bölsche 1939; vgl. zu den persönlichen Angaben: Deue Deutsche Biographie, II. Bd., S. 400 und *Bölsche*: Friedrichshagen in der Literatur, S. 314.

15 Vgl. *Bölsche*: Friedrichshagen in der Literatur, S. 315.

16 Vgl. unten S. 84.

17 Vgl. unten S. 43.

18 Vgl. Otto Erich Hartlebens Novelle ›Das Ehefest‹, die eine Persiflage auf Bölsches erste Ehe ist (nach: Neue Deutsche Biographie, II. Bd., S. 400) – Theodor (= Wilhelm Bölsche) erhält nach Hartleben 6 Mk. für jeden Vortrag als Honorar – *Hartleben*: Das Ehefest, S. 39; vgl. auch *Bölsche*: Friedrichshagen in der Literatur, S. 323.

19 Gest. ist Hegeler 1943; vgl. zu den persönlichen Angaben *Festner*: Wilhelm Hegeler, S. 17, 46.

20 Vgl. ebd. S. 17 ff.

21 Vgl. *Hegeler*: Einiges aus meinem Leben, S. 231.

22 Vgl. ebd. S. 231.

23 Vgl. *Festner*: Wilhelm Hegeler, S. 26.
24 Vgl. *Soergel*: Dichtung und Dichter der Zeit, S. 205.
25 Vgl. unten Kap. 4 pass., S. 139 ff.
26 Gest. ist Jacobowski 1900; vgl. zu den persönlichen Angaben *Stern*: Ludwig Jacobowski, S. 19, 41.
27 Über den Zeitraum der Abfassung siehe: *Jacobowski* ›Geleitwort zur dritten Auflage‹ des Romans ›Werther, der Jude‹; in der von uns benutzten fünten Auflage
   ist es noch einmal abgedruckt worden – *Jacobowski*: Werther, der Jude, S. VII.
28 Vgl. *Soergel*: Dichtung und Dichter der Zeit, S. 518.
29 1890 gibt er die selbstgegründete Zeitschrift ›Der Zeitgenosse‹ heraus, dann die
   ›Halbmonatsschrift für Leben, Kritik und Dichtung‹ (nach Stern: Ludwig Jacobowski, S. 25/26): zum literaturwissenschaftlichen Studium Jacobowskis vgl. ebd. S. 7.
30 Vgl. ebd. S. 52.
31 Vgl. ebd. S. 137.
32 Vgl. ebd. S. 146/47.
33 Vgl. ebd. S. 128 ff.
34 Vgl. *Mackay*: Abrechnung, S. 28; dort auch die folgenden Angaben; vgl. auch: ›Daten zu Mackays Leben und Bibliographie seiner Werke‹ in *Mackay*: Werke in einem
   Band, S. 1169 ff.; gestorben ist Mackay im Mai 1933, vgl. ebd. S. 1169.
35 Vgl. *Soergel*: Dichtung und Dichter der Zeit, S. 118.
36 Vgl. ebd. S. 590.
37 Letzteres schon 1885, vgl. ebd. S. 86; über die Mitarbeit bei der ›Gesellschaft‹ vgl.
   ebd. S. 32.
38 Vgl. *Nestriepke*: Geschichte der Volksbühne Berlin, S. 115.
39 Land wird zwar 1909–1911 in Führungspositionen der ›Neuen Freien Volksbühne‹
   gewählt, das ist aber zu einer Zeit, als Wille sich von dort schon zurückgezogen
   hat (vgl. *Nestriepke*: Geschichte der Volksbühne Berlin, S. 305/06). Die Nichtheran-
   ziehung zur Volksbühne kann als gewichtiges Indiz dafür gelten, daß es zu den ›echten‹ ›Friedrichshagenern‹ bei Land und Hollaender keine intensiven Kontakte gegeben hat. (Erwähnenswert ist hier noch, daß Hollaenders Bruder Victor zu den Grün-
   dungsmitgliedern der ›Neuen Freien Volksbühne‹ gehört – vgl. unten S. 133).
40 Felix *Hollaender*/Hans *Land*: Die heilige Ehe. Ein modernes Schauspiel in fünf Akten, Berlin 1893 (erschienen bei Fischer).
41 In dem Aufsatz ›Kunst und Volk‹ in: Freie Bühne, 1. Jg., 1890, S. 258 ff.
42 Vgl. *Kosch*: Deutsches Literatur-Lexikon, II. Bd., S. 1047; Hollaender ist 1931 gestorben (vgl. ebd. S. 1047).
43 Vgl. *Flemming*: Felix Hollaender und sein Werk, S. 564; vgl. auch *Mendelssohn*:
   S. Fischer und sein Verlag, S. 108.
44 Vgl. *Schleich*: Besonnte Vergangenheit, S. 206.
45 Vgl. *Flemming*: Felix Hollaender und sein Werk, S. 566 ff.
46 Vgl. ebd. S. 568/69.
47 So ist er z. B. Dramaturg am Deutschen Theater in Berlin, Intendant in Frankfurt
   a. Main und am Großen Schauspielhaus in Berlin – vgl. ebd. S. 574 ff. und *Kosch*:
   Deutsches Literatur-Lexikon, II. Bd., S. 1047.
48 Vgl. *Kosch*: Deutsches Literatur-Lexikon, II. Bd., S. 1452; dort auch: Hans Land ist
   ein Pseudonym für Hugo Landsberger; Lands Todesdatum ist nicht bekannt, er ist
   im ›Dritten Reich‹ verschollen.
49 Vgl. Wer ist's? (1912), S. 898.
50 Vgl. *Bölsche*: Friedrichshagen in der Literatur, S. 328; vgl. *Soergel*: Dichtung und
   Dichter der Zeit, S. 85, 117; vgl. *Nestriepke*: Geschichte der Volksbühne Berlin, S. 13
   u. öfter.
51 Vgl. *Kalz*: Gustav Landauer, S. 4–5; vgl. *Bock*: Syndikalismus und Linkskommunismus von 1918–1923, S. 432; vgl. *Wille*: Aus Traum und Kampf, S. 32; Angabe von

Friedrichshagen als Wohnort Landauers auch in Landauers Aufsatz ›Der Sozialismus und die Studenten‹, in: Sozialistische Monats-Hefte, Bd. 4, 1898, S. 381.

52 Vgl. *Soergel*: Dichtung und Dichter der Zeit, S. 100–102; vgl. *Schönberg*: Vom alten Friedrichshagener Dichterkreis, S. 159; vgl. *Nestriepke*: Geschichte der Volksbühne Berlin, S. 252.

53 Vgl. *Hartleben*: Das Ehefest, pass.; vgl. Neue Deutsche Biographie, II. Bd., S. 400; vgl. *Schönberg*: Vom alten Friedrichshagener Dichterkreis, S. 159; vgl. *Nestriepke* S. 238 u. öfter.

54 Vgl. *Bölsche*: Friedrichshagen in der Literatur, S. 324.

55 Vgl. *Wille*: Aus Traum und Kampf, S. 23, 32; vgl. Biographisches Lexikon/Geschichte der deutschen Arbeiterbewegung, S. 271.

56 Vgl. *Fricke*: Zur Organisation und Tätigkeit der deutschen Arbeiterbewegung (1890–1914), S. 115.

57 Z. B. *Kampffmeyer*, Paul: Die Sozialdemokratie im Lichte der Kulturentwicklung. Dies Buch erscheint 1920 bereits in der fünten Auflage im Parteiverlag der ›Buchhandlung Vorwärts‹ und ist vom Verfasser als Ergänzung und Weiterführung von Franz Mehrings Parteigeschichte gedacht. Vgl. auch *Halbe*: Jahrhundertwende, S. 43 und *Wille*: Aus Traum und Kampf, S. 32.

58 Vgl. *Bock*: Syndikalismus und Linkskommunismus von 1918–1923, S. 16; vgl. auch *Wille*: Aus Traum und Kampf, S. 32; vgl. *Spohr*: O ihr Tage von Friedrichshagen, S. 86.

59 *Teistler*, Hermann: Der Parlamentarismus und die Arbeiterklasse. Sozialistische Bibliothek. 1., Berlin (Verlag der ›Sozialist‹) 1892; Teistler ist auch der erste Redakteur der Zeitung ›Sozialist‹ (vgl. *Bock*: Die ›Literaten- und Studenten-Revolte‹ der Jungen in der SPD um 1890, S. 30, Anm. 2).

60 Mündliche Mitteilung von Herrn Bernd Rühle von der Hauptmann-Gedächtnisstätte in Berlin(O)-Erkner; vgl. dazu auch Groß-Berliner Ost-Zeitung/Niederbarnimer Zeitung, 51. Jg., 1936, Nr. 45 v. 22./23. 2. 1936.

61 Vgl. *Spohr*: O ihr Tage von Friedrichshagen, S. 70 ff.

62 Vgl. ebd. pass. (bes. S. 70 ff.).

63 Vgl. *Wille*: Aus Traum und Kampf, S. 32.

64 Vgl. *Schönberg*: Vom alten Friedrichshagener Dichterkreis, S. 159; vgl. *Spohr*: O ihr Tage von Friedrichshagen, S. 100 ff.; bei *Wille*: Aus Traum und Kampf, S. 32 erscheint Fidus nur als häufiger Besucher Friedrichshagens (bei Schönberg als Bewohner).

65 Vgl. *Wille*: Aus Traum und Kampf: S. 32; vgl. *Nestriepke*: Geschichte der Volksbühne Berlin, S. 115.

66 Vgl. *Bölsche*: Friedrichshagen in der Literatur, S. 329; Bölsche zählt Halbe dort zu den Besuchern Friedrichshagens, die ihm als ›echte Friedrichshagener‹ erschienen seien, weil sie sich so häufig dort aufgehalten hätten.

67 *Halbe*: Jahrhundertwende, S. 45.

68 *Bölsche*: Friedrichshagen in der Literatur, S. 328; *Bölsche*: Hinter der Weltstadt, S. IX–X.

69 *Bölsche*: Friedrichshagen in der Literatur, S. 329.

70 Ebd. S. 328; Bölsche spielt hier wohl auf Adalbert von Hanstein: Das jüngste Deutschland, Leipzig 1905 und auf Richard M. *Meyer*: Die Deutsche Literatur des Neunzehnten Jahrhunderts, 3. umgearbeitete Auflage, Berlin 1906 an (vgl. *Meyer*, Richard M.: Die deutsche Literatur des Neunzehnten Jahrhunderts, 3. Aufl., S. 712).

71 *Bölsche*: Hinter der Weltstadt, S. X.

72 Ebd. S. XI.

73 Ebd. S. IX.

74 *Wille*: Aus Traum und Kampf, S. 33.

75 *Hollaender*: Der Weg des Thomas Truck I, S. 133.

76 *Bölsche*: Die Mittagsgöttin I, S. 111, 113.

77 Ebd. S. 121.
78 Ebd. S. 120.
79 Ebd. S. 122.
80 Ebd. S. 127.
81 *Hollaender:* Der Weg des Thomas Truck I, S. 295.
82 *Bölsche:* Die Mittagsgöttin II, S. 427; vgl. auch unten S. 48 ff.
83 *Jacobowski:* Werther, der Jude, S. 57.
84 Ebd. S. 56.
85 *Mackay:* Die Anarchisten, S. 149/50.
86 Ebd. S. 150; vgl. auch *Hegeler:* Einiges aus meinem Leben, S. 231: »Mit welchem
   Recht war ich vor andern bevorzugt? (...) Das Gefühl des Unrechts wurde so stark
   in mir, daß mir die Bissen im Halse schwollen, und ich mich vor jedem zerlumpten
   Bettler wegen meines reinen Hemdes schämte. (...) Vorerst zog ich aus dem Studen-
   tenviertel fort und mietete mir ein Zimmer im äußersten Norden, aß in Proletarier-
   kneipen, trieb mich ruhelos umher, bedrückt von der Melancholie meiner Umgebung, von meiner Einsamkeit, da ich keinen Menschen hatte, mit dem ich mich aussprechen konnte, bedrückt von meiner Schwachheit, daß ich diese Gedanken [= ein
   Handwerk zu erlernen u. ä.], von deren Richtigkeit ich überzeugt war, nicht durch-
   führte«; vgl. auch den Grafen aus *Bölsche:* Die Mittagsgöttin I, S. 102 – der Graf,
   der einen feudalen Lebensstil pflegt, hat sich einmal dem Proletariat zugewandt, er
   berichtet Wilhelm darüber: »Es gab für mich eine Zeit, wo ich die (...) Marotte
   hatte und zwischen kahlen Wänden fünf Treppen hoch auf einer Strohmatratze zu
   schlafen pflegte. Wo ich den Rüdesheimer haßte, wie der Gläubige den bösen Feind,
   und in der Entsagung von allen Lebensfreuden dieser Art mein Glück zu finden
   glaubte.«
87 »Er sah oft hinüber. Zum ersten Male in seinem jungen Leben rührte ihn, ohne daß
   er es ahnte, leise die Frage an, die ihn in seinem späteren Leben tiefer erregen und
   stärker beschäftigen sollte, als irgendeine andere Frage.« (*Mackay:* Der Freiheitssucher, S. 943).
88 *Hollaender:* Der Weg des Thomas Truck I, S. 133.
89 Ebd. S. 133.
90 Vgl. unten S. 143 ff.
91 *Hollaender:* Der Weg des Thomas Truck I, S. 133.
92 *Hollaender:* Jesus und Judas, S. 33.
93 Ebd. S. 161.
94 *Bölsche:* Die Mittagsgöttin II, S. 345.
95 *Hegeler:* Einiges aus meinem Leben, S. 231.
96 zit. nach P. E. (= Paul *Ernst*) ›Die Sozialdemokratie und die »Gebildeten unserer
   Tage« I‹, in: Volkstribüne, Bd. 4, 1890, Nr. 50 v. 13. 12. 1890.
97 *Ströbel*, H. ›Das geistige Proletariat‹, in: Freie Bühne, 2. Jg., 1891, S. 37–41.
98 Cl. ›Die Sozialdemokratie und die geistigen Arbeiter‹, in: Volkstribüne, Bd. 4, 1890,
   Nr. 25 v. 21. 6. 1890.
99 Z. B. ist aus dem Wertgesetz abzuleiten, daß im Kapitalismus höher qualifizierte Arbeitskräfte auch eine höhere Bezahlung bekommen, die Frage ist nur, wieweit die
   Arbeitskraft über ihrem Wert bezahlt wird. Ein weiterer Mangel ist, daß für die
   Bestimmung des Proletariats der Begriff der Mehrwertproduktion nicht herangezogen
   wird. Nach dieser Kategorie sind tatsächlich Teile der wissenschaftlich-technischen
   Intelligenz ökonomisch zum Proletariat zu rechnen. Außerdem wird in dem Artikel
   ein Automatismus konstruiert, der die Bourgeoisie als politisch handelndes Subjekt
   zu sehr außer acht läßt: Es heißt im Aufsatz, mit Notwendigkeit werde die kapitalistische Gesellschaft die geistigen Lohnarbeiter in eine Lage versetzen, die sie revo-
   lutioniere. Die andere Möglichkeit, daß die Privilegien den geistigen Arbeitern (aus
   politischen Gründen) weiter zugestanden werden könnten, bleibt außer Betracht.
100 Der Verfasser zeichnet P. M. (vgl. ›Zur Antwort auf die Artikel: Die Sozialdemo-

kratie und die »Gebildeten unserer Tage«‹, in: Volkstribüne, Bd. 5, 1891, Nr. 1 v. 3. 1. 1891); wir zitieren nach P. E. (= Paul *Ernst*), der in seinem Artikel ›Die Sozialdemokratie und die »Gebildeten unserer Tage« I‹, in: Volkstribüne, Bd. 4, 1890, Nr. 50 v. 13. 12. 1890 einige Ausschnitte aus der Broschüre ausführlich zitiert.

101 P. M. ›Zur Antwort auf die Artikel: Die Sozialdemokratie und die »Gebildeten unserer Tage«‹, in: Volkstribüne, Bd. 5, 1891, Nr. 1 v. 3. 1. 1891.

102 *Ströbel*, H. ›Das geistige Proletariat‹, in: Freie Bühne, 2. Jg., 1891, S. 37–41.

103 In P. E. (= Paul *Ernst*) ›Die Sozialdemokratie und die »Gebildeten unserer Tage« II‹, in: Volkstribüne, Bd. 4, 1890, Nr. 51 v. 20. 12. 1890.

104 Ebd.

105 P. E. (= Paul *Ernst*) ›Die Sozialdemokratie und die »Gebildeten unserer Tage« I‹, in: Volkstribüne, Bd. 4, 1890, Nr. 50 v. 13. 12. 1890.

106 Ebd.

107 P. E. (= Paul *Ernst*) ›Die Sozialdemokratie und die »Gebildeten unserer Tage« II‹, in: Volkstribüne, Bd. 4, 1890, Nr. 51 v. 20. 12. 1890.

108 Z. B. *Bölsche*: Die Mittagsgöttin II, S. 410.

109 Z. B. *Mackay*: Die Anarchisten, S. 342.

110 *Bölsche*: Die Mittagsgöttin II, S. 410.

111 Im Freudschen Sinne; vgl. z. B. auch *Marcuse*: Triebstruktur und Gesellschaft, S. 92, wo von der »›Identifizierung‹ derjenigen, die sich auflehnen, mit der Macht, gegen die sie kämpfen« die Rede ist.

112 *Hollaender*: Jesus und Judas, S. 17 in Zusammenhang mit S. 34.

113 *Mackay*: Die Anarchisten, S. 342, da auch die folgenden Zitate.

114 Vgl. *Kasten*: Die Idee der Dichtung und des Dichters in den literarischen Theorien des sogenannten ›Deutschen Naturalismus‹, S. 45 u. pass.

115 Vgl. z. B. *Jacobowski*: Werther, der Jude, S. 56; *Hollaender*: Jesus und Judas, S. 33; *Hollaender*: Der Weg des Thomas Truck I, S. 133.

116 *Mackay*: Der Freiheitssucher, S. 985; vgl. auch ebd. S. 988.

117 Ebd. S. 986.

118 *Bölsche* ›Zur Erinnerung an Curt Grottewitz‹ (= Vorwort zu Grottewitz: Sonntage eines Großstädters in der Natur, S. 3–13); daraus auch die folgenden Zitate. Das Vorwort stammt aus dem Jahre 1905.

119 *Bölsche*: Die Mittagsgöttin I, S. 273; vgl. auch *Hollaender*: Der Weg des Thomas Truck II, S. 72 – Thomas hat sich gerade entschlossen, aufs Land zu fahren, um der heillosen Stadt zu entfliehen: »Die Fahrt dünkte Thomas endlos. Und wie merkwürdig, wie schemen- und gespensterhaft sahen die Häuser bei dem kalten Morgenlichte aus – denn der Morgen begann inzwischen zu grauen. Wie eine Totenkammer kam ihm die Stadt in ihrer einsamen Ruhe vor. Kein Mensch war auf den Straßen. Alles war ausgestorben. Die weißen Häuser hatten in diesem Lichte für ihn etwas Grauenhaftes.«

120 Wir zitieren das Gedicht Willes, das der Sammlung ›Einsiedler und Genosse‹ entstammt, nach *Wille*: Der heilige Hain, S. 97.

121 *Wille*: Einsiedler und Genosse, S. 38–42.

122 *Hart*, Heinrich: Literarische Erinnerungen, S. 64; vgl. auch *Wille*: Mein Werk und Leben, S. 18/19.

123 Vgl. *Schönberg*: Vom alten Friedrichshagener Dichterkreis, S. 150.

124 1885 hat Friedrichshagen 4600 Einwohner, 1885 schon 9600 (mündliche Mitteilung von Herrn Bernd Rühle von der Hauptmann‚Gedächtnisstätte in Berlin(O)-Erkner). Ab 1886 wird Friedrichshagen in den Berliner Vorortbahnverkehr miteinbezogen (vgl. Carl *Lemke*: ›Friedrichshagen vor 50 Jahren‹, in: Groß-Berliner Ost-Zeitung/ Niederbarnimer Zeitung, 51. Jg., 1936, Nr. 45 v. 22./23. 2. 1936; vgl. *Münchow*: Deutscher Naturalismus, S. 71).

125 *Bölsche:* Friedrichshagen in der Literatur, S. 323.

126 Vgl. Carl Lemke: ›Friedrichshagen vor 50 Jahren‹, in: Groß-Berliner Ost-Zeitung/
     Niederbarnimer Zeitung, 51. Jg., 1936, Nr. 45 v. 22./23. 2. 1936.
127 Vgl. *Mendelssohn*: S. Fischer und sein Verlag, S. 133.
128 *Bölsche:* Friedrichshagen in der Literatur, S. 327/28.
129 Ebd. S. 328.
130 Vgl. ebd. S. 332; vgl. auch *Mendelssohn*: S. Fischer und sein Verlag, S. 179.
131 *Bölsche:* Friedrichshagen in der Literatur, S. 333.
132 Über *Bölsches* unglückliche erste Ehe und Scheidung berichtet Hartleben in seiner
     Novelle: Das Ehefest (pass.), Bölsche hat 1890 gleichzeitig mit Wille das erstemal
     geheiratet (vgl. *Wille*: Aus Traum und Kampf, S. 32).
     Auch *Willes* erste Ehe ist nicht gutgegangen, obwohl sie einige Jahre überdauert hat,
     sie wurde geschieden, und Wille hat zum zweitenmal geheiratet (vgl. *Habe*: Jahr-
     hundertwende, S. 47/48).
     Hollaender ist zweimal unglücklich verheiratet gewesen; von seinem Biographen
     Flemming wird das Scheitern seiner Ehen damit erklärt, daß es ›Mischehen‹ gewe-
     sen seien; Hollaender, selbst Jude, ist nämlich zweimal mit Nicht-Jüdinnen verhei-
     ratet gewesen (vgl. *Flemming*: Felix Hollaender und sein Werk, S. 583).
     Hegeler ist in drei Ehen gescheitert (vgl. *Festner*: Wilhelm Hegeler, S. 566–583).
133 Vgl. *Halbe*: Jahrhundertwende, S. 48.
134 *Bölsche:* Die Mittagsgöttin I, S. 112.
135 Ebd. S. 111; das folgende Zitat ebd. S. 112.
136 Ebd. S. 117.
137 *Hollaender*: Der Weg des Thomas Truck II, S. 233.
138 Ebd. S. 233.
139 Ebd. S. 234.
140 Ebd. S. 233.
141 Ebd. S. 260.
142 Vgl. Ebd. S. 260.
143 E d. S. 272.
144 Ebd. S. 419.
145 Ebd. S. 260.
146 *Hollaender*: Jesus und Judas, S. 240.
147 Ebd. S. 100.
148 *Jacobowski*: Werther, der Jude, S. 168.
149 Ebd. S. 192.
150 *Hollaender*: Der Weg des Thomas Truck II, S. 70.
151 Ebd. S. 69.
152 *Hollaender*: Der Weg des Thomas Truck I, S. 190.
153 Vgl. *Bölsche*: Die Mittagsgöttin II, S. 154.
154 Ebd. S. 414.
155 Ebd. S. 405.
156 Vgl. *Winter*: Heinrich Mann und sein Publikum, S. 21.
157 Vgl. *Kehr*: Zur Genesis des Königlich Preußischen Reserveoffiziers, pass.
158 *Hollaender*: Der Weg des Thomas Truck II, S. 32.
159 Ebd. S. 32 werden ›Regines Kleider als ›kostbare Roben‹ beschrieben, die aussehen
     »wie die eben fertig gewordene Ausstattung einer *fürstlichen* Braut«. (Hervorhebung
     von uns.)
160 Die (vgl. oben S. 47) bei Bölsche durch ein und dieselbe Figur verkörpert wurden
     (Lilly).
161 *Bölsche*: Die Mittagsgöttin I, S. 25.
162 Ebd. S .18/19.
163 Er ist auch einmal sozialistischer Agitator gewesen, vgl. ebd. S. 4.
164 *Bölsche*: Die Mittagsgöttin II, S. 433/34.
165 Ebd. S. 436.

166 *Bölsche*: Die Mittagsgöttin I, S. 19.
167 Im vorletzten Satz des Romans – *Hollaender*: Der Weg des Thomas Truck II, S. 421.
168 Vgl. z. B. ebd. S. 342 und *Hollaender*: Der Weg des Thomas Truck I, S. 362, 335.
169 Vgl. *Hollaender*: Der Weg des Thomas Truck II, S. 414/15: Vor Katharinas Tod hat
Thomas beschlossen, sich durch sie nicht mehr von seinem vorgezeichneten Weg abbringen zu lassen – »ihr Weg liegt weit von dem Weg, den ich gehen muß. Es kommt
auf das Müssen an. Wer an seinem Müssen vorübergeht, trägt sich selbst die Mutter-
erde ab« (S. 414). Thomas Truck setzt sich mit seinem Entschluß gegen die meisten
anderen Menschen und gegen sein bisheriges Leben ab, das er jetzt in das Verdikt
mit einbezieht: »In dunklen Ängsten leben die Meisten an sich vorbei und glauben
so über sich hinwegkommen zu können.« (S. 415)
170 Vgl. *Hollaender*: Der Weg des Thomas Truck I, S. 342 ff.
171 Ebd. S. 343, 17.
172 Vgl. *Winter:* Heinrich Mann und sein Publikum, S. 19.
173 Die Kehrseite davon ist die Vorstellung, die Ausbeutung des Proletariats bestehe im
wesentlichen darin, daß ihm die finanziellen Möglichkeiten, die Kunst zu genießen,
vorenthalten würden. Wille schließt einen Gedankengang über die Rolle der Frau in
der kapitalistischen Gesellschaft im Programmheft der ›Freien Volksbühne‹ (anläßlich der Aufführung von *Fuldas* ›Die Sklavin‹) in: Freie Volksbühne, hrsg. v. Bruno
Wille, o. J. [1892], H. 3, folgendermaßen:»Und endlich Millionen, die ihre Ju-
gendkraft vertrauern müssen um Hungerlöhne, um einen Wochenlohn von 10 Mark,
der ihnen z. B. nicht gestattet, den geringen Beitrag für unsere Freie Volksbühne zu
erschwingen, um hier das ›wirkliche Leben‹ zu sehen, wie es von der Dichtung gestaltet und von hohen Idealen‹ beleuchtet wird.«
174 *Wille*: Philosophie der Befreiung durch das reine Mittel, S. 17.
175 Ebd. S. 162.
176 Ebd. S. 17.
177 *Mackay*: Die Anarchisten, S. 150.
178 Das Gedicht trägt den Titel ›Neues Leben – Symphonie in Stanzen‹ und hat einen
Gesamtumfang von 65 Seiten – *Henckell*: Buch des Lebens, S. 77–141 – die von uns
zitierte Strophe findet sich ebd. S. 98.
179 *Hegeler*: Einiges aus meinem Leben, S. 231.
180 Ebd. S. 231/32.
181 *Hollaender*: Jesus und Judas, S. 227.
182 *Wille*, zit. nach *Meyer*, Alfred Richard: Friedrichshagens literarische Legende, S. 29.
183 Vgl. *Müller*, Hans: Der Klassenkampf in der deutschen Sozialdemokratie, S. 78.
184 Vgl. ebd. S. 115.
185 Zit. nach ebd. S. 79.
186 Vgl. Geschichte der deutschen Arbeiterbewegung (Autorenkollektiv DDR), Bd. 1,
S. 639; vgl. *Müller*, Hans: Der Klassenkampf in der deutschen Sozialdemokratie,
S. 71.
187 Vgl. ebd. S. 71.
188 Vgl. ebd. S. 71; vgl. *Mehring*: Geschichte der deutschen Sozialdemokratie, II. Teil,
S. 676.
189 Zit. nach *Müller*, Hans: Der Klassenkampf in der deutschen Sozialdemokratie, S. 71;
vgl. auch *Mehring*: Geschichte der deutschen Sozialdemokratie, II. Teil, S. 677.
190 Berliner Volksblatt v. 25. 5. 1890, zit. nach *Müller*, Hans: Der Klassenkampf in der
deutschen Sozialdemokratie, S. 72.
191 Zit. nach ebd. S. 74.
192 Vgl. *Mehring:* Geschichte der deutschen Sozialdemokratie, II. Teil, S. 677/78; vgl.
auch: Protokoll über die Verhandlungen des Hallenser Parteitages der Sozialdemokratischen Partei Deutschlands 1890, dort die Beiträge von Gottschalk (S. 60), Hillmer (S. 61) und Singer (S. 64).
193 Vgl. ebd. den Beitrag von Bebel (S. 77); der Hamburger Delegierte Hillmer hatte zu-

vor erklärt: »Unsere Demonstration hätte auch Erfolg gehabt, wenn der Fraktions-beschluß nicht hinterher gekommen wäre.« (ebd. S. 61)

194 Bebel, zit. nach *Müller, Hans*: Klassenkampf in der deutschen Sozialdemokratie, S. 80.
195 Zit. nach ebd. S. 81.
196 Zit. nach ebd. S. 86.
197 Vgl. ebd. S. 88.
198 Vgl. ebd. S. 89; vgl. auch *Fricke*: Zur Organisation und Tätigkeit der deutschen Arbeiterbewegung (1890–1914), S. 7.
199 Vgl. *Müller, Hans*: Der Klassenkampf in der deutschen Sozialdemokratie, S. 93.
200 Ebd. S. 128.
201 Außer Hermann *Teistler*: Der Parlamentarismus und die Arbeiterklasse, pass. Auf dem Hallenser Parteitag 1890 distanziert sich der Berliner oppositionelle Delegierte (Wilhelm Werner) öffentlich auch im Namen der anderen beiden führenden Berliner Oppositionellen in dieser Frage von Wille: »Ich huldige nicht allen Ansichten des Dr. Wille über den Parlamentarismus, auch Wildberger und Baginski sind nicht in Allem seiner Meinung« (Protokoll über die Verhandlungen des Hallenser Parteitages der Sozialdemokratischen Partei Deutschlands 1890, S. 71).
202 Werner und Wildberger (vgl. *Müller*, Hans: Der Klassenkampf in der deutschen Sozialdemokratie, S. 113).
203 Vgl. z. B. Wildberger – zitiert nach ebd. S. 94. ·
204 Vgl. ebd. S. 91.
205 Vgl. ebd. S. 95.
206 Vgl. ebd. S. 92.
207 Vgl. *Mehring*: Geschichte der deutschen Sozialdemokratie, II. Teil, S. 676, 678; vgl. *Bernstein*: Geschichte der Berliner Arbeiterbewegung, Bd. 3, S. 125.
208 Friedrich Engels (›Antwort an die Redaktion der »Sächsischen Arbeiter-Zeitung«‹) in ›Der Sozialdemokrat‹ Nr. 37 v. 13. 9. 1890, zit. nach *Marx/Engels*: Werke, Bd. 22, S. 68.
209 Vgl. Protokoll über die Verhandlungen des Hallenser Parteitages der Sozialdemokratischen Partei Deutschlands 1890, S. 295.
210 Ebd. S. 69.
211 Vgl. Geschichte der deutschen Arbeiterbewegung (Autorenkollektiv DDR), Bd. 1, S. 426/27; vgl. *Müller*, Hans: Der Klassenkampf in der deutschen Sozialdemokratie, S. 98/99.
212 Vgl. Brief Bebels an Vollmar, zitiert ebd. S. 98.
213 Vgl. ebd. S. 100.
214 Protokoll über die Verhandlungen des Hallenser Parteitages der Sozialdemokratischen Partei Deutschlands 1890, S. 273/74.
215 Vgl. *Bernstein*: Geschichte der Berliner Arbeiterbewegung, Bd. 3, S. 120.
216 Vgl. ebd. S. 119./20; vgl. *Müller*, Hans: Der Klassenkampf in der deutschen Sozialdemokratie, S. 101, 110.
217 Vgl. ebd. S. 103; ko vermutet auch *Mehring* in: Geschichte der deutschen Sozialdemokratie, II. Teil, S. 680.
218 Nach *Bernstein*: Geschichte der Berliner Arbeiterbewegung, Bd. 3, S. 120 sind es Wildberger, Wille, Albert Auerbach, Paul Kampffmeyer und einige andere, deren Namen er nicht anführt.
219 So das ›Hamburger Echo‹ und die ›Fränkische Tagespost‹ – in letzterer heißen sie »anarchistische Schreier« (nach *Müller*, Hans: Der Klassenkampf in der deutschen Sozialdemokratie, S. 108/09).
220 Dieses Verfahren hatte sich schon im Vorjahr bewährt – so hatte Singer in der Versammlung vom 25. August 1890 gesagt: »Die Berliner Genossen werden nicht Männer wie Bebel und Liebknecht ins alte Eisen werfen wollen. Wenn auf der einen Seite Bebel und Liebknecht, auf der andern Wille, Werner und Wildberger stehen,

werden die Genossen wissen, wohin sie sich zu wenden haben.« – Zit. nach ebd.
S. 95.

221 Wir zitieren im folgenden nach dem Faksimile des Originals, das bei *Bernstein:* Geschichte der Berliner Arbeiterbewegung, Bd. 3, S. 121–124 abgedruckt ist. Der Wortlaut des Flugblattes ist auch bei *Müller,* Hans: Der Klassenkampf in der deutschen Sozialdemokratie, S. 103–108, sowie im: Protokoll über die Verhandlungen des Erfurter Parteitages der Sozialdemokratischen Partei Deutschlands 1891, S. 61 ff. nachzulesen.

222 Vgl. *Fricke:* Zur Organisation und Tätigkeit der deutschen Arbeiterbewegung (1890 bis 1914), S. 73 ff.

223 Vgl. dazu auch Bruno *Willes* Aufsatz ›Der Mensch als Massenglied‹, in: Freie Bühne, 1. Jg., 1890, S. 865–869. An dessen Schluß heißt es: »Und endlich verherrliche ich dich, o Einsamkeit! Denn wiewohl die Geselligkeit gepriesen wird, und auch vielfach mit Recht gepriesen wird, muß ich doch fast gestehen: ein Kopf ist desto unvernünftiger, je mehr Gesellschaft er hat; die Menge verschüttet die Gedanken und Gefühle des Einzelnen; das kann man so ziemlich an jeder Kneiptafel, an jeder ›Gesellschaft‹, an jeder Versammlung beobachten. Die Einsamkeit dagegen ist die Mutter großer Gedanken.«

224 Vgl. *Bernstein:* Geschichte der Berliner Arbeiterbewegung, Bd. 3, S. 7.

225 Vgl. Protokoll über die Verhandlungen des Erfurter Parteitages der Sozialdemokratischen Partei Deutschlands 1891, S. 152.

226 Zit. nach *Müller,* Hans: Der Klassenkampf in der deutschen Sozialdemokratie, S. 118.

227 Zit. nach ebd. S. 118.

228 Vgl. *Mehring:* Geschichte der deutschen Sozialdemokratie, II. Teil, S. 681.

229 Vgl. *Bernstein:* Geschichte der Berliner Arbeiterbewegung, Bd. 3, S. 128.

230 Vgl. *Müller,* Hans: Der Klassenkampf in der deutschen Sozialdemokratie, S. 77 – Müller hat Kampffmeyer zu seinem Redakteurposten bei der Magdeburger ›Volksstimme‹ verholfen.

231 Vgl. ebd. S. 87.

232 In ›Weltanschauung und Sozialdemokratie‹, München 1911, S. 30 – zit. nach *Fricke:* Bismarcks Prätorianer, S. 8.

233 Vgl. *Bock:* Syndikalismus und Linkskommunismus von 1918–1923, S. 14.

234 Vgl. *Müllers* Aufsatz ›Ziele und Mittel der Sozialreform in der Demokratie‹ in: Sozialistische Monatshefte, Bd. 4, 1898, S. 223 ff.; vgl. auch Staffelberg ›Revolutionäre und reformistische Politik in der Geschichte der deutschen Arbeiterbewegung‹ (= Vorwort zu Müller, Hans: Der Klassenkampf in der deutschen Sozialdemokratie, Reprint unter dem Titel: Der Klassenkampf und die Sozialdemokratie), S. XXXI – Staffelberg beruft sich da auf Susanne *Miller* ›Das Problem der Freiheit im Sozialismus‹, Frankfurt a. Main 1964; vgl. auch *Duncker/Goldschmidt/Wittfogel:* Geschichte der Internationalen Arbeiterbewegung, S. 182.

235 Vgl. *Mehring:* Geschichte der deutschen Sozialdemokratie, II. Teil, S. 753 (im Personenverzeichnis); vgl. *Müller,* Hans: Der Klassenkampf in der deutschen Sozialdemokratie, S. 71, 73, 77, 83/84; vgl. Protokoll über die Verhandlungen des Hallenser Parteitages der Sozialdemokratischen Partei Deutschlands 1890, S. 291.

236 Vgl. Protokoll über die Verhandlungen des Erfurter Parteitages der Sozialdemokratischen Partei Deutschlands 1891, S. 70.

237 Zit. nach *Bernstein:* Geschichte der Berliner Arbeiterbewegung, Bd. 3, S. 126.

238 Vgl. Richard Müllers Bericht über die Januar-Ereignisse 1919, Ausschnitt zit. bei *Ritter/Miller* (Hrsg.): Die deutsche Revolution 1918–1919, S. 163/64.

239 Vgl. Protokoll über die Verhandlungen des Münchener Parteitages der Sozialdemokratischen Partei Deutschlands 1902, S. 276/77.

240 Bei der Hetzschrift gegen die Sozialdemokratie handelt es sich um Benedict *Friedlaenders* Schrift: Der freiheitliche Sozialismus im Gegensatz zum Staatsknechtsthum

der Marxisten. Mit besonderer Berücksichtigung der Werke und Schicksale Eugen Dühring's, Berlin (Freie Verlagsanstalt) 1892 (im Impressum ist Werner als Drucker angegeben). Über seine Emigration nach London gab uns Herr Dirk Müller, der an einer Dissertation über die ›Jungen‹ arbeitet, mündlich Auskunft.

241 Zit. nach *Müller*, Hans: Der Klassenkampf in der deutschen Sozialdemokratie, S. 94.

242 Protokoll über die Verhandlungen des Hallenser Parteitages der Sozialdemokratischen Partei Deutschlands 1890, S. 285.

243 *Wille*: Philosophie der Befreiung durch das reine Mittel, S. 345, 348.

244 Ebd. S. 173 ff.

245 Vgl. *Mehring*: Geschichte der deutschen Sozialdemokratie, II. Teil, S. 681.

246 Vgl. *Ernst, Paul*: Entwicklungen, S. 13.

247 Vgl. *Müller, Hans*: Der Klassenkampf in der deutschen Sozialdemokratie, S. 100.

248 In seiner Replik auf die ›Antwort auf die Artikel: Die Sozialdemokratie und die »Gebildeten unserer Tage«‹ schreibt Paul *Ernst* in der: Volkstribüne, Bd. 5, 1891, Nr. 1 v. 3. 1. 1891 z. B.: »In Berlin habe ich außerdem Verkehr in Schriftstellerkreisen gehabt, und hier zwar mancherlei radikale Redensarten gehört, sehr oft auch die Phrase ›ich bin natürlich Sozialdemokrat‹, aber Sozialdemokratie habe ich hier auch nicht gefunden. Aus dieser letzteren Bekanntschaft rührt auch meine ›Unterschätzung des gebildeten Proletariats‹.«

249 Vgl. *Ernst, Paul*: Entwicklungen, S. 256–300.

250 In der Schrift ›Weg zur Form‹, vgl. *Soergel*: Dichtung und Dichter der Zeit, S. 857 ff.

251 *Ernst*, Paul: Der Zusammenbruch des Marxismus, München 1919.

252 Darin heißt es z. B. über den Ersten Weltkrieg: »Als wir Belgien angriffen, einen Vertrag brachen und ein Land mit Krieg überzogen, das wenigstens formal am Kriege unbeteiligt war, da sagten wir: Wir tun ein Unrecht, aber wir haben ein Recht dazu, dieses Unrecht zu tun. Das hat jeder Deutsche verstanden, mit Ausnahme weniger Männer, welche entweder westlerisch fühlten oder rein jüdische Instinkte hatten« (*Ernst*, Paul: Geist werde wach!, S. 25).

253 Vgl. Neue Deutsche Biographie, IV. Bd., S. 630.

254 Ähnlicher ist da schon Hegelers Lebensgeschichte, in der die gegenseitige Unvereinbarkeit hervorgehoben wird. Allerdings braucht sich Hegeler deswegen nie formal von der Partei zu lösen, weil er wie die meisten seiner Schriftstellerkollegen (im Gegensatz übrigens zu ihren Romanfiguren!) nicht Mitglied der Partei geworden ist (vgl. *Hegeler*: Einiges aus meinem Leben, pass.).

255 Brief von Engels an Karl Kautsky, London, d. 19. 7. 1884 – zit. nach *Marx/Engels*: Werke, Bd. 36, S. 176.

256 Z. B. im Flugblatt der ›Jungen‹ vom Juli 1891; vgl. Faksimile desselben in *Bernstein*: Geschichte der Berliner Arbeiterbewegung, Bd. 3, S. 122.

257 Singer ist seit dem Hallenser Parteitag von 1890 einer der beiden Parteivorsitzenden (vgl. Biographisches Lexikon/Geschichte der deutschen Arbeiterbewegung, S. 433). Zu seiner Position auf dem Erfurter Parteitag vgl. Protokoll über die Verhandlungen des Erfurter Parteitages der Sozialdemokratischen Partei Deutschlands 1891, S. 198; vgl. auch *Bebels* Beitrag ebd. S. 172/73; vgl. auch *Bernstein*: Geschichte der Berliner Arbeiterbewegung, Bd. 3, S. 129.

258 Vgl. Geschichte der deutschen Arbeiterbewegung (Autorenkollektiv DDR), Bd. 1, S. 432.

259 So *Müller, Hans*: Der Klassenkampf in der Sozialdemokratie, S. 9.

260 Derselbe ebd. S. 12.

261 Zit. nach ebd. S. 118.

262 Das ist der Grundtenor des Blugblattes vom Juli 1891 (vgl. Faksimile in *Bernstein*: Geschichte der Berliner Arbeiterbewegung, Bd. 3, S. 121–124); das klingt schon im darübergesetzten Motto, einer Sentenz von St. – Simon, an: »Erinnere Dich, mein

Sohn, daß man begeistert sein muß, um große Dinge zu vollbringen.« (ebd. S. 121)
263 Vgl. z. B. die versöhnlerische Haltung zu Vollmar.
264 *Lenin*: Der ›linke‹ Radikalismus, die Kinderkrankheit im Kommunismus, Werke Bd. 31, S. 16/17.
265 Vgl. in: ›Revolutionäre deutsche Parteiprogramme‹ das Gothaer Programm von 1875, S. 48, das Erfurter Programm von 1891, S. 84, Engels' Kommentar zum Erfurter Programm, S. 92; vgl. auch *Theimer*: Von Bebel zu Ollenhauer, S. 8.
266 *Marx/Engels*: Manifest der Kommunistischen Partei, Werke Bd. 4, S. 484/85.
267 Vgl. *Böhme*: Deutschlands Weg zur Großmacht, S. 284.
268 Vgl. ebd. S. 396.
269 *Kleinwächter, Fr.* ›Die Kartelle‹, Innsbruck 1883, S. V/VI, S. 162 – zit. nach *Kuczynski*: Zur politökonomischen Ideologie in Deutschland von 1850 bis zum Ersten Weltkrieg, S. 31/32.
270 Vgl. *Böhme*: Deutschlands Weg zur Großmacht, S. 399.
271 Vgl. *Ploetz*: Auszug aus der Geschichte, S. 887.
272 Vgl. *Becker*: Das Deutsche Manchestertum, S. 98.
273 Vgl. ebd. S. 99.
274 Vgl. ebd. S. 99: 1880 wird trotz der praktisch-politischen Propagierung des Freihandels auf dem Wydener (Schweiz) Parteitag der deutschen Sozialdemokraten die ideologische Übereinstimmung mit der Feststellung des Genfer Internationalen Sozialistenkongresses erklärt, die Frage Schutzzoll oder Freihandel sei eine »interne Angelegenheit der bürgerlichen Parteien«.
275 Vgl. Marx ›Rede über den Freihandel‹ in: *Marx/Engels:* Werke, Bd. 4, S. 444–458.
276 *Wille*: Philosophie der Befreiung durch das reine Mittel, S. 174.
277 Ebd. S. 166.
278 Ebd. S. 218; vgl. auch *Becker*: Das Deutsche Manchestertum, pass.
279 Ebd. S. 218.
280 Ebd. S. 219.
281 Ebd. S. 176.
282 Vgl. ebd. S. 150 ff., 219, 385; vgl. *Hollaender*: Der Weg des Thomas Truck I, S. 298; vgl. *Hollaender*: Der Weg des Thomas Truck II, S. 188; vgl. *Mackay*: Die Anarchisten, S. 130, 159.
283 Vgl. *Mackay*: Die Anarchisten, S. 203.
284 Ebd. S. 172.
285 285 Dargestellt nach *Friedlaender*: Der freiheitliche Sozialismus im Gegensatz zum Staatsknechtstum der Marxisten, S. 35.
286 *Wille*: Philosophie der Befreiung durch das reine Mittel, S. 368.
287 Ebd. S. 384.
288 Ebd. S. 345.
289 Ebd. S. 169.
290 *Mackay*: Der Freiheitssucher, S. 1097.
291 *Wille*: Philosophie der Befreiung durch das reine Mittel, S. 378.
292 *Mackay*: Die Anarchisten, S. 187.
293 Ebd. S. 55.
294 *Wille*: Philosophie der Befreiung durch das reine Mittel, S. 121.
295 Ebd. S. 375.
296 Vgl. ebd. S. 385 – Wille gibt dort an, sein System sei ähnlich Hertzkas ›Freilandbewegung‹ und Dührings ›sozialitärem System‹. Wille kennt Dühring auf dem Umweg über Friedlaender: Der freiheitliche Sozialismus im Gegensatz zum Staatsknechtstum der Marxisten.
297 Vgl. *Wille*: Philosophie der Befreiung durch das reine Mittel, S. 166.
298 Vgl. *Dühring* ›Kursus der National- und Sozialökonomie‹, 3. Aufl., 1892, S. 574 – nach *Friedlaender:* Der freiheitliche Sozialismus im Gegensatz zum Staatsknechtstum der Marxisten, S. 48.

299 Vgl. *Wille*: Philosophie der Befreiung durch das reine Mittel, S. 304.
300 Z. B. Bakunin – vgl. *Harich*: Zur Kritik der revolutionären Ungeduld, S. 87.
301 *Wille*: Philosophie der Befreiung durch das reine Mittel, S. 327.
302 *Friedlaender*: Der freiheitliche Sozialismus im Gegensatz zum Staatsknechtstum der Marxisten, S. 19.
303 *Wille*: Philosophie der Befreiung durch das reine Mittel, S. 303.
304 Ebd. S. 171.
305 Ebd. S. 327; Wille zitiert Proudhon hier aus ›Bekenntnisse eines Revolutionärs‹.
306 *Mackay*: Die Anarchisten, S. 190.
307 Vgl. *Staffelberg:* ›Revolutionäre und reformistische Politik in der Geschichte der deutschen Arbeiterbewegung‹ (= Vorwort zu *Müller*: Der Klassenkampf in der deutschen Sozialdemokratie, vgl. oben Anm. 234), S. XXXI.
308 *Landauer*: Durch Absonderung zur Gemeinschaft, S. 47/48.
309 Ebd. S. 68.
310 Vgl. *Wille*: Philosophie der Befreiung durch das reine Mittel, S. 389/90 – Wille nennt da alle ›wirtschaftlichen Bündnisse zur wirtschaftlichen Befreiung‹ (Gewerkschaften u. ä.): »natürliche Vorgebilde, gewissermaßen die Vorfrüchte der freien Produktionsgruppen«.
311 *Landauer*: Durch Absonderung zur Gemeinschaft, S. 68.
312 Ebd. S. 48.
313 Ebd. S. 46.
314 *Wille*: Philosophie der Befreiung durch das reine Mittel, S. 394.
315 So *Hart,* Heinrich: Die Neue Gemeinschaft, S. 12.
316 Vgl. *Wille*: Philosophie der Befreiung durch das reine Mittel, S. 391; vgl. *Mackay*: Die Anarchisten, S. 173, dort: ›Die Macht der menschlichen Institutionen besteht in‹ »der Torheit der Betörten«; vgl. *Mackay*: Der Freiheitssucher, S. 1011, dort heißt es, jeder Staat, ob monarchistisch, demokratisch oder sozialistisch sei, beziehe seine Macht nur aus der Zustimmung der Untertanen.
317 Vgl. *Wille*: Philosophie der Befreiung durch das reine Mittel, S. 166.
318 Vgl. ebd. S. 310.
319 *Mackay*: Die Anarchisten, S. 342.
320 *Wille*: Philosophie der Befreiung durch das reine Mittel, S. 398.
321 Zit. nach *Müller*, Hans: Der Klassenkampf in der deutschen Sozialdemokratie, S. 118; vgl. oben S. 59.
323 Vgl. *Wille*: Philosophie dmer Befreiung durch das reine Mittel, S. 394/95, dort: »Was wir brauchen, sind ausgebildete Individuen, Adelsmenschen, die ihren Kraftüberschuß den zurückgebliebenen Mitmenschen widmen und mit ihrer Begeistung und intellektuellen Überlegenheit ganze Massen mit sich fortreißen und veredeln.«
324 Vgl. ebd. S. 391/92.
325 Vgl. ebd. S. 348/49, dort heißt es, es sei eine proletarische Auffassung, die nur durch den eingeschränkten Blickwinkel des Proletariers erklärt werden könne, wenn behauptet werde, daß der Unternehmer der Ausbeuter sei. Die Sozialdemokraten, die dieses behaupten, bedächten nicht, »daß er als Organisator einer Produktion gleich dem Arbeiter produktiv ist«; nur wo er ein Monopol habe, könne er ausbeuten. Wille argumentiert weiter: »Die Sozialdemokraten bedenken ferner nicht genügend die Ausgaben, die dem Unternehmer von heute nicht nur durch die Abnutzung der Gebäude und Maschinen und dergleichen Betriebs-Unkosten, durch fehlgeschlagene Spekulationen und die Konkurrenz, sondern auch durch Bodenrente und Kapitalzins aufgebürdet werden.«
326 *Mackay*: Der Freiheitssucher, S. 1124.
327 Ebd. S. 1142.
328 *Mackay*: Die Anarchisten, S. 388.
329 *Wille*: Philosophie der Befreiung durch das reine Mittel, S. 364/65.
330 *Mackay*: Der Freiheitssucher, S. 1160.

331 Ebd. S. 1064, 1114, 1160.
332 Vgl. *Wille*: Philosophie der Befreiung durch das reine Mittel, S. 19, 375 (da hält Wille im Gegensatz zu Mackay, der jede Form des Kommunismus ablehnt, einen auf freiwilliger Vereinbarung beruhenden ›Kommunismus‹ für möglich).
332 Vgl. u. a. *Mackay*: Die Anarchisten, S. 66.
334 Vgl. ebd. S. 116.
335 Ebd. S. 180.
336 Ebd. S. 198.
337 Ebd. S. 201.
338 Ebd. S. 351.
339 Vgl. ebd. S. 122, 351, 383.
340 Z. B. ebd. S. 14, 122.
341 Z. B. bei John Most – *Most*: Der Kommunistische Anarchismus, S. 22.
342 Ebd. S. 15.
343 Ebd. S. 21.
344 Ebd. S. 21.
345 *Mackay*: Die Anarchisten, S. 170.
346 *Most*: Der Kommunistische Anarchismus, S. 16.
347 Ebd. S. 18.

ANMERKUNGEN ZU KAPITEL 3

 1 Vgl. *Nestriepke*: Geschichte der Volksbühne Berlin, S. 10; veröffentlicht auch in: Freie Bühne, 1. Jg., 1890, S. 260/61.
 2 So *Maltzahn* (vgl. *Selo*: »Die Kunst dem Volke«, S. 19, Anm. 22), *Kaalz* (ebd. S. 19, Anm. 24), *Alberti* (ebd. S. 19, Anm. 26), *Adler* (ebd. S. 19, Anm. 26), *Sturmlöffel* (ebd. S. 20, Anm. 28), *Herrig* (vgl. *Koenig*: Deutsche Literaturgeschichte, II. Bd., S. 565), *Hahn* (vgl. *Mehring* ›Freie Volksbühnen‹ in: Die Neue Zeit, 11. Jg. 1892/93, II. Bd., S. 481).
 3 Vgl. *Nestriepke*: Geschichte der Volksbühne Berlin, S. 6/7.
 4 Erschienen in der ›Gegenwart‹, Berlin, 8. 3. 1890 (vgl. *Nestriepke*: Geschichte der Volksbühne Berlin, S. 7); vgl. *Reich*: Die bürgerliche Kunst und die besitzlosen Volksklassen, S. 246.
 5 Vgl. *Selo*: »Die Kunst dem Volke«, S. 46; vgl. *Nestriepke*: Geschichte der Volksbühne Berlin, S. 9.
 6 Vgl. ebd. S. 9.
 7 Vgl. unten S. 104 f.; vgl. auch *Ledebour* ›Zur Krisis der Freien Volksbühne – Eine Erwiderung‹ in: Die Neue Zeit, 11. Jg., 1892/93, I. Bd., S. 285/86.
 8 *Wille*: Aus Traum und Kamp, S. 26.
 9 Ebd. S. 26.
10 *Ledebour* ›Bildungsbestrebungen in der proletarischen Bewegung‹ in: Freie Bühne, 3. Jg., 1892, I. Bd., S. 1281.
11 *Wille*: Aus Traum und Kampf, S. 13.
12 *Ernst*, Paul: Entwicklungen, S. 210/11.
13 Ebd. S. 211.
14 Es heißt dort: »Da nun aber die Mitgliedschaft der ›Freien Bühne‹ aus wirtschaftlichen Gründen dem Proletariat versagt ist, so scheint mir die Begründung einer ›Freien Volks-Bühne‹ wohl angebracht zu sein.« (Aus dem Aufruf, zit. nach *Nestriepke*: Geschichte der Volksbühne Berlin, S. 11.)
15 Aus dem Aufruf, zit. nach ebd. S. 11.
16 Vgl. z. B. *Hart*, Heinrich: Literarische Erinnerungen, S. 80.
17 Vgl. *Nestriepke*: Geschichte der Volksbühne Berlin, S. 20.
18 Vgl. *Selo*: »Die Kunst dem Volke«, S. 80/81.

19 Vgl. ebd. S. 49.
20 Aus dem Aufruf, zit. nach *Nestriepke*: Geschichte der Volksbühne Berlin, S. 10.
21 Vgl. *Selo*: »Die Kunst dem Volke«, S. 70; vgl. Nestriepke: Geschichte der Volksbühne Berlin, S. 28, 70.
22 Vgl. ebd. S. 17, 20.
23 Vgl. ebd. S. 157; vgl. *Ernst*, Paul: Entwicklungen, S. 182, 226.
24 Baake geht 1891 als Chefredakteur der reorganisierten sozialdemokratischen Literaturzeitung ›Die neue Welt‹ nach Hamburg, Schmidt nimmt eine Stelle als Privatdozent in Zürich an (vgl. *Nestriepke*: Geschichte der Volksbühne Berlin, S. 27, 157); beide spielen später noch eine wichtige Rolle in der ›Freien Volksbühne‹ (nach 1897), vgl. unten S. 199.
25 »Wahl der aufzuführenden Stücke« und »Erledigung aller für die literarische Haltung des Vereins maßgebenden Fragen« – so die Satzung, laut *Nestriepke*: Geschichte der Volksbühne Berlin, S. 19.
26 Vgl. ebd. S. 27.
27 Vgl. ebd. S. 14.
28 Vgl. ebd. S. 20.
29 Vgl. ebd. S. 21.
30 Vgl. *Bernstein*: Geschichte der Berliner Arbeiterbewegung, Bd. 3, S. 7.
31 Vgl. *Selo*: »Die Kunst dem Volke«, S. 43.
32 Vgl. *Soergel*: »Dichtung und Dichter der Zeit, S. 117.
33 Vgl. *Selo*: »Die Kunst dem Volke«, S. 43/44.
34 Vgl. *Nestriepke*: Geschichte der Volksbühne Berlin, S. 12.
35 Vgl. ebd. S. 13.
36 Vgl. oben S. 54.
37 Vgl. *Nestriepke*: Geschichte der Volksbühne Berlin, S. 14, 20.
38 Vgl. ebd. S. 18; *Müller,* Hans: Der Klassenkampf in der deutschen Sozialdemokratie, S. 78, nennt als Erscheinungsdatum zwar den 22. Juli, aber in Bebels Antwort auf Willes Artikel, die er selbst zitiert, steht, dieser sei in Nr. 18 der ›Sächsischen Arbeiterzeitung‹ vom 23. Juli erschienen (vgl. ebd. S. 80).
39 Vgl. oben S. 53.
40 Vgl. *Müller*, Hans: Der Klassenkampf in der deutschen Sozialdemokratie, S. 80/81.
41 Vgl. ebd. S. 84/85.
42 Vgl. ebd. S. 89 ff.; vgl. auch oben S. 55
43 Vgl. *Selo*: »Die Kunst dem Volke«, S. 201.
44 Vgl. Protokoll über die Verhandlungen des Hallenser Parteitages der Sozialdemokratischen Partei Deutschlands 1890, S. 295.
45 Vgl. oben S. 56.
46 Vgl. *Nestriepke*: Geschichte der Volksbühne Berlin, S. 59; vgl. auch das Impressum der Berliner ›Volkstribüne‹, Bd. 5, 1891: bis Nr. 44 v. 31. 10. 1891 erscheint sie in Verlag und Druck von Maurer, Werner und Dimmick, ab Nr. 45 v. 7. 11. 1891 nur noch bei Maurer und Dimmick.
47 Vgl. Anm. 49: Maurer und Dimmick drucken z. B. die sozialdemokratische ›Volkstribüne‹ weiter, die nach dem Ausscheiden von Paul Ernst aus der Redaktion (vgl. *Ernst*, Paul: Entwicklungen, S. 250) wieder auf die Parteilinie zurückgeführt wird.
48 Die Druckaufträge der Volksbühne haben bis März 1892 keinen bedeutenden Umfang. Erst als zu diesem Zeitpunkt die Programmzeitschrift eingeführt wird, die die alten Einführungsvorträge ersetzen soll, erhalten die Aufträge finanzielles Gewicht (vgl. unten S. 95« vgl. auch :Freie Volksbühne, H. 1, S. 1; zur Datierung der ersten Nummer der Vereinszeitschrift vgl. Selo: »Die Kunst dem Volke«, S. 202, die erste Nummer erscheint zur Aufführung von Anzengrubers ›Pfarrer von Kirchfeld‹). Die ersten Nummern der Vereinszeitschrift werden noch bei Maurer und Dimmick gedruckt (vgl. Impressum von Nr. 1–3 der Programmzeitschrift ›Freie Volksbühne‹), ab

Nr. 4 (Juni 1892, vgl. *Selo*: »Die Kunst dem Volke«, S. 202) erscheint die Zeitschrift im Druck von Werner.

49 Vgl. *Nestriepke*: Geschichte der Volksbühne Berlin, S. 26.
50 Vgl. ebd. S. 26/27; vgl. *Hart*, Heinrich: Literarische Erinnerungen, S. 66.
51 Vgl. *Nestriepke*: Geschichte der Volksbühne Berlin S. 74.
52 Vgl. *Selo*: »Die Kunst dem Volke«.
53 Vgl. *Nestriepke*: Geschichte der Volksbühne Berlin, S. 59.
54 Auf Willes Seite stehen aus dem dreiköpfigen Vorstand: Wille und B. Kampffmeyer, aus dem 1891 auf acht Besitzer vergrößerten Ausschuß: Bölsche, J. Hart, Dehmel, Teistler, Dencker, Ledebour – dagegen auf Türks Seite aus dem Vorstand: Türk, aus dem Ausschuß: Lichtenstein, Schmiedel – vgl. ebd. S. 27, 28, 90.
55 Vgl. ebd. S. 59.
56 Vgl. ebd. S. 62.
57 Vgl. ebd. S. 62 ff.
58 Abgedruckt im ›Berliner Volksblatt‹, 7. Jg., 1890, Nr. 184 v. 10. 8. 1890, zit. hier nach *Selo*: »Die Kunst dem Volke«, wo die Satzung im Anhang kommentiert nachgedruckt ist (ebd. S. 187–194).
59 ›Der Kunstwart‹, 2. Nov.-Heft 1892 – zit. nach *Selo*: »Die Kunst dem Volke«, S. 80, Anm. 6.
60 *Wille*: Philosophie der Befreiung durch das reine Mittel, S. 311.
61 Vgl. den Aufruf, *Nestriepke*: Geschichte der Volksbühne Berlin, S. 11.
62 Vgl. *Selo*: »Die Kunst dem Volke«, S. 80.
63 Vgl. den Bericht über Willes Rede vom 25. 8. 1890 bei *Müller*, Hans: Der Klassenkampf in der deutschen Sozialdemokratie, S. 95; vgl. *Wille*: Philosophie der Befreiung durch das reine Mittel, S. 316.
64 U. U. weitgehend identisch mit dem Vortrag – Wille ›Der Mensch als Massenglied‹ in: Freie Bühne, 1. Jg., 1890, S. 865–869; vgl. auch *Wille*: Philosophie der Befreiung durch das reine Mittel, S. 316, Anm. 2.
65 *Wille* ›Der Mensch als Massenglied‹ in: Freie Bühne, 1. Jg., 1890, S. 869.
66 Ebd. S. 868.
67 *Wille*: Philosophie der Befreiung durch das reine Mittel, S. 303.
68 *Wille*: Philosophie der Befreiung durch das reine Mittel, S. 303; vgl. auch oben S. 74.
69 Vgl. *Wille*: Philosophie der Befreiung durch das reine Mittel, S. 316.
70 Bebel in der Versammlung vom 25. 8. 1890, aus dem Bericht der ›Magdeburger Volksstimme‹, zit. nach *Müller*, Hans: Der Klassenkampf in der deutschen Sozialdemokratie, S. 92; vgl. auch *Wille*: Philosophie der Befreiung durch das reine Mittel, S. 316.
71 Vgl. unten S. 99 ff.
72 Vgl. *Nestriepke*: Geschichte der Volksbühne Berlin, S. 65.
73 Vgl. ebd. S. 62.
74 *Mehring* ›Zur Krisis der Freien Volksbühne‹ in: Die Neue Zeit, 11. Jg., 1892/93, I. Bd., S. 181 – (auch in *Mehring*: Gesammelte Schriften, Bd. 12, S. 250/51).
75 Ebd. S. 180 (bzw. S. 249).
76 Wille in einem Aufsatz in der ›Zukunft‹, zit. nach *Mehring* ›Ein letztes Wort in Sachen der Freien Volksbühne‹ in: Die Neue Zeit, 11. Jg., 1892/93, I. Bd., S. 320 – (auch in *Mehring*: Gesammelte Schriften, Bd. 12, S. 260); vgl. auch ebd. S. 323 (bzw. S. 264).
77 Nach *Nestriepke*: Geschichte der Volksbühne Berlin, S. 68.
78 Vgl. ebd. S. 69.
79 Aufruf zum Anschluß an die ›Neue Freie Volksbühne‹, zit. nach ebd. S. 69.
80 Erklärung im ›Vorwärts‹, 9. Jg., 1892, Nr. 242 v. 16. 10. 1892; vgl. auch *Mehring* ›Zur Krisis der Freien Volksbühne‹ in: Die Neue Zeit, 11. Jg., 1892/93, I. Bd., S. 183 – (auch in *Mehring*: Gesammelte Schriften, Bd. 12, S. 253).

238 Anmerkungen zu Kap. 3

81 Vgl. *Nestriepke*: Geschichte der Volksbühne Berlin, S. 51; vgl. *Ledebour* ›Zur Krisis der Freien Volksbühne, eine Erwiderung‹ in: Die Neue Zeit, 11. Jg., 1892/93, I. Bd., S. 286.
82 Vgl. *Wille* ›Die Freie Volksbühne und der Polizei-Präsident‹ in: Freie Bühne, 2. Jg., 1891, S. 673; vgl. auch die Notiz in: Freie Bühne, 3. Jg., 1892, I. Bd., S. 111; vgl. *Nestriepke*: Geschichte der Volksbühne Berlin, S. 50/51, 55.
83 Vgl. ebd. S. 61.
84 Vgl. ebed. S. 63.
85 Dies und das Folgende dargestellt nach Ledebour ›Zur Krisis der Freien Volksbühne, eine Erwiderung‹ in: Die Neue Zeit, 11. Jg., 1892/93, I. Bd., S. 286.
86 Für das Folgende vgl. *Selo*: »Die Kunst dem Volke«, S. 68.
87 Statuten der ›Freien Volksbühne‹ § 1, zit. nach *Selo*: »Die Kunst dem Volke«, S. 187.
88 Wille, zit. nach *Mehring* ›Ein letztes Wort in Sachen der Freien Volksbühne‹ in: Die Neue Zeit, 11. Jg., 1892/93, I. Bd., S. 318 – (auch in *Mehring*: Gesammelte Schriften, Bd. 12, S. 257).
89 Vgl. *Selo*: »Die Kunst dem Volke«, S. 54. Selo beruft sich auf Notizen im ›Berliner Volksblatt‹ vom 31. Juli und vom 10. August 1890.
90 Vgl. ebd. S. 54, Angaben bei Selo nach ›Berliner Volksblatt‹ vom 10. August 1890 und ›Vorwärts‹ vom 11. August 1891.
91 Vgl. ebd. S. 209.
92 Vgl. Vorwärts, 8. Jg., 1891, Nr. 102 v. 3. 5. 1891; vgl. auch *Nestriepke* S. 41.
93 *Selo*: »Die Kunst dem Volke« zit. im Anhang, S. 195/96, ausführlich aus dieser Berufungsschrift (nach dem ›Vorwärts‹ vom 31. Januar 1892) – daraus auch die folgenden Zitate.
94 Freie Bühne, 3. Jg., 1892, I. Bd., S. 560.
95 Vgl. *Nestriepke*: Geschichte der Volksbühne Berlin, S. 23/24.
96 Wahrscheinlich stammt der Bericht von Hartleben, Berliner Volksblatt, 7. Jg., 1890, Nr. 262 v. 16. 12. 1890.
97 *Hauptmann*: Vor Sonnenaufgang, S. 17, 19.
98 Ebd. S. 16–18.
99 »Reichstagskandidat des süßen Pöbels« nennt ihn *Hoffmann,* ebd. S. 19; vgl. auch ebd. S. 71 – Hoffmann: »ich gehe sogar so weit, zu bekennen, daß es im Reichstag nur eine Partei gibt, die Ideale hat: und das ist dieselbe, der du angehörst!«
100 Ebd. S. 49.
101 Ebd. S. 22.
102 Ebd. S. 105–107.
103 Ebd. S. 105.
104 Ebd. S. 107.
105 Ebd. S. 105; vgl. auch ebd. S. 59/60.
106 *Wille* ›Die Freie Volksbühne und der Polizei-Präsident‹ in: Freie Bühne, 2. Jg., 1891, S. 674 – Wille zitiert hier sich selbst aus der Vorlage des Polizeipräsidenten in der ersten Verwaltungsgerichtsinstanz im Rechtsstreit betr. ›Einwirkung auf öffentliche Angelegenheiten‹ (auf Befragen äußert Wille in dieser Gerichtsverhandlung, auch Hauptmann selber habe den Titel seines Werkes so verstanden).
107 Aus Hartlebens Rezension in: Volkstribüne, Bd. 4, 1890, Nr. 46 v. 15. 11. 1890 – zit. auch bei Selo: »Die Kunst dem Volke«, S. 171.
108 Vgl. *Brahm* ›Die freie Volksbühne‹ in: Freie Bühne, 1. Jg., 1890, S. 713; vgl. *Brahm* ›Der erste Winter der Volksbühne‹ in: Freie Bühne, 2. Jg., 1891, S. 400/01.
109 Ebd. S. 400/01.
110 Vgl. *Selo*: »Die Kunst dem Volke«, S. 211.
111 *Mauthner* ›Das Theater der Sozialdemokraten‹ in ›Magazin für Literatur‹, 60 Jg., 1891, Nr. 16 v. 18. 4. 1891 – zit. nach *Selo*: »Die Kunst dem Volke«, S. 162.
112 *Hart,* Heinrich: Literarische Erinnerungen, S. 81.

113 Ist die Begeisterung des Volksbühnenpublikums für dieses Stück und die antidemo-
kratischen und antisozialistischen Reden von dessen Hauptfigur vor allem aus politisch-inhaltlichen Gründen befremdlich, so wird diese Befremdlichkeit noch durch
einen zweiten Punkt gesteigert: in der ersten Aufführung des ›Volksfeindes‹ am
14. Dezember ist trotz eisiger Kälte das Theater nicht geheizt, außerdem verzögert
sich der Beginn der Vorstellung um eine dreiviertel Stunde (vgl. *Selo*: »Die Kunst
dem Volke«, S. 163, Selo beruft sich auf die Darstellung in der Zeitung ›Die Post‹
vom 16. 12. 1890« vgl. auch ebd. S. 172, Anm. 24; vgl. ebd. S. 201).

114 So *Hart*, Julius: ›Wer ist der Begründer der Freien Volksbühne‹ in: Freie Bühne,
2. Jg., 1891, S. 245.

115 Vgl. *Ibsen*: Ein Volksfeind (Deutsch von Lange, Wilhelm), S. 8.

116 Vgl. ebd. S. 86.

117 Vgl. ebd. S. 88.

118 Vgl. ebd. S. 98.

119 Vgl. ebd. S. 86.

120 Ebd. S. 103–105.

121 *Hart,* Julius ›Wer ist der Begründer der Freien Volksbühne‹ in: Freie Bühne, 2. Jg.,
1891, S. 245.

122 *Brah*m ›Der erste Winter der Volksbühne‹ in: Freie Bühne, 2. Jg., 1891, S. 401.

123 Nach dem Bericht von Wille über die Verhandlung vor der ersten Instanz des Ver-
waltungsgerichts im Rechtsstreit betr. ›Einwirkung auf öffentliche Angelegenheiten‹
– *Wille* ›Die Freie Volksbühne und der Polizei-Präsident‹ in: Freie Bühne, 2. Jg.,
1891, S. 675.

124 So berichtet die ›Berliner Zeitung‹ in einer Rezension vom 16. 12. 1890 (nach *Selo:*
»Die Kunst dem Volke«, S. 172, Anm. 24).

125 Nach dem Bericht von Wille (vgl. oben Anm. 123) – *Wille* ›Die Freie Volksbühne und
der Polizei-Präsident‹ in: Freie Bühne, 2. Jg., 1891, S. 674.

126 Aus dem Urteil des Oberverwaltungsgerichts in dieser Angelegenheit, zit. nach *Selo:*
»Die Kunst dem Volke«, S. 198 (Anhang).

127 *Wille* ›Die Freie Volksbühne und der Polizei-Präsident‹ in: Freie Bühne, 2. Jg.,
1891, S. 674/75.

128 Berliner Volksblatt, 7. Jg., 1890, Nr. 290 v. 12. 12. 1890.

129 *Ibsen*: Ein Volksfeind (Deutsch von Lange, Wilhelm), S. 75/76.

130 *Brahm* ›Freie Volksbühne. »Ein Volksfeind«‹ (Rezension) in: Freie Bühne, 1. Jg.,
1890, S. 1204; vgl. auch *Selo*: »Die Kunst dem Volke«, S. 118/19.

131 *Brahm* ›Freie Volksbühne. »Ein Volksfeind«‹ (Rezension) in: Freie Bühne, 1. Jg.,
1890, S. 1205.

132 Vgl. *Wille* ›Die Freie Volksbühne und der Polizei-Präsident‹ in: Freie Bühne, 2. Jg.,
1891, S. 674/75.

133 *Ibsen*: Ein Volksfeind (Deutsch von Lange, Wilhelm), S. 48.

134 Ebd. S. 82/83.

135 *Schulze-Delitzsch,* einer der Protagonisten der liberalen Volksbildungsbewegung, antwortet z. B. auf die von den Arbeitern erhobene politische Forderung nach allgemei-
nem, gleichem und geheimem Wahlrecht damit, daß er die ›Bildung‹ für eine Vorbedingung erklärt, politische Rechte beanspruchen zu können: »ohne einen gewissen
Grad von Bildung wird [. . .] der Arbeiterstand nie fähig sein, sich fruchtbar an den
politischen Aufgaben der Gegenwart zu beteiligen« (*Schulze-Delitzsch,* Hermann
›Schriften und Reden in 5 Bänden‹, Berlin 1910, Bd. 2, S. 15 ff. – zit. nach *Buchwald:* Die deutsche Volksbildungsarbeit im Zeitalter des Liberalismus, S. 83).

136 Vgl. *Wille:* Philosophie der Befreiung durch das reine Mittel, S. 304.

137 *Ibsen:* Ein Volksfeind (Deutsch von Lange, Wilhelm), S. 78/79.

138 Vgl. Freie Bühne, 1. Jg., 1890, S. 1044 ff., 1217 ff.; Vgl. Freie Bühne, 2. Jg., 1891,
S. 1053 ff., 1077 ff.

139 Berliner Volksblatt, 7. Jg., 1890, Nr. 293 v. 16. 12. 1890, aus dieser Rezension Hartlebens auch die folgenden Zitate.
140 Der Volksbühnenaufführung lag die Übersetzung von Wilhelm Lange zugrunde, die auch wir für unsere Darstellung und Interpretation des ›Volksfeindes‹ benutzt haben. Hartleben kritisiert in seiner Rezension wegen einiger offensichtlicher Mängel diese Übersetzung – in seiner Kritik zitiert er aus der von ihm im gleichen Zusammenhang gelobten Übersetzung von Marie von Borch. Für die Bewertung dieser ›Fälschung‹ Hartlebens und ihrer Funktion spielt es nur eine untergeordnete Rolle, welche der Übersetzungen an der umstrittenen Stelle das Original Ibsens besser trifft, weil es hier nur um die Tätigkeit der Volksbühne geht und in der Volksbühne der Satz Wirkung ausübt, der dort tatsächlich gesprochen worden ist.
Es handelt sich bei Ibsen hier um eine schwer übersetzbare Stelle, die von allen Übersetzern bis heute immer wieder anders ins Deutsche übertragen wurde: »Almuen er ikke andet end det råstof, som folket skal gøre folk af« – *Ibsen:* En Folkfiende, S. 283. Tatsächlich trifft von allen Übersetzungen die von Marie von Borch, die Hartleben zitiert – vgl. *Ibsen:* Ein Volksfeind (Deutsch von Borch, Marie von), S. 90 – auch u. E. den Sinn dieser Stelle am besten, die wörtlich übersetzt heißt: ›Die Masse ist nichts anderes als der Rohstoff, woraus das Volk Menschen, so wie sie sein sollen, machen soll‹.
In der Fischerschen Volksausgabe von Ibsens Werken, hrsg. v. Elias und Schlenther, wird diese Stelle 1907 so übersetzt: »Die große Masse ist nur der Rohstoff, aus dem man das Volk machen soll« – vgl. *Ibsen:* Ein Volksfeind (Fischers Volksausgabe), S. 268. In einer neueren Übersetzung aus der DDR heißt die Stelle in der Übertragung von Bernhard Schulze: »Die breite Masse ist nur der Rohstoff. Daraus soll erst das Volk hervorgehen« – vgl. *Ibsen:* Ein Volksfeind (Deutsch von Schulze, Bernhard), S. 85.
141 So Hartleben in seiner Kritik: Berliner Volksblatt, 7. Jg., 1890, Nr. 293 v. 16. 12. 1890; nach Darstellung des Rezensenten (›Kr.‹) der Berliner ›Volkstribüne‹ waren etwa 80 % der Anwesenden Arbeiter – Volkstribüne, B. 4, 1890, Nr. 51 v. 20. 12. 1890.
142 Aus der Rezension in der Volkstribüne, ebd., daraus auch die folgenden Zitate.
143 Vgl. oben S. 91.
144 So z. B. Julius *Hart* ›Der Streit um die Freie Volksbühne‹ in: Freie Bühne, 3. Jg., 1892, II. Bd., S. 1228; vgl. auch *Ledebour* ›Zur Krisis der Freien Volksbühne, eine Erwiderung‹ in: Die Neue Zeit, 11. Jg., 1892/93, I. Bd., S. 288, wo es heißt, die Schriftsteller in der Volksbühnenleitung seien deshalb mit Wille aus dem Verein ausgeschieden, »weil ihr Ehrgefühl ihnen [aufgrund der Angriffe von Dupont auf die Schriftsteller] gebot, ihr Schicksal mit dem ihrer vergewaltigten Vorstandskollegen zu verknüpfen«.
145 Vgl. Biographisches Lexikon/Geschichte der deutschen Arbeiterbewegung, S. 320/21.
146 *Mehring* ›Zum dritten Stiftungsfest der Freien Volksbühne‹ in ›Die Volksbühne‹, 1. Jg., 1892/93, H. 9 – zit. nach *Mehring:* Gesammelte Schriften, Bd. 12, S. 273.
147 *Mehring* ›Freie Volksbühnen‹ in: Die Neue Zeit, 11. Jg., 1892/93, II. Bde., S. 482 – (auch in *Mehring:* Gesammelte Schriften, Bd. 12, S. 267)
148 Vgl. *Ledebour* ›Bildungsbestrebungen in der proletarischen Bewegung‹ in: Freie Bühne, 3. Jg., 1892, II. Bd., S. 1277.
149 *Hart,* Julius ›Der Streit um die Freie Volksbühne‹ in: Freie Bühne, 3. Jg., 1892, II. Bd., S. 1229.
150 *Wille* im ›Kunstwart‹, München 1892, Novemberheft – zit. nach *Selo:* »Die Kunst dem Volke«, S. 60.
151 *Mehring* ›Freie Volksbühnen‹ in: Die Neue Zeit, 11. Jg., 1892/93, II. Bd., S. 482, 484 – (auch in *Mehring:* Gesammelte Schriften, Bd. 12, S. 267, 271).
152 Ebd. S. 483 (bzw. S. 268).
153 Ebd. S. 485 (bzw. S. 271).

154 Ebd. S. 483 (bzw. S. 268).
155 Ebd. S. 484 (bzw. S. 270).
156 Ebd. S. 482 (bzw. S. 268).
157 Ebd. S. 483 (bzw. S. 268).
158 Vgl. oben S. 95/96; vgl. auch oben Anm. 48.
159 So Mehring im Oktober 1893 in der Vereinszeitschrift der ›Freien Volksbühne‹, ›Die Volksbühne‹ – zit. nach *Nestriepke:* Geschichte der Volksbühne Berlin, S. 97/98.
160 A.a.O., zit. nach ebd. S. 97.
161 *Mehring* ›Sudermanns »Ehre«‹ in ›Die Volksbühne‹, 1. Jg., 1892/93, H. 9 – zit. nach *Mehring:* Gesammelte Schriften, Bd. 11, S. 244.
162 A.a.O., zit. nach ebd. S. 244.
163 A.a.O., zit. nach ebd. S. 244.
164 *Mehring* ›Anzengrubers »Pfarrer von Kirchfeld«‹ in ›Die Volksbühne‹, 3. Jg., 1894/95, H. 9 – zit. nach *Mehring:* Gesammelte Schriften, Bd. 11, S. 509 ff.
165 Vgl. *Selo:* »Die Kunst dem Volke«, S. 173.
166 *Mehring* ›Anzengrubers »Pfarrer von Kirchfeld«‹ in: ›Die Volksbühne‹, 3. Jg., 1894/95, H. 9 – zit. nach *Mehring:* Gesammelte Schriften, Bd. 11, S. 512.
167 *Mehring* ›»Der freie Wille«, Schauspiel von Hermann Faber‹, in ›Die Volksbühne‹, 1. Jg., 1892/93, H. 1 – zit. nach *Mehring:* Gesammelte Schriften, Bd. 11, S. 389 ff.
168 A.a.O., zit. nach ebd. S. 390.
169 A.a.O., zit. nach ebd. S. 390.
170 *Mehring* ›»Hildegard Scholl«, Schauspiel von Bernhard Westenberger und Eugen Croissant‹ in ›Die Volksbühne‹, 3. Jg., H. 4 – zit. nach *Mehring:* Gesammelte Schriften, Bd. 11, S. 399 ff.
171 Vgl. *Nestriepke:* Geschichte der Volksbühne Berlin, S. 102/03; vgl. *Selo:* »Die Kunst dem Volke«, S. 202–207.
172 *Mehring* ›»Hildegard Scholl«, Schauspiel von Bernhard Westenberger und Eugen Croissant‹ in ›Die Volksbühne‹, 3. Jg., H. 4 – zit. nach *Mehring:* Gesammelte Schriften, Bd. 11, S. 400.
173 A.a.O., zit. nach ebd. S. 401.
174 A.a.O., zit. nach ebd. S. 400.
175 A.a.O., zit. nach ebd. S. 402.
176 A.a.O., zit. nach ebd. S. 403.
177 A.a.O., zit. nach ebd. S. 403.
178 Mehring hat die entsprechende Absicht in seinem Aufsatz ›Freie Volksbühne‹ so formuliert in: Die Neue Zeit, 11. Jg., 1892/93, II. Bd., S. 484 – (auch in *Mehring:* Gesammelte Schriften, Bd. 12, S. 271). Über das Bildungsbedürfnis der Arbeiter vgl. Hart, Heinrich: Literarische Erinnerungen, S. 79: »Wenn ich recht sehe, war es nicht so sehr ein Suchen nach Kunst, nach Kunst im engsten ästhetischen Sinne, was in den Arbeitern mächtig war [...] Kunst war ein Zubehör der Bildung, die man erstrebte. Um dieser Bildung willen ging man ihr nach, und so war sie mehr Mittel und Weg als Zweck und Ziel.«
179 *Mehring* ›Freie Volksbühnen‹ in: Die Neue Zeit, 11. Jg., 1892/93, II. Bd., S. 483 – (auch in *Mehring:* Gesammelte Schriften, Bd. 12, S. 269).
180 *Mehring* ›Der heutige Naturalismus‹ in ›Die Volksbühne‹, 1. Jg., 1892/93, H. 3 – zit. nach *Mehring:* Gesammelte Schriften, Bd. 11, S. 131.
181 A.a.O., zit. nach ebd. S. 132/33.
182 *Mehring* ›Freie Volksbühnen‹ in: Die Neue Zeit, 11. Jg., 1892/93, II. Bd., S. 483 – (auch in *Mehring:* Gesammelte Schriften, Bd. 12, S. 268).
183 Vgl. ebd. S. 482 (bzw. S. 267).
184 *Mehring* ›Etwas über Naturalismus‹ in ›Die Volksbühne‹, 1. Jg., 1892/93, H. 2 – zit. nach *Mehring:* Gesammelte Schriften, Bd. 11, S. 128.
185 *Mehring* ›Kleists »Zerbrochener Krug«‹ in ›Die Volksbühne‹, 1. Jg., 1892/93, H. 5 – zit. nach *Mehring:* Gesammelte Schriften, Bd. 10, S. 328–331.

186 *Mehring* ›Goethes »Egmont«‹ in ›Die Volksbühne‹, 1. Jg., 1892/93, H. 6 – zit. nach *Mehring:* Gesammelte Schriften, Bd. 10, S. 62–69.
187 A.a.O., zit. nach ebd. S. 62.
188 A.a.O., zit. nach ebd. S. 68.
189 A.a.O., zit. nach ebd. S. 64.
190 A.a.O., zit. nach ebd. S. 68.
191 A.a.O., zit. nach ebd. S. 69.
192 *Mehring* ›Schillers »Kabale und Liebe«‹ in ›Die Volksbühne‹, 2. Jg., 1893/94, H. 6 – zit. nach *Mehring:* Gesammelte Schriften, Bd. 10, S. 640–644.
193 A.a.O., zit. nach ebd. S. 644.
194 A.a.O., zit. nach ebd. S. 640.
195 A.a.O., zit. nach ebd. S. 643.
196 A.a.O., zit. nach ebd. S. 642.
197 A.a.O., zit. nach ebd. S. 642.
198 A.a.O., zit. nach ebd. S. 640, 642.
199 Vgl. zu dieser Problematik *Weil:* Die Entstehung des deutschen Bildungsprinzips, pass., aber besonders S. 221/22, wo das »Optieren repräsentativer Angehöriger der traditionellen Aristokratie für die Geisteselite« beschrieben wird (Typ Wilhelm von Humboldt z. B.). Humboldt fordert z. B. in einer ›Denkschrift über Preußens ständische Verfassung‹ 1819, dem Adel nur noch eine gesellschaftliche Stellung zukommen zu lassen, die seinen wirklichen moralischen Qualitäten entspreche und nicht traditionellen Überlieferungen: »Der Gesetzgeber, der dem Adel eine neue politische Haltung geben soll, kann ihn daher nur nach demjenigen nehmen und festhalten, was er von dem ehemaligen politischen Charakter moralisch wirklich in sich erhalten hat.«
200 *Schiller:* Kabale und Liebe, S. 278/79.
201 Ebd. S. 288.
202 Ebd. S. 275.
203 *Mehring* ›Schillers »Kabale und Liebe«‹ in ›Die Volksbühne‹, 2. Jg., 1893/94, H. 6 – zit. nach *Mehring:* Gesammelte Schriften, Bd. 10, S. 642.
204 *Schiller:* Kabale und Liebe, S. 325.
205 *Mehring* ›Schillers »Kabale und Liebe«‹ in ›Die Volksbühne‹, 2. Jg., 1893/94, H. 6 – zit. nach *Mehring:* Gesammelte Schriften, Bd. 10, S. 643.
206 Vgl. *Mehring* ›Freie Volksbühne‹ in: Die Neue Zeit, 11. Jg., 1892/93, II. Bd., S. 483 – (auch in *Mehring:* Gesammelte Schriften, Bd. 12, S. 268).
207 Ebd. S. 483 (bzw. S. 268).
208 *Mehring* ›Schillers »Kabale und Liebe«‹ in ›Die Volksbühne‹, 2. Jg., 1893/94, H. 6 – zit. nach *Mehring:* Gesammelte Schriften, Bd. 10, S. 643.
209 Vgl. *Nestriepke:* Geschichte der Volksbühne Berlin, S. 78.
210 So berichtet Julius *Hart* in ›Wer ist der Begründer der Freien Volksbühne‹ in: Freie Bühne, 2. Jg., 1891, S. 244. Ein anderer Eindruck über die Aufführung ergibt sich allerdings aus einer Rezension von *Bölsche* ›Kabale und Liebe auf der Freien Volksbühne‹ in: Freie Bühne, 2. Jg., 1891, S. 93/94.
211 *Mehring* ›Die Freie Volksbühne‹ in: Die Neue Zeit, 18. Jg., 1899/1900, II. Bd., S. 533 – (auch in *Mehring:* Gesammelte Schriften, Bd. 12, S. 293).
212 Ebd. S. 531 (bzw. S. 291).
213 Ebd. S. 531/32 (bzw. S. 292).
214 *Kautsky* ›Dr. Georg Adler, Die Sozialreform und das Theater‹ (Rezension) in ›Die Neue Zeit‹, 9. Jg., 1890/91, II. Bd., S. 252 – zit. nach ebd. S. 531 (bzw. S. 290). (Mehring zitiert nicht ganz exakt, wörtlich müßte die Passage beginnen: »so geht auch die Aufgabe der freien Volksbühne dahin« ... weiter wie bei Mehring zit.).
215 *Mehring* ›Die Freie Volksbühne‹ in: Die Neue Zeit, 18. Jg., 1899/1900, II. Bd., S. 532 – (auch in *Mehring:* Gesammelte Schriften, Bd. 12, S. 292).
216 Ebd. S. 532 (bzw. S. 292).

217 Ebd. S. 534 (bzw. S. 295).
218 Ebd. S. 534 (bzw. S. 295).
219 So nennt Mehring Hahn in dem Aufsatz ›Freie Volksbühnen‹ in: Die Neue Zeit, 11. Jg., 1892/93, II. Bd., S. 482 – (auch in *Mehring:* Gesammelte Schriften, Bd. 12, S. 267); im übrigen ist diese Stelle zit. aus *Mehring* ›Die Freie Volksbühne‹ in: Die Neue Zeit, 18. Jg., 1899/1900, II. Bd., S. 534 – (auch in *Mehring:* Gesammelte Schriften, Bd. 12, S. 296); vgl. auch *Koch:* Franz Mehrings Beitrag zur marxistischen Literaturtheorie, S. 101.
220 *Mehring* ›Die Freie Volksbühne‹ in: Die Neue Zeit, 18. Jg., 1899/1900, II. Bd., S. 534 – (auch in *Mehring:* Gesammelte Schriften, Bd. 12, S. 295).
221 *Mehring* ›Freie Volksbühnen‹ in: Die Neue Zeit, 11. Jg., 1892/93, II. Bd., S. 482 – (auch in *Mehring:* Gesammelte Schriften, Bd. 12, S. 267).
222 Ebd. S. 482 (bzw. S. 267).
223 *Mehring* ›Die Freie Volksbühne‹ in: Die Neue Zeit, 18. Jg., 1899/1900, II. Bd., S. 536 – (auch in *Mehring:* Gesammelte Schriften, Bd. 12, S. 298).
224 Ebd. S. 536 (bzw. S. 299).
225 Vgl. unten S. 126/27, 196/97.
226 *Mehring* ›Die Freie Volksbühne in: Die Neue Zeit, 18. Jg., 1899/1900, II. Bd., S. 532 – (auch in *Mehring:* Gesammelte Schriften, Bd. 12, S. 293).
227 Ebd. S. 533 (bzw. S. 293).
228 Ebd. S. 532 (bzw. S. 293).
229 Lenin ›Resolutionsentwurf über das Verhältnis zwischen Arbeitern und Intellektuellen in den sozialdemokratischen Organisationen‹ (1905) in *Lenin:* Werke, Bd. 8, S. 407.
230 *Lenin* ›Wie W. Sassulitsch das Liquidatorentum erledigt‹ (1913) in *Lenin:* Werke, Bd. 19, S. 400.
231 Vgl. *Mehring* ›Die Freie Volksbühne‹ in: Die Neue Zeit, 18. Jg., 1899/1900, II. Bd., S. 533 – (auch in *Mehring:* Gesammelte Schriften, Bd. 12, S. 293).
232 *Mehring* ›Schillers »Kabale und Liebe«‹ in ›Die Volksbühne‹, 2. Jg., 1893/94, H. 6 – zit. nach *Mehring:* Gesammelte Schriften, Bd. 10, S. 642.
233 *Mehring* ›Freie Volksbühnen‹ in: Die Neue Zeit, 11. Jg., 1892/93, II. Bd., S. 482 – (auch in *Mehring:* Gesammelte Schriften, Bd. 12, S. 268).
234 *Engels* ›Ludwig Feuerbach und der Ausgang der klassischen Philosophie‹ in ›Die Neue Zeit‹, 4. Jg., 1886, S. 209 – zit. nach *Marx/Engels:* Werke, Bd. 21, S. 307.
235 *Mehring* ›Schillers »Kabale und Liebe«‹ in ›Die Volksbühne‹, 2. Jg., 1893/94, H. 6 – zit. nach *Mehring:* Gesammelte Schriften, Bd. 10, S. 643.
236 Vgl. *Mehrings* Aufsätze ›Etwas über Naturalismus‹ in ›Die Volksbühne‹, 1. Jg., 1892/93, H. 2 (*Mehring:* Gesammelte Schriften, Bd. 11, S. 127–137) und ›Der heutige Naturalismus‹ in ›Die Volksbühne‹, 1. Jg., 1892/93, H. 3 (*Mehring:* Gesammelte Schriften, Bd. 11, S. 131–133).
237 *Mehring* ›Die Freie Volksbühne‹ in: Die Neue Zeit, 18. Jg., 1899/1900, II. Bd., S. 532 – (auch in *Mehring:* Gesammelte Schriften, Bd. 12, S. 293).
238 Vgl. *Mehring:* Der Fall Lindau, pass.; vgl. *Mehring:* Kapital und Presse, pass.
239 *Mehring:* Die Lessing-Legende, Vorrede zur zweiten Auflage (geschrieben 1906), S. 5.
240 *Mehring:* Kapital und Presse, S. 131.
241 Ebd. S. 132; vgl. ebd. S. 124–126.
242 Ebd. S. 133.
243 *Mehring:* Der Fall Lindau, S. 6.
244 Ebd. S. 59 findet sich eine Passage, in der Mehring argumentiert, ihm ginge es in seiner Schrift nicht um die Person Lindaus, sondern um die »Zustände«, die durch ihn repräsentiert würden, und wo er Lindau zu einem ›weniger Schuldigen‹ an diesen Zuständen erklärt, der für ihn nur einen konkreten Anknüpfungspunkt geboten habe. In diesem Sinne schreibt Mehring hier: »Hätte es in meiner Macht ge-

standen, ich hätte diese Schrift auch lieber ›Der Fall Barnay‹ oder ›Der Fall Brahm‹ betitelt, als ›Der Fall Lindau‹.«

Unter Bezugnahme auf diese Passage veröffentlicht Brahm in der ›Freien Bühne‹ (Freie Bühne, 1. Jg., 1890, S. 923–925) eine Parodie mit dem Titel ›Der Fall Brahm‹, als deren fiktiver Autor »Franz Mehring d. J.« vorgestellt wird und die Brahm wahrscheinlich selbst verfaßt hat. In dieser Parodie erzählt »Franz Mehring d. J.« über Brahm eine ähnliche Liebes- und Nötigungsgeschichte wie Mehring im ›Fall Lindau‹ über Paul Lindau.

245 *Mehring:* Kapital und Presse, S. 119.

246 Vgl. ebd. S. 49–56; vgl. auch *Höhle:* Franz Mehring, S. 273.

247 Mehring spielt hier auf den Korruptions-Vorwurf der ›Jungen‹ gegen die sozial-demokratischen Parteispitze an, vgl. oben S. 53 ff.

248 Volks-Zeitung, 38. Jg., 1890, Nr. 233 v. 2. 10. 1890.

249 Volks-Zeitung, 38. Jg., 1890, Nr. 237 v. 10. 10. 1890.

250 *Mehring:* Kapital und Presse, S. 133.

251 *Nietzsche* › Jenseits von Gut und Böse‹ – zit. nach ebd. S. 125.

252 Ebd. s. 132.

253 Vgl. Mehrings Stellungnahme in der Volks-Zeitung, 38. Jg., 1890, Nr. 233 v. 2. 10. 1890.

254 *Hart,* Julius ›Der Streit um die Freie Volksbühne‹ in: Freie Bühne, 3. Jg., 1892, II. Bd., S. 1226.

255 *Mehring* ›Ein letztes Wort in Sachen der Freien Volksbühne‹ in: Die Neue Zeit, 11. Jg., 1892/93, I. Bd., S. 319 – (auch in *Mehring:* Gesammelte Schriften, Bd. 12, S. 259).

256 Vgl. z. B. *Ledebour* ›Zur Krisis der Freien Volksbühne, eine Erwiderung‹ in: Die Neue Zeit, 11. Jg., 1892/93, I. Bd., S. 283; vgl. auch Julius *Hart* ›Der Streit um die Freie Volksbühne‹ in: Freie Bühne, 3. Jg., 1892, II. Bd., S. 1228.

257 *Mehring* ›Ein letztes Wort in Sachen der Freien Volksbühne‹ in: Die Neue Zeit, 11. Jg., 1892/93, I. Bd., S. 318 – (auch in *Mehring:* Gesammelte Schriften, Bd. 12, S. 257).

258 Vgl. oben S. 117 ff.; vgl. auch *Mehring* ›Die Freie Volksbühne‹ in: Die Neue Zeit, 18. Jg., 1899/1900, II. Bd., S. 532/33 – (auch in *Mehring:* Gesammelte Schriften, Bd. 12, S. 292/93).

259 Vgl. *Nestriepke:* Geschichte der Volksbühne Berlin, S. 133.

260 Vgl. ebd. S. 135.

261 Vgl. *Mehring* ›Preußische Polizeiwirtschaft‹ in: Die Neue Zeit, 14. Jg., 1895/96, I. Bd., S. 771 – (auch in *Mehring:* Gesammelte Schriften, Bd. 12, S. 288).

262 Ebd. S. 771/72 (bzw. S. 288).

263 Ebd. S. 771 (bzw. S. 288).

264 Vgl. *Mehring:* Gesammelte Schriften, Bd. 12, S. 338 (Personenverzeichnis).

265 *Mehring* ›Die Freie Volksbühne‹ in: Die Neue Zeit, 18. Jg., 1899/1900, II. Bd., S. 533 – (auch in *Mehring:* Gesammelte Schriften, Bd. 12, S. 294).

266 In § 27, vgl. *Nestriepke:* Geschichte der Volksbühne Berlin, S. 134; vgl. Selo: »Die Kunst dem Volke«, S. 95.

267 Vorwärts, 12. Jg., 1895, Nr. 96 v. 25. 4. 1895.

268 Vgl. *Nestriepke:* Geschichte der Volksbühne Berlin, S. 143.

269 Vgl. unten S. 196 ff.

270 Die Kehrseite dieser Argumentation wird in Mehrings Stellungnahme in der Volks-Zeitung, 38. Jg., 1890, Nr. 233 v. 2. 10. 1890 deutlich, wo er die Differenz zwischen Führung der Volksbühne und Mitgliedermassen dermaßen überspitzt behauptet, daß die Arbeiter, die sich entgegen seiner Prognose nicht ›von dem Ulke zurückziehen‹ (und das sind fast alle!) als widerspruchslos treue Anhänger Willes erscheinen müssen.

271 Vgl. Biographisches Lexikon/Geschichte der deutschen Arbeiterbewegung, S. 16.

272 Vgl. Vorwärts, 9. Jg., 1892, Nr. 242 v. 15. 10. 1892.

273 Vorwärts, 9. Jg., 1892, Nr. 243 v. 16. 10. 1892.

274 Ebd.; vgl. zu diesem Komplex auch Ledebour ›Bildungsbestrebungen in der proletarischen Bewegung‹ in: Freie Bühne, 3. Jg., 1892, II. Bd., S. 1275.

275 *Mehring* ›Freie Volksbühnen‹ in: Die Neue Zeit, 11. Jg., 1892/93, II. Bd., S. 482/83 – (auch in *Mehring:* Gesammelte Schriften, Bd. 12, S. 268).

276 Ebd. S. 483 (bzw. S. 268).

277 Protokoll über die Verhandlungen des Kölner Parteitages der Sozialdemokratischen Partei Deutschlands 1893, S. 22, 151 (Antrag 66).

278 Um nur ein Beispiel von vielen möglichen zu nennen: 1897 wird der aktive Gewerkschafter Gustav Winkler (der u. a. die Funktion eines Internationalen Sekretärs des Bildhauerverbandes innehat) zum Kassierer und Geschäftsführer der ›Freien Volksbühne‹ gewählt (vgl. *Nestriepke:* Geschichte der Volksbühne Berlin, S. 158).

279 Vgl. ebd. S. 74.

280 Vgl. ebd. S. 74.

281 Der Artikel in der ›Magdeburger Volksstimme‹ stammt von Heinrich Lux – Abdruck im Vorwärts zit. nach *Nestriepke:* Geschichte der Volksbühne Berlin, S. 74.

282 *Mehring* ›Zum dritten Stiftungsfest der Freien Volksbühne‹ in ›Die Volksbühne‹, 1. Jg., 1892/93, H. 9 – zit. nach *Mehring:* Gesammelte Schriften, Bd. 12, S. 272/73.

283 Vgl. *Selo:* »Die Kunst dem Volke«, S. 211; Ledebour ›Zur Krisis der Freien Volksbühne, eine Erwiderung‹ in: Die Neue Zeit, 11. Jg., 1892/93, I. Bd., S. 284–289.

284 Der erste Aufsatz ist der von *Mehring* ›Zur Krisis der Freien Volksbühne‹ in: Die Neue Zeit, 11. Jg., 1892/93, I. Bd., S. 180–185 – (auch in: *Mehring:* Gesammelte Schriften, Bd. 12, S. 248–255); ihm antwortet Ledebour mit dem Aufsatz ›Zur Krisis der Freien Volksbühne, eine Erwiderung‹ in: Die Neue Zeit: 11. Jg., 1892/93, I. Bd., S. 284–289; Mehring erwidert mit ›Ein letztes Wort in Sachen der Freien Volksbühne‹ in: Die Neue Zeit, 11. Jg., 1892/93, I. Bd., S. 317–323 – (auch in *Mehring:* Gesammelte Schriften, Bd. 12, S. 256–265).

285 Vgl. *Nestriepke:* Geschichte der Volksbühne Berlin, S. 82.

286 Zit. in einem Flugblatt, das anläßlich der Spaltungsauseinandersetzungen von der Wille-Fraktion im September 1892 herausgebraucht worden ist (hier zit. nach *Selo:* »Die Kunst dem Volke«, S. 70). – Kurz zuvor hat Türk seine Stellung in einer Großhandlung verloren. Er strebt mit dem Kassiererposten, der einzigen bezahlten Tätigkeit im Verein, nicht zuletzt seine materielle Sicherstellung an (vgl. *Nestriepke:* Geschichte der Volksbühne Berlin, S. 13).

287 Vgl. ebd. S. 68; die ›technischen Sachverständigen‹ haben demgegenüber sehr viel weniger Rechte in der ›Neuen Freien Volksbühne‹, sie dürfen z. B. nur eines der drei Mitglieder des engeren Vorstandes zusammen mit den ›künstlerischen Sachverständigen‹ *mit*wählen.

288 Vgl. ebd. S. 69/70 (zu Heinrich Hart auch ebd. S. 126, 255); vgl. *Soergel:* Dichtung und Dichter der Zeit, S. 205/06; vgl. *Wille:* Aus Traum und Kampf, S. 32.

289 Vgl. *Nestriepke:* Geschichte der Volksbühne Berlin, S. 69/70; vgl. *Wille:* Aus Traum und Kampf, S. 25; vgl. *Schleich:* Besonnte Vergangenheit, S. 206.

290 Vgl. *Nestriepke:* Geschichte der Volksbühne Berlin, S. 69; vgl. *Selo:* »Die Kunst dem Volke«, S. 211; vgl. auch oben S. 84.

291 Vgl. *Nestriepke:* Geschichte der Volksbühne Berlin, S. 69; vgl. *Selo:* »Die Kunst dem Volke«, S. 211; vgl. Meyers Großes Konversations-Lexikon, 6. Aufl., Bd. 13, S. 471.

292 Vgl. *Nestriepke:* Geschichte der Volksbühne Berlin, S. 70; vgl. *Soergel:* Dichtung und Dichter der Zeit, S. 162; vgl. *Münchow:* Deutscher Naturalismus, S. 83.

293 Vgl. *Nestriepke:* Geschichte der Volksbühne Berlin, S. 70, 122; vgl. *Schleich:* Besonnte Vergangenheit, S. 206.

294 Vgl. *Nestriepke:* Geschichte der Volksbühne Berlin, S. 115; vgl. auch *Wille:* Aus Traum und Kampf, S. 32.

295 Vgl. *Nestriepke:* Geschichte der Volksbühne Berlin, S. 115; vgl. *Wille:* Aus Traum und Kampf, S. 32.
296 1894 sitzen im engeren Vorstand (3 Sitze) u. a.: Bruno Wille und Bölsches Schwager Robert Bertelt, im ›künstlerischen Ausschuß‹ (zu dieser Zeit 5 Mitglieder) sitzen u. a. Hanstein, Mackay und Lessing (vgl. Nestriepke: Geschichte der Volksbühne Berlin, S. 115). 1896 ergibt sich ein ähnliches Bild: neben Wille wird Ludwig Jacobowski in den engeren Vorstand gewählt, im Ausschuß sitzen u. a. Landauer, Mauthner und Lessing (vgl. ebd. S. 194/95).
297 Vgl. *Stern:* Ludwig Jacobowski, S. 24.
298 Vgl. ebd. S. 52.
299 Vgl. *Nestriepke:* Geschichte der Volksbühne Berlin, S. 194/95.
300 Nach 1897 wirkt für einige Zeit auch noch der Friedrichshagener Journalist (und Anarchist) Albert Weidner im künstlerischen Ausschuß der ›Neuen Freien Volksbühne‹ mit, vgl. ebd. S. 199; vgl. auch *Wille:* Aus Traum und Kampf, S. 32.
301 Vgl. *Selo:* »Die Kunst dem Volke«, S. 202–207.
302 Vgl. *Nestriepke:* Geschichte der Volksbühne Berlin, S. 108/09.
303 Vgl. ebd. S. 109.
304 Vgl. ebd. S. 69, 139, 194, 308; vgl. *Bab:* Wesen und Weg der Berliner Volksbühnenbewegung, S. 12; vgl. *Bock:* Syndikalismus und Linkskommunismus von 1918–1923, S. 432; vgl. *Wille:* Aus Traum und Kampf, S. 28, 32.
305 Vgl. *Nestriepke:* Geschichte der Volksbühne Berlin, S. 138/39, 194, 308; vgl. *Wille:* Aus Traum und Kampf, S. 32.
306 Vgl. *Nestriepke:* Geschichte der Volksbühne Berlin, S. 216, 429.
307 Vgl. ebd. S. 130, 216.
308 Vgl. ebd. S. 205/06.
309 Vgl. *Bab:* Wesen und Weg der Berliner Volksbühnenbewegung, S. 34–38; vgl. auch *Nestriepke:* Geschichte der Volksbühne Berlin, S. 123.
310 Vgl. ebd. S. 122.
311 Vgl. ebd. S. 101, 174–178, 228; vgl. *Mehring* ›Die Freie Volksbühne‹ in: Die Neue Zeit, 18. Jg., 1899/1900, II. Bd., S. 533 – (auch in *Mehring:* Gesammelte Schriften, Bd. 12, S. 294).
312 Vgl. *Nestriepke:* Geschichte der Volksbühne Berlin, S. 133; vgl. *Selo:* »Die Kunst dem Volke«, S. 207; vgl. *Bab:* Wesen und Weg der Berliner Volksbühnenbewegung, S. 36 (bei Nestriepke heißt der Autor von ›Einsam‹ Agrell, bei Bab Agreil).
313 Vgl. *Nestriepke:* Geschichte der Volksbühne Berlin, S. 136.
314 Vgl. ebd. S. 144–147.
315 Vgl. ebd. S. 148–152

ANMERKUNGEN ZU KAPITEL 4

1 Vgl. die Zusammenfassung der Gothaer Parteitagsdebatte im Vorwärts, 13. Jg., 1896, Nr. 244 v. 17. 10. 1896.
2 Die genaue Auflagenzahl konnten wir nicht ermitteln. Molkenbuhr spricht auf dem Parteitag (Protokoll über die Verhandlungen des Gothaer Parteitages der Sozialdemokratischen Partei Deutschlands 1896, S. 95) von 200 000 Lesern (»daß für 200 000 Menschen ein Blatt herausgegeben wird« ...). Diese Zahl könnte mit der Auflagenhöhe der ›Neuen Welt‹ identisch sein. Allein der ›Vorwärts‹, ansonsten die größte sozialdemokratische Zeitung, dem die ›Neue Welt‹ beigelegt wird, hat 1896 eine Auflage von ca. 50 000 Expl. (1894: 45 000, 1897: 52 000 – die genaue Zahl von 1896 ist uns nicht bekannt, vgl. *Fricke:* Zur Organisation und Tätigkeit der deutschen Arbeiterbewegung (1890–1914), S. 143).
Wir schätzen die Auflagenhöhe sämtlicher sozialdemokratischer Parteizeitungen 1896 auf ca. 350 000 Expl. Diese Zeit ergibt sich aus der Annahme, daß die Auflagenhöhe

sämtlicher Parteizeitungen in ähnlicher Weise ansteigt wie die des Zentralorgans ›Vorwärts‹. In der folgenden Zeichnung stellen wir die Auflagenentwicklung aller Parteizeitungen und des ›Vorwärts‹ vergleichend graphisch dar, um diese Annahme zu belegen. Dies Verfahren scheint uns notwendig zu sein, weil besonders über die Auflagenstärke *aller* Parteizeitungen das Zahlenmaterial sehr dürftig ist (die Werte, die der Zeichnung zugrundeliegen, haben wir *Fricke:* Zur Organisation und Tätigkeit der deutschen Arbeiterbewegung (1890–1914), S. 133, 143 entnommen). Um die Kurven vergleichbar zu machen, haben wir alle Werte jeweils auf die Anfangsauflagenstärke als Basis = 1 bezogen (Ausgangspunkt für die Gesamtheit der sozialdemokratischen Zeitungen ist dabei das Jahr 1890, Ausgangspunkt für den ›Vorwärts‹ das Jahr 1891).
Die Darstellung zeigt tatsächlich ein ähnliches Verhalten in der Auflagenentwicklung.

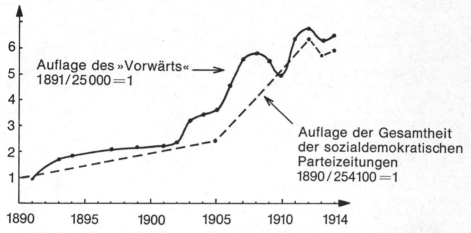

Falls die Auflagenstärke aller sozialdemokratischen Zeitungen 1896 ca. 350 000 ist, ist die Zahl 200 000 als Auflagenstärke der ›Neuen Welt‹ nicht unwahrscheinlich, weil das bedeuten würde, daß relativ viele, jedoch nicht alle Parteizeitungen die ›Neue Welt‹ als Beilage beziehen. Das entspräche *Schröder:* Handbuch der sozialdemokratischen Parteitage von 1863 bis 1909, S. 340, wo berichtet wird, daß manchen Redaktionen die ›Neue Welt‹ als Beilage zu teuer ist und sie deswegen andere Unterhaltungsblätter ›politisch farblosen Inhalts‹ beilegen (vgl. Antrag 66 auf dem Breslauer Parteitag 1895).
Schröder gibt auch an, daß die ›Neue Welt‹ von 1897 bis 1907 mit ca. 130 000 Mark die höchste Unterstützungssumme aller sozialdemokratischen Blätter von der Partei erhält (ebd. S. 455).

3 Vgl. Protokoll über die Verhandlungen des Gothaer Parteitages der Sozialdemokratischen Partei Deutschlands 1896, S. 117.

4 Zu dieser Einschätzung kommen auch Fülberth: Proletarische Partei und bürgerliche Literatur, S. 84–105; *Fülberth:* Sozialdemokratische Literaturkritik vor 1914 (Diss.), S. 218–239; *Koch:* Franz Mehrings Beitrag zur marxistischen Literaturtheorie, S. 159 ff.; *Roth:* Die kulturellen Bestrebungen der Sozialdemokratie im kaiserlichen Deutschland, S. 350–353. (Anders urteilen *Münchow:* Deutscher Naturalismus, S. 143; *Raddatz:* Marxismus und Literatur, III. Bd., S. 349. – Die letzteren behandeln die Naturalismusdebatte nur knapp und glauben, hier Elemente einer konsequenten sozialistischen Abgrenzung gegen den Naturalismus feststellen zu können.).

5 Vgl. ebd. S. 99; vgl. *Koch:* Franz Mehrings Beitrag zur marxistischen Literaturtheorie, S. 160; vgl. *Roth:* Die kulturellen Bestrebungen der Sozialdemokratie im kaiserlichen Deutschland, S. 351.

 6 Protokoll über die Verhandlungen des Gothaer Parteitages der Sozialdemokratischen Partei Deutschlands 1896, S. 93.
 7 Ebd. S. 93.
 8 Ebd. S. 94; vgl. auch ebd. S. 84.
 9 Ebd. S. 94.
10 Ebd. S. 95.
11 Ebd. S. 98.
12 *Liebknecht* ›Brief aus Berlin‹ in: Die Neue Zeit, 9. Jg., 1890/91, I. Bd., S. 709/10.
13 Protokoll über die Verhandlungen des Gothaer Parteitages der Sozialdemokratischen Partei Deutschlands 1896, S. 103.
14 Ebd. S. 102/03.
15 Ebd. S. 102.
16 Ebd. S. 105.
17 Ebd. S. 109.
18 Vgl. *Hegeler* ›Mutter Bertha‹ in: Die Neue Welt, 1896, Nr. 28, S. 294.
   Die gestrichene Passage lautet im Buchtext (*Hegeler*: Mutter Bertha, S. 37/38):
   »Nach einer Stunde, als sie in Graebes Zimmer waren, da beleuchtete die dickbäuchige Lampe mit ihrem milden Schein zwei inbrünstig an einander ruhende Menschenleiber, die sich hingaben in zitterndem Liebesringen, die durch wechselseitige Umarmungen sich austauschten, in einanderflossen mit tanzenden Küssen; und der kahlköpfige Puchta auf dem Kleiderschrank hörte mit seinen unförmigen Ohren seltsam ungewohnte Laute: Lachen und Flüstern und Liebesgetaumel ...
   Dann wurde es wieder still im Zimmer. Bertha schlief in Graebes Armen. Und er lag da, diesen lebenswarmen Körper des Weibes fühlend, sie sorgsam haltend, ohne sich zu rühren, im Wachen schlummernd; in Gedanken vertieft und doch wieder gedankenlos, in jener Seelenstimmung, wo einem so viel verborgene Ahnungen wie fernher schwingende Glocken durch die Seele klingen, wo man so viel und so Verschiedenes denkt, und doch wenn man gefragt wird, blos sagen kann: man dächte? ... ja man dächte eigentlich garnichts. – In einer solchen träumerischen Stimmung schaute er auf dem weichen feuchtwarmen Lager ausgestreckt, bald gegen die lichtumflossene Decke, bald gegen die in Dunkel verschwimmende Wand, bald gegen den weißen Körper des Weibes. Aber sein Auge glitt über das alles hinweg in die leere unendliche Weite, und mit visionärem Blick das Schwarz der Nacht durch eine Welt von Gedanken belebend, schaute er das All offen vor sich. Köstliche Ruhe, tiefer Frieden war nach der Aufregung soeben über ihn gekommen, und lange Zeit lag er mit geschlossenen Augen da, wunschlos und ohne Sorgen ...
   Dann schlief auch er ein.«
19 Vgl. *Hegeler* ›Mutter Bertha‹ in: Die Neue Welt, 1896, Nr. 31, S. 329; im Buchtext vgl. *Hegeler:* Mutter Bertha, S. 82.
20 Steiger ist 1858 in Egelshofen/Schweiz geboren worden (vgl. H. C. (= Cunow) ›Edgar Steiger‹ (Nachruf) in: Die Neue Zeit, 38. Jg., 1919/20, I. Bd., S. 121).
21 Vgl. ebd. S. 122.
22 Zuerst dem ›Wähler‹ (Leipzig), dann der ›Leipziger Volkszeitung‹ und schließlich der ›Neuen Welt‹, vgl. ebd. S. 122.
23 Vgl. Die Neue Welt, 1898: mit Nr. 13, 1898 endet lt. Impressum die Redakteurstätigkeit Steigers in der ›Neuen Welt‹.
24 Vgl. *Nestriepke:* Geschichte der Volksbühne Berlin, S. 421 (zum Gründerkreis gehört u. a. auch Georg von Vollmar, jener rechtssozialdemokratische Reichstagsabgeordnete, in dessen Eldorado-Rede die ›Jungen‹ 1891 die weitestgehende Inkarnation des reformistischen Abgleitens der Partei gesehen hatten und der deswegen die Person war, gegen die sich ihre Angriffe hauptsächlich richteten – vgl. oben S. 56.
25 In der ›Neuen Zeit‹ als Autor von Essays und Buchbesprechungen – vgl. hierzu wie zu den meisten biographischen Angaben H. C. (= Cunow) ›Edgar Steiger‹ (Nachruf) in: Die Neue Zeit, 38. Jg., 1919/20, I. Bd., S. 121–123.

26 Protokoll über die Verhandlungen des Gothaer Parteitages der Sozialdemokratischen Partei Deutschlands, 1896, S. 85.
27 Der Genauigkeitsgrad der stenographischen Mitschrift der Parteitagsdebatte läßt sich sehr gut überprüfen an der Wiedergabe von Frohmes Beitrag, in dem dieser eine Passage aus *Hegelers* ›Mutter Bertha‹ zitiert (ebd. S. 93). Abgesehen von den Satzzeichen und einigen kleinen Wortungenauigkeiten (»ach« statt »eh«, »eintreten« statt »einkehren« u. ä.), die nur ein Indiz dafür sind, daß der Protokollant hier nicht den Buchtext oder den Neue-Welt-Abdruck des Romans zu Rate gezogen hat, stimmt die Protokollwiedergabe präzise mit dem Romantext überein (vgl. die Buchfassung *Hegeler*: Mutter Bertha, S. 34 und die Neue-Welt-Fassung Hegeler ›Mutter Bertha‹ in: Die Neue Welt, 1896, Nr. 28, S. 293). Der Satzbau ist an keiner Stelle verändert worden.
28 Vorgebracht von den Redakteuren der Hamburger Parteizeitung ›Hamburger Echo‹.
29 *Steiger:* Das arbeitende Volk und die Kunst, S. 7 (im Abschnitt ›Die Erziehung des Volkes zur Kunst‹).
30 *Wille:* Philosophie der Befreiung durch das reine Mittel, S. 308–310.
31 Vgl. oben S. 106.
32 Z. B. *Steiger:* Das arbeitende Volk und die Kunst, S. 5, 7.
33 Protokoll über die Verhandlungen des Gothaer Parteitages der Sozialdemokratischen Partei Deutschlands 1896, S. 83.
34 *Steiger:* Das arbeitende Volk und die Kunst, S. 17; vgl. auch ebd. S. 14.
35 Der Begriff des ›Vollmenschen‹ (= des künstlerisch Durchgebildeten) taucht bei *Steiger* ebd. S. 7 auf.
36 *Wille*: Philosophie der Befreiung durch das reine Mittel, S. 394/95.
37 *Landauer:* Durch Absonderung zur Gemeinschaft, S. 68.
38 Ebd. S. 47/48.
39 Ebd. S. 68.
40 Ebd. S. 48.
41 Protokoll über die Verhandlungen des Gothaer Parteitages der Sozialdemokratischen Partei Deutschlands 1896, S. 84.
42 *Steiger:* Das arbeitende Volk und die Kunst, S. 6.
43 Vgl. *Wille:* Philosophie der Befreiung durch das reine Mittel, S. 309.
44 *Steiger:* Das arbeitende Volk und die Kunst, S. 6.
45 Protokoll über die Verhandlungen des Gothaer Parteitages der Sozialdemokratischen Partei Deutschlands 1896, S. 84; vgl. im selben Sinne *Steiger:* Das arbeitende Volk und die Kunst, S. 6.
46 Protokoll über die Verhandlungen des Gothaer Parteitages der Sozialdemokratischen Partei Deutschlands 1896, S. 84: vgl. auch den Gründungsaufruf der ›Freien Volksbühne‹, wo davon ausgegangen wird, daß sich ›ein Teil des Volkes‹ »unter dem Einflusse redlich strebender Dichter, Journalisten und Redner« von der ›Korruption‹ in Kunstfragen befreit habe, und wo die Volksbühne nun ein Theater vorwiegend für »diesen zu gutem Geschmack bekehrten Teil des Volkes« sein soll (zit. nach *Nestriepke*: Geschichte der Volksbühne Berlin, S. 11).
47 Vgl. *Steiger:* Das arbeitende Volk und die Kunst, Unterabschnitt ›Das Proletariat und die Modernen‹, S. 8–12.
48 Ebd. S. 9.
49 Ebd. S. 9.
50 *Steiger:* Das arbeitende Volk und die Kunst, S. 15.
51 Ebd. S. 14.
52 Ebd. S. 11.
53 Ebd. S. 19.
54 Protokoll über die Verhandlungen des Gothaer Parteitages der Sozialdemokratischen Partei Deutschlands 1896, S. 85.
55 Ebd. S. 85.

56 *Steiger:* Das arbeitende Volk und die Kunst, S. 10.
57 Ebd. S. 10/11.
58 Ebd. S. 14.
59 Protokoll über die Verhandlungen des Gothaer Parteitages der Sozialdemokratischen Partei Deutschlands 1896, S. 82.
60 *Steiger:* Das arbeitende Volk und die Kunst, S. 7.
61 Rhetorische Frage Steigers: »Oder will der Sozialismus etwas anderes als das große Kulturerbe der Vergangenheit der Gesamtheit der Menschen zu übermitteln«, ebd. S. 7.
62 Ebd. S. 7.
63 Ebd. S. 14.
64 Protokoll über die Verhandlungen des Gothaer Parteitages der Sozialdemokratischen Partei Deutschlands 1896, S. 85.
65 Ebd. S. 85.
66 Ebd. S. 85.
67 *Steiger* in: Die Neue Welt, 1896, Nr. 9.
68 *Land* ›Der neue Gott‹ erscheint in der ›Neuen Welt‹, 1896, Nr. 14–24; *Mackay* ›Die letzte Pflicht‹ erscheint ebd. Nr. 16–24; *Hegeler* ›Mutter Bertha‹ erscheint ebd. Nr. 26–39.
69 Vgl. *Nestriepke:* Geschichte der Volksbühne Berlin, S. 305/06.
70 Vgl. oben S. 25/26.
71 Freie Bühne, 1. Jg., 1890, S. 260.
72 *Land* ›Kunst und Volk‹ in: Freie Bühne, 1. Jg., 1890, S. 258.
73 Gründungsaufruf der ›Freien Volksbühne‹, zit. nach *Nestriepke:* Geschichte der Volksbühne Berlin, S. 10.
74 *Land* ›Kunst und Volk‹ in: Freie Bühne, 1. Jg., 1890, S. 258.
75 Ebd. S. 259.
76 Ebd. S. 260.
77 Ebd. S. 260.
78 Ebd. S. 260 (Hervorhebungen von uns).
79 Ob dies Kind einer vorehelichen oder einer außerehelichen Beziehung entstammt, wird aus dem Roman nicht deutlich. Es wird nur berichtet, daß Haidens Vater von der Existenz der Tochter seiner Frau weiß – vgl. *Land:* Der neue Gott, S. 142.
80 Vgl. *Land:* Der neue Gott, S. 15–19.
81 Ebd. S. 64.
82 Vgl. ebd. S. 193/94.
83 Ebd. S. 19.
84 Ebd. S. 197.
85 Ebd. S. 194.
86 Vgl. ebd. S. 195/96.
87 Ebd. S. 194/95.
88 Ebd. S. 105.
89 Ebd. S. 145.
90 Indirekter innerer Monolog Haidens: »Was die Dichter preisen als Krone des Seins, diesen süßesten Maienrausch, was hatte er von ihm gekostet? – war es nicht auf ihn eingestürmt seit seiner Entwicklung zum Manne, dieses Heer schwarzer, drängender Gedanken und hatte Besitz genommen von seiner Seele?« (ebd. S. 210/11).
91 Ebd. S. 211.
92 Ebd. S. 148.
93 Vgl. ebd. S. 53, 165, 186.
94 Ebd. S. 60/61.
95 Ebd. S. 193.
96 Ebd. S. 186.
97 In der Buchfassung des Romans werden ganze sieben Seiten lang (von insgesamt

254) die Schwierigkeiten geschildert, die einer solchen Rettung entgegenstehen. Die Darstellung der Schwierigkeiten wird nur unterbrochen durch das unbeirrte Bekenntnis Bernhard Jacobys zu seinem Vorhaben (ebd. S. 173–179).

 98 Außer den drei im Anschluß erwähnten Prostituierten gibt es im Roman noch folgende Frauengestalten: zwei weitere Prostituierte, eine namenlose und eine namens Emmy (vgl. ebd. S. 168/69), Haidens Wirtin Frau Lemcke, Haidens Mutter, die Mutter von Ernst und Theodor Hart und Judith Jacoby.

 99 Ebd. S. 180.

100 Ebd. S. 179 (Hervorhebung von uns).

101 Ebd. S. 180.

102 »Wir wissen es: Die Zeiten sind gewesen, da Kaste gegen Kaste stritt; der Gedanke unserer Zeit gehört der ganzen Welt, ein jeder hat das Recht, ihn zu erfassen und das Leben der Zeit zu kosten« (ebd. S. 105/06).

103 Bernhard Jacoby: »Jetzt ist es aufgeflammt wie ein Blitz in der Nacht und hat die furchtbare Wahlstatt [sic!] des wirtschaftlichen Kampfes grell bestrahlt; unsere Ohren haben lauschen gelernt auf das Stöhnen bedrängter Klassen, unser Rechtsgefühl ist wach geworden und ein Schauder hat uns angefaßt.« (ebd. S. 196).

104 Vgl. oben S. 68 ff.

105 *Land:* Der neue Gott, S. 155.

106 Ebd. S. 155.

107 Ebd. S. 252/53.

108 Vgl. dazu Lands Vorwort zur 3. Aufl. des Romans von 1919 (zur Form der ›Darstellung‹ statt ›Erzählung‹ – ebd. S. 6).

109 Vgl. dazu z. B. auch *Mackay:* Die Anarchisten, S. 218/19, 343, 401.

110 *Land:* Der neue Gott, S. 69.

111 Ebd. S. 197.

112 Ebd. S. 198.

113 Ebd. S. 38.

114 Ebd. S. 59.

115 Gegenüber der Zeitschriftenauflage von ca. 200 000 (vgl. oben Anm. 2) fällt die Buchausgabe, die sicher nicht mehr als 2000–3000 Expl. umfaßt haben dürfte, kaum ins Gewicht. Mit der ›Neue Welt‹-Fassung wird also Lands Roman ein breiter Leserkreis erst erschlossen.

116 Vgl. *Festner:* Wilhelm Hegeler, S. 17–26; vgl. Hegeler: Einiges aus meinem Leben, S. 231.

117 Vgl. *Nestriepke:* Geschichte der Volksbühne Berlin, S. 69/70.

118 Vgl. *Festner:* Wilhelm Hegeler, S. 26; Vgl. *Hegeler:* Einiges aus meinem Leben, S. 230–232.

119 Vgl. *Festner:* Wilhelm Hegeler, S. 26; vgl. auch Ledebour ›Neue Romane‹ in: Freie Bühne, 4. Jg., 1893, I. Bd., S. 688.

120 *Hegeler:* Einiges aus meinem Leben, S. 230.

121 Ebd. S. 230.

122 Ebd. S. 231.

123 Ebd. S. 230.

124 Ebd. S. 231.

125 Ebd. S. 231/32.

126 Ebd. S. 232.

127 Ebd. S. 232.

128 Ebd. S. 232.

129 Ebd. S. 232.

130 Ebd. S. 232.

131 Vgl. unten S. 179.

132 Die beiden anderen sind Hans Schliepmann und Cäsar Flaischlen (vgl. Die Kunst

dem Volke! (= Zeitschrift der ›Neuen Freien Volksbühne‹), H. 16, Februar 1894, S. 12).

133 Ebd. S. 13.
134 Dabei handelt es sich in diesem Konflikt nicht einmal um sozialistische Ideen, sondern nur um eine Form des demokratischen Abwehrkampfes gegen die Unterdrükkung der politischen Meinungsfreiheit.
135 Vgl. *Festner:* Wilhelm Hegeler, S. 50.
136 Er ist etwa 22 Jahre alt; das läßt sich daraus schließen, daß Friedrichs Schulfreund Hans als 22jährig bezeichnet wird (vgl. *Hegeler:* Mutter Bertha, S. 10, 45).
137 Ebd. S. 7.
138 Ebd. S. 2.
139 Vgl. ebd. S. 31: »Sie sahen nur Häuser und immer neue Häuser, während das Menschengewimmel in den Straßen und Bahnhofshallen ihnen einen unheimlichen Eindruck von der Endlosigkeit der Stadt beibrachte. Sie waren froh, als der Zug auf dem freien Platz am Tiergarten hielt.« (vgl. auch ebd. S. 31 ff.).
140 *Hegeler:* Einiges aus meinem Leben, S. 231.
141 Vgl. ebd. S. 231: »Ihr [= der Sozialdemokraten] Allheilmittel lág in einer Änderung der ökonomischen Lage. Es kam so ziemlich darauf hinaus, daß, wenn erst alle satt zu essen hätten, auch alle glücklich wären. Ich hatte satt zu essen und war nichts weniger als glücklich, sondern von hundert Qualen und Zweifeln geplagt.«
142 Vgl. *Festner:* Wilhelm Hegeler, S. 17.
143 Z. B. Bertha (*Hegeler:* Mutter Bertha, S. 22, 26); Jakob (ebd. S. 50, 71, 215); Frau Schulz (ebd. S. 164/65); Pohle und seine Frau (ebd. S. 167); Magnetiseur Larus, der Scharlatan (ebd. S. 176).
144 Ebd. S. 33/34: »In der übermütigsten Stimmung tollten die beiden auf den einsamen Rasenrainen umher. Sie suchten jetzt mit Absicht die abseits gelegenen Wege auf. Und wenn sie mal an eine Hauptstraße kamen, wo Menschen lärmten, dann bogen sie schleunigst wieder in die Büsche zurück. Lustig, das Vogelgezwitscher ersetzend, klang ihr Lachen durch die blätterlosen, nur an einer Seite mit Moos bewachsenen Bäume.
Aber mitten im Laufen blieb Bertha plötzlich stehen und indem sie ihren Begleiter mit ernsthaftem Gesicht ansah, sagte sie:
– Ach, Herr Fritz! … Ich … eh …
– Was? … fragte Graebe, der sie nicht verstand.
– Ich möchte mal … Ach, verstehen Sie mich doch …
– Ach so! … Padon … Sie müssen entschuldigen … Ja, ja … Verzeihen Sie …
Ja … Bitte sehr, bitte …
Ein Blutrot der Verlegenheit durchschoß sein Gesicht. Einen Moment wußte er sich nicht zu helfen, dann sagte er zaudernd:
– Ist es Ihnen vielleicht recht, wenn wir irgendwo einkehren? …
– Ja doch! … Aber blos 'n bißchen schnell … erwiderte sie in ganz harmlosem Tone.
Sie kamen bald an die Zelte, und während Bertha verschwand, suchte Graebe einen Tisch.«
145 Ebd. S. 39, 41.
146 Ebd. S. 41.
147 Vgl. ebd. S. 113/14, wo Bertha den Heiratsantrag des Gärtners Pohle nur deswegen ausschlagen kann, weil sie ihre realistischen Bedenken über die Möglichkeit einer Heirat mit Friedrich verdrängt.
148 Vgl. auch unten S. 179
149 *Hegeler:* Mutter Bertha, S. 166/67.
150 Ebd. S. 176.
151 Vgl. *Festner:* Wilhelm Hegeler, S. 28, 35, 43 über Hegelers Eheprobleme und seine insgesamt drei Scheidungen. Diese persönlichen Probleme werden in der Autobio-

graphie (›Einiges aus meinem Leben‹) nicht erwähnt, dort werden die Schwierigkeiten bei der Überwindung der Einsamkeit nur politisch interpretiert, im Roman
dagegen nur auf der persönlichen Ebene.

152 *Hegeler:* Einiges aus meinem Leben, S. 231.

153 *Hegeler:* Mutter Bertha, S. 8/9.

154 Thematisiert wird das in Hegelers Roman mehr bei Friedrichs Freund Hans Dahlem,
der seine sexuellen Kontaktwünsche immer nur auf Ladenmädchen, Dienstmädchen
usw. richtet (vgl. ebd. S. 45, 64).

155 Ebd. S. 165.

156 Ebd. S. 166.

157 Ebd. S. 167.

158 Ebd. S. 13.

159 Ebd. S. 13.

160 Ebd. S. 16.

161 Ebd. S. 201/02.

162 Ebd. S. 33.

163 Ebd. S. 97.

164 Vgl. ebd. S. 214.

165 Vgl. ebd. S. 58.

166 Ebd. S. 102; ohne daß der Autor das wahrscheinlich bewußt beabsichtigt hat, trägt
in dieser Szene die Sohnesliebe der Mutter und die Mutterliebe des Sohnes deutlich
sexuelle Züge; andeutungsweise wird hier ein inzestuöser Sexualakt vollzogen (›Sie
fühlte [...] den Strom der Liebe [...] in ihren Schoß rieseln‹).

167 Vgl. oben S. 48 ff., 160.

168 *Hegeler:* Mutter Bertha, S. 116/17.

169 Ebd. S. 220.

170 Ebd. S. 196.

171 Ebd. S. 2.

172 Ebd. S. 118.

173 Ebd. S. 118.

174 Ebd. S. 119.

175 Vgl. *Roth:* Die kulturellen Bestrebungen der Sozialdemokratie im kaiserlichen
Deutschland, S. 358; vgl. *Bebel:* Die Frau und der Sozialismus, S. 474/75 (u. a.).

176 *Hegeler:* Mutter Bertha, S. 99.

177 Vgl. oben 170.

178 *Hegeler:* Mutter Bertha, S. 35; ein ähnliches Beispiel ist Hegelers Schilderung eines
Selbstmordversuchs des Lehrjungen Jakob (ebd. S. 82/83) – Jakob will ins Wasser
gehen: »Die Todesangst war fürchterlicher als der Tod selbst.
Herunter! ...
Ein Hupps! Ein schrecklicher heiserer Todesschrei! ... und der kleine Lehrjunge,
der auf dieser Welt Jakob genannt wurde, mit den schlotterigen Hosen nach engli-
scher Façon, mit dem Bratenrock, der auf den Leibesumfang eines gemästeten
Lebemannes berechnet war, mit den umgekrempelten Ärmeln, aus denen in diesem
Augenblick die Arme riesenlang hervorstaken, als wollten sie den lieben Gott selbst
an den Beinen kriegen, war hineingeplumpst: mit dem Popo zuerst – – – – – – – –
– –
Aber, Gott sei Dank, nicht ins Wasser! denn da wäre er ja unfehlbar ertrunken.
Unmittelbar hart gegen die senkrecht abfallende Mauer gedrängt, lag ein Spreekahn,
zu dem man auf einer steinernen Treppe heruntergelangen konnte. Auf dem Verdeck
war eine Frau damit beschäftigt, Äpfel aus Körben zu laden. Ein junger Bursche
schleppte im Innern des Schiffes schnaufend die Körbe herauf.
Davon hatte Jakob in seiner Duselei natürlich nichts gesehn. Als er auf einmal
heruntergesaust kam, mitten in einen Haufen Äpfel hinein, die auseinander quatsch-

ten und zum Teil über Bord spritzten, wie harte Erbsen unter den Zinken einer Gabel, da kam die Frau mit einem großen Schreckensschrei herzugelaufen.
– Jotte noch, mitten mang die Borsdorfer! . . .«

179 Vgl. oben S. 173.
180 *Hegeler:* Mutter Bertha, S. 64.
181 Ebd. S. 66.
182 Ebd. S. 88.
183 Vgl. ebd. S. 125, 148.
184 Ebd. S. 50.
185 Ebd. S. 61.
186 Vgl. die Stellungnahmen von Bérard und Steiger (Protokoll über die Verhandlungen des Gothaer Parteitages der Sozialdemokratischen Partei Deutschlands 1896, S. 79, 83).
187 Vgl. *Hegeler:* Mutter Bertha, S. 24.
188 Ebd. S. 25.
189 Ebd. S. 51.
190 Ebd. S. 52.
191 Ebd. S. 74.
192 Ebd. S. 74.
193 Protokoll über die Verhandlungen des Gothaer Parteitages der Sozialdemokratischen Partei Deutschlands 1896, S. 79.
194 Ebd. S. 79.
195 Ebd. S. 83.
196 *Mehring* schreibt in ›Kunst und Proletariat‹ in: Die Neue Zeit, 15. Jg., 1896/97, I. Bd., S. 130/31 – (auch in *Mehring:* Gesammelte Schriften, Bd. 11, S. 136): »Ein noch viel drastischeres Beispiel läßt sich aus den Verhandlungen des Gothaer Parteitages anziehn. Es wurde dort gesagt, Hans Lands Roman ›Der neue Gott‹, den die ›Neue Welt‹ veröffentlicht hat, sei von den Arbeitern als Verhöhnung ihres Klassenkampfes empfunden worden. Darauf erwiderte der Redakteur, er habe im Gegenteil lange geschwankt, ob er den Roman in die ›Neue Welt‹ aufnehmen solle, weil er zu tendenziös im Sinne der Sozialdemokratie sei und deshalb künstlerische Ansprüche zuwenig befriedige.«
Es ist nicht mit Sicherheit festzustellen, ob Steiger tatsächlich so argumentiert hat. Das stenographische Parteitagsprotokoll, das sonst sehr genau ist (vgl. oben Anm. 27) und das, weil es, mit einer Verzögerung von nur einem Tag, parallel zur Parteitagsdiskussion im ›Vorwärts‹ abgedruckt wird, auch Mehring bei der Abfassung des Aufsatzes vorgelegen haben wird, vermerkt an der betr. Stelle recht oberflächlich nur: »Redner geht nun dazu über, einzelne Vorwürfe Bérards zurückzuweisen. Er nimmt den Roman ›Der neue Gott‹ von Hans Land in Schutz und sieht in ihm nicht eine Verhöhnung der Sozialdemokraten, sondern eine Schilderung der verruchten gesellschaftlichen Verhältnisse, die Tausende ins Verderben führen, um in uns die Entrüstung über solche Verhältnisse zu wecken.« (Protokoll über die Verhandlungen des Gothaer Parteitages der Sozialdemokratischen Partei Deutschlands 1896, S. 82).
Das Protokoll gibt keine Anhaltspunkte für die von Mehring geschilderte Passage in Steigers Rede, aber es schließt auch nicht aus, daß solche Äußerungen tatsächlich gefallen sind und Mehring sie auf anderem Wege als über das Protokoll (in der Form des Vorabdrucks im ›Vorwärts‹) erfahren hat.
197 Protokoll über die Verhandlungen des Gothaer Parteitages der Sozialdemokratischen Partei Deutschlands 1896, S. 105.
198 Ebd. S. 109/10.
199 Wilhelm *Liebknecht* ›Brief aus Berlin‹ in: Die Neue Zeit, 9. Jg., 1890/91, I. Bd., S. 709.
200 Protokoll über die Verhandlungen des Gothaer Parteitages der Sozialdemokratischen Partei Deutschlands 1896, S. 103.

201 Ebd. S. 103.
202 Ebd. S. 103.
203 Ebd. S. 102.
204 Ebd. S. 181.
205 Ebd. S. 181.
206 Vorwärts, 13. Jg., 1896, Nr. 244 v. 17. 10. 1896.
207 *Mehring* ›Kunst und Proletariat‹ in: Die Neue Zeit, 15. Jg., 1896/97, I. Bd., S. 132 – (auch in *Mehring*: Gesammelte Schriften, Bd. 11, S. 136).
208 Ebd. S. 129, 132 (bzw. S. 134, 138).
209 Mehring meint hier seine Aufsätze und den Ledebours anläßlich der Volksbühnenspaltung 1892: *Mehring* ›Zur Krisis der Freien Volksbühne‹ in: Die Neue Zeit, 11. Jg., 1892/93, I. Bd., S. 180–184 – (auch in *Mehring*: Gesammelte Schriften, Bd. 12, S. 248–255); *Ledebour* ›Zur Krisis der Freien Volksbühne, eine Erwiderung‹ in: Die Neue Zeit, 11. Jg., 1892/93, I. Bd., S. 284–289; *Mehring* ›Ein letztes Wort in Sachen der Freien Volksbühne‹ in: Die Neue Zeit, 11. Jg., 1892/93, I. Bd., S. 317 bis 323 – (auch in *Mehring*: Gesammelte Schriften, Bd. 11, S. 256–265).
210 *Mehring* ›Kunst und Proletariat‹ in: Die Neue Zeit, 15. Jg., 1896/97, I. Bd., S. 132 – (auch in *Mehring*: Gesammelte Schriften, Bd. 11, S. 138).
211 Ebd. S. 132 (bzw. S. 138).
212 *Bosse* ›Die Arbeiter und die Kunst‹, abgedruckt in *Münchow* (Hrsg.): Aus den Anfängen der Sozialistischen Dramatik, S. 153–193.
213 Ebd. (biographische Anm.) S. 201.
214 Ebd. S. 154.
215 Ebd. S. 173; vgl. auch H. C. (= Cunow) ›Edgar Steiger‹ (Nachruf) in: Die Neue Zeit, 38. Jg., 1919/20, I. Bd., S. 122; vgl. auch Protokoll über die Verhandlungen des Gothaer Parteitages der Sozialdemokratischen Partei Deutschlands 1896, S. 109.
216 Vgl. *Bosse: Die Arbeiter und die Kunst, S. 173.*
217 Ebd. S. 159.
218 Ebd. S. 176.
219 Ebd. S. 178/79.
220 Ebd. S. 186.
221 Ebd. S. 177.
222 Vgl. *Mehring* ›Kunst und Proletariat‹ in: Die Neue Zeit, 15. Jg., 1896/97, I. Bd., S. 129/30 – (auch in *Mehring*: Gesammelte Schriften, Bd. 11, S. 135/36).
223 *Bosse:* Die Arbeiter und die Kunst, S. 178.
224 Ebd. S. 191.
225 Ebd. S. 191.
226 Ebd. S. 192.
227 Ebd. S. 192.
228 Ebd. S. 190.
229 Ebd. S. 193.
230 Vgl. zum Revisionismus unten S. 201/02.

ANMERKUNGEN ZU KAPITEL 5

1 Flugblatt der ›Neuen Freien Volksbühne‹ – zit. nach *Nestriepke:* Geschichte der Volksbühne Berlin, S. 192.
2 Vgl. *Nestriepke:* Geschichte der Volksbühne Berlin, S. 109.
3 *Mehring* ›Preußische Polizeiwirtschaft‹ in: Die Neue Zeit, 14. Jg., 1895/96, I. Bd., S. 770 (geschrieben am 11. 3. 1896) – (auch in *Mehring*: Gesammelte Schriften, Bd. 12, S. 286).
4 Vgl. *Nestriepke:* Geschichte der Volksbühne Berlin, S. 147/48.
5 Resolution – zit. nach ebd. S. 149.

6 Brief Willes an die Volksbühnenversammlung vom 7. 3. 1897, vorgetragen von
  Adolf Löhr – zit. nach ebd. S. 149.
7 *Mehring* ›Die Freie Volksbühne‹ in: Die Neue Zeit, 18. Jg., 1899/1900, II. Bd., S.
  533 – (auch in *Mehring:* Gesammelte Schriften, Bd. 12, S. 294). – Hervorhebung von
  uns.
8 Vgl. *Nestriepke:* Geschichte der Volksbühne Berlin, S. 155.
9 Vgl. ebd. S. 148, 157; vgl. auch *Mehring* ›Die Freie Volksbühne‹ in: Die Neue Zeit,
  18. Jg., 1899/1900, II. Bd., S. 533 – (auch in *Mehring:* Gesammelte Schriften, Bd. 12,
  S. 294/95).
10 Vgl. *Mehring* ›Ein letztes Wort in Sachen der Freien Volksbühne‹ in: Die Neue Zeit,
   19. Jg., 1900/01, I. Bd., S. 60 – (auch in *Mehring:* Gesammelte Schriften, Bd. 12,
   S. 302); vgl. auch Conrad *Schmidt* ›Genosse Mehring und die Freie Volksbühne‹ in:
   Die Neue Zeit, 18. Jg., 1899/1900, II. Bd., S. 659, 661.
11 *Mehring* ›Die Freie Volksbühne‹ in: Die Neue Zeit, 18. Jg., 1899/1900, II. Bd.,
   S. 536 – (auch in *Mehring:* Gesammelte Schriften, Bd. 12, S. 299).
12 Vgl. *Nestriepke:* Geschichte der Volksbühne Berlin, S. 159.
13 *Mehring* gebraucht diesen Begriff im Zusammenhang dieser Auseinandersetzung –
   zit. nach ebd. 159.
14 Vgl. ebd. S. 27; vgl. *Selo:* »Die Kunst dem Volke«, S. 211.
15 Vgl. *Nestriepke:* Geschichte der Volksbühne Berlin, S. 69.
16 Vgl. ebd. S. 159.
17 Nach einer ebd. S. 188 zit. Passage aus Conrad Schmidts Rede.
18 Vgl. ebd. S. 157.
19 Vgl. ebd. S. 184, 186.
20 Vgl. oben S. 84.
21 Vgl. *Nestriepke:* Geschichte der Volksbühne Berlin, S. 160.
22 Vgl. ebd. S. 164.
23 Vgl. ebd. S. 149.
24 Vgl. ebd. S. 161/62.
25 Conrad *Schmidt* ›Genosse Mehring und die Freie Volksbühne‹ in: Die Neue Zeit,
   18. Jg., 1899/1900, II. Bd., S. 660.
26 Vgl. oben S. 195 (und Anm. 1).
27 Flugblatt der ›Neuen Freien Volksbühne‹ – zit. nach *Nestriepke:* Geschichte der
   Volksbühne Berlin, S. 191.
28 Vgl. oben S. 149 ff.
29 In der Neuen Zeit von 1896–1898, vgl. dazu *König:* Vom Revisionismus zum ›Demokratischen Sozialismus‹, S. 9/10.
30 *Bernstein* ›Der Kampf der Sozialdemokratie und die Revolution der Gesellschaft‹ in:
   Die Neue Zeit, 16. Jg., 1897/98, I. Bd., S. 556.
31 Z. B. Rosa *Luxemburg* auf dem Stuttgarter Parteitag 1898: »umgekehrt: die Bewegung als solche ohne Beziehung auf das Endziel, die Bewegung als Selbstzweck ist
   mir nichts, das Endziel ist uns alles« (Protokoll über die Verhandlungen des Stuttgarter Parteitages der Sozialdemokratischen Partei Deutschlands 1898, S. 118).
32 Wir stützen uns hier im wesentlichen auf *Matthias:* Kautsky und der Kautskyanismus, bes. S. 165/66 und *Hofmann:* Ideengeschichte der sozialen Bewegung des 19.
   und 20. Jahrhunderts, bes. S. 173.
33 So z. B. Kautsky in der ›Neuen Zeit‹ (März 1902) (vgl. *Kautsky* ›Der Rückzug der
   Zehntausend‹ in: Die Neue Zeit, 20. Jg., 1901/02, I. Bd., S. 773); vgl. auch *Rikkli:*
   Der Revisionismus, S. 30.
34 Vgl. *Bernstein:* Der Revisionismus in der Sozialdemokratie, S. 4–8 (1909); vgl. auch
   Rikkli: Der Revisionismus, S. 30.
35 Sozialistische Monatshefte, 3. Jg., 1897, Rückseite des Titelblattes.
36 Z. B. von *Landauer* ›Die Anarchisten in Spanien‹ in: Sozialistische Monatshefte,
   3. Jg., 1897, S. 561–563.

37 Von *Landauer* z. B. die Aufsätze ›Aus meinem Gefängnis-Tagebuch‹ (in: Der Sozialistische Akademiker, 1. Jg., 1895, S. 237 ff., 258 ff., 277 ff., 319 ff.), ›Der Sozialismus und die Studenten‹ (in: Sozialistische Monatshefte, 4. Jg., 1898, S. 381 ff.), ›Börne und der Anarchismus‹ (in: Sozialistische Monatshefte, 5. Jg., 1899, S. 353 ff.); von *Bölsche* erscheinen noch mehr Aufsätze, allein 1897 z. B. (in anderen Jahren sind es ähnlich viele) ›Die sozialen Grundlagen der modernen Dichtung‹ (in: Sozialistische Monatshefte, 3. Jg., 1897, S. 100 ff., 564 ff., 663 ff.), ›Arne Garborg‹ (ebd. S. 133 ff.), ›Die neuen Gebote‹ (ebd. S. 284 ff.), ›Zola‹ (ebd. S. 326 ff.).

38 Von *Wille* erscheinen 1896 die Gedichte ›Bergpredigt‹ (in: Der Sozialistische Akademiker, 2. Jg., 1896, S. 162 ff.), ›Südenland‹ (ebd. S. 743 ff.); von Julius *Hart* erscheinen im selben Jahrgang u. a. die Gedichte ›Christus‹ (ebd. S. 91 f.), ›Verzweiflung‹ (ebd. S. 638 f.); vgl. auch *Fülberth:* Sozialdemokratische Literaturkritik vor 1914 (Diss.), S. 312.

39 Conrad *Schmidt* ›Endziel und Bewegung‹ in: Vorwärts, 15. Jg., 1898, Nr. 43 v. 20. 2. 1898 – alle folgenden Zitate aus diesem Aufsatz.

40 »Die ›Bewegung‹, welche für Bernstein ›alles ist‹, ist die Bewegung, die jenes nothwendige und allgemeine Endziel, die Emanzipation der Arbeiterklases, als das belebende und forttreibende Prinzip in sich hat«, ebd.

41 *Bernstein* in einer Zuschrift an den Stuttgarter Parteitag, dort verlesen von Bebel (Protokoll über die Verhandlungen des Stuttgarter Parteitages der Sozialdemokratischen Partei Deutschlands 1898, S. 122).

42 Vgl. *Rikkli:* Der Revisionismus, S. 17.

43 Vgl. *Rikkli:* Der Revisionismus, S. 22; vgl. *Nestriepke:* Geschichte der Volksbühne Berlin, S. 15, 18, 60, 91, 149, 280; vgl. *Fricke:* Zur Organisation und Tätigkeit der deutschen Arbeiterbewegung (1890–1914), S. 114–119.

44 Vgl. *Rikkli:* Der Revisionismus, S. 18; vgl. *Nestriepke:* Geschichte der Volksbühne Berlin, S. 51/52, 54/55, 279, 368; vgl. *Fricke:* Zur Organisation und Tätigkeit der deutschen Arbeiterbewegung (1890–1914), S. 113.

45 Vgl. *Rikkli:* Der Revisionismus, S. 23; vgl. *Nestriepke:* Geschichte der Volksbühne Berlin, S. 161, 280.

46 Vgl. *Fülberth:* Sozialdemokratische Literaturkritik vor 1914 (alternative-Aufsatz), S. 7; vgl. *Nestriepke:* Geschichte der Volksbühne Berlin, S. 164, 222, 225; vgl. Geschichte der deutschen Arbeiterbewegung (Autorenkollektiv DDR), Bd. 2, S. 100/01; vgl. *Fricke:* Zur Organisation und Tätigkeit der deutschen Arbeiterbewegung (1890 bis 1914), S. 141/42.

47 Vgl. *Nestriepke:* Geschichte der Volksbühne Berlin, S. 280, 384; vgl. *Fricke:* Zur Organisation und Tätigkeit der deutschen Arbeiterbewegung (1890–1914), S. 141.

48 Vgl. ebd. S. 182.

49 Vgl. *Fülberth:* Sozialdemokratische Literaturkritik vor 1914 (alternative-Aufsatz), S. 11; vgl. *Nestriepke:* Geschichte der Volksbühne Berlin, S. 164, 225, 415.

50 Vgl. ebd. S. 164.

51 Bei Bloch, Eisner und Stampfer weist *Nestriepke* jeweils auf ihre besonders intensive Aktivität in der ›Freien Volksbühne‹ hin (vgl. ebd. S. 161, 164).

52 Vgl. ebd. S. 239, 298, 367.

53 Vgl. *Rikkli:* Der Revisionismus, S. 22; vgl. *Nestriepke:* Geschichte der Volksbühne Berlin, S. 162, 186.

54 Vgl. *Rikkli:* Der Revisionismus, S. 21/22; vgl. *Nestriepke:* Geschichte der Volksbühne Berlin, S. 384; vgl. *Fricke:* Zur Organisation und Tätigkeit der deutschen Arbeiterbewegung (1890–1914), S. 116.

55 Vgl. *Fülberth:* Sozialdemokratische Literaturkritik vor 1914 (alternative-Aufsatz), S. 7; vgl. *Rikkli:* Der Revisionismus, S. 18, 24; vgl. *Nestriepke:* Geschichte der Volksbühne Berlin, S. 239, 369, 358; vgl. *Fricke:* Zur Organisation und Tätigkeit der deutschen Arbeiterbewegung (1890–1914), S. 114–118.

56 Vgl. *Rikkli:* Der Revisionismus, S. 22; vgl. *Nestriepke:* Geschichte der Volksbühne

Berlin, S. 159, 165, 369; vgl. *Fricke:* Zur Organisation und Tätigkeit der deutschen Arbeiterbewegung (1890–1914), S. 163.

57 Vgl. *Rikkli:* Der Revisionismus, S. 22; vgl. *Nestriepke:* Geschichte der Volksbühne Berlin, S. 422; vgl. *Fricke:* Zur Organisation und Tätigkeit der deutschen Arbeiterbewegung (1890–1914), S. 117.

58 Vgl. *Rikkli:* Der Revisionismus, S. 22.

59 Vgl. *Nestriepke:* Geschichte der Volksbühne Berlin, S. 153.

60 Vgl. *Rikkli:* Der Revisionismus, S. 22; vgl. *Nestriepke:* Geschichte der Volksbühne Berlin, S. 423; vgl. auch ebd. S. 236, 278, 368.

61 Vgl. *Matthias:* Kautsky und Kautskyanismus, S. 166; vgl. *Fricke:* Zur Organisation und Tätigkeit der deutschen Arbeiterbewegung (1890–1914), S. 114–119; vgl. *Nestriepke:* Geschichte der Volksbühne Berlin, S. 421.

62 *Rikkli* erwähnt in ihrem Buch über den Revisionismus ca. 60 Revisionisten namentlich; von diesen haben nach einem Vergleich mit Nestriepke 14 mit der Volksbühnenbewegung aktiv zu tun; eine von mir um weitere acht bekanntere Revisionisten ergänzte Namensliste enthält vier weitere aktive Volksbühnenmitarbeiter (60:14 bzw. 68:18). Außer den im Text angeführten 17 aktiven Volksbühnenmitarbeitern unter den Revisionisten ist als zugleich Revisionist und Förderer der Volksbühnenbewegung noch Paul Kampffmeyer zu nennen (vgl. *Rikkli:* Der Revisionismus, S. 17; vgl. *Nestriepke:* Geschichte der Volksbühne Berlin, S. 27, 69, 279). Außer den von Rikkli angeführten Revisionisten (vgl. *Rikkli:* Der Revisionismus, pass.) habe ich noch berücksichtigt: Eisner, Molkenbuhr, Stampfer (vgl. *Fülberth:* Sozialdemokratische Literaturkritik vor 1914 (alternative-Aufsatz), S. 7, 11), sowie Büttner, Gradnauer, Kaliski, Wetzker, Schröder (vgl. *Fricke:* Zur Organisation und Tätigkeit der deutschen Arbeiterbewegung (1890–1914), S. 141/42).

63 Vgl. *Nestriepke:* Geschichte der Volksbühne Berlin, S. 162.

64 Die drei Aufsätze dieser Polemik sind: *Mehring* ›Die Freie Volksbühne‹ in: Die Neue Zeit, 18. Jg., 1899/1900, II. Bd., S. 530–536 – (auch in *Mehring:* Gesammelte Schriften, Bd. 12, S. 290–299); Conrad *Schmidt* ›Genosse Mehring und die Freie Volksbühne‹ in: Die Neue Zeit, 18. Jg., 1899/1900, II. Bd., S. 659–662; *Mehring* ›Ein letztes Wort in Sachen der Freien Volksbühne‹ in: Die Neue Zeit, 19. Jg., 1900/01, I. Bd., S. 58–62 – (auch in *Mehring:* Gesammelte Schriften, Bd. 12, S. 300 bis 305).

65 *Mehring* ›Ein letztes Wort in Sachen der Freien Volksbühne‹ in: Die Neue Zeit, 19. Jg., 1900/01, I. Bd., S. 62 – (auch in *Mehring:* Gesammelte Schriften, Bd. 12, S. 305).

66 *Mehring* ›Die Freie Volksbühne‹ in: Die Neue Zeit, 18. Jg., 1899/1900, II. Bd., S. 532 – (auch in *Mehring:* Gesammelte Schriften, Bd. 12, S. 292).

67 *Luxemburg:* Sozialreform oder Revolution, S. 133. Dieser Satz steht nur in der Ausgabe von 1900, in der 2. Aufl. von 1908 hat Rosa Luxemburg den entsprechenden Abschnitt gestrichen.

68 Vgl. *Nestriepke:* Geschichte der Volksbühne Berlin, S. 161 ff.; vgl. zu Zubeil und Hoffmann: Geschichte der deutschen Arbeiterbewegung (Autorenkollektiv DDR), S. 163, 259/60, 315.

69 Vgl. *Fricke:* Zur Organisation und Tätigkeit der deutschen Arbeiterbewegung (1890 bis 1914), S. 141.

ANMERKUNGEN ZU KAPITEL 6

1 Vgl. Geschichte der deutschen Arbeiterbewegung (Autorenkollektiv DDR), Bd. 2, S. 20 – dort wird diese Krise als »Weltwirtschaftskrise« bezeichnet. – Zur tendenziellen Verbesserung der Lage der Arbeiter vor 1900 vgl. *Kuczynski:* Die Geschichte der Lage der Arbeiter in Deutschland, I. Bd., S. 179.

2 Vgl. auch die Gründung des ›Reichsverbandes gegen die Sozialdemokratie‹ (1904; vgl. Geschichte der deutschen Arbeiterbewegung [Autorenkollektiv DDR], Bd. 2, S. 78).

3 Vgl. *Mühle:* Imperialistische Kulturkrise und Beginn der freien Volksbildungsbewegung, S. 70; vgl. *Emmerling:* Fünfzig Jahre Volkshochschule in Deutschland, S. 12, 26/27; vgl. *Meier,* Artur: Die Bestrebungen der revolutionären deutschen Arbeiterbewegung zur systematischen Bildung und Erziehung erwachsener Werktätiger, S. 15, 226.

4 Heinrich *Schulz* berichtet über diese Grundtendenz in einem Aufsatz in der ›Neuen Zeit‹: »Erst als durch die russische Revolution eine Flutwelle revolutionärer Beweglichkeit und Frische über das deutsche Proletariat hinwegging [...] mehrten sich die Anträge an den Parteitag, in denen planmäßige Maßnahmen für die theoretische Schulung der Genossen verlangt wurden« (Heinrich *Schulz* ›Zwei Jahre Arbeiterbildung‹ in: Die Neue Zeit, 26. Jg., 1907/08, II. Bd., S. 884; vgl. auch: Protokoll über die Verhandlungen des Essener Parteitages der Sozialdemokratischen Partei Deutschlands 1907, S. 91). – Aufsätze der Bildungsdebatte von 1906 sind u. a.: Heinrich *Schulz* ›Arbeiterbildung‹; *Kosiol* ›Organisationen für die theoretische Bildung der Arbeiterklasse‹; *Rauch* ›Zum Thema Arbeiterbildung‹; *Geithner* ›Die Kriegsschule und das Bildungsproblem‹ (alle in: Die Neue Zeit, 24. Jg., 1905/06, II. Bd.).

5 Heinrich *Schulz* ›Arbeiterbildung‹, 2. Teil, in: Die Neue Zeit, 24. Jg., 1905/06, II. Bd., S. 268.

6 Schulz, Hilferding, Mehring, Pannekoek (1906); ein Jahr später beginnt auch Rosa Luxemburg hier zu unterrichten (vgl. Protokoll über die Verhandlungen des Essener Parteitages der Sozialdemokratischen Partei Deutschlands 1907, S. 91; vgl. *Fricke:* Zur Organisation und Tätigkeit der deutschen Arbeiterbewegung (1890–1914), S. 196).

7 Vgl. *Meier,* Artur: Die Bestrebungen der revolutionären deutschen Arbeiterbewegung zur systematischen Bildung und Erziehung erwachsener Werktätiger, S. 33; vgl. *Fricke:* Zur Organisation und Tätigkeit der deutschen Arbeiterbewegung (1890–1914), S. 187–189.

8 Vgl. Heinrich *Schulz* ›Zwei Jahre Arbeiterbildung‹ in: Die Neue Zeit, 26. Jg., 1907/08, II. Bd., S. 884.

9 Vgl. Flugblatt der Volksbühnenleitung, abgedruckt im ›Vorwärts‹, 23. Jg., 1906, Nr. 155 v. 7. 7. 1906.

10 Vgl. dazu *Mehrings* Aufsätze ›Die Freie Volksbühne‹ in: Die Neue Zeit, 18. Jg., 1899/1900, II. Bd., S. 530–536 – (auch in *Mehring:* Gesammelte Schriften, Bd. 12, S. 290–294) und ›Freies Kunstheim‹ in: Die Neue Zeit, 24. Jg., 1905/06, II. Bd., S. 513–516 – (auch in *Mehring:* Gesammelte Schriften, Bd. 12, S. 306–310).

11 Vgl. *Nestriepke:* Geschichte der Volksbühne Berlin, S. 244–247; besonders deutlich wird die veränderte Haltung zu Mehrings Position aus einem Brief Bebels an die Volksbühnenleitung, die sich mit der Bitte um propagandistische Unterstützung an ihn gewandt hat. In Bebels Brief heißt es: »Ich teile ganz und gar die Auffassungen, die Dr. Mehring in der ›Neuen Zeit‹ entwickelte [...] Es ist also, so leid es mir tut, Ihnen das schreiben zu müssen, mir ganz unmöglich, mich irgendwie in der von Ihnen gewünschten Richtung zu engagieren.« (Bebel, zit. nach *Nestriepke:* Geschichte der Volksbühne Berlin, S. 247).

12 1914 stehen 49 000 Mitgliedern der ›Neuen Freien Volksbühne‹ 18 000 der ›Freien Volksbühne‹ gegenüber (nach *Nestriepke:* Geschichte der Volksbühne Berlin, S. 279, 303).

13 Vgl. ebd. S. 350.

14 Vgl. ebd. S. 394.

15 Vgl. ebd. S. 395/96.

I. Zeitschriften, Protokolle

Der sozialistische *Akademiker*. 1.–2. Jg. (1895–1896).
Freie *Bühne*. 1.–4. Jg. (1890–1893).
Die *Kunst* dem Volke (vormals: Freie Volksbühne). Eine Schrift für die Volksbühnen-
bewegung mit besonderer Berücksichtigung der Neuen Freien Volksbühne. Hrsg. v.
Bruno Wille (Jg. 1894).
Sozialistische *Monatshefte*. 1.–4. Jg. (= 3.–6. Jg. des ›Sozialistischen Akademikers‹)
(1897–1900).
Protokoll über die Verhandlungen des Parteitages der Sozialdemokratischen Partei
Deutschlands. Abgehalten zu Halle a. S. vom 12. bis 18. Oktober 1890. – Berlin 1890.
Protokoll über die Verhandlungen des Parteitages der Sozialdemokratischen Partei
Deutschlands. Abgehalten zu Erfurt vom 14. bis 20. Oktober 1891. – Berlin 1891.
Protokoll über die Verhandlungen des Parteitages der Sozialdemokratischen Partei
Deutschlands. Abgehalten zu Köln a. Rh. vom 22. bis 28. Oktober 1893. – Berlin 1893.
Protokoll über die Verhandlungen des Parteitages der Sozialdemokratischen Partei
Deutschlands. Abgehalten zu Breslau vom 6. bis 12. Oktober 1895. – Berlin 1895.
Protokoll über die Verhandlungen des Parteitages der Sozialdemokratischen Partei
Deutschlands. Abgehalten zu Gotha vom 11. bis 16. Oktober 1896. – Berlin 1896.
Protokoll über die Verhandlungen des Parteitages der Sozialdemokratischen Partei
Deutschlands. Abgehalten zu Hamburg vom 3. bis 9. Oktober 1897. – Berlin 1897.
Protokoll über die Verhandlungen des Parteitages der Sozialdemokratischen Partei
Deutschlands. Abgehalten zu Stuttgart vom 3. bis 8. Oktober 1898. – Berlin 1898.
Protokoll über die Verhandlungen des Parteitages der Sozialdemokratischen Partei
Deutschlands. Abgehalten zu München vom 24. bis 20. September 1902. – Berlin 1902.
Protokoll über die Verhandlungen des Parteitages der Sozialdemokratischen Partei
Deutschlands. Abgehalten zu Mannheim vom 23. bis 29. September 1906. – Berlin 1906.
Protokoll über die Verhandlungen des Parteitages der Sozialdemokratischen Partei
Deutschlands. Abgehalten zu Essen vom 15. bis 21. September 1907. – Berlin 1907.
Berliner *Volksblatt*. 7. Jg. (1890).
Freie *Volksbühne*. Eine Schrift für den Verein Freie Volksbühne. Hrsg. v. Bruno Wille
(Jg. 1892).
Freie *Volksbühne*. Eine Monatsschrift von Conrad Schmidt. 1. Jg. (1897).
Berliner *Volks-Tribüne*. 4.–6. Jg. (1890–1892).
Vorwärts. 8.–9., 11.–13., 15., 23., 28. Jg. (1891–1892, 1894–1896, 1898, 1906, 1911).
Die Neue *Welt*. (Jg. 1896, Jg. 1898).
Die Neue *Zeit*. 9., 11., 14.–16., 18.–20., 22., 24., 26., 38. Jg. (1890/91, 1892/93, 1895/96 bis
1901/02, 1903/04, 1905/06, 1907/08, 1919/20).
Groß-Berliner Ost-*Zeitung*. Niederbarnimer Zeitung. 51. Jg. (1936).
Volks-Zeitung. 38 Jg. (1890).

II. Andere Veröffentlichungen

Bab, Julius: Wesen und Weg der Berliner Volksbühnenbewegung. – Berlin 1919.

Bebel, August: Die Frau und der Sozialismus. 147.–151. Tausend. – Stuttgart: Dietz 1919.

Becker, Julius: Das Deutsche Manchestertum. Eine Studie zur Geschichte des wirtschaftspolitischen Individualismus. – Karlsruhe i. B. 1907.

Bernstein, Eduard: Geschichte der Berliner Arbeiterbewegung. Bd. 3. 15 Jahre Berliner Arbeiterbewegung unter dem gemeinen Recht. – Berlin: Vorwärts 1910.

Bernstein, Eduard: Der Revisionismus in der Sozialdemokratie. Ein Vortrag, geh. in Amsterdam vor Akademikern und Arbeitern. – Amsterdam 1909.

Neue Deutsche *Biographie.* Hrsg. v. d. hist. Komm. bei der Bayerischen Akademie der Wissenschaften. Bd. 2. – Berlin (W) 1955.

Neue Deutsche *Biographie.* Hrsg. v. d. hist. Komm. bei der Bayerischen Akademie der Wissenschaften. Bd. 4. – Berlin (W) 1959.

Bock, Hans Manfred: Die ›Literaten- und Studenten-Revolte‹ der Jungen in der SPD um 1890. In: Das Argument. Zeitschrift für Philosophie und Sozialwissenschaften. 13. Jg. (1971) H. 1/2 (= Nr. 63 der Gesamtzählung), S. 22–41.

Bock, Hans Manfred: Syndikalismus und Linkskommunismus von 1918–1923. Zur Geschichte und Soziologie der Freien Arbeiter-Union Deutschlands und der Kommunistischen Arbeiter-Partei Deutschlands. – Meisenheim am Glan 1969 (= Marburger Abhandlungen zur Politischen Wissenschaft. 13.) (vorher Phil. Diss. Marburg 1968).

Böhme, Helmut: Deutschlands Weg zur Großmacht. Studien zum Verhältnis von Wirtschaft und Staat während der Reichsgründungszeit 1848–1881. – Köln u. Berlin (W) 1966.

Bölsche, Wilhelm: Friedrichshagen in der Literatur. In: Bölsche, Wilhelm: Ausgewählte Werke. Neubearbeitete und illustrierte Ausgabe. Bd. 5. Auf dem Menschenstern. Gedanken zu Würmern, Menschen, Dichtern, dem Frühling und noch einigem. – Leipzig: Haberland 1930, S. 314–337.

Bölsche, Wilhelm: Die Mittagsgöttin. Erster und Zweiter Band. 8.–12. Tausend. – Jena: Diederichs 1921 (1. Aufl. 1891).

Bölsche, Wilhelm: Hinter der Weltstadt. Friedrichshagener Gedanken zur ästhetischen Kultur. 4.–5. Tausend. – Jena und Leipzig: Diederichs 1904.

Bosse, Friedrich: Die Arbeiter und die Kunst. Schwank in einem Akt. In: Münchow, Ursula (Hrsg.): Aus den Anfängen der Sozialistischen Dramatik. Bd. 1. – Berlin (O) 1964 (= Textausgaben zur frühen sozialistischen Literatur in Deutschland. 3.), S. 153–193 u. biogr. Anm. S. 201–203.

Buchwald, Reinhard: Die deutsche Volksbildungsarbeit im Zeitalter des Liberalismus. In: Bücherei und Bildungspflege. Zeitschrift für die gesamten außerschulmäßigen Bildungsmittel. 12. Jg. (1932) H. 1, S. 1–13; H. 2, S. 81–96.

Duncker, u. *Goldschmidt,* u. *Wittfogel:* Geschichte der Internationalen Arbeiterbewegung. Marxistische Arbeiterschulung. II. Kursus. – o. O., o. J.

Emmerling, Erich: Fünfzig Jahre Volkshochschule in Deutschland. Ein Beitrag zur Geschichte der Erwachsenenbildung. – Berlin (O) 1958.

Ernst, Paul: Entwicklungen. Hrsg. v. Karl August Kutzbach. – München 1966 (= gekürzte Fassung von Ernst, Paul: Jünglingsjahre. – Berlin 1930).

Ernst, Paul: Der Zusammenbruch des Marxismus. – München: G. Müller 1919.

Festner, Heinrich: Wilhelm Hegeler. Leben und Werk. – Phil. Diss. Freiburg (Schweiz) 1954.

Flemming, W.: Felix Hollaender und sein Werk: In: Hollaender, Felix: Gesammelte Werke. Bd. 6. – Rostock o. J., S. 541–584.

Fricke, Dieter Die deutsche Arbeiterbewegung 1869–1890. Ihre Organisation und Tätigkeit. – Leipzig 1964.

Fricke, Dieter: Bismarcks Prätorianer. Die Berliner politische Polizei im Kampf gegen die deutsche Arbeiterbewegung (1871–1898). – Berlin (O) 1962.

Fricke, Dieter: Zur Organisation und Tätigkeit der deutschen Arbeiterbewegung (1890 bis 1914). Dokumente und Materialien. – Leipzig 1962.

Friedlaender, Benedict: Der freiheitliche Sozialismus im Gegensatz zum Staatsknechtstum der Marxisten. Mit besonderer Berücksichtigung der Werke und Schicksale Eugen Dühring's. – Berlin: Freie Verlagsanstalt 1892.

Fritz, Gottlieb: Das moderne Volksbildungswesen. Bücher- und Lesehallen, Volkshochschulen in den wichtigsten Kulturländern in ihrer Entwicklung seit der Mitte des neunzehnten Jahrhunderts. – Leipzig 1909.

Fülberth, Georg: Sozialdemokratische Literaturkritik vor 1914. Die Beziehungen von Sozialdemokratie und bürgerlicher ästhetischer Kultur in den literaturtheoretischen und -kritischen Beiträgen der ›Neuen Zeit‹ 1883–1914, der ›Sozialistischen Monatshefte‹ 1895–1914 und bei Franz Mehring 1888–1914. – Phil. Diss. Marburg 1970.

Fülberth, Georg: Sozialdemokratische Literaturkritik vor 1914. In: alternative. 14. Jg. (1971) H. 76, S. 2–24.

Fülberth, Georg: Proletarische Partei und bürgerliche Literatur. Auseinandersetzungen in der deutschen Sozialdemokratie der II. Internationale über Möglichkeiten und Grenzen einer sozialistischen Literaturpolitik. – Neuwied und Berlin (W) 1972 (= collection alternative. 4.).

Geschichte der deutschen Arbeiterbewegung. Verfaßt von einem DDR-Autorenkollektiv. Hrsg. v. Institut für Marxismus-Leninismus beim ZK der SED. Bd. 1 u. Bd. 2. – Berlin (O) 1966.

Grottewitz, Curt: Sonntage eines Großstädters in der Natur. Mit einem Vorwort von Wilhelm Bölsche. 4. Aufl. – Berlin: Vorwärts 1913.

Halbe, Max: Sämtliche Werke. Bd. 2. Jahrhundertwende. Zur Geschichte meines Lebens 1893–1914. – Salzburg: Das Bergland-Buch 1945.

Hanstein, Adalbert von: Das Jünste Deutschland. – Leipzig 1905.

Harich, Wolfgang: Zur Kritik der revolutionären Ungeduld. In: Kursbuch. (1969) H. 19, S. 71–113.

Hart, Heinrich: Die Neue Gemeinschaft. In: Das Reich der Erfüllung. Flugschrift der ›Neuen Gemeinschaft‹. H. 2. – Leipzig: Diederichs 1901, S. 8–14.

Hart, Heinrich: Gesammelte Werke. Bd. 3. Literarische Erinnerungen. Ausgewählte Aufsätze. – Berlin: Fleischel 1907.

Hartleben, Otto Erich: Das Ehefest. In: Hartleben, Otto Erich: Das Ehefest. Novellen. – Wien und Leipzig: Wiener Verl. 1906 (= Bibliothek moderner deutscher Autoren. 11.), S. 7–54.

Hauptmann, Gerhart: Vor Sonnenaufgang. In: Hauptmann, Gerhart: Gesammelte Werke. Volksausgabe in sechs Bänden. Bd. 1. – Berlin: Fischer 1912, S. 9–108.

Hegeler, Wilhelm: Einiges aus meinem Leben. In: Die Gesellschaft. Halbmonatsschrift für Litteratur, Kunst und Sozialpolitik. 16. Jg. (1900) Bd. 2, S. 226–232.

Hegeler, Wilhelm: Mutter Bertha. Roman. – Berlin: Fontane 1893.

Hemleben, Johannes: Rudolf Steiner. In Selbstzeugnissen und Bilddokumenten. 24.–33. Tausend. – Reinbek bei Hamburg 1963 (= rowohlts monographien. 79.)

Henckell, Karl: Gesammelte Werke. Erste kritische Ausgabe eigener Hand. Bd. 1. Buch des Lebens. – München: J. M. Müller 1921.

Höhle, Thomas: Franz Mehring. Sein Weg zum Marxismus 1869–1891. – Berlin (O) 1956.

Hofmann, Werner: Ideengeschichte der sozialen Bewegung des 19. und 20. Jahrhunderts. 2. neubearbeitete Aufl. – Berlin (W) 1968 (= Sammlung Göschen. 1205/1205 a).

Hollaender, Felix u. Hand *Land*: Die heilige Ehe. Ein modernes Schauspiel in fünf Akten. – Berlin: Fischer 1893.

Hollaender, Felix: Jesus und Judas. In Hollaender, Felix: Gesammelte Werke. Bd. 1. – Rostock: Hinstorff o. J. (nach 1924), S. 1–288 (erste Ausgabe des Romans 1890).

Hollaender, Felix: Der Weg des Thomas Truck. Ein Roman in vier Büchern. 7. Aufl. – Berlin: Fischer 1905 (1. Aufl. 1902).

Ibsen, Henrik: Ein Volksfeind. Deutsch von Marie von Borch. – Berlin: Fischer 1890 (= Nordische Bibliothek. 14.).

Ibsen, Henrik: Ein Volksfeind. Deutsch von Wilhelm Lange. – Leipzig: Reclam o. J. (ca. 1890).

Ibsen, Henrik: Ein Volksfeind. Deutsch von Bernhard Schulze. In: Ibsen, Henrik: Dramen. Bd. 2. – Rostock 1965, S. 5–113.

Ibsen, Henrik: Ein Volksfeind. Hrsg. v. Julius Elias und Paul Schlenther. In: Ibsen, Henrik: Sämtliche Werke. Volksausgabe. Bd. 4. – Berlin: Fischer 1907, S. 181–298.

Ibsen, Henrik: En Folkfiende. In: Ibsen, Henrik: Samlede Verker. Bd. 9. – Oslo 1932, S. 197–324.

Jacobowski, Ludwig: Werther, der Jude. Roman. 5. Aufl. – Dresden: Pierson o. J. (erste Ausgabe des Romans 1890).

Jordan, Maria: Die Romane Bruno Willes. – Phil. Diss. Wien 1939.

Kalz, Wolf: Gustav Landauer. Kultursozialist und Anarchist. – Meisenheim am Glan 1967 (= Schriften zur politischen Wissenschaft. 6.).

Kampffmeyer, Paul: Die Sozialdemokratie im Lichte der Kulturentwicklung. Geschichte, Politik und Literatur der Sozialdemokratie. 5. verbesserte Aufl. – Berlin: Vorwärts 1920.

Kasten, Helmut: Die Idee der Dichtung und des Dichters in den literarischen Theorien des sogenannten ›Deutschen Naturalismus‹ (Karl Bleibtreu, Hermann Conradi, Arno Holz). Zur Geschichte der Auseinandersetzung zwischen dem deutschen Idealismus und dem westeuropäischen Positivismus und Naturalismus in deutschen Dichtungstheorien zu Ende des 19. Jahrhunderts. – Phil. Diss. Königsberg 1933.

Kehr, Eckart: Zur Genesis des Königlich Preußischen Reserveoffiziers. In: Kehr, Eckart: Der Primat der Innenpolitik. Gesammelte Aufsätze zur preußisch-deutschen Sozialgeschichte im 19. und 20. Jahrhundert. – Berlin (W) 1965 (= Veröffentlichungen der Historischen Kommission zu Berlin beim Friedrich-Meinecke-Institut der Freien Universität Berlin. 19.), S. 53–63.

Koch, Hans: Franz Mehrings Beitrag zur marxistischen Literaturtheorie. – Berlin (O) 1959.

König, Erika: Vom Revisionismus zum ›Demokratischen Sozialismus‹. Zur Kritik des ökonomischen Revisionismus in Deutschland. – Berlin (O) 1964 (= Deutsche Akademie der Wissenschaften zu Berlin. Schriften des Instituts für Wirtschaftswissenschaften. 16.).

Koenig, Karl: Deutsche Literaturgeschichte. Bd. 2. 26. Aufl. – Bielefeld und Leipzig 1898.

Kosch, Wilhelm: Deutsches Literatur-Lexikon. Bd. 2. 2. Aufl. – Bern 1953.

Kuczynski, Jürgen: Die Geschichte der Lage der Arbeiter in Deutschland von 1800 bis in die Gegenwart. Bd. 1. 1800–1932. – Berlin 1947.

Kuczynski, Jürgen: Zur politökonomischen Ideologie in Deutschland von 1850 bis zum Ersten Weltkrieg. In: Kuczynski, Jürgen: Die Geschichte der Lage der Arbeiter unter dem Kapitalismus. Bd. 13. Zur politökonomischen Ideologie in Deutschland von 1850 bis zum Ersten Weltkrieg und andere Studien. – Berlin (O) 1961, S. 1–95.

Land, Hans: Der neue Gott. Roman aus der Zeit des Sozialistengesetzes. 3. Aufl. – Berlin: Verl. Berlin–Wien 1919 (erste Ausgabe des Romans 1890).

Landauer, Gustav: Durch Absonderung zur Gemeinschaft. In: Das Reich der Erfüllung. Flugschrift der ›Neuen Gemeinschaft‹. H. 2. – Leipzig: Diederichs 1901, S. 45–68.

Lenin, W. I.: Der ›linke‹ Radikalismus, die Kinderkrankheit im Kommunismus. In: Lenin, W. I.: Werke. Deutsche Übersetzung nach der vierten russischen Ausgabe. Bd. 31. – Berlin (O) 1959, S. 1–106.

Lenin, W. I.: Werke. Deutsche Übersetzung nach der vierten russischen Ausgabe. Bd. 8. – Berlin (O) 1958.

Lenin, W. I.: Werke. Deutsche Übersetzung nach der vierten russischen Ausgabe. Bd. 19. – Berlin (O) 1962.

Biographisches *Lexikon.* Geschichte der deutschen Arbeiterbewegung. Verfaßt von einem DDR-Autorenkollektiv. Hrsg. v. Institut für Marxismus-Leninismus beim ZK der SED. – Berlin (O) 1970.

Liebknecht, Wilhelm: Wissen ist Macht, Macht ist Wissen. Vortrag, geh. zum Stiftungs-fest des Dresdener Arbeiterbildungs-Vereins am 5. 2. 1872 und zum Stiftungsfest des Leipziger Arbeiterbildungs-Vereins am 24. 2. 1872. 2. Aufl. – Leipzig: Verl. der Genos-senschaftsbuchdruckerei 1875 (1. Aufl. 1873).

Luxemburg, Rosa: Sozialreform oder Revolution. In: Luxemburg, Rosa: Politische Schrif-ten. Bd. 1. – Frankfurt a. Main 1966, S. 47–133.

Mackay, John Henry: Abrechnung. – Berlin: Mackay Ges. 1932.

Mackay, John Henry: Die Anarchisten. Kulturgemälde aus dem Ende des XIX. Jahr-hunderts. (= Mackay, John Henry: Gesammelte Werke. Bd. 8). – Treptow bei Berlin: Zack 1911 (erste Ausgabe des Romans 1891).

Mackay, John Henry: Der Freiheitssucher. Psychologie einer Entwicklung. In: Mackay, John Henry: Werke in einem Band. – Berlin: Stirner Vlg. 1928, S. 917–1165.

Marcuse, Herbert: Triebstruktur und Gesellschaft. Ein philosophischer Beitrag zu Sig-mund Freud. – Frankfurt a. Main 1965.

Marx, Karl und Friedrich *Engels:* Manifest der Kommunistischen Partei. In: Marx, Karl u. Friedrich Engels: Werke. Bd. 4. – Berlin (O) 1959, S. 459–493.

Marx, Karl und Friedrich *Engels:* Werke. Bd. 4. – Berlin (O) 1959.

Marx, Karl und Friedrich *Engels:* Werke. Bd..21. – Berlin (O) 1969.

Marx, Karl und Friedrich *Engels:* Werke. Bd. 22. – Berlin (O) 1963.

Marx, Karl und Friedrich *Engels:* Werke. Bd. 36. – Berlin (O) 1967.

Matthias, Erich: Kautsky und der Kautskyanismus. Die Funktion der Ideologie in der deutschen Sozialdemokratie vor dem ersten Weltkriege. In: Fetscher, Iring (Hrsg.): Marxismusstudien. Bd. 2. – Tübingen 1957, S. 151–197.

Mayer, Gustav: Die Trennung der proletarischen von der bürgerlichen Demokratie in Deutschland 1863–1870. In: Mayer, Gustav: Radikalismus, Sozialismus und bürgerliche Demokratie. – Frankfurt a. Main 1969, S. 108–178 (zuerst erschienen in: Archiv für die Geschichte des Sozialismus und der Arbeiterbewegung. Bd. 2. – Leipzig 1912; auch als selbst. Veröffentl. 1912).

Mehring, Franz: Der Fall Lindau. 1. Aufl. – Berlin: Brachvogel 1890.

Mehring, Franz: Geschichte der deutschen Sozialdemokratie. 2. Teil. (= Mehring, Franz: Gesammelte Schriften. Bd. 2). – Berlin (O) 1970.

Mehring, Franz: Kapital und Presse. Ein Nachspiel zum Fall Lindau. – Berlin: Brachvogel 1891.

Mehring, Franz: Die Lessing-Legende. (= Mehring, Franz: Gesammelte Schriften. Bd. 9). – Berlin (O) 1963.

Mehring, Franz: Gesammelte Schriften. Bd. 10. Aufsätze zur deutschen Literatur von Klopstock bis Weerth. – Berlin (O) 1961.

Mehring, Franz: Gesammelte Schriften. Bd. 11. Aufsätze zur deutschen Literatur von Hebbel bis Schweichel. – Berlin (O) 1961.

Mehring, Franz: Gesammelte Schriften. Bd. 12. Aufsätze zur ausländischen Literatur / Vermischte Schriften. – Berlin (O) 1963.

Meier, Artur: Die Bestrebungen der revolutionären deutschen Arbeiterbewegung zur systematischen sozialistischen Erziehung erwachsener Werktätiger (1918–1923). – Ham-burg 1971 (vorher als Phil. Diss. Berlin (O) 1964).

Mendelssohn, Peter de: S. Fischer und sein Verlag. – Frankfurt a. Main 1970.

Meyer, Alfred Richard: Friedrichshagens literarische Legende. In: Der Spreetunnel. Ein Dichteralmanach aus Berlin. Bd. 2 (1943) (= Dritte Folge von: Dichtung und Gemein-schaft. Blätter der Köpenick-Friedrichshagener Schrifttumsarbeit und der Friedrichs-hagener Werkschaft deutscher Dichter), S. 23–32.

Meyer, Richard M(oritz): Die deutsche Literatur des Neunzehnten Jahrhunderts. 3. um-gearbeitete Aufl. – Berlin 1906 (= Das Neunzehnte Jahrhundert in Deutschlands Entwicklung. 3.).

Meyers Großes Konversationslexikon. 6. Aufl. Bd. 7. – Leipzig u. Wien 1907.

Most, John: Der kommunistische Anarchismus. In: Most, John: Kommunistischer Anarchismus und Max Nettlau: Zwischen Autorität und Freiheit. – Berlin (W): Underground Press 1968 (=photomech. Nachdruck von Most, John: Für die Einheitsfront des revolutionären Proletariats. Das Ziel des Kommunismus: Kommunistischer Anarchismus. – Berlin 1921; ursprünglich ist Mosts Aufsatz in der ›Freiheit‹ erschienen, dann als selbst. Veröffentl. New York 1889).

Mühle, Wolfgang K. F.: Imperialistische Kulturkrise und Beginn der freien Volksbildungsbewegung in Deutschland. – Phil. Diss. Berlin (O) 1967 (masch. vervielf.).

Müller, Hans: Der Klassenkampf in der deutschen Sozialdemokratie. In: Müller, Hans: Der Klassenkampf und die Sozialdemokratie. Zur Geschichte der ›Jungen‹, der linken Opposition in der frühen SPD (1870–1890) und Artur Staffelberg: Revolutionäre und reformistische Politik in der Geschichte der deutschen Arbeiterbewegung. – Heidelberg, Frankfurt a. Main, Hannover, Berlin (W) 1969 (= Schriften zu Revolution und Produktion. 1.) (= photomechanischer Nachdruck von Müller, Hans: Der Klassenkampf in der deutschen Sozialdemokratie. – Zürich: Schabelitz 1892), S. 1–140.

Münchow, Ursula (Hrsg.): Aus den Anfängen der sozialistischen Dramatik. Bd. 1. – Berlin (O) 1964 (= Textausgaben zur frühen sozialistischen Literatur in Deutschland. 3.).

Münchow, Ursula: Deutscher Naturalismus. – Berlin (O) 1968 (= Sammlung Akademie-Verlag. Literatur. 1.).

Nestriepke, Siegfried: Geschichte der Volksbühne Berlin. Erster Teil. 1890–1914. – Berlin 1930 (zweiter Teil nicht erschienen).

Revolutionäre deutsche *Parteiprogramme*. Hrsg. v. Lothar Berthold und Ernst Diehl. – Berlin (O) 1964.

Ploetz, Karl: Auszug aus der Geschichte. 26. Aufl. – Würzburg 1960.

Poláček, Josef: Zum Thema der bürgerlich-individualistischen Revolte in der deutschen pseudosozialen Prosa. Hans Land, Felix Hollaender, John Henry Mackay. In: Philologica Pragensia. Casopis pro moderni filologii. Hrsg. v. der Tschechoslowakischen Akademie der Wissenschaften. 7. (46.) Jg. (1964), S. 1–14.

Raddatz, Fritz J. (Hrsg.): Marxismus und Literatur. Eine Dokumentation in drei Bänden. Bd. 3. – Reinbek bei Hamburg 1969.

Reich, Emil: Die bürgerliche Kunst und die besitzlosen Volksklassen. – Leipzig: Wilhelm Friedrich 1892.

Rikkli, Erika: Der Revisionismus. Ein Revisionsversuch der deutschen marxistischen Theorie. 1890–1914. – Zürich 1936 (= Zürcher Volkswirtschaftliche Forschungen. 25.)

Ritter, Gerhard und Susanne *Miller* (Hrsg.): Die deutsche Revolution 1918–1919. Dokumente. – Frankfurt a. Main und Hamburg 1968.

Roth, Günther: Die kulturellen Bestrebungen der Sozialdemokratie im kaiserlichen Deutschland. In: Wehler, Hans Ulrich (Hrsg.): Moderne deutsche Sozialgeschichte. – Köln u. Berlin (W) 1966 (= Neue Wissenschaftliche Bibliothek. 10.), S. 342–365 u. 530–540 (Anm.).

Schiller, Friedrich von: Kabale und Liebe. In: Schillers Werke. Bd. 1. Dramen I. Textkritisch hrsg. v. Herbert Kraft. – Frankfurt a. Main: Insel 1966, S. 237–334.

Schleich, Carl Ludwig: Besonnte Vergangenheit. Lebenserinnerungen (1859–1919). – Berlin 1923.

Schönberg, Gustav: Vom alten Friedrichshagener Dichterkreis. Erinnerungen. In: Der Spreetunnel. Ein Dichteralmanach aus Berlin. Bd. 2 (1943) (= Dritte Folge von: Dichtung und Gemeinschaft. Blätter der Köpenick-Friedrichshagener Schrifttumsarbeit und der Friedrichshagener Werkschaft deutscher Dichter), S. 141–160.

Schraepler, Ernst: August Bebel. Sozialdemokrat im Kaiserreich. – Göttingen 1966 (= Persönlichkeit und Geschichte. 44.).

Selo, Heinz: »Die Kunst dem Volke«. Problematisches aus den Jugend- und Kampfjahren der Berliner Volksbühne. – Berlin 1930 (auch als Phil. Diss. Erlangen 1930 unter dem Titel: Die ›Freie Volksbühne‹ in Berlin, Geschichte ihrer Entstehung und Entwicklung bis zur Auflösung im Jahre 1896).

Siemering, Hertha: Arbeiterbildungswesen in Wien und Berlin. Eine kritische Untersuchung. – Karlsruhe 1911 (= Karlsruher Volkswirtschaftliche Abhandlungen. Bd. 1, 3. Ergänzungsh.).

Soergel, Albert: Dichtung und Dichter der Zeit. Eine Schilderung der deutschen Literatur der letzten Jahrzehnte. 8. unveränderter Abdruck der 1. Aufl. von 1911. – Leipzig o. J.

Spohr, Wilhelm: O ihr Tage von Friedrichshagen! Erinnerungen aus der Werdezeit des deutschen literarischen Realismus. – Berlin (O) 1950.

Steiger, Edgar: Das arbeitende Volk und die Kunst. Kritische Streifzüge. – Leipzig: Heinsch, Verl. der Leipziger Volkszeitung o. J. (1896).

Stern, Fred B(enno): Ludwig Jacobowski. Persönlichkeit und Werk eines Dichters. – Darmstadt 1966.

Teistler, Hermann: Der Parlamentarismus und die Arbeiterklasse. – Berlin: Verl. der ›Sozialist‹ 1892 (= Sozialistische Bibliothek. 1.).

Theimer, Walter: Von Bebel zu Ollenhauer. Der Weg der deutschen Sozialdemokratie. – Bern u. München 1957.

Wer ist's. Hersg. v. Hermann A. L. Degener. 6. Ausg. – Leipzig 1912.

Wille, Bruno: Einsiedler und Genosse. Soziale Gedichte nebst einem Vorspiel. – Berlin: Fischer 1894 (zuerst Berlin: Freie Verlagsanstalt 1890).

Wille, Bruno: Der Glasberg. Roman einer Jugend, die hinauf wollte. – Berlin: Ullstein 1920.

Wille, Bruno: Der heilige Hain. Ausgewählte Gedichte. – Jena: Diederichs 1908.

Wille, Bruno: Die Freie Hochschule als Mittel zur Steigerung unserer Volkskultur. Festschrift zur Feier des zehnjährigen Bestehens der Freien Hochschule Berlin. – Berlin: Fortschritt Verl. 1912.

Wille, Bruno: Philosophie der Befreiung durch das reine Mittel. Beiträge zur Pädagogik des Menschengeschlechts. – Berlin 1894.

Wille, Bruno: Philosophie der Liebe. Aus dem Nachlaß hrsg. v. Emmy Wille. – Pfullingen in Württ.: Baum 1930.

Wille, Bruno: Aus Traum und Kampf. Mein 60jähriges Leben. 3. Aufl. – Berlin: Kultur Verl. 1920.

Wille, Bruno: Mein Werk und Leben. In: Das Bruno Wille-Buch. Hrsg. v. seinen Freunden nebst einer Einleitung ›Mein Werk und Leben‹. 1.–6. Aufl. – Dresden: Reißner 1923, S. 5–24.

Winter, Lorenz: Heinrich Mann und sein Publikum. Eine literatursoziologische Studie zum Verhältnis von Autor und Öffentlichkeit. – Köln u. Opladen 1965.

Adler 79
Agrell 136
Antrick 140
Anzengruber 108, 136
Arons 205
Auer 122, 128

Baake 84, 85, 90, 130, 199, 200, 208
Bader 109
Baginski 84
Bebel 7, 54, 55, 60, 63, 65, 86, 90, 101, 102, 122, 139, 141, 177, 185, 190
Bérard 183, 184
Bernstein 201–205, 207
Bloch 205
Bölsche 16, 23–28, 30, 39, 41–44, 47, 84, 93, 95, 122, 131, 133, 136, 199, 202
Bosse 188, 190–192
Brahm 80, 84, 87, 95, 98, 100–102, 122, 123, 133, 153

Cohn 208
Croissant 109

David 205
Dehmel 84
Dresdner 133
Dühring 68, 70, 71
Dupont 91, 105

Eisner 205, 208
Engels 37, 56, 62, 70, 119, 120
Ernst, Eugen 60
Ernst, Paul 12, 37, 38, 56, 59, 61, 62, 81, 84

Faber 109
Fidus 27
Fischer 141, 184
Fleischlen 191
Freiligrath 205
Friedländer 16, 71
Frohme 139–141
Fulda 100

Göhre 205
Goethe 111, 150

Hahn 116
Halbe 27, 28, 84, 134, 191
Hansson 27
Hanstein v. 28, 133
Harden 133
Hart, Heinrich 25, 26, 42, 72, 84, 99, 133
Hart, Julius 25, 26, 72, 84, 93, 99, 100, 102, 106, 122, 123, 133, 202
Hartleben 26, 87, 98, 103, 129, 133
Hauptmann 28, 96–98, 112, 122, 125, 191
Hegeler 23, 26, 32, 51, 52, 133, 139, 152, 165–174, 176–183
Heine 100, 205
Held 105
Henckell 26, 51
Hertzka 70
Hoffmann 208
Holländer, Felix 24–26, 29, 31, 32, 39, 44 bis 46, 48, 49, 52, 68, 71, 72, 170, 175
Holländer, Victor 133

Ibsen 86, 95, 99–104, 112, 191

Jacobowski 23, 46, 134

Kaliski 205
Kampffmeyer, Bernhard 27, 87, 133
Kampffmeyer, Paul 27, 59, 60, 87, 133
Kaufmann 206
Kautsky 62, 115
Kleinwächter 66
Kleist 111
Köller 126
Kropotkin 27
Kühnemann 166, 167

Lamprecht 84
Land 24–26, 152–161, 163–165, 168, 170, 174, 183, 184
Landauer 25–27, 72, 133, 135, 145, 202
Lassalle 2, 37, 65, 146

Ledebour 27, 81, 106, 130, 131
Lenin 63, 118
Lessing, Emil 133
Lessing, Gotth. Ephr. 112
Liebknecht 1, 3–7, 12–14, 65, 86, 139–141,
    185, 186
Lindau 121, 122, 124, 198
Luxemburg 207

Maaß 208
Mackay 24, 31, 39, 40, 50–52, 68–72, 75
    bis 78, 134, 136, 152, 170
Marholm 27
Marschalk 133
Martersteig 199
Marx 37, 63, 67, 70
Mauthner 84, 98, 133
Mehring 91, 92, 105–128, 130–132, 136,
    184, 188–190, 191, 195–199, 206–209, 213
Meyer 28
Molkenbuhr 205
Most 77
Müller 54, 55, 60

Nietzsche 122, 123

Pastor 27, 134
Pernerstorfer 206
Pissemski 95, 100
Polenz v. 133
Proudhon 68, 72

Roßmäßler 1

Saint-Simon 58
Schabelsky v. 121, 122
Schiller 95, 112, 113, 115, 192
Schippel 27, 60–62
Schmidt, Conrad 84, 85, 99, 115, 130, 196,
    198–200, 202–208
Schmidt, Robert 205

Schönhoff 133, 198–200
Schoenlank 140
Schreck 140
Schulze-Delitzsch 1, 102
Schweichel 105, 117
Severing 206
Shaw 205
Singer 63, 187
Spohr 27, 134, 199
Stampfer 205
Steiger 140–153, 183–186, 188–190, 193,
    200, 201
Steiner 199
Strindberg 27
Ströbel 33, 37
Südekum 205
Sudermann 108, 122

Teistler 27, 134
Tucker 77
Türk 84–89, 91, 93–95, 124, 131

Vollmar v. 56, 63, 206

Wach 208
Weidner 27
Werner 56, 59–62, 71, 84, 86, 87
Westenberger 109
Wildberger 57, 59, 60, 62, 84, 101, 128, 133
Wilhelm II. 33
Wille 16, 21–29, 42, 43, 51–55, 57, 59–61,
    67–94, 96, 98, 100–102, 104, 106, 107,
    115–117, 121–124, 128–131, 133–137,
    142, 144, 145, 153, 154, 162, 163, 165,
    168, 188, 190, 196–200, 202, 204, 207,
    212
Wolzogen v. 133

Zeppler 205
Zubeil 208